# IRMANDADE

# IRMANDADE

⚜

# Robyn Young

Tradução de
Francisco Innocêncio

EDITORA RECORD
RIO DE JANEIRO • SÃO PAULO
2012

```
CIP-BRASIL. CATALOGAÇÃO-NA-FONTE
SINDICATO NACIONAL DOS EDITORES DE LIVROS, RJ
```

Y71i

    Young, Robyn
        Irmandade / Robyn Young; tradução de Francisco Innocêncio. – Rio de Janeiro: Record, 2012.

        Tradução de: Brethren
        Continua com: Cruzada
        ISBN 978-85-01-09112-3

        1. Templários – Ficção. 2. Ficção histórica. 3. Ficção inglesa. I. Innocêncio, Francisco R. S., 1965-. II. Título.

11-1161                                                       CDD: 823
                                                            CDU: 821.111-3

TÍTULO ORIGINAL:
Brethren

Copyright © 2006 by Robyn Young
Originalmente publicado na Grã-Bretanha em 2006 por Hodder & Stoughton, uma divisão de Hodder Headline

Texto revisado segundo o novo Acordo Ortográfico da Língua Portuguesa.

Todos os direitos reservados.
Proibida a reprodução, no todo ou
em parte, através de quaisquer meios.

Editoração Eletrônica: Abreu's System

Direitos exclusivos de publicação em língua portuguesa
somente para o Brasil adquiridos pela
EDITORA RECORD LTDA.
Rua Argentina, 171 – Rio de Janeiro, RJ – 20921-380 – Tel.: 2585-2000,
que se reserva a propriedade literária desta tradução.

Impresso no Brasil

ISBN 978-85-01-09112-3

Seja um leitor preferencial Record.
Cadastre-se e receba informações sobre nossos
lançamentos e nossas promoções.

Atendimento e venda direta ao leitor:
mdireto@record.com.br ou (21) 2585-2002.

# AGRADECIMENTOS

Em primeiro lugar, agradeço a você, leitor, por ler esta página mesmo sem ter ideia de quem estas pessoas são. Saiba apenas que sem elas este livro não estaria aqui.

Meu obrigado e meu amor para minha mãe e meu pai, por todo o apoio que me deram ao longo dos anos. Vocês dois tornaram a busca por este sonho muito mais fácil. Agradeço também ao restante da minha família, em particular ao meu avô, Ken Young, por suas histórias.

Um grande obrigado a todos os meus amigos (vocês sabem quem vocês são) pelo encorajamento contínuo e por me ajudarem a ter uma vida fora do meu computador, com um agradecimento especial a Jo e à minha segunda família, Sue e Dave. Muito amor aos meus colegas escritores, Clare, Liz, Niall e Monica, pelo apoio inestimável, tanto emocional quanto editorial. Também agradeço aos meus amigos e tutores da Universidade de Essex, pela excelente orientação, e à Sophia por corrigir um certo deslize de latim.

Minha gratidão ao meu agente, Rupert Heath, pelo ato de fé e pelo incansável e perspicaz aconselhamento, extraindo meus yodaísmos e muitos risos. Agradeço muito ao meu editor, Nick Sayers, à sua assistente, Anne Clarke, e aos demais membros da fantástica equipe da Hodder & Stoughton, pela cálida acolhida, pelo entusiasmo e comprometimento e pelas pérolas editoriais de Nick. Sou grata, também, à minha editora norte-americana, Julie Doughty, da Dutton, por aparecer no último minuto com algumas sugestões excelentes.

Obrigada a Amal al-Ayoubi, da School of Oriental and African Studies, por revisar meu árabe, e um imenso agradecimento a Mark Philpott, do Centro de Estudos Medievais e da Renascença e do Keble College, em Oxford, por revisar o manuscrito e salvar uma amadora de parecer muito desafiada historicamente. Quaisquer erros que persistirem entre estas páginas são, infelizmente, meus.

Por fim, e acima de tudo, meu amor a Lee, por todas as coisas que eu já disse e por tudo mais.

# SUMÁRIO

| | |
|---|---|
| Prólogo | 9 |
| Parte Um | 11 |
| Parte Dois | 211 |
| Parte Três | 451 |
| Nota da Autora | 591 |
| Glossário | 593 |

**TERRA SANTA 1260 d.C.**

# PRÓLOGO
## Do Livro do Graal

*Mais luzente que o sol é tal lagoa,*
*Fervilhante caldeira abismal,*
*Ser vivo algum resistiria*
*À feroz fornalha, liquefeito ardor.*
*Perceval, porém, sombrios seres*
*De horrendo aspecto ali vislumbrou.*
*Convulsos sob a tona férvida,*
*Entre flamas de carmesim, âmbar, ouro,*
*Entes alados, com presas e garras,*
*Como se do báratro saíssem rastejantes.*
*Mas à margem postava-se um guerreiro,*
*Adornado de alvo manto virginal,*
*Cruz vermelha ao peito blasonada,*
*Sacra luz brilhando ao seu entorno.*
*A Perceval o cavaleiro então falou,*
*Seu braço dirigido ao lago fundo,*
*E em voz de tom severo, imperioso,*
*Lá propôs que arremessasse seus tesouros.*

*Perceval parou como uma pedra,*
*O coração glacial, os dedos regelados,*
*Suas mãos sentiram-se incapazes*
*De abandonar tão preciosas riquezas.*
*O cavaleiro então falou uma vez mais,*
*Sua voz como seta ao peito dirigida:*
Irmãos somos, Perceval,

A Irmandade não o leva ao erro.
O que está perdido será recuperado.
O que está morto a viver tornará.
*E Perceval, sua fé recobrada,*
*Curvou-se e lançou os seus tesouros.*
*A cruz de puro ouro reluzente*
*Dourado como o sol do amanhecer;*
*O castiçal de sete braços luzidios*
*Que em prata era moldado, bruxuleante;*
*E por fim, forjada em chumbo, a crescente*
*Com sua rude superfície escura.*

*Ergueu-se incontinente uma canção*
*De muitas vozes que partiam em uníssono.*
*Transportadas pela brisa doce e pura,*
*Preencheram o céu como o alvorecer.*
*Flamante já não era mais o lago,*
*Mas de límpidas e azuis águas tranquilas,*
*E dele saiu um homem áureo,*
*Olhos de prata e plúmbeos cabelos.*
*Perceval de imediato ajoelhou-se,*
*Lágrimas muitas de júbilo verteu.*
*Alçou seu rosto e por três vezes*
*"Bem-vindo sejas, ó Senhor!" alto gritou.*

# PARTE UM

# 1
# Ayn Jalut (a Fonte de Golias), Reino de Jerusalém

3 de setembro de 1260

O sol aproximava-se do zênite, dominando o céu e transformando o ocre profundo do deserto numa desbotada brancura de ossos. Abutres voavam em círculos sobre as cristas dos montes que contornavam a planície de Ayn Jalut e seus gritos abrasivos reverberavam no ar, capturados pela solidez do calor. No limite ocidental da planície, onde as colinas estendiam os braços nus até as areias, encontravam-se dois mil homens montados sobre cavalos encouraçados. Espadas e escudos reluziam, com o aço quente demais ao toque, e embora as túnicas e os turbantes pouco fizessem para protegê-los da selvageria do sol, ninguém mencionava desconforto algum.

Montado em seu cavalo preto à frente do regimento *bahri*, Baybars Bundukdari, o comandante, apanhou o odre de água que estava preso ao seu cinto, ao lado de dois sabres, cujas lâminas estavam chanfradas e carcomidas pelo uso. Depois de beber um gole, girou os ombros para relaxar as articulações enrijecidas. As tiras do turbante branco estavam umedecidas de suor e a túnica de malha que vestia sob o manto azul parecia mais pesada que o normal. A manhã estava chegando ao seu final, o calor ganhava força e, embora a água tivesse reconfortado a garganta seca de Baybars, não poderia saciar uma sede mais profunda que o empolava por dentro.

— Emir Baybars — murmurou um dos mais jovens oficiais montados ao lado dele. — O tempo está passando. A esta altura, o destacamento de batedores já deveria ter retornado.

— Eles logo estarão de volta, Ismail. Tenha paciência.

Enquanto reatava o odre de água ao cinto, Baybars avaliou as fileiras silenciosas do regimento *bahri* que se alinhavam nas areias às suas costas.

Os semblantes dos homens estampavam todos a mesma expressão austera que vira em tantas linhas de frente antes da batalha. Logo aquelas fisionomias iriam mudar. Baybars havia visto até os mais arrojados guerreiros empalidecerem ao confrontar uma fileira de inimigos que espelhava a deles próprios. Mas, quando a hora chegasse, lutariam sem hesitar, pois eram soldados do exército dos mamelucos: os escravos guerreiros do Egito.

— Emir?

— O que foi, Ismail?

— Não temos notícias dos batedores desde o alvorecer. E se tiverem sido capturados?

Baybars fechou a cara e Ismail desejou ter ficado em silêncio.

No geral, não havia nada de particularmente impressionante em Baybars. Como a maioria de seus homens, era alto e vigoroso, com cabelos castanho-escuros e pele cor de canela. Mas seu olhar era excepcional. Uma mácula, que parecia uma estrela branca no centro da pupila esquerda, conferia ao olhar uma agudeza peculiar; um dos atributos que lhe valera o apelido — "A Besta". O oficial júnior Ismail, vendo-se na mira dos dardos daqueles olhos azuis, sentiu-se como uma mosca na teia de uma aranha.

— Como disse, tenha paciência.

— Sim, emir.

O olhar de Baybars atenuou-se um pouco depois que Ismail curvou a cabeça. Não fazia muitos anos desde que o próprio Baybars havia aguardado na linha de frente de sua primeira batalha. Os mamelucos haviam enfrentado os francos numa planície poeirenta próxima a uma vila chamada Herbiya. Ele havia liderado a cavalaria no ataque e, em questão de horas, o inimigo foi esmagado e o sangue dos cristãos salpicou as areias. Hoje, com a graça de Deus, aconteceria o mesmo.

A distância, uma tênue coluna revolutenate de poeira se ergueu da planície. Lentamente, começou a tomar a forma de sete cavaleiros, os perfis distorcidos pelas ondulações do mormaço abrasador. Baybars golpeou os flancos do cavalo com os calcanhares e se arrojou para fora das fileiras, seguido por seus oficiais.

Enquanto o destacamento de batedores se aproximava, cavalgando rápido, o líder conduziu o cavalo na direção de Baybars. Puxando repentinamente as rédeas, ele estacou diante do comandante. A pelagem baia do animal estava manchada de suor, o focinho, salpicado de espuma.

— Emir Baybars — ofegou o cavaleiro, fazendo uma saudação. — Os mongóis estão vindo.

— Qual o tamanho do contingente?

— Um dos *toumans* deles, emir.

— Dez mil. E o líder?

— São liderados pelo general Kitbogha, de acordo com nossos informantes.

— Eles os viram?

— Nos certificamos disso. A vanguarda não está muito atrás de nós e o exército principal a segue de perto.

O líder da patrulha fez com que o cavalo trotasse para mais perto de Baybars e abaixou a voz, de forma que os outros oficiais tiveram de se esticar para ouvi-lo.

— O poder deles é grande, emir, e trouxeram muitas máquinas de sítio, ainda que nossa informação seja de que não passem de um terço de todo o exército.

— Se decepar a cabeça da besta, o corpo cairá — retrucou Baybars.

O lamento estridente de um berrante mongol soou a distância. Outros rapidamente se juntaram a ele, até que um coro agudo e dissonante passou a soar através das colinas. Os cavalos mamelucos, sentindo a tensão dos cavaleiros, começaram a bufar e relinchar. Baybars assentiu com a cabeça para o líder da patrulha, depois voltou-se para os oficiais.

— Ao meu sinal, soem a retirada. — Depois chamou Ismail com um gesto. — Você cavalgará comigo.

— Sim, emir — respondeu Ismail, com o orgulho claramente visível no rosto.

Durante dez, vinte segundos, os únicos sons que podiam ser ouvidos eram as trompas distantes e o incessante suspiro do vento através da planície. Uma cortina de poeira encobriu o céu a leste quando as primeiras linhas da força mongol despontaram nas cristas dos montes. Os cavaleiros fizeram uma breve pausa no cume e depois desceram, fluindo para a planície como um mar de escuridão, os lampejos do sol sobre o aço reluzindo acima da maré negra.

Atrás da vanguarda vinha o corpo do exército, liderado por uma cavalaria ligeira brandindo lanças e arcos, e depois Kitbogha em pessoa. Flanqueando o líder mongol por todos os lados vinham os guerreiros veteranos, guarnecidos com elmos de ferro e couraças lamelares talhadas em folhas de couro cru, atadas com tiras do mesmo material. Cada homem tinha dois cavalos sobressalentes e atrás dessa trovejante coluna vinham máquinas de sítio e carroças carregadas com as ricas pilhagens dos ataques mongóis contra vilarejos e cidades. O fundador do Império Mongol, Gêngis Khan, havia morrido 32 anos antes, mas o seu poder guerreiro sobrevivia na força que agora se opunha aos mamelucos.

Baybars ansiava por esse confronto havia meses, mas a fome de combate o corroía por muito mais tempo. Vinte anos haviam se passado desde que os mongóis invadiram seu território natal, devastando as terras e os rebanhos de sua tribo; vinte anos desde que seu povo foi forçado a fugir do ataque e recorrer à ajuda de um chefe tribal vizinho, que os traiu e vendeu aos traficantes de escravos da Síria. Mas foi apenas há alguns meses, quando um emissário mongol chegara ao Cairo, que havia se apresentado uma oportunidade para Baybars buscar vingança contra o povo que o escravizara.

O emissário havia chegado para exigir que Kutuz, o sultão mameluco, se submetesse ao poder mongol e foi essa imposição, mais do que o recente e devastador assalto mongol contra a cidade muçulmana de Bagdá, que finalmente impeliu o sultão a agir. Os mamelucos não se curvavam a ninguém a não ser a Alá. Enquanto Kutuz e seus comandantes, incluindo Baybars, haviam se posto a planejar a retaliação, o emissário mongol teve alguns dias para refletir sobre seu erro, enterrado até o pescoço na areia fora dos muros do Cairo, até que o sol e os bútios concluíssem o trabalho. Agora, Baybars iria ensinar uma lição parecida àqueles que o haviam enviado.

O comandante dos mamelucos esperou até que as primeiras linhas da cavalaria pesada estivessem na metade do caminho que atravessava a planície, então fez com que o cavalo girasse para encarar os homens. Sacando um dos sabres da bainha, levantou-o bem acima da cabeça. A luz do sol incidiu sobre a lâmina curva e fez com que brilhasse como uma estrela.

— Guerreiros do Egito — gritou. — Nosso momento chegou e com esta vitória construiremos com os corpos de nossos inimigos uma pilha mais alta do que estas colinas e mais vasta do que o deserto.

— À vitória! — rugiram os soldados do regimento *bahri*. — Em nome de Alá!

Como se fossem um só homem, deram as costas ao exército que se aproximava e impeliram os cavalos para as colinas. Os mongóis, pensando que os inimigos fugiam aterrorizados, gritavam em comemoração enquanto os perseguiam.

A linha ocidental das colinas que margeavam a planície era baixa e ampla. Uma fenda as dividia, formando um grande desfiladeiro. Baybars e seus homens mergulharam através dessa abertura, numa cavalgada furiosa, e os primeiros cavaleiros da vanguarda mongol avançaram numa arremetida por entre as nuvens de poeira que asfixiavam o ar no rastro dos cavalos mamelucos. O corpo principal do exército mongol os seguiu, afunilando-se na travessia do desfiladeiro, fazendo com que pedras soltas e areia chovessem das encostas das colinas com a trepidação da passagem. O regimento *bahri*, a um sinal de Baybars, puxou as rédeas dos cavalos e deu meia-volta, formando uma barreira a bloquear a aproximação dos mongóis. De repente, o clangor de muitas trompas e a cacofônica batida dos timbales ecoaram ao longo da ravina.

Um vulto, sombreado contra a claridade do sol, havia aparecido numa das arestas acima do desfiladeiro. O vulto era Kutuz. Não estava só. Com ele, na encosta, posicionados sobre o fundo do vale, havia milhares de soldados mamelucos. A cavalaria, em grande parte formada por arqueiros, estava disposta em seções de diferentes cores, assinalando os vários regimentos: púrpura; escarlate; laranja; preto. Era como se as colinas trajassem um amplo manto de retalhos, bordado em fios de prata onde quer que as pontas de lança ou os elmos capturassem a luz. A infantaria aguardava portando espadas, maças e arcos. Um pequeno, porém letal, corpo de mercenários beduínos e curdos flanqueava a força principal em duas alas, eriçadas com lanças de dois metros de comprimento.

Agora que os mongóis haviam sido apanhados na armadilha de Baybars, só o que restava a fazer era apertar o laço.

Depois do soar das trompas, um grito de guerra partiu dos mamelucos, o rugido de vozes combinadas abafou, momentaneamente, o palpitar dos timbales. A cavalaria mameluca partiu para o ataque. Alguns cavalos caíram durante a descida, num vagalhão de poeira, os gritos dos cavaleiros se perdendo no trovejar sísmico dos cascos. Muitos outros colidiram contra os alvos quando os dois regimentos mamelucos varreram a planície de Ayn Jalut para varrer o que restava das forças mongóis para o interior da passagem. Baybars brandiu o sabre acima da cabeça e gritou enquanto atacava. Os homens do regimento *bahri* ecoaram o brado.

— *Allahu akbar! Allahu akbar!*

Os dois exércitos se encontraram numa tempestade de poeira, gritos e tinir de aço. Nos primeiros segundos, centenas de homens de ambos os lados caíram e os corpos amontoaram o solo, tornando traiçoeiros os passos dos que ficaram de pé. Cavalos empinavam, atirando os cavaleiros para o meio do caos, e homens lançavam gritos agudos ao morrer, espargindo sangue no ar. Os mongóis eram famosos pela habilidade com os cavalos, mas a passagem era estreita demais para que pudessem manobrar com eficiência. Enquanto os mamelucos investiam incansavelmente contra o corpo principal do exército, uma fileira de cavalaria beduína flanqueava os mongóis, impedindo que avançassem. Flechas zuniam do alto das encostas e de vez em quando uma bola de fogo alaranjada explodia no meio da peleja, resultado dos lançamentos pelas tropas mamelucas de potes de cerâmica cheios de nafta. Os mongóis atingidos por esses projéteis ardiam como tochas, emitindo gritos horrendos enquanto os cavalos corriam desembestados, espalhando fogo e confusão entre as fileiras.

Baybars brandiu o sabre num círculo vicioso enquanto arremetia para o meio da contenda, separando a cabeça de um homem dos ombros com o impulso do golpe. Outro mongol, com o rosto borrifado pelo sangue de seus companheiros, tomou imediatamente o lugar do morto. Baybars vergastou as lâminas enquanto o cavalo era golpeado e empurrado sob ele e cada vez mais homens afluíam ao conflito. Ismail estava ao seu lado, encharcado de sangue e berrando enquanto cravava a espada através da viseira do elmo de um mongol. A lâmina ficou presa por um momento, enterrada no crânio do homem, até que o oficial a arrancou e saiu à procura de outro alvo.

Os sabres de Baybars dançavam nas mãos e mais dois guerreiros caíram sob os golpes repetidos.

Kitbogha lutava selvagemente, brandindo a espada em golpes arrasadores, que partiam crânios e decepavam membros, e, ainda que estivesse cercado, ninguém parecia capaz de tocá-lo. Os pensamentos de Baybars estavam focados na recompensa que aguardava o homem que capturasse ou matasse o senhor inimigo, mas uma muralha de luta e uma sebe de lâminas arqueadas bloqueavam o caminho. Esquivou-se quando um jovem feroz o atacou, rodopiando uma clava, e se esqueceu de Kitbogha enquanto se concentrava em permanecer vivo.

Depois que as primeiras fileiras tombaram ou foram repelidas, mulheres e crianças mongóis passaram a combater ao lado dos homens. Embora os mamelucos soubessem que as esposas e filhas dos mongóis lutavam, ainda assim foi uma visão que fez muitos vacilarem. As mulheres, com seus cabelos longos e revoltos e suas faces contorcidas, lutavam tão bem e talvez até com mais ferocidade do que os homens. Um comandante mameluco, temendo o efeito que isso causaria sobre as tropas, ergueu a voz acima do rumor e lançou um grito de incentivo que foi logo repetido por outros. O nome de Alá preencheu o ar, reverberando nas colinas e ressoando nos ouvidos dos mamelucos, enquanto os braços encontravam novas forças, e as espadas, um novo ponto de apoio. Qualquer tipo de remorso se perdeu no calor da batalha e os mamelucos transpassaram todos que se opunham a eles. Para os escravos guerreiros, o exército mongol se tornou uma besta anônima, sem idade nem sexo, que tinha de ser domada por partes para que perecesse.

Eventualmente, os golpes de espada se tornaram mais escassos. Os homens, derrubados das selas e unidos no combate, encostavam-se uns aos outros em busca de apoio enquanto aparavam cada golpe. Gemidos e lamentos eram pontuados por gritos quando as espadas encontravam alvos mais lentos. Os mongóis haviam empreendido um último assalto contra a infantaria, na esperança de romper a barreira e cavalgar por trás dos mamelucos, mas os soldados a pé mantiveram as posições e somente um punhado dos cavaleiros invasores havia conseguido penetrar a fileira dos lanceiros. Foram recebidos pelos cavaleiros mamelucos e executados instantaneamente. Kitbogha havia caído, o cavalo fora derrubado unicamente pela pressão dos homens à sua volta. Vitoriosos, os mamelucos deceparam sua cabeça e a exibiram diante das forças derrotadas. Os mongóis, conhecidos como o terror das nações, estavam perdendo. Porém, o mais importante era que sabiam disso.

O cavalo de Baybars, ferido no pescoço por uma flecha perdida, havia-o atirado para fora da sela e saído em disparada. Seu cavaleiro lutou a pé, com as botas deslizando em sangue, que estava por todo lugar. Estava no ar e na boca, pingava de sua barba e as empunhaduras dos sabres estavam escorregadias por causa dele. Saltou para a frente e golpeou outro homem. O mongol mergulhou na areia com um grito que cessou abruptamente e, como ninguém mais tomou o lugar dele, Baybars parou por um momento.

A poeira havia bloqueado o sol, tornando o ar amarelado. Uma rajada de vento dissipou as nuvens e Baybars viu, pairando muito acima das carroças e máquinas de sítio mongóis, a bandeira da rendição. Olhando em volta, só o que podia ver eram pilhas de corpos. O odor de sangue e de corpos rasgados deixava o ar denso e os abutres já davam seus próprios guinchos de triunfo no céu acima deles. Os derrotados jaziam esparramados uns sobre os outros e entre os peitorais de couro do inimigo viam-se os mantos vistosos dos mamelucos. Numa das pilhas, perto dali, Ismail jazia sobre as costas, o peito partido ao meio por uma espada mongol.

Baybars se aproximou. Curvou-se para fechar os olhos do jovem, depois se levantou quando um dos oficiais o saudou. O guerreiro sangrava abundantemente de um talho na têmpora e os olhos estavam arredios, desfocados.

— Emir — disse, roucamente. — Quais são suas ordens?

Baybars avaliou a devastação. Em apenas poucas horas haviam destruído o exército mongol, matando mais de sete mil homens. Alguns mamelucos haviam caído de joelhos, chorando de alívio, porém eram mais numerosos os que urravam de triunfo, enquanto avançavam na direção dos sobreviventes, que haviam se ajuntado em torno das carroças abandonadas. Baybars sabia que era necessário recuperar o controle sobre os homens ou o júbilo poderia incitá-los a saquear os tesouros do inimigo e matar os sobreviventes. Os mongóis remanescentes, especialmente as mulheres e crianças, renderiam uma soma considerável nos mercados de escravos. Apontou para os sobreviventes mongóis.

— Supervisione a rendição deles e garanta que nenhum seja morto. Queremos escravos para vender, não mais corpos para queimar.

O oficial apressou-se por entre as areias para transmitir a ordem. Baybars embainhou a espada e olhou ao redor à procura de um cavalo. Depois de encontrar um animal sem cavaleiro com os arreios manchados de sangue, montou-o e cavalgou até as tropas. À sua volta, outros comandantes mamelucos falavam aos regimentos. Baybars correu os olhos pelas expressões exaustas, mas desafiadoras, dos *bahri* e sentiu o primeiro agitar de exultação crescer dentro de si.

— Irmãos — gritou, com as palavras trespassando a garganta ressecada. — Alá lançou seu brilho sobre nós neste dia. Saímos vitoriosos, para Sua glória, e nosso inimigo foi derrotado. — Aguardou um momento enquanto os gritos de aclamação se ergueram, depois levantou a mão pedindo silêncio. — Mas nossas celebrações devem esperar, pois há muito a ser feito. Procurem seus oficiais.

A aclamação continuou, mas as tropas já estavam entrando em formação com alguma aparência de ordem. Baybars se dirigiu aos oficiais e acenou para dois deles.

— Quero os corpos de nossos homens enterrados antes de o sol se pôr. Queimem os mongóis mortos e vasculhem a região atrás de qualquer um que possa ter tentado fugir. Façam com que os feridos sejam levados para o nosso acampamento, eu os encontrarei lá quando isso estiver concluído.

Percorreu a devastação com os olhos à procura de Kutuz.

— Onde está o sultão?

— Ele se retirou para o acampamento há cerca de uma hora, emir — respondeu um dos oficiais. — Foi ferido na batalha.

— Seriamente?

— Não, emir, creio que o ferimento foi pequeno. Ele está com os médicos.

Baybars dispensou os oficiais e cavalgou até os cativos, que estavam sendo reunidos. Os mamelucos pilhavam as carroças e atiravam tudo o que havia de valor num grande monte sobre a areia escarlate. Ouviu-se um grito quando dois soldados arrastaram três crianças para fora do esconderijo sob um carroção. Uma mulher, que Baybars supôs ser a mãe dos meninos, deu um salto e correu até eles. Mesmo com as mãos amarradas atrás das costas era feroz, cuspindo como uma serpente e desferindo chutes com os pés descalços. Um dos soldados silenciou-a com os punhos e depois puxou-a com duas das crianças pelos cabelos até o crescente grupo de prisioneiros. Baybars voltou-se para os cativos e encontrou o olhar aterrorizado de um jovem rapaz ajoelhado diante dele. Nos olhos muito abertos e desconcertados do garoto viu a si próprio vinte anos antes, com o mesmo espanto.

Nascido como um turco kipchak nas praias do Mar Negro, Baybars não sabia nada sobre guerras ou escravidão antes da invasão dos mongóis. Depois de ser separado da família e leiloado nos mercados sírios, foi mantido como escravo por quatro senhores, até que um oficial do exército egípcio comprou-o e levou-o até o Cairo para ser treinado como escravo guerreiro. No acampamento mameluco à margem do Nilo, com muitos outros rapazes que haviam sido comprados para o exército do sultão, foi vestido, armado e aprendeu a lutar. Agora, aos 37 anos, comandava os formidáveis *bahri*. Mas mesmo tendo agora os próprios escravos, as lembranças amargas do primeiro ano de servidão voltavam diariamente.

Baybars gesticulou para um dos homens que supervisionavam os aprisionamentos.

— Certifique-se de que todos os despojos cheguem ao acampamento. Qualquer homem que roubar do sultão vai se arrepender. Usem as máquinas de sítio danificadas como combustível para as piras e levem o resto.

— Às suas ordens, emir.

Com os cascos do cavalo agitando as areias vermelhas, Baybars seguiu para o acampamento mameluco, onde o sultão Kutuz estaria à espera. Seu corpo estava pesado como chumbo, mas o coração estava leve. Pela primeira vez desde que os mongóis começaram a invasão à Síria, os mamelucos haviam virado o jogo. Não levaria muito tempo até que esmagassem o restante da horda e, uma vez que isso acontecesse, Kutuz estaria livre para voltar a atenção para um assunto mais crítico. Baybars sorriu. Era uma expressão tão rara que parecia deslocada em seu rosto.

# 2
# Porta de Saint-Martin, Paris

3 de setembro de 1260

O jovem copista passou em disparada pela ruela, com a respiração agitada. Os pés derrapavam nas poças de lama e nos excrementos que cobriam o solo; o nariz foi tomado pelo fedor de dejetos humanos e comida podre. Escorregou, esticou uma das mãos para se apoiar na parede de pedregulhos afiados do prédio ao seu lado, recuperou o equilíbrio e continuou correndo. À esquerda, entre os edifícios, teve um lampejo do vasto negrume do Sena. O céu a leste estava começando a clarear, a torre de Notre-Dame refletia o brilho pálido do alvorecer, mas no labirinto de becos que entrecruzavam as casas e os cortiços do cais ainda era noite fechada. Com o cabelo emplastrado pelo suor, o copista se afastou do rio e seguiu para o norte rumo à Porta de Saint-Martin. De tempos em tempos, arriscava uma olhadela para trás. Mas não viu ninguém e os únicos passos que escutava eram os seus.

Uma vez que tivesse entregado o livro, estaria livre. Quando os sinos tocassem a Prima, ele estaria a caminho de Rouen e de uma nova vida. Fez uma pausa na entrada de uma ruela e dobrou o corpo para a frente, esforçando-se para inspirar, com uma das mãos na coxa e a outra agarrando um livro encadernado em velino. Um movimento atraiu seu olhar. Um homem alto, vestindo uma capa cinzenta, havia aparecido na outra extremidade da ruela e avançava em sua direção a passos rápidos. O jovem copista deu meia-volta e correu.

Ziguezagueou entre prédios, tentando despistar aqueles passos que agora ecoavam atrás dos seus. Mas o perseguidor era obstinado e a distância entre eles diminuía. Os muros da cidade se erguiam à frente. A mão se apertou em torno do livro. O objeto significaria uma sentença, se de morte ou prisão não sabia ao certo, mas sem prova não poderiam condená-lo. O copista disparou por uma passagem estreita entre duas fileiras de lojas. Junto à porta dos fundos de uma adega diversos barris estavam empilhados numa ordem cuidadosa. O copista olhou para trás. Ouviu os passos, mas ainda não podia ver o perseguidor. Depois de largar o livro atrás dos barris, continuou a correr. Sempre poderia voltar para recuperá-lo, caso escapasse.

Mas não escapou.

O copista seguiu mais três ruas até ser apanhado junto a um açougue, onde o chão estava manchado de vermelho pelos abates do dia anterior. Gritou quando o homem com a surrada capa cinzenta prensou-o rudemente contra a parede.

— Entregue-me! — As palavras do homem eram marcadas por um forte sotaque, e ainda que usasse o capuz puxado sobre o rosto, a tonalidade escura da pele era evidente.

— Você está louco? Me deixe em paz! — ofegou o copista, debatendo-se em vão.

O atacante sacou um punhal.

— Não tenho tempo para brincadeiras. Dê-me o livro.

— Não me mate! Por favor!

— Sabemos que você o roubou — disse o homem, erguendo a adaga.

O copista arfou com a respiração entrecortada.

— Fui obrigado! Ele disse que me...! Ah, bom Deus! — O copista abaixou a cabeça e começou a chorar. — Não quero morrer!

— Quem o obrigou a pegá-lo?

Mas o copista simplesmente continuou a soluçar.

Com um suspiro brusco, o atacante recuou um passo e embainhou a adaga.

— Não vou feri-lo se me disser o que preciso saber.

O jovem copista levantou a cabeça, com os olhos arregalados.

— Você me seguiu desde a preceptoria?

— Sim.

— O homem que eu... Jean? Ele está...?

A voz do copista sumiu e lágrimas correram pelas faces.

— Está vivo.

O copista deu um suspiro agudo.

Ouviu-se um tinido em algum lugar atrás deles. O homem de cinza se virou e os olhos escuros vasculharam os prédios. Não vendo nada, olhou novamente para o copista.

— Dê-me o livro e podemos voltar juntos para a preceptoria. Cuidarei para que não sofra nenhum mal se me contar a verdade. Comece me contando quem o forçou a roubá-lo.

O copista parou por um momento, depois abriu a boca. Houve um estalo agudo, seguido por um leve assobio. O homem de cinza se agachou por instinto. Um segundo depois, o dardo de uma besta se cravou na garganta do copista. Os olhos se dilataram, mas não emitiu nenhum ruído enquanto se dobrava até o chão. O homem de cinza girou o corpo a tempo de ver uma sombra se mover entre os telhados escuros sobre a passagem e depois desaparecer. Praguejou e se deixou cair ao lado do copista, cujas pernas estremeciam violentamente.

— Onde pôs o livro? *Onde?*

A boca do copista se abriu e o sangue verteu por ela. As pernas pararam de se agitar e a cabeça caiu para trás. O homem de cinza praguejou novamente e revistou o corpo, embora fosse óbvio que o jovem não tivesse nada consigo além das roupas que vestia. Ergueu a cabeça ao ouvir vozes. Três homens vinham pela ruela. Vestiam os mantos escarlate da guarda da cidade.

— Quem está aí? — chamou um deles, levantando a tocha que trazia, cujas chamas bruxulearam com a brisa. — Você aí! — gritou o guarda, vendo um vulto indistinto curvado sobre algo no chão.

Sem fazer caso das ordens para que parasse, o homem de cinza começou a correr.

— Atrás dele! — ordenou o guarda com a tocha aos companheiros.

Ele chegou mais perto e soltou um palavrão quando as chamas revelaram as vestes negras do copista morto, com a cruz pátea vermelha do Templo sobre o peito.

A algumas ruas dali, um comerciante de vinho chamado Antoine de Pont-Evêque encontrava-se em sua loja, suspirando diante de umas contas confusas, quando ouviu os gritos. Curioso, deixou a mesa, abriu a porta dos fundos e espiou para fora. A ruela estava deserta, o céu sobre os telhados clareava com a manhã. A gritaria estava se dissipando. Antoine, com um grande bocejo, virou-se para voltar para dentro. Parou, pois os olhos perceberam alguma coisa no chão. Estava meio escondida pela fileira de barris vazios e achou que não teria percebido nada não fosse pelo fato de ter cintilado quando a luz incidiu sobre ela. Com um grunhido, inclinou-se para apanhá-la. Era um livro, bem grosso e cuidadosamente encadernado em velino polido. Os dizeres da capa eram lavrados em uma reluzente folha de ouro. Antoine não sabia ler as palavras, mas o livro era belamente manufaturado e não podia imaginar por que alguém se desfaria daquilo ou perderia um objeto de aspecto tão caro. Teve o pensamento momentâneo de colocá-lo de volta no lugar, mas depois de um rápido e culpado olhar em torno, levou-o para dentro da loja e fechou a porta. Satisfeito com a descoberta, pôs o livro numa prateleira poeirenta e desorganizada sob o balcão e retornou com relutância para as suas contas. Perguntaria ao seu irmão, se o malandro algum dia o visitasse, no que consistia o conteúdo.

*Novo Templo, Londres, 3 de setembro de 1260*

No interior da sala capitular do Novo Templo, uma companhia de cavaleiros havia se reunido para a iniciação. Sentaram-se em silêncio nos bancos, de frente para um estrado sobre o qual havia um altar. Ajoelhado sobre as lajes, de costas para os cavaleiros e com a cabeça curvada diante do altar, encontrava-se um sargento de 18 anos. Havia se despido da túnica negra padrão e o peito nu estava salpicado pela luz âmbar das velas. As chamas frágeis, crepitando nos candeeiros sobre as paredes, eram incapazes de dissipar a perpétua obscuridade da câmara interna e a maior parte da assembleia estava envolta em sombras. Auxiliado por dois eclesiásticos vestidos de preto, um sacerdote subiu os degraus do estrado. Parou diante da companhia, apertando um livro encadernado em couro, enquanto os eclesiásticos preparavam o altar. Depois de arrumar os vasos sagrados, os clérigos caminharam para trás do altar, onde dois cavaleiros estavam à espera, vestidos, como todos os templários, com longas túnicas brancas com uma cruz pátea vermelha blasonada sobre o coração.

O sacerdote pigarreou e observou a companhia.

— *Ecce quam bonum et quam jocundum habitare fratres in unum.*

— Amém — respondeu um coro de vozes.

O sacerdote correu o olhar sobre eles.

— Em nome de Nosso Senhor Jesus Cristo e em nome de Maria, a mais Divina das Mães, eu lhes dou as boas-vindas, meus irmãos. Como se fôssemos um só homem, estamos aqui reunidos para este ritual sagrado e assim, como se fôssemos um, devemos proceder. — Voltou os olhos para o sargento ajoelhado. — Com que propósito você veio até aqui?

O sargento esforçou-se para recordar as palavras que deveria dizer, as quais havia aprendido durante a noite de vigília.

— Vim até aqui para me entregar, em corpo e espírito, ao Templo.

— Em nome de quem você se entrega?

— Em nome de Deus e de Hugues de Payens, fundador da nossa santa Ordem, que, renunciando a esta vida de pecado e sombras, se desfez dos deveres mundanos e... — O sargento fez uma pausa, com o coração em disparada. — E, assumindo o manto e a cruz, viajou para Outremer, a terra além do mar, a fim de tomar da espada e do fogo contra os infiéis. E que, uma vez lá, jurou manter a salvo todos os peregrinos cristãos nas trilhas através da Terra Santa.

— Você deseja aceitar o manto do Templo, sabendo que ao fazer isso se despojará dos deveres mundanos e, seguindo os passos de nosso fundador, se tornará um fiel e humilde servo de Deus Todo-Poderoso?

Quando o sargento assentiu, o sacerdote pegou um pote de barro do altar e depositou cuidadosamente o conteúdo num turíbulo de ouro. A mistura resinosa de olíbano e mirra entrou em combustão tão logo atingiu as brasas e uma pluma de fumaça rodopiou para envolvê-lo. Tossiu e recuou um passo. Por trás dele, os dois cavaleiros se adiantaram.

Um deles sacou a espada da bainha e apontou-a para o sargento.

— Vê-nos neste momento, vestindo trajes finos e portando armas poderosas? Observe sabiamente tais coisas, pois você vê com olhos que não veem e com um coração que não compreende as austeridades da nossa Ordem. Pois quando seu desejo for permanecer deste lado do mar, estará além dele; quando seu desejo for saciar a fome, deverá jejuar; e quando seu desejo for dormir, deverá permanecer desperto. Você pode aceitar tais condições pela glória de Deus e a salvação de sua alma?

— Sim, senhor cavaleiro — respondeu solenemente o sargento.

— Então, responda com sinceridade a estas perguntas.

Os cavaleiros voltaram aos lugares, o sacerdote leu uma passagem do livro e as palavras ecoaram no interior da sala capitular.

— Você crê na fé cristã, conforme prescreve a Igreja de Roma? Você é filho de cavaleiro, nascido de um matrimônio legítimo? Você ofertou uma dádiva a algum membro desta Ordem, para que possa ser recebido como cavaleiro? Seu corpo é saudável e não oculta qualquer doença que possa torná-lo incapaz de servir ao Templo?

O sargento deu uma resposta clara a cada uma das perguntas e o sacerdote inclinou a cabeça.

— Muito bem — disse.

Entregou o livro a um dos eclesiásticos, que desceu até o sargento e estendeu o volume diante dele.

— Contemple a Regra do Templo — disse o clérigo — que nos foi escrita com o auxílio do bendito santo Bernard de Clairvaux, que nos apoiou na fundação de nossa Ordem e cujo espírito continua vivo entre nós. Observe as nossas leis, conforme estão aqui escritas, e jure defendê-las. Jure que será sempre fiel à Ordem, obedecendo sem questionamentos a qualquer comando que lhe for dado. Mas apenas se esse comando vier diretamente de um oficial do Templo, sendo tais oficiais primeiro o grão-mestre, que nos governa sabiamente do trono na cidade de Acre; o visitador do Reino da França, comandante de nossas fortalezas ocidentais; o marechal; o senescal; depois os mestres de todos os reinos sobre os quais mantemos controle em todo o Oriente e o Ocidente. Você obedecerá, também, aos comandantes em batalha e ao mestre de qualquer preceptoria para a qual for designado em tempos de guerra ou de paz e manter-se-á sempre cortês para com os irmãos de armas, com os quais os laços de que agora compartilha são mais fortes do que o sangue. Jure que preservará a castidade e viverá sem propriedades, exceto aquelas que lhe forem concedidas por seu mestre. Jure também que auxiliará em nossa causa em Outremer, a Terra Santa, defendendo as fortalezas e propriedades que mantemos no Reino de Jerusalém contra os inimigos e, na mais grave das necessidades, sacrificará a vida nessa defesa. E jure que jamais deixará a Ordem do Templo, a não ser quando isso lhe for permitido pelos mestres, pois estás unido a nós por este voto e sempre o estarás aos olhos de Deus.

O sargento pôs a mão sobre o livro e jurou que faria, por certo, tudo isso.

O eclesiástico subiu os degraus e depositou o volume encadernado em couro sobre o altar. Recuando um passo, o sacerdote estendeu a mão e, suave, carinhosamente, apanhou uma pequena caixa preta lavrada a ouro. Removeu a tampa e tirou um frasco de cristal, cuja superfície multifacetada refletia a luz das velas.

— Eis o sangue de Cristo — murmurou o sacerdote —, três gotas do qual, conservadas no interior deste frasco, nos foram trazidas quase dois séculos atrás, da Igreja do Santo Sepulcro, por Hugues de Payens, fundador da nossa Ordem, em cujo nome você se entrega e cujos passos você segue. Contemple-o e seja aceito.

A companhia lançou um suspiro e o sargento observou com assombro: não haviam lhe contado sobre essa parte da cerimônia.

— Você se entrega, em corpo e espírito?

— Sim.

— Então, curve-se diante deste altar — ordenou o sacerdote — e peça as bênçãos de Deus, da Virgem e de todos os santos.

Com a face pressionada de encontro à parede, Will Campbell assistiu enquanto o sargento se prostrava sobre as pedras da laje, com os braços estendidos como as cruzes nos mantos dos cavaleiros. Will, que era alto para 13 anos, mudou a posição forçada, pois as pernas começaram a tremer. A tenaz escavação dos ratos havia erodido uma pedra irregular na base da parede que separava a sala capitular da despensa da cozinha, formando uma fenda minúscula. À sua volta, a despensa estava relativamente às escuras. Apenas delgadas fímbrias de luz se infiltravam pelas rachaduras da porta que levava à cozinha. Um odor bolorento de dejetos de camundongo e farelos permeava o ar. Os dois grandes sacos entre os quais se espremia ofereciam algum conforto em relação ao frio que brotava do chão de pedra, assim como um esconderijo contra uma possível detecção.

— Já viu o bastante?

Will afastou o rosto da parede e olhou para o jovem robusto aninhado atrás dele, escorado num saco de grãos.

— Por quê? Você quer olhar?

— Não — murmurou o jovem, esticando as pernas e estremecendo, enquanto o sangue reencontrava o fluxo por elas. — Quero ir embora.

Will meneou a cabeça.

Como você pode não querer ver? Nem mesmo o... — Franziu o cenho, tentando pensar num bom exemplo. — Nem mesmo o *papa* testemunhou a iniciação de um templário. Esta é a sua chance de conhecer a cerimônia mais secreta da Ordem, Simon.

— É, secreta. — Simon ergueu bem a cabeça. — Há um motivo para ser secreta. Significa que ninguém deveria ver. Apenas cavaleiros e sacerdotes são admitidos e você não é nem uma coisa nem outra. — Bateu o pé no chão. — E minha perna ficou dormente.

Will revirou os olhos.

— Vá, então. Vejo você mais tarde.

— Atrás das grades, talvez. Ouça os mais velhos ao menos uma vez.

— Mais velho? — zombou Will. — Por um ano.

— Um ano em idade, talvez — Simon deu um tapa em sua cabeça. — Mas ao menos vinte em juízo. — Suspirou e cruzou os braços sobre o peito.

— Não, vou ficar. Quem mais é louco o bastante para vigiar sua retaguarda?

Will voltou a olhar pela rachadura. O sacerdote estava descendo o tablado com uma espada na mão. O sargento com o peito despido ficou de pé, mantendo a cabeça abaixada.

Will imaginara o sacerdote descendo até ele com a espada umas mil vezes e vira a si próprio guardando a arma na bainha. Mas, acima de tudo, havia imaginado a mão firme do pai pousada em seu ombro quando fosse aceito como um cavaleiro templário, vestido com o manto branco que significava a purificação de todos os pecados pregressos.

— Ouvi dizer que colocam arqueiros nos telhados de algumas preceptorias quando a cerimônia ocorre — continuou Simon, empurrando uma saliência no saco de grãos que o estava incomodando. — Se formos pegos, provavelmente dispararão em nós.

Will não respondeu.

Simon sentou-se novamente.

— Ou nos expulsarão. — Suspirou e empurrou o saco de grãos novamente, com irritação. — Ou nos mandarão para Merlan.

Estremeceu fortemente diante de tal pensamento. Quando chegara à preceptoria, um ano antes, um dos sargentos mais velhos lhe falou sobre Merlan. A prisão templária na França havia adquirido uma reputação agourenta ao longo dos anos e a descrição que o sargento havia feito dela afetou Simon profundamente.

— Merlan — murmurou Will, sem tirar o olho do sacerdote — é para traidores e assassinos.

— E espiões.

A porta da cozinha se abriu com um estrondo. O brilho dos raios de luz que se infiltravam na despensa se intensificaram quando a luz do sol preencheu o aposento contíguo. Will se encolheu, com as costas junto à parede. Simon engatinhou entre os sacos e se enfiou ao lado de Will, enquanto o som de pesados passos se aproximava. Houve um estrépito e um praguejar abafado, seguido por um som de raspagem. Os passos pararam. Ignorando Simon, que sacudia a cabeça, Will avançou aos poucos, saindo do meio dos sacos. Aproximando-se passo a passo da porta, espiou por uma das rachaduras.

A cozinha era uma sala grande e retangular, dividida por duas longas fileiras de bancadas onde a comida era preparada. Numa das extremidades, perto da porta, havia um forno cavernoso, em que o fogo fumegava e cuspia fagulhas. Prateleiras alinhavam-se nas paredes, abarrotadas de tigelas, potes e jarros. Amontoados no chão, havia barris de cerveja e cestos cheios de vegetais e, suspensas por ganchos que pendiam das vigas, tiras com coelhos, pernis de porco salgado e peixes secos. Parado diante de uma das bancadas havia um homem corpulento, vestido com a túnica marrom dos serviçais. Will gemeu interiormente. Era Peter, o supervisor da cozinha. Peter suspendeu uma cesta de legumes até a bancada e depois pegou uma faca. Will olhou em volta, enquanto Simon sentou-se, os cabelos castanhos sujos e embaraçados aparecendo por sobre os sacos.

— Quem é? — balbuciou.

Will voltou até ele e se agachou.

— Peter — sussurrou. — Parece que ele vai ficar aqui por algum tempo.

Simon fez uma careta.

Will apontou com a cabeça em direção à porta.

— Temos de ir.

— *Ir?*

— Não podemos ficar aqui o dia inteiro. Deveria estar polindo a armadura de Sir Owein.

— Mas com ele ali?

Sem dar a Simon a chance de uma recusa, Will foi até a porta e a abriu. Peter teve um sobressalto, com a faca suspensa no ar.

— Deus do céu!

O homem se recuperou rápido, os olhos se estreitaram ao ver Will. Largando a faca, esfregou as mãos na túnica, olhou atrás de Will quando Simon saiu apressado e fechou a porta da despensa.

— O que vocês dois estavam fazendo aí?

— Ouvimos um barulho — disse Will calmamente. — Fomos ver o que era...

Peter o empurrou para o lado e abriu a porta com um puxão.

— Surrupiando rações novamente? — Percorreu as sombras da despensa mas não conseguiu ver nada fora de lugar. — O que foi da última vez? Roubo de pão?

— Bolo — corrigiu Will. — E não estava roubando, estava...

— E você? — Peter voltou-se para Simon. — O que tem um cavalariço a ver com a cozinha?

Simon enganchou os polegares no cinto e encolheu os ombros, arrastando os pés alternadamente.

— A vassoura do estábulo estava quebrada — disse Will. — Vimos pegar uma emprestada.

— E é preciso vocês dois para carregá-la, é?

Will enfrentou o olhar em silêncio.

Peter fechou a cara. Servia à preceptoria havia trinta anos e recusava-se a ter sua inteligência insultada por aqueles adolescentes convencidos. Mas não tinha autoridade para extrair uma confissão deles à força. Olhou da despensa para Will e depois cedeu com um grunhido de contrariedade.

— Pegue a vassoura e caia fora, então. — Retornando à bancada, agarrou a faca. — Mas, se vir qualquer um de vocês aqui novamente, irei denunciá-los ao mestre.

Will apressou-se em cruzar a cozinha, fazendo uma pausa para apanhar uma vassoura de galhos da parede ao lado do forno. Seguiu para fora, piscando por causa da claridade do sol, e voltou-se, sorrindo, quando Simon saiu atrás dele.

— Aqui está.

— Quanta gentileza — disse Simon, enquanto Will lhe entregava a vassoura. — Espero que sua curiosidade esteja satisfeita. E se um cavaleiro tivesse nos descoberto...? — Suspirou. — Da próxima vez que quiser alguém para montar guarda para você, estarei na Terra Santa. Espero estar mais seguro lá. — Sacudiu a cabeça, mas deu a Will um sorriso aberto que revelou o dente da frente pontudo, quebrado quando um cavalo o escoiceara.

— Verei você antes das Nonas?

Will franziu o nariz diante da menção ao ofício da tarde. Não havia sequer começado as tarefas diárias e a manhã já estava chegando ao fim. Parecia nunca haver horas suficientes no dia para todas as coisas que lhe cabia fazer, por mais rápido que tentasse trabalhar. Entre as refeições, o treinamento diário em campo, com a espada, e todas as tarefas subalternas que tinha de desempenhar para o seu mestre havia pouco tempo livre para qualquer outra coisa, que dirá para os sete ofícios divinos.

O dia de Will, como o de todos os sargentos, começava antes do alvorecer com o ofício das Matinas, quando a capela, fosse verão ou inverno, era fria e escura, depois do que cuidava do cavalo de seu mestre e em seguida recebia as ordens. Por volta de 6 horas era o ofício da Prima e, posterior a esse, Will e os colegas sargentos tomavam o desjejum, enquanto ouviam uma leitura das Escrituras, para depois retornar à capela para os ofícios da Terça e da Sexta. À tarde, entre o almoço, as tarefas diárias e o treino, assistia às Nonas. Ao anoitecer, havia as Vésperas, seguidas da ceia, e a totalidade do dia se encerrava com as Completas. Alguns templários podiam se orgulhar por serem conhecidos como monges guerreiros, mas Will se ressentia por ver mais o interior da capela do que a própria cama. Estava prestes a reclamar disso com Simon, que já era bem versado em suas objeções, quando ouviu alguém chamar seu nome.

Um garoto baixo, de cabelos ruivos, corria na direção deles, provocando a debandada das galinhas que ciscavam no terreiro.

— Will, tenho uma mensagem de Sir Owein. Quer vê-lo no solar imediatamente.

— Disse por quê?

— Não — respondeu o rapaz. — Mas não parecia muito satisfeito.

— Você acha que sabe o que estávamos fazendo? — murmurou Simon, ao seu lado.

— Não, a não ser que consiga enxergar através das paredes.

Will deu um sorriso malicioso, depois atravessou o pátio em disparada, com o sol quente às costas. Metendo-se por um corredor que passava pelo fragrante jardim da cozinha, saiu num grande pátio rodeado de prédios de pedras cinzentas. Além desses, à direita, erguia-se a capela, uma estrutura alta e graciosa, construída como uma nave arredondada em imitação à Igreja do Santo Sepulcro, em Jerusalém. Will seguiu rumo aos alojamentos dos cavaleiros, que ficavam na extremidade mais distante do pátio ao lado da capela, desviando-se de grupos de sargentos, escudeiros conduzindo cavalos e servos movendo-se a passos resolutos para tratar de suas várias incumbências. O Novo Templo, a principal preceptoria inglesa, era também a maior do reino. Além de espaçosos alojamentos domésticos e oficiais, continha campo de treinamento, arsenal, estábulos e um cais privado sobre o Tâmisa. Geralmente, mais de cem cavaleiros moravam lá, assim como várias centenas de sargentos e trabalhadores em geral.

Depois de alcançar as portas do prédio de dois andares que circundava o claustro, Will deslizou para dentro e correu pela passagem abobadada que ecoava seus passos. Deteve-se, com a respiração pesada, diante de uma pesada porta de carvalho e bateu nela com os nós dos dedos. Ao olhar para baixo, viu que a túnica preta estava manchada pela poeira do chão da despensa. Esfregava-a com a manga quando a porta se abriu para o lado de dentro, revelando a figura imponente de Owein ap Gwyn. O cavaleiro fez um gesto brusco.

— Para dentro.

O solar, uma sala compartilhada pelos templários de escalão mais alto, era frio e escuro. Havia um armário encostado numa das paredes, várias banquetas num canto sombrio, que ficava parcialmente oculto por um biombo de madeira, e uma mesa com banco sob a janela, que dava para um canteiro de grama bem cuidado, do lado oposto dos claustros. Um pequeno pedaço de vidro colorido no trifólio projetava uma luminosidade esverdeada sobre as pilhas de rolos de pergaminho e códices espalhados pela mesa. Will ergueu a cabeça bem alto, mantendo o olhar fixo na paisagem de fora da janela enquanto a porta batia às suas costas. Não fazia ideia do motivo pelo qual seu mestre o havia convocado, mas esperava não ser retido por muito tempo. Se conseguisse polir a armadura de Owein antes das Nonas, então talvez fosse capaz de passar uma hora no campo antes da sessão de treinamento mais tarde naquele dia. Não havia muito tempo disponível para praticar: o torneio se aproximava rapidamente. Owein veio postar-se diante dele. Will viu o desagrado estampado nas rugas entre as sobrancelhas do cavaleiro e nos olhos de um cinza metálico. A esperança naufragou.

— Fui informado de que desejava me ver, senhor.

— Você compreende o quanto é afortunado, sargento? — perguntou Owein, o sotaque da terra natal, Powys, acentuado pela raiva.

— Afortunado, senhor?

— Por estar em sua posição? Uma posição negada a tantos de seu escalão, que lhe garante a tutela por um cavaleiro-mestre?

— Sim, senhor.

— Então, por que desobedece a meus comandos, traindo tanto a mim quanto a sua situação privilegiada?

Will não disse nada.

— Ficou mudo?

— Não, senhor. Mas não posso responder quando não sei o que fiz para desagradá-lo.

— Você não sabe o que fez para me desagradar? — O tom de Owein ficou ainda mais ríspido. — Então, talvez a deficiência esteja em sua memória, e não em sua boca. Qual o seu primeiro dever após as Matinas, sargento?

— Cuidar do seu cavalo, senhor — respondeu Will, dando-se conta do que deveria ter acontecido.

— Então, por que, quando passei pelos estábulos, encontrei o cocho vazio e meu cavalo sem tratar?

Depois das Matinas, o primeiro ofício, Will havia deixado essa incumbência de lado para investigar o buraco que descobrira na parede da despensa e ficar a postos para a iniciação. Na noite anterior, havia pedido para um dos sargentos com quem compartilhava o alojamento que alimentasse o cavalo de Owein no seu lugar. O sargento devia ter esquecido.

— Lamento, senhor — disse Will, com sua voz mais contrita. — Dormi demais.

Os olhos de Owein se apertaram. Deu a volta à mesa e sentou-se no banco que estava atrás dela. Pousando os braços sobre o tampo, entrelaçou as mãos.

— Quantas vezes ouvi essa desculpa? E inúmeras outras? Você parece incapaz de seguir as ordens mais simples. A Regra do Templo não está aqui para ser quebrada e não tolerarei mais isso!

Will ficou ligeiramente surpreso: já havia feito pior do que negligenciar o tratamento do cavalo de seu mestre. Começou a sentir-se apreensivo à medida que Owein continuava.

— Para ser um templário, você deve estar disposto a fazer qualquer sacrifício e agir de acordo com muitas leis. Você está treinando para ser um soldado! Um guerreiro de Cristo! Um dia, sargento, você será quase certamente chamado às armas e, se não consegue seguir seus superiores agora, não vejo como espera manter a ordem no campo de batalha. Todo homem do Templo deve obedecer, ao pé da letra, os comandos que lhe são dados pelos superiores, por mais triviais que possam parecer; caso contrário, toda a nossa Ordem se tornará o caos. Você consegue imaginar o visitante em Paris, ou o mestre Pairaud aqui em Londres, deixando de cumprir qualquer missão que lhes for designada pelo grão-mestre Bérard? Deixando, por exemplo, de mandar o número de homens e cavalos requisitados para ajudar a fortificar uma de nossas fortalezas na Palestina porque dormiram demais na manhã em que o navio deveria partir? — Os olhos cinzentos de Owein atravessaram os de Will. — Então, você consegue?

Como Will não respondeu, o cavaleiro meneou a cabeça afirmativamente irritado.

— O torneio será daqui a apenas um mês. Estou considerando excluí-lo dele.

Will fixou os olhos em Owein por um prolongado momento, depois soltou um suspiro de alívio. Owein não iria barrá-lo da disputa: o mestre queria sua vitória tanto quanto ele próprio. Era uma ameaça vã, e Owein sabia disso.

O cavaleiro avaliou aquele rapaz alto e rijo, cuja túnica estava manchada de poeira e cuja postura era ereta, desafiadora. Os cabelos pretos de Will haviam sido aparados de forma desigual na testa e vários cachos pendiam sobre os olhos verdes, dando o aspecto de um capuz. Havia uma vivacidade adulta no contorno bem delineado das faces e no longo nariz aquilino, e Owein ficou impressionado pelo modo como o garoto começava a se parecer com o pai. Eram inúteis, ele sabia, raiva e ameaças nunca funcionaram. Provavelmente, pensou com certa mortificação, porque jamais conseguia permanecer furioso com o garoto por muito tempo ou recorrer às punições mais brutais empregadas pelos outros cavaleiros. Olhou para o biombo que dividia o solar, depois novamente para Will. Após um momento, levantou-se e olhou pela janela, concedendo-se uma chance de pensar.

A apreensão de Will retornou à medida que a quietude se arrastava. Raramente havia visto Owein tão pensativo, tão silencioso. Talvez estivesse errado: talvez seu mestre o impedisse de participar do torneio. Ou ainda pior, talvez... A palavra expulsão passou como um relâmpago pela mente de Will. Depois do que pareceu uma eternidade, Owein voltou-se para confrontá-lo.

— Sei o que aconteceu na Escócia, William.

Owein viu os olhos de Will se dilatarem, depois se estreitarem até se tornarem fendas furiosas, ao mesmo tempo que o garoto evitava seu olhar.

— Se você quer fazer reparações, esse não é o caminho. O que seu pai pensaria de seu comportamento? Quando ele retornar da Terra Santa quero ser capaz de elogiar você. Não quero ter de contar a ele que estou desapontado.

Will sentiu como se recebesse um golpe no estômago. Todo seu fôlego se foi, deixando-o atordoado, enjoado.

— Como...? Como o senhor sabia?

— Seu pai me contou antes de partir.

— Ele lhe contou? — perguntou Will, debilmente. O garoto deixou a cabeça pender, depois meneou-a e ergueu o olhar. — Posso receber minha punição e ser dispensado, senhor?

Para Owein, foi como se uma máscara tivesse caído sobre o rosto de Will. Aquela fragilidade se fora quase tão rapidamente quanto aparecera. Viu uma veia na têmpora de Will pulsar enquanto o rapaz apertava os dentes. O cavaleiro reconheceu aquela determinação pétrea. Vira-a no rosto de James Campbell quando alertara o cavaleiro para não insistir no requerimento de transferência para a preceptoria do Templo na cidade de Acre. James não havia sido chamado para a Cruzada e, além de Will em Londres, tinha uma jovem esposa e filhas na Escócia, mas recusara-se a ouvir o conselho de Owein. Esse se perguntou se estaria conseguindo atingir o garoto, afinal. Era hora, decidiu, de falar claramente.

— Não, sargento Campbell, você não pode ser dispensado. Não terminei.

— Não quero falar disso, senhor — disse Will, numa voz baixa. — Não quero!

— Não precisaremos fazer isso — disse Owein, calmamente, sentando-se no banco — se você começar a se comportar como o sargento que sei que pode ser. — Quando viu que tinha a atenção do rapaz, prosseguiu. — Você tem uma mente afiada, William, e seu entusiasmo e sua habilidade no campo de treinos são louváveis. Mas você se recusa a se dedicar às obrigações mais fundamentais da nossa Ordem. Acha que nossos fundadores escreveram a Regra para se divertir? Todos devemos lutar pelos ideais que prescreveram, a fim de cumprir nosso papel como guerreiros de Cristo na terra. Sermos capazes de lutar bem não é o bastante. O próprio Bernard de Clairvaux nos diz que é inútil atacar inimigos externos se não conquistarmos primeiramente os interiores. Você entende isso, William?

— Sim, senhor — disse calmamente Will. O sentimento tocou algo profundo em seu interior.

— Você não pode continuar a pôr sua posição em risco escarnecendo da Regra sempre que a considera enfadonha ou sem sentido. Você deve começar a me obedecer, William, em *todos* os deveres, não apenas naqueles em que se diverte. Deve aprender disciplina, caso contrário, não terá lugar nesta Ordem. Está claro?

— Sim, Sir Owein.

Owein recostou-se no banco, satisfeito por Will tê-lo escutado e entendido.

— Ótimo. — Apanhou um dos rolos que estavam sobre a mesa. Depois de desenrolar o pergaminho, alisou-o com a palma da mão. — Então, seu próximo dever será portar meu escudo numa conferência entre o rei Henrique e mestre Pairaud.

— O rei? Ele está vindo aqui, senhor?

— Daqui a 12 dias — Owein levantou os olhos do pergaminho. — E a visita é assunto secreto, por isso você está proibido de falar nisso.

— Tem minha palavra, senhor.

— Até então, será designado aos estábulos como punição por negligenciar suas responsabilidades esta manhã. Isso ocorrerá em acréscimo ao trabalho diário. É tudo, sargento. Você está dispensado.

Will abaixou a cabeça e se dirigiu para a porta.

— E, William.

— Senhor?

— Minhas ameaças podem ter parecido rasas no passado. Mas se você testar minha paciência mais uma vez, não hesitarei em expulsá-lo da Ordem. Afaste-se de encrencas. O bom Deus sabe que elas o perseguem por aí como um cão sem dono, mas da próxima vez que você se voltar para acariciá-las, podem muito bem lhe morder.

— Sim, senhor.

Depois que Will se foi, Owein esfregou a testa em sinal de cansaço.

— Você é leniente demais com o garoto, irmão.

Um cavaleiro alto, de cabelos cinzentos e um tapa-olho de couro sobre a vista esquerda apareceu de trás do biombo, onde estivera sentado durante a conversa. Atravessou a sala até Owein, segurando um códice.

— Portar o escudo de um templário é uma grande honra, maior ainda quando se leva em conta a ocasião. A punição dele parece mais uma recompensa.

Owein analisou o rolo de pergaminho que estava diante dele.

— Talvez a responsabilidade ajude a moldar sua índole, irmão.

— Ou o leve a cometer abusos ainda piores contra o seu posto. Temo que a afeição pelo garoto o tenha amolecido. Você não é o pai dele, Owein.

Owein ergueu os olhos, com o cenho fechado. Abriu a boca para se opor, mas o cavaleiro de cabelos cinzentos prosseguiu.

— Garotos da idade e origem dele são como cães. Respondem melhor a chicotadas do que a palavras.

— Discordo.

O cavaleiro deu um ligeiro encolher de ombros e largou sobre a mesa o códice que segurava.

— A decisão é sua, claro. Estou apenas oferecendo minha opinião.

— Sua opinião foi registrada, Jacques — disse Owein, brandamente, mas com firmeza. Então apanhou os pergaminhos. — Leu todos eles?

— Li.

Jacques caminhou até a janela e examinou os terrenos do Templo. As folhas das árvores estavam começando a definhar, tornando-se escuras e enrugadas nas bordas.

— O que diz mestre Pairaud? — perguntou. — Está confiante de que Henrique aceitará nossas exigências?

— Plenamente. Como estive tratando desse assunto durante alguns meses, mestre Pairaud deixou, até certo ponto, em minhas mãos a decisão de como proceder durante a parlamentação. Expus meus pensamentos a ele e concordamos que devemos compilar não apenas as prestações de contas do que foi emprestado à casa real durante o ano passado, mas também exatamente onde achamos que esse dinheiro foi gasto. Precisarei da sua ajuda para acertar alguns detalhes.

— Você a tem.

Owein agradeceu com um movimento de cabeça.

— Isso tudo servirá para fortalecer nossa reivindicação.

— Por mais forte que nossa reivindicação seja, o rei não ficará satisfeito.

— Não, não ficará. Mas embora acredite que deveríamos caminhar com alguma cautela nesse caso, Henrique tem pouca escolha além de ceder às demandas do Templo. Ainda que recuse, podemos solicitar a influência do papa.

— Cautela é necessária, irmão. O Templo pode estar além da autoridade do rei, mas ele ainda assim pode tornar nossas vidas difíceis. Fez isso antes, quando tentou confiscar várias das nossas propriedades. E — acrescentou Jacques com severidade —, no momento, temos mais do que o suficiente para nos preocupar sem ter de lidar com as reações mesquinhas de monarcas despeitados.

Puxou um banco e sentou-se diante de Owein.

— Você conversou com o mestre esta manhã. Ele lhe disse se recebeu mais relatórios de Outremer?

— Discutiremos isso na próxima reunião na sala capitular, mas, não, ele não recebeu nada desde que soubemos sobre o ataque mongol contra

Alepo, Damasco e Bagdá e a ação dos mamelucos para enfrentar a horda. E isso, para mim, é incentivo suficiente para confrontar o rei o quanto antes no que diz respeito aos débitos. Precisaremos de todo o dinheiro em que pudermos pôr nossas mãos se quisermos ter esperança de nos opormos a essa nova ameaça. Se os mamelucos enfrentarem os mongóis e vencerem, teremos todo o exército deles marchando, vitorioso e confiante, através dos nossos territórios.

Owein esticou com as pontas dos dedos o bem-ordenado maço de pergaminhos que estava sobre a mesa e meneou a cabeça.

— Não consigo imaginar nada mais perigoso do que isso.

# 3
# Ayn Jalut (a Fonte de Golias), Reino de Jerusalém

3 de setembro de 1260

O acampamento dos mamelucos estava tumultuado; ruidoso com a exultação e os preparativos, pois o exército celebrava a vitória com canções e os oficiais gritavam ordens, mantendo um rígido controle sobre o que, à primeira vista, pareceria o caos.

Quando chegou ao pavilhão do sultão, Baybars puxou as rédeas do cavalo e apeou de um salto. Enquanto amarrava o animal a um poste, examinou o desfiladeiro bem abaixo dele. O sol havia mergulhado por trás das colinas, lançando sombras que cruzavam o vale. Podia ouvir o eco abafado das lâminas dos machados contra a madeira enquanto as máquinas de sítio dos mongóis eram desmontadas para abastecer as piras dos mortos. Os olhos deslocaram-se até a fileira de mamelucos feridos que avançava lentamente colinas acima desde o campo de batalha. Os que conseguiam andar eram auxiliados por companheiros e os menos afortunados eram deitados em carroças que balançavam e sacolejavam pelo terreno rochoso. Quando chegasse a aurora, os médicos estariam exaustos, mas os coveiros estariam ainda mais esgotados. Baybars dirigiu-se ao pavilhão. Guardando a entrada, havia dois guerreiros vestidos de branco do regimento *mu'izziyya*, a Guarda Real do sultão. Eles se puseram de lado e fizeram uma reverência à sua aproximação.

O ar no interior do pavilhão estava espesso por causa do perfume de sândalo e as chamas que se filtravam das lâmpadas a óleo liberavam uma luz suave, amanteigada. Foi necessário um momento para que Baybars começasse a se acostumar com a penumbra do interior. Depois que isso aconteceu, seu olhar foi atraído primeiro pelo trono, que se erguia sobre um pódio coberto por um toldo de seda branca. O trono era um objeto magnífico, forrado por um tecido bordado, com os braços coroados por duas cabeças de leão esculpidas em ouro, duas feras que exibiam os dentes a todos aqueles que se postavam diante delas. Estava vazio. Baybars olhou à sua volta até que os olhos recaíram num divã baixo parcialmente oculto por uma treliça. Recostado ali, em meio a um arsenal de almofadas e tapeçarias, estava o sultão Kutuz, mestre dos mamelucos e governante do Egito. O manto de brocados tecido em damasco de cor jade estava fechado sobre o corpo imenso e a longa barba preta era lustrada de óleo perfumado. Como de costume, não estava só. Baybars analisou rapidamente os demais homens que ocupavam o pavilhão. Fora treinado a, sempre que entrava em qualquer espaço fechado, avaliar quem estava ali e quantos estavam armados. Invariavelmente, a resposta a essas perguntas, quando em presença do sultão, era todos que tinham importância e cada um dos presentes, exceto os serviçais. Baybars há muito pensava que a posição de Kutuz se distinguia menos pelo fino aro de ouro que cingia a testa do que pelo séquito que o rodeava. Criados trazendo bandejas de frutas e taças de elixir de hibisco moviam-se destramente entre os conselheiros reais e os comandantes dos vários regimentos mamelucos, que se posicionavam em pequenos grupos, conversando calmamente. Outros *mu'izziyya* eram apenas visíveis nas sombras.

Uma rajada de vento fresco varreu o pavilhão à entrada de um mensageiro que se dirigiu apressadamente a um dos comandantes. A corrente de ar agitou a fumaça do incenso em nuvens indecisas. Kutuz levantou a cabeça. Seus olhos escuros fixaram-se em Baybars.

— Emir — convocou Kutuz. — Aproxime-se.

Esperou que Baybars se acercasse do divã.

— Meus louvores a você — disse, observando Baybars fazer uma reverência. — Graças ao seu plano, tivemos nossa primeira vitória contra os mongóis. — Acomodando-se entre as almofadas, Kutuz pegou uma taça de uma das bandejas que lhe eram oferecidas. — Qual deveria ser nosso próximo movimento, na sua opinião? — Disparou um olhar para um grupo de homens parados na lateral do pavilhão. — Alguns dos meus conselheiros sugeriram retrocedermos.

Baybars não tirou os olhos do sultão.

— Deveríamos avançar para combater as forças mongóis remanescentes, meu senhor. O restante fugiu para o leste e relatórios das fronteiras indicam preocupações com o trono na Mongólia. Seria bom atacar enquanto estão desordenados.

— Isso pode ser difícil — proferiu um dos comandantes. — É um longo caminho até o leste e...

— Não — interrompeu Kutuz. — Baybars está certo. Devemos golpear enquanto somos capazes, se quisermos completar nossa vitória. — Gesticulou para um escriba, que estava sentado a uma mesa num dos cantos do pavilhão. — Esbocei uma carta aos barões ocidentais de Acre, informando-os da nossa vitória e pedindo-lhes que continuem apoiando nossa campanha. Faça com que um de seus oficiais a leve até a cidade e entregue-a em mãos ao grão-mestre dos cavaleiros teutônicos.

Baybars apanhou o pergaminho com relutância. O ato de pedir aos inimigos permissão para entrar em seus territórios, territórios *roubados*, havia sido uma afronta para ele e o breve descanso que os mamelucos fizeram em Acre no caminho para a Palestina apenas reforçara seu ódio. Enquanto o exército estava acampado fora dos muros de Acre, os cavaleiros teutônicos, uma ordem militar originária do reino da Germânia, haviam convidado Kutuz à sua fortaleza para um banquete à mesa deles, onde o sultão lhes propôs uma aliança de armas contra os mongóis. Negociações entre as forças cristãs e muçulmanas não eram incomuns. Houve muitas de tais alianças forjadas desde que os primeiros cruzados chegaram, convocados pelo papa, para resgatar o local de nascimento de Cristo deles das mãos dos infiéis, impelidos pela promessa de absolvição na outra vida e pela perspectiva de terras e riquezas nesta. Nas novas terras eles próprios se tornaram os infiéis e, ao longo do tempo, aprenderam a negociar com os inimigos, até que, em meio ao conflito, negócios e até mesmo amizade afloraram. Mas, naquele dia, embora os barões ocidentais tivessem autorizado os mamelucos a atravessar seus territórios, haviam recusado abruptamente uma aliança militar.

Baybars, sentado em silêncio ao lado do sultão para o banquete, observava com dissabor enquanto servos muçulmanos traziam as travessas para as mesas. Em Acre, aqueles que os muçulmanos chamavam *al-Firinjah* — os francos — detinham o poder. Esse era um termo usado genericamente para as classes guerreiras do Ocidente, quaisquer que fossem suas nacionalidades, mas as duas coisas que os francos tinham em comum eram a cristandade romana e o fato de que haviam chegado ao Oriente sem ser convidados. Nas cidades governadas pelos francos, cristãos nativos, judeus e muçulmanos eram autorizados a trabalhar, praticar suas religiões e organizar as próprias administrações. Mas o que os francos viam como tolerância era um insulto a Baybars. Os cristãos ocidentais, que haviam chegado para tomar sua Terra Santa pela força, escravizaram seu povo e estavam prosperando, gordos e felizes, com os espólios. Os barões podiam tentar se esconder por trás dos refinamentos que adotavam, dos cabelos perfumados e das sedas delicadas, mas Baybars ainda via a imundície do Ocidente neles e nem com todo o sabão da Palestina eles conseguiriam se limpar. Olhou fixamente para Kutuz.

— Preferiria levar a guerra a uma mensagem aos francos, meu senhor.

Kutuz tamborilou com os dedos sobre o braço do divã.

— Por enquanto, devemos concentrar nossas forças sobre um só inimigo, emir. Os mongóis devem pagar pelo insulto contra minha posição.

— E — interpôs Baybars — pelos oitenta mil muçulmanos que mataram em Bagdá?

— Certamente — respondeu Kutuz, depois de uma pausa. Esvaziou a taça e entregou-a a um serviçal. — Pelo menos os francos demonstram-me cortesia.

— Eles lhe demonstram cortesia, meu senhor, porque temem perder territórios para os mongóis. Como não desejam erguer a própria espada, deixam-nos lutar a batalha deles.

Baybars enfrentou facilmente o olhar de Kutuz. Um silêncio tenso se abateu sobre eles, quebrado apenas pelos passos dos serviçais e os sons abafados do acampamento do lado de fora. Kutuz foi o primeiro a desviar os olhos.

— Você recebeu suas ordens, emir.

Baybars não disse nada. Haveria tempo durante a campanha para converter Kutuz à sua vontade.

— Há a questão da recompensa, meu senhor.

Kutuz relaxou, fazendo um movimento de aprovação com cabeça, e a tensão no pavilhão foi expelida como um sopro.

— Os despojos de guerra sempre beneficiarão os soldados que por eles lutam, Baybars. — Acenou para um dos conselheiros. — Entregue um baú de ouro para o emir.

— Não era ouro que tinha em mente, meu senhor.

Kutuz franziu o cenho.

— Não? Então, o que você quer?

— O governo da cidade de Alepo, meu senhor.

Kutuz ficou sem falar por vários segundos. Por trás dele, alguns dos conselheiros remexeram-se de modo inquieto. O sultão riu.

— Você reivindica uma cidade controlada pelos mongóis?

— Isso não durará muito, meu senhor. Não agora que vencemos um terço da força deles e nos preparamos para marchar sobre seus baluartes para finalizar o que começamos.

O sorriso de Kutuz se apagou.

— Qual é o seu jogo?

— Jogo algum, meu senhor.

— Por que você reivindica tamanho prêmio? O que você quer com Alepo, quando seu maior desejo é comandar meu exército para guerrear contra os cristãos?

— O cargo de governador não me afastaria dessa causa.

Kutuz cruzou os braços sobre o peito.

— Emir — disse, com um tom de voz suave desmentido pela dureza do olhar —, não entendo por que você quer retornar a um lugar tão cheio de lembranças.

Baybars se retesou. Sabia que Kutuz fazia questão de se inteirar de tudo sobre seus oficiais, incluindo as histórias particulares. Mas achava que ninguém, nem mesmo Kutuz, soubesse do período que passara em Alepo. Vendo que havia posto o dedo na ferida, Kutuz deu um leve sorriso.

— Venho servindo ao senhor e seus predecessores desde que tinha 18 anos. — A voz profunda de Baybars invadiu o pavilhão e tanto conselheiros quanto serviçais pararam o que faziam para ouvir. — Durante esse tempo, trouxe medo para os inimigos do Islã e triunfo para a nossa causa. Liderei a vanguarda na Batalha de Herbiya e matei cinco mil cristãos. Ajudei a capturar o rei dos francos, Luís, em Mansurá, e matei trezentos dos seus melhores cavaleiros.

— Sou grato por tudo o que você fez por mim, emir Baybars, mas temo que não renunciaria a tal joia, ainda que ela se tornasse minha para poder dá-la.

— Grato, meu senhor? — A voz de Baybars era branda, mas seus punhos estavam fechados dos lados do corpo. — Se não fosse por mim, o senhor não teria um trono para sentar-se.

Kutuz levantou-se rapidamente do divã, espalhando as almofadas.

— Você perdeu a cabeça, *emir*! Em nome de Alá, deveria mandar chicoteá-lo!

Caminhou até o trono e subiu no pódio. Depois de virar-se, sentou-se e agarrou as cabeças de leão.

— Imploro seu perdão, meu senhor, mas creio que sou merecedor dessa recompensa.

— Saia! — vociferou Kutuz. — Saia daqui agora e não volte até ter refletido sobre a posição de um sultão e a de um comandante e entendido mais claramente qual dos dois é mais importante. Você nunca terá Alepo, Baybars. Está me ouvindo? *Nunca!*

Pelo canto do olho, Baybars viu que vários membros da *mu'izziyya* haviam avançado um passo. As mãos estavam pousadas sobre os punhos dos sabres. Ele se obrigou a fazer uma reverência a Kutuz, depois saiu do pavilhão, com o pergaminho apertado na mão.

Enquanto caminhava a passos largos para o acampamento mameluco, os homens recuavam diante da fúria que o envolvia como uma nuvem. O sol havia se posto e no desfiladeiro abaixo deles as piras dos mongóis mortos ardiam, as chamas saltando muito alto contra o céu púrpura. Os sons de risos e gritos de alegria propagavam-se pelo ar frio do deserto e, mais perto, também os gritos de uma mulher. Quando chegou a sua tenda, Baybars abriu as abas com um puxão. Parou na entrada. De pé no centro da tenda estava um oficial mameluco, um homem esguio de rosto singelo, aspecto honesto e um nariz ligeiramente curvo.

— Emir! Senti sua falta na batalha, mas já ouvi dez histórias sobre sua coragem.

Baybars entregou as espadas a um serviçal que aguardava perto dele, enquanto o oficial se adiantava para abraçá-lo.

— Só o que ouvi quando caminhei pelo acampamento foram homens louvando seu nome. Eles o exaltam. — O oficial caminhou até um divã baixo, diante do qual havia uma caixa carregada com travessas de figos e carnes temperadas. — Tire a armadura e beba comigo para celebrar.

— O tempo de celebrações passou, Omar.

— Emir?

Baybars lançou um olhar para os serviçais. Aquele que havia apanhado as espadas se pusera a limpá-las. Dois outros empilhavam carvão nos braseiros e um quarto vertia água para uma bacia de prata.

— Deixem-nos — ordenou.

Os serviçais ergueram os olhos com surpresa, mas, vendo a expressão do senhor, deixaram os afazeres às pressas. Baybars atirou o pergaminho no baú e tirou a capa ensanguentada, deixando que caísse na areia. Sentou-se pesadamente sobre o divã e pegou uma taça de *kumis*. Tomou um grande gole e sentiu o leite de égua fermentado reconfortar a garganta.

Omar sentou-se ao lado de Baybars.

— *Sadeek?* — insistiu, voltando, agora que os serviçais haviam se retirado, ao tratamento mais familiar, *amigo*. — Nos 18 anos em que o conheço, jamais o vi enraivecido pela vitória. Qual é a causa?

— Kutuz.

Omar esperou que continuasse e ficou em silêncio, enquanto Baybars falava da negativa do sultão à sua reivindicação. Quando esse acabou, Omar recostou-se e meneou a cabeça.

— Kutuz obviamente tem medo de você. Sua reputação o precede e apenas está um tanto acautelado pela capacidade que um militar teria de depor um sultão. Afinal, também tomou o trono pela força. Kutuz reina há apenas um ano e sua posição não está plenamente assegurada entre todos nos regimentos. Diria que acredita que você teria poder demais se lhe desse Alepo. Poder que você, por sua vez, talvez usasse contra ele. — Omar espalmou as mãos. — Não vejo o que você possa fazer, porém. A palavra de um sultão é lei.

— Ele deve morrer — disse calmamente Baybars, tão calmamente que Omar não estava certo de ter ouvido corretamente.

— *Sadeek?*

Baybars olhou-o de lado.

— Eu o matarei e porei um governante mais conveniente no trono. Um governante que recompense os oficiais. Um governante que lhes trará as vitórias que merecem.

Os olhos de Omar se deslocaram até a entrada da tenda. As abas estavam abertas e, do lado de fora, podia ver o tremular das tochas e as sombras dos homens que arrastavam a pilhagem para o acampamento.

— Você não pode sequer pensar tais coisas — murmurou. — Vá dormir. Amanhã é um novo dia e a raiva talvez se desvaneça com os sonhos.

— Você pode ser um dos meus oficiais mais elevados, Omar, e ser como um irmão para mim. Mas se acredita nisso, talvez não me conheça mesmo. Você estava lá quando assassinamos o aiúbida, Turansah. Foi minha a mão que manuseou a lâmina que tirou a vida daquele sultão. Posso fazer isso novamente.

— Sim — respondeu tranquilamente Omar. — Estava lá.

Olhou fixamente nos olhos de Baybars e não conseguiu ver nem um traço de indecisão ali. Omar havia presenciado aquele olhar anteriormente. Naquele dia, dez anos antes, estivera descansando com os outros oficiais do regimento *bahri*, depois da vitória contra os francos em Mansurá, uma vitória conquistada por Baybars. Naquela época, os *bahris* eram a guarda real do sultão Ayyub, cujos predecessores haviam reunido e fortalecido o exército mameluco. Pouco antes da Batalha de Mansurá, Ayyub havia morrido e seu herdeiro, Turansah, ascendera ao trono. Esse havia irritado os mamelucos por ter posto os próprios homens em posições de poder e Baybars recebera a ordem de Aibek, o comandante dos *bahri*, para retificar esse estado de coisas pela persuasão do aço frio. Procurou Omar e os outros oficiais no meio daquela noite, enquanto Turansah oferecia um banquete. Com as espadas ocultas sob as capas, a comitiva atacou o salão de festas. Turansah havia fugido para uma torre às margens do Nilo, mas Baybars seguiu-o implacavelmente, ordenando que a torre fosse transformada numa tocha. Enquanto as chamas devoravam a madeira, o sultão saltou para o rio e lá, como um rato semiafogado, implorou pela vida. Baybars saltou barranca abaixo e encerrou os gritos do sultão e a linhagem dos aiúbidas com um só golpe, assegurando a sede do poder aos mamelucos e fazendo dos escravos senhores. Omar nunca esqueceria o momento em que Baybars cravou a espada no ventre de Turansah, o rosto contorcido além do reconhecível pelo fervor que o consumia.

Omar meneou a cabeça.

— Não daria certo desta vez. Kutuz está sempre com guardas. Você seria morto.

Uma voz das sombras fez com que ambos se virassem e Baybars procurasse instintivamente a adaga na bota.

— Ah, daria certo. Daria! Daria!

Uma gargalhada cacarejante se seguiu às palavras, e Baybars relaxou.

— Venha cá.

No momento seguinte, algo saiu se arrastando das sobras. Era um velho de sorriso desdentado, cabelos pretos emaranhados e pele escura, mais enrugado do que uma fruta seca. Vestia uma túnica de algodão esfarrapado e os pés estavam descalços e em carne viva. As unhas eram amareladas e os olhos tinham um aspecto leitoso por causa da catarata. Omar ficou ligeiramente mais relaxado, pois reconheceu Khadir, o adivinho de Baybars.

Pendurada numa corrente em volta do pescoço do velho havia uma adaga com cabo de ouro, cuja empunhadura era engastada com um reluzente rubi vermelho. Essa adaga era a única indicação de que aquela figura miserável havia um dia sido um guerreiro da notória Ordem dos Assassinos, um grupo de elite de combatentes radicais fundado na Pérsia, pouco antes da primeira Cruzada. Como partidários do ramo *shi'a* do Islã, uma minoria muçulmana que havia rompido com os tradicionalistas sunitas por causa da sucessão de Maomé, os Assassinos seguiam o mandado de destruir os inimigos de sua fé e faziam isso com eficiência brutal. A partir de uma fortaleza secreta no alto das montanhas da Síria, infiltravam-se sem ser percebidos, para então cair como aranhas negras, silenciosas, mortíferas, sobre os alvos eleitos, sendo o veneno ou a adaga os métodos preferidos de homicídio. Ao longo dos anos, árabes, cruzados, turcos e mongóis haviam aprendido a temê-los, e com boas razões. Mas ocasionalmente também recorriam a eles para alcançar seus propósitos, a um alto preço, pois não havia ninguém mais habilidoso na arte do assassinato.

Omar não sabia por que Khadir havia deixado as linhas deles. Até onde tinha notícia, o adivinho havia sido expulso da ordem, mas, além de alguns rumores inconsistentes, as razões da exclusão eram obscuras. Só o que Omar sabia era que, pouco depois de Baybars receber o controle sobre os *bahri*, o velho chegara ao Cairo, trajando a mesma túnica esfarrapada que vestia agora, e ofereceu ao comandante sua fidelidade e seus serviços.

Quando Khadir se aproximou da luz dançante do braseiro, Omar notou que uma víbora enlaçava a mão do adivinho.

— Fale — comandou Baybars.

Khadir agachou-se na areia, observando a cobra se enrodilhar em torno de seu pulso como que hipnotizada, depois levantou-se de um salto. Os olhos se fixaram em Baybars.

— Mate Kutuz — disse, com frieza. — Você terá o apoio do exército.

— Tem certeza?

Khadir deu uma risadinha e deixou-se cair na areia, onde se sentou com as pernas cruzadas. Pinçando a cabeça da serpente entre o polegar e o indicador, ele a puxou do pulso e sussurrou para ela, para então deixá-la cair ao solo. A víbora deslizou pela areia, traçando um rastro fino e ondulado até o divã. Omar resistiu ao impulso de erguer as pernas quando ela serpenteou sobre sua bota. Era apenas um animal jovem, ainda assim o veneno era potente.

Khadir bateu palmas e a cobra deslizou para mais perto de Baybars.

— Está vendo! Ela lhe dá a resposta!

— A feitiçaria dele é uma afronta a Alá — disse calmamente Omar. — Você não deveria permitir que a praticasse.

O olhar velado de Khadir voltou-se para Omar, que virou o rosto, incapaz de enfrentar aqueles olhos brancos.

Baybars observava o réptil rastejar entre seus pés em busca da escuridão sob o divã.

— Alá lhe deu essa dádiva, Omar, e ele nunca errou.

Antes que a víbora conseguisse desaparecer, Baybars ergueu a bota e pisoteou a cabeça do animal. Arrastou a serpente morta pela areia com o pé e olhou para Khadir. O adivinho coçava uma ferida na perna.

— Você diz que o exército me apoiaria nessa ação, mas e quanto ao regimento *mu'izziyya*? Certamente a Guarda Real ficaria do lado de Kutuz.

Khadir deu de ombros e ficou de pé.

— Talvez, mas uma parte suficiente da lealdade deles pode ser comprada com ouro e são os *seus* homens que estão guardando o espólio de hoje.

Caminhando até o divã, apanhou a serpente morta. Depois de contemplar com tristeza o corpo esmagado, guardou-a dentro das vestes. Olhou para Baybars com algo próximo a orgulho paterno.

— Vejo um grande futuro para você, mestre. Nações cairão e reis perecerão, mas você permanecerá de pé acima deles todos sobre uma ponte de crânios que se estenderá sobre um rio de sangue. — A voz baixou até se tornar um sussurro quando se ajoelhou aos pés de Baybars. — Se a sua mão manejar a faca que matará Kutuz, você será o sultão!

Baybars soltou uma gargalhada.

— Sultão? Então Alepo seria o menor dos meus tesouros.

A gargalhada cessou, pois sua mente se agarrou a esse pensamento como se fosse um vício.

Quando Baybars depôs Turansah, tinha sido privilégio do homem que ordenara o assassinato, o então comandante dos *bahri*, Aibek, tomar o trono. Mas Baybars não havia sido apropriadamente recompensado por sua parte naquilo e, recusando-se a servir ao homem cuja ascensão havia auxiliado, partiu do Cairo. Retornara um ano atrás, depois que Kutuz depusera o sucessor de Aibek, na esperança de que o novo sultão se demonstrasse mais leal do que os outros: aos homens e à causa. Ficou dolorosamente desapontado.

Levantando-se do divã, Baybars caminhou até a entrada da tenda. Do lado de fora, o céu estava rubro por causa das chamas das piras e a lua havia nascido vermelha sobre o deserto. Os montes subiam e desciam com seus picos negros e suas depressões, tombando para o negrume quando alcançavam a planície achatada que se estendia abaixo dele. Ao sul, a Fonte de Golias cintilava como aço ao luar. Os francos certa vez chegaram até essa planície para desafiar o sultão egípcio, Saladino, com suas cruzes e espadas. O exército deles foi cercado, as rotas de suprimento, cortadas, mas sobreviveram pescando na Fonte para obter comida, e Saladino, incapaz de invadir o acampamento deles, foi forçado a se retirar. Por quase dois séculos, os francos comiam sua comida, chacinavam sua gente e profanavam seus locais de devoção. Onde um dia Alá fora reverenciado, agora porcos fuçavam excrementos.

Mas enquanto Baybars estava parado ali, com o olhar dirigido à Fonte, uma sensação de expectativa começou a substituir seu rancor. As palavras de Khadir crepitavam em sua mente como uma fogueira. Tinha um destino, um papel a desempenhar na erradicação dos francos. Podia senti-lo dentro de si.

— Se fosse sultão — murmurou —, combateria os bárbaros francos com tanta ferocidade que nem os bútios encontrariam um festim entre seus ossos.

Omar saiu para se postar ao lado de Baybars.

— Sei que você anseia por derramar o sangue deles, mas não confunda os francos com selvagens estúpidos. São guerreiros amadurecidos e estrategistas sagazes e não será fácil destruí-los.

Baybars se voltou para ele.

— Você está errado. São bárbaros. No Ocidente, os francos vivem como suínos. Os lares são barracos, as estradas, incivilizadas e rústicas. Olham para o Oriente e veem a beleza de nossas cidades, a elegância de nossa gente e nossas grandes escolas de saber. Olham para o Oriente e o desejam para si, por isso vêm com suas Cruzadas. Não por seu Deus, mas pela pilhagem. — Baybars fechou os olhos. — Cada dia que passam em nossa nação deve ser vingado.

— O sultão já deu suas ordens — disse Omar. — São os mongóis que vamos combater.

— Não levará muito tempo para que sejam esmagados. Uma vez feito isso, cumpriremos nossos planos para Kutuz. — Baybars apertou o ombro de Omar. — Você ficará ao meu lado?

— Não precisa perguntar isso.

— Tome todo o ouro que tenho — disse Baybars, apontando para um pequeno baú — e cuide para que os oficiais sejam pagos. Pague-os bem, pois se for tomar essa atitude contra Kutuz, devemos atrair para a nossa causa tantos quantos nos for possível.

— E depois?

— Depois? — Baybars olhou para Khadir, que estava acocorado na areia, com os olhos cintilando por causa do brilho avermelhado do braseiro. — Depois nos prepararemos para a guerra.

# 4
# Novo Templo, Londres

14 de setembro de 1260

As espadas de madeira colidiram com um estalo agudo. Will segurou com mais força quando o choque reverberou no braço. O oponente, um sargento de cabelos dourados chamado Garin de Lyons, cambaleou, com os pés escorregando na lama. Havia chovido forte nos últimos três dias e o campo estava encharcado, cravejado de poças de água marrom. À direita, o campo se estendia para baixo até o Tâmisa, onde uma espessa franja de juncos e arbustos ocultava a água. À esquerda e por trás, erguiam-se os prédios da preceptoria, semiobscurecidos no ar enevoado. Havia um frio úmido que o sol ainda não estava forte o bastante para dissipar, mas os rostos dos jovens estavam encobertas por suor. A túnica preta de Will havia colado às suas costas, que coçavam desconfortavelmente. O rapaz repeliu a lâmina de Garin quando essa investiu contra ele novamente. Gingando para a esquerda, volteou num arco em direção ao outro jovem.

Garin aparou o golpe e recuou para se deixar cair em posição de combate, mantendo os olhos azul-escuros em Will.

— Pensei que vocês escoceses fossem os cães de guerra da Bretanha.

— Só estou me aquecendo — respondeu Will, fazendo um círculo em torno dele. — E ainda tenho de decidir o que você é hoje.

Garin deu um sorriso malicioso.

— Bem, já escolhi o que você é. Você é um sarraceno.

Will revirou os olhos.

— De novo? — Ergueu mais a espada. — Ótimo. Então, você é um hospitalário.

Garin fechou a cara e cuspiu no chão. Os cavaleiros de São João, fundadores dos hospitais dos peregrinos, eram sérios rivais dos templários. Ambas as ordens militares podiam ser formadas por nobres cristãos que lutavam por Deus e pela Cristandade, mas isso não os impedia de guerrear por terras, rotas de comércio e outros conflitos de interesse.

Will pulou para a frente. Conseguiu apenas se abaixar e lançar a espada, enquanto Garin desferia um forte golpe contra sua cabeça.

— Alto!

Os dois garotos afastaram-se um do outro, com a respiração pesada, ao comando do instrutor. O cavaleiro caminhou até eles a passos largos, manchando de lama a bainha do manto.

— Você deveria estar desarmando o adversário, Lyons. Não tentando matá-lo.

— Desculpe, senhor — disse Garin, abaixando a cabeça. — O golpe foi mal dirigido.

— Sim, foi — concordou o cavaleiro, sem que a dureza do olhar diminuísse pelo fato de ter um olho só. O outro era coberto por uma venda de couro surrada.

— Continuem! — gritou, retornando à beira do campo, onde 16 garotos da idade de Will e Garin estavam parados em uma fileira.

Nem todos os sargentos do Templo eram instruídos na arte do combate: muitos serviriam como trabalhadores, cozinheiros, ferreiros, alfaiates, cavalariços, nas numerosas preceptorias e propriedades, e jamais iriam à guerra. Mas daqueles que eram candidatos à classe dos cavaleiros esperava-se que fossem guerreiros consumados quando chegassem aos 18 anos. O ensino básico — o *trivium* formado por retórica, gramática e lógica, de que a maioria dos monges das ordens sagradas deveria estar inteirada — era considerado de menor importância, embora os sargentos devessem saber, de cor, todas as seiscentas cláusulas da Regra. Por isso, com 15 anos esses garotos podiam cavalgar a plena carga, portando lança e escudo, mas, tirando poucas exceções, incluídos Will e Garin, não sabiam escrever os próprios nomes.

Will encarou Garin, mantendo a arma estendida à frente. A espada estava cheia de marcas de uso, com as bordas lascadas. Garin fez o primeiro movimento, gritando ao investir. Will evitou o primeiro golpe, mas o adversário intensificou o ataque, forçando-o a recuar com uma série de arremetidas curtas e cortantes. Will recuperou a posição e ambos se chocaram. Com as espadas travadas, empurravam um ao outro, nenhum dos dois desejando ceder terreno. As respirações vaporizavam o ar e os pés sovavam a lama até ela se tornar um lodo liso e escuro. Will rosnou na cara de Garin e impulsionou a espada para a frente. Os olhos de Garin se dilataram, enquanto os pés deslizavam para os lados na umidade. Ele caiu e a empunhadura se afrouxou. Com um rápido e firme golpe de braço, Will arrancou a espada de sua mão, fazendo com que voasse para longe, e quando Garin se estendeu de costas, posicionou-se sobre esse, encostando a ponta da espada em sua garganta. Alguns gritos de aplauso se ergueram dos sargentos nas laterais.

O cavaleiro silenciou-os com um aceno brusco.

— O combate não foi digno de louvor. — Gesticulou para Will e Garin. — Deixem o campo.

Will retirou a espada da garganta de Garin e ofereceu-lhe a mão. Aceitando-a, o outro garoto levantou-se e recolheu a arma. Correram para a lateral, com as túnicas e meias ensopadas. Will fechou a cara quando o cavaleiro começou a se dirigir ao grupo.

— A defesa de Campbell foi precária. Uma defesa forte teria permitido que enfraquecesse Lyons, cujo ataque aberto foi desordenado e facilmente previsível.

O cavaleiro voltou-se para os dois jovens e o olhar recaiu sobre Will.

— Assim você não teria sido obrigado a recorrer a métodos tão crus para vencer Lyons. Seu movimento final consistiu unicamente em força bruta e careceu de técnica. Mas ao menos Campbell usou o terreno em seu favor.

Então, ele se dirigiu a Garin.

— Onde estava o seu equilíbrio, Lyons?

Quando Garin abriu a boca para responder, o cavaleiro o interrompeu.

— Brocart. Jay. — Fez um aceno de cabeça para dois dos sargentos que estavam à espera. — Ocupem seus lugares.

Will flexionou os braços, relaxando os músculos enrijecidos, enquanto os sargentos se dirigiam para o centro do campo. Olhou para Garin, cuja atenção estava voltada para o cavaleiro.

— Seu tio está com o bom humor de costume, não?

— Acho que está preocupado com o encontro de amanhã. — Garin voltou-se para Will. — Soube que você estará lá.

Will hesitou. A ameaça de Owein ainda estava fresca na mente, assim como as bolhas nas mãos por limpar as baias do estábulo, fixar tachas e lustrar selas.

Garin chegou mais perto.

— Você pode me contar — disse, fora do alcance dos ouvidos dos demais sargentos. — Também estarei na parlamentação com o rei. Vou portar o escudo de meu tio.

— Desculpe — disse Will, relaxando. — Owein proibiu-me de falar sobre isso.

— Meu tio também, mas esta manhã deixou escapar que você estaria lá. — Garin dirigiu um olhar pesaroso para Will. — Receio que a perspectiva da sua presença num evento tão importante o tenha desagradado.

Will voltou-se para o cavaleiro de expressão severa, que avaliava os sargentos combatentes. Jacques de Lyons, um comandante templário aposentado, havia lutado contra os muçulmanos nas batalhas de Herbiya e Mansurá. Na primeira, perdeu um olho para a lâmina de um *khorezmi* turco, e na segunda, trezentos de seus cavaleiros. No Novo Templo, a lesão e o temperamento lhe valeram o apelido que lhe foi dado pelos pupilos: o Ciclope. Era um apelido meramente sussurrado, pois, de acordo com os rumores, o último sargento a usá-lo abertamente havia sido transferido permanente para um vilarejo infestado de moscas, seis léguas ao sul de Antioquia.

— Tudo o que faço desagrada ao seu tio.

— Não foi você que ele menosprezou ainda há pouco — murmurou Garin, roendo uma unha já destruída e observando os dois sargentos em campo rodearem-se mutuamente. Olhou novamente para Will. — E você pode culpá-lo? Procure ser mais cuidadoso. Ele diz que você será expulso se violar mais alguma regra. Disse que garantirá que isso aconteça.

Os dois sargentos se atracaram. Brocart, o menor dos dois, gritou quando Jay chocou-se contra ele numa investida desajeitada, ferindo sua tíbia com a borda da espada.

— Pelo menos fomos melhores do que eles — disse Will, quando os dois sargentos desabaram num emaranhado de braços e pernas.

— Você ao menos está escutando?

Will olhou de lado para Garin.

— O quê?

Garin dirigiu-lhe um olhar condoído.

— Estava dizendo que você tem de ser cuidadoso. Você negligenciou uma de suas tarefas por uma hora de sono e passou os últimos dez dias pagando por isso. Quase nem o vi.

— Não foi pelo sono. Eu... — Will parou por um momento, depois deixou que a voz descesse até um sussurro e contou ao amigo sobre a iniciação a que havia assistido com Simon.

— Você está *louco*? — Garin sacudiu a cabeça, incrédulo.

— Tinha de ver.

— Mas você verá em primeira mão um dia. — O rosto de Garin ainda revelava descrença, mas também algo novo dessa vez.

— Não podia esperar cinco anos. Sempre nos contam a respeito, não contam? Sempre ficamos imaginando o que acontece, não? — Will fez uma careta. — Teria visto mais se aquele servo enxerido não tivesse dado as caras.

— E Simon? — perguntou Garin, com severidade. — Por que envolvê-lo?

— Precisava de alguém em quem pudesse confiar para manter vigilância para mim. — Will se deteve, notando a expressão de Garin. — Teria pedido a você — disse, rapidamente — mas sabia qual seria a resposta. Preferiria ter pedido a você, sabe disso.

Garin meneou a cabeça, embora Will o achasse parcialmente apaziguado.

— Não era certo você testemunhar a iniciação, e muito menos um cavalariço. Simon não é igual a nós.

— Vestimos a mesma túnica.

Garin suspirou.

— Você sabe o que quero dizer. Simon é filho de um curtidor. Somos filhos de cavaleiros. Simon nunca será um cavaleiro, nunca será nobre.

Will deu de ombros.

— Se são os pais que tornam um homem nobre, então sou bem-nascido apenas pela metade. O resto de mim é tão comum quanto qualquer cavalariço.

Garin riu com indulgência.

— Isso não é verdade.

— Você sabe que é. Meu pai pode ser uma cavaleiro agora, mas meu avô não era e minha mãe era filha de um mercador. Não somos todos nascidos com os privilégios da sua herança familiar.

— Bem, seu pai é um cavaleiro e isso basta para fazê-lo nobre.

Quando Garin se virou, a túnica escorregou num dos lados, revelando um vergão arroxeado e escarlate pouco abaixo da clavícula.

Will enrugou as sobrancelhas e apontou para a marca.

— O que é isso?

Garin seguiu o olhar do amigo e depois puxou a túnica.

— Você me atingiu com a espada ontem. — Deu um sorriso forçado. — Às vezes você não conhece a própria força.

No campo de treino, Brocart desarmou Jay com um talho da espada, que atingiu o pulso e fez com que o rapaz largasse a arma por causa da dor Os sargentos na linha lateral se agitaram nervosamente, enquanto Jacques se aproximava acompanhado pelos dois combatentes, Jay apertando a própria mão. Ao fim do treinamento, o cavaleiro distribuiria punições, geralmente um exaustivo circuito de dez voltas em torno do campo, aos sargentos que se saíssem pior em combate. Will arrancou uma lasca da espada, despreocupado. Por mais que Jacques sentisse antipatia por ele, jamais havia sido punido depois de qualquer sessão de treinos. Jacques caminhou ao longo da fileira, estudando cada um deles sucessivamente. Will enfrentou o olhar do cavaleiro, mas Garin abaixou a cabeça.

Jacques passou por ambos, depois parou.

— Lyons. Você correrá hoje.

Garin ergueu a cabeça num sobressalto. O rosto era uma máscara de incredulidade. Os outros sargentos tinham expressões semelhantes. Brocart, cuja performance havia sido lamentável, parecia especialmente desconcertado.

— Senhor? — Garin lutou para manter a voz firme. Como Will, nunca havia recebido a punição antes.

— Você me ouviu — disse Jacques, de um modo grosseiro. — Vinte voltas.

— Sim, senhor — murmurou o rapaz. — Obrigado.

Quando Garin saiu da fileira e o cavaleiro deu-lhe as costas, Will tocou o braço do amigo.

— Isso não é justo — sussurrou. — Jacques está errado.

— Campbell!

Will deixou cair a mão ao lado do corpo enquanto o cavaleiro se acercava dele.

— O que você disse? — intimou Jacques.

— Disse, senhor?

O olho de Jacques se estreitou até se converter em uma fenda.

— Não brinque comigo, rapaz. O que você disse a Lyons?

Will olhou para Garin, que deu um pequeno menear de cabeça.

— Nada, senhor. Eu só...

Parou por um momento, olhando para os outros sargentos em busca de apoio. Todos evitaram o olhar. Will bufou e dirigiu-se novamente a Jacques.

— Apenas me perguntei por que escolheu Garin para correr, senhor. — Tentou manter o tom de voz ameno, dando às palavras o formato de uma pergunta. — Não achei que ele tenha sido o pior.

Houve uma longa pausa.

— Entendo — disse Jacques, a voz ainda mais inquietante pela suavidade. — Então quem, você diria, merece a punição?

Will olhou para a linha de companheiros, depois novamente para Jacques.

— Vamos, Campbell — insistiu o cavaleiro. — Se você não acha que Lyons foi o pior, então deve ter uma ideia de quem foi.

Quando Will ia falar, Jacques levantou a mão. Deu um passo para trás, apontando para o seu lugar.

— Um passo à frente, senhor instrutor!

Will fez o que havia mandado. Os olhos dardejaram brevemente Brocart e Jay. O primeiro olhava diretamente em frente, mas Jay enfrentou o olhar e fechou a cara, sabendo o que o garoto estava pensando.

— E então? — intimou Jacques.

Will ficou calado por um momento. Por fim, sacudiu a cabeça.

— Não sei, senhor.

— Fale! — gritou Jacques, a voz ferindo como uma chicotada.

— Não sei quem foi o pior, senhor.

— É claro que não — disse Jacques, com um sorriso sem humor surgindo nos cantos da boca. Ele se voltou para os outros sargentos e apontou para Will. — Pois como poderia um garoto sem qualquer experiência de batalha, agraciado com uma linhagem que remonta meramente a uma geração e autorizado apenas pela proclamação que ele próprio se atribui, saber qualquer coisa de tais assuntos?

Will notou que Jay dava um sorriso malicioso. Garin olhava fixamente para o chão.

— No futuro, Campbell — disse Jacques, aproximando-se de Will —, guarde suas opiniões para si próprio. Seria menos embaraçoso. — Ele se curvou até que o rosto estivesse à altura do de Will. — *Jamais* questione meus julgamentos novamente — murmurou, e uma gotícula de saliva atingiu a face de Will. O cavaleiro endireitou-se.

— Lyons — disse, sem tirar os olhos de Will. — Campbell acabou de garantir-lhe dez voltas a mais.

Will fixou o olhar no cavaleiro, consternado. Ao ouvir uma voz tênue e rouca agradecer ao cavaleiro a punição, voltou-se para Garin, tentando comunicar um reconhecimento da culpa com os olhos e ao mesmo tempo implorar por perdão. Mas o garoto não olhou nos olhos de Will, nem de ninguém mais, enquanto saía da fila e se punha a correr. Will, com o rosto em chamas, observou Jacques caminhar rumo aos prédios da preceptoria. As mãos estavam trêmulas, ávidas por se dobrar em punhos e arrancar a socos aquele sorriso presunçoso da cara do Ciclope. À sua volta, os outros sargentos reuniam as armas em silêncio e começavam a deixar o campo em fila indiana. Will captou poucos olhares de simpatia de alguns e acusatórios de outros. Ignorando todos, observou Garin trotar pelo campo lamacento, que agora parecia muito maior do que jamais havia sido antes. Depois de alguns momentos, Will começou a correr.

Jacques vasculhou os rolos de pergaminho sobre a mesa, até encontrar o que estava procurando. Leu de novo o relatório, vagarosamente, forçando o olho na obscuridade. A vela havia queimado até ficar pequenina e o solar estava imerso em sombra, a não ser por uma faixa de luar que atravessava obliquamente a janela, embranquecendo as pedras do chão. Do lado de fora, uma coruja piou. Jacques passou a mão pela testa, enquanto as palavras do pergaminho se confundiam em linhas pretas destituídas de sentido. Levantando o tapa-olho de couro, passou o dedo em um vagaroso círculo em torno do nicho profundo onde o olho estivera um dia. A cavidade era permeada de cristas de um tecido cicatricial. Ainda que tivesse perdido o olho 16 anos antes, o órgão parecia doer sempre que lia por muito tempo. O cavaleiro estava trancado no solar havia horas e perdera tanto a refeição quanto o último ofício religioso. Owein havia aparecido mais cedo e sugerido que se retirasse para o leito, dizendo que se já não estivessem preparados para o encontro do dia seguinte àquela altura, jamais estariam. Jacques havia recusado o conselho, desejando ter certeza absoluta de que Henrique não conseguiria usar sua lábia para escapar da situação. Mas estava cansado. Depois de largar os pergaminhos, foi até a janela, recebendo de bom grado a brisa refrescante. O luar fez com que a pele ficasse da cor das cinzas e o contraste das sombras fazia com que os ângulos da face e do nariz parecessem talhados a faca. Houve um lampejo esbranquiçado quando a coruja saiu voando do claustro abaixo dele e desapareceu por trás dos telhados. Jacques voltou-se ao ouvir um arranhar na porta do solar.

— Entre — chamou, com a voz soando áspera pelo desuso da noite.

Um servo usando uma túnica marrom apareceu no umbral, parecendo nervoso.

— Desculpe, senhor — disse —, sei que é tarde, mas há alguém aqui que quer vê-lo. Ele... bem, senhor, ele insiste que é urgente.

Jacques franziu o cenho, parte pela interrupção e parte por se perguntar quem precisaria do intermédio de um servo.

— Mande-o entrar.

O servo afastou-se prestativamente para um lado e uma figura alta usando uma capa cinzenta esfarrapada entrou no recinto. O servo afastou o corpo para que o homem não o tocasse ao passar. Os olhos de Jacques se alargaram quando esse afastou o capuz e inclinou a cabeça em um cumprimento.

— Hassan — murmurou o cavaleiro.

— Desejaria mais alguma coisa, senhor? — interveio a voz do servo, hesitando no umbral. — Talvez um lanche para o seu... — O olhar do servo se desviou ligeiramente para o homem de cinza. — Convidado?

— Não — disse Jacques, ainda olhando fixamente para o indivíduo. — Deixe-nos.

O servo fez uma reverência e fechou a porta. Percorreu a passagem apressadamente, com a mão descrevendo sobre o peito o sinal da cruz.

*Escócia, 9 de junho de 1257*

*Will parou à porta, com a mão agarrada à moldura. O fogo na lareira crepitava e cuspia fagulhas. Na bancada onde a criada preparava a comida, a refeição da noite continuava por servir, sete peixes brancos, destripados e prateados à luz das velas. James Campbell estava sentado à mesa, de costas, com as pernas estendidas. Will pôde ver o rosto do pai unicamente como um perfil sombreado: o maxilar anguloso; testa projetada perpendicularmente sobre um nariz longo e reto. Os cabelos eram salpicados de fios grisalhos dos lados, mas a barba era negra como a asa de um corvo. O olhar de James se dirigia para a porta aberta, através da qual se infiltrava uma brisa morna com perfume de hortelã e milefólios. À luz do dia, a visão teria sido de campos e florestas se estendendo da pequena propriedade por todo o trajeto até a cidade de Edimburgo, que, em dias claros, era visível apenas como uma faixa cinzenta no horizonte. Agora, tudo estava escuro. De maneira muito tênue, o vento trazia o gorgolejar do riacho que corria por uma ravina rochosa e desaguava num lago situado muitos quilômetros a oeste.*

*James havia retornado aquela noite de uma semana passada em Balantrodoch, a preceptoria do Templo Escocês, onde fazia escriturações para o mestre. No encosto da cadeira, um manto preto estava pendurado. James era donato do Templo e estava proibido de usar os trajes de um cavaleiro iniciado. Embora passasse grande parte do tempo em Balantrodoch, trabalhando, morando e orando com os membros da Ordem, não havia assumido os votos de castidade e pobreza, apenas o de obediência, e era, portanto, autorizado a prosseguir com os deveres de marido e pai, dividindo o tempo entre o Templo e a propriedade. O manto preto era da cor do pecado humano, apenas os seres puros eram autorizados a vestir a cor branca de um templário.*

*Will se demorou na porta, observando o peito do pai subir e descer a cada respiração. Havia se preocupado quando o pai o chamara num tom incomumente solene. Uma gargalhada escapou do quarto adjacente, onde as irmãs mais velhas de Will, Alycie e Ede, brincavam com Mary, a mais nova.*

*James Campbell voltou-se ao ouvir esse som e sorriu ao ver Will.*

*— Venha aqui, William. Tenho algo para você.*

*Assim que o garoto sentou-se à mesa, o pai pousou a mão grande sobre a sua. Os longos dedos de James estavam manchados de castanho pela tinta de nós de galha que usava para manter em ordem os livros da preceptoria e as palmas eram macias, ao contrário das mãos dos poucos cavaleiros que Will havia conhecido, cuja pele era áspera das calosidades do manejo regular da espada. Durante os 13 anos trabalhando para o Templo, James havia passado várias temporadas com os cavaleiros, aprendendo a cavalgar as montarias de batalha e a lutar, mas sua principal obrigação sempre fora com seu trabalho. Para Will, porém, James era um guerreiro tão bom quanto qualquer homem que havia conhecido; melhor, o garoto havia sempre pensado, pois o pai também sabia ler, escrever, contar e falar em latim tão bem quanto o papa. Will constantemente o ouvia pronunciar algumas palavras numa língua cantada, musical, que James havia lhe dito ser árabe, a língua dos sarracenos.*

— *Você se lembra de quando lhe falei sobre um presente que seu avô me deixou quando morreu?*

*O primeiro pensamento de Will foi sobre a propriedade. A residência espaçosa e confortável, aninhada à beira de um charco, com anexos e celeiros, havia um dia pertencido ao avô. Angus Campbell tinha sido um próspero mercador de vinho que, cansado das disputas familiares, abandonou o clã para se estabelecer num negócio particular. Rico e mundano, havia criado o filho como um cavalheiro, arranjado para ele uma esposa decente e, pouco depois que os primeiros dois filhos de James nasceram, fez com que travasse relações com os templários em Balantrodoch, com os quais estabelecera estreitos laços de negócios ao longo dos anos. Ao morrer, Angus havia deixado o ouro para a Ordem e a propriedade para o filho.*

— *Nossa casa?*

— *Não a casa. Outra coisa.*

*Will fez que não com a cabeça.*

— *Creio que você era jovem demais na época para se lembrar disso agora.*

*James ficou de pé e dirigiu-se até a lareira, sobre cujas pedras algo estava apoiado. À primeira vista, Will pensou que fosse um atiçador, mas quando o pai o apanhou e retornou à mesa, viu que era uma espada, um alfanje. A lâmina curta e curva, que se alargava na ponta, parecia, pelas marcas na borda convexa, ter conhecido o campo de batalha. O botão da empunhadura tinha forma de disco e o cabo era entrecruzado por uma tira de fio prateado, para dar mais firmeza ao pulso. Era uma lâmina reforçada, destinada a um soldado de infantaria. Will observou-a quando o pai a depositou na mesa.*

— *Esta espada é um patrimônio hereditário. Seu avô a recebeu do pai dele e, antes de morrer, passou-a para mim. Agora ela é sua, William.*

*Will olhou no rosto do pai.*

— *Uma lâmina de verdade?*

— *Você não pode lutar com um graveto para sempre.* — *James sorriu.* — *Bem, o dia em que você a manejará em batalha será num futuro distante. Se Deus quiser, nunca. Mas creio que você já tem idade para portá-la. Conversei com o mestre em Balantrodoch e ele concordou em aceitar você como sargento aspirante.*

*Will tocou levemente a empunhadura. Estava quente por ter sido guardada de pé junto ao fogo.*

— *Vou mesmo?*
— *Vai para onde?*
— *Balantrodoch.*

*James perscrutou o rosto do filho.*

— *Treinei você o melhor que pude, William. Ensinei-lhe as letras e também a cavalgar e a lutar, mas as habilidades que você adquiriu devem ser aprimoradas por instrutores melhores do que eu. Um dia, William, você vestirá o manto branco e será admirado como um cavaleiro do Templo e quando o for, em nome de Deus, estarei ao seu lado.*

*Will recostou-se enquanto absorvia as palavras. Iria ser um sargento da Ordem do Templo. Desde que era um bebê esse nome o enchia de assombro. Não havia nenhuma organização sobre a terra, dissera-lhe o pai, que detivesse tanto poder quanto o Templo, exceto, claro, a própria Igreja. Will iria deitar na cama no quarto que compartilhava com a irmã mais jovem e sonhar que era um cavaleiro, um dos maiores homens de todo o mundo, erguendo-se alto e digno como o pai: nobre de espírito; honrado na batalha; generoso de coração.*

*Will endireitou-se repentinamente no assento.*

— *Podemos antes terminar o barco?*

*James riu e desalinhou os cabelos de Will.*

— *Ainda falta um ano ou mais para você se tornar meu sargento. Teremos tempo mais do que suficiente para terminar o barco.*

— *Essa não seria a espada do seu pai, James?*

*Will olhou quando a mãe entrou, trazendo consigo uma jarra de refresco de hortelã. A barriga estava apertada no tecido delgado do vestido, abaulada pelo bebê. Atrás dela saltitava Mary, a irmã de 8 anos de Will. O menino se zangou pela interrupção quando Mary correu até James.*

— *Seria, Isabel* — *respondeu James, segurando Mary e balançando-a, aos gritinhos, no ar.* — *Embora seja agora a espada de William.*

Isabel levantou uma das sobrancelhas para o marido enquanto depositava a jarra na mesa.

— Para mim, poderia ser do papa. O que ela está fazendo na minha mesa?

James soltou Mary e puxou Isabel, sob protestos, para o colo. Ela deu um tapa na cabeça do marido.

— Não haverá comida alguma se você não remover esse pedaço de ferro e me soltar.

James fingiu uma expressão chocada.

— Esta é uma arma do nosso clã, mulher, não um pedaço de ferro!

— Não temos clã, papai — corrigiu Alycie, a filha mais velha, enquanto entrava com Ede. Como a mãe, ambas tinham cabelos ruivos escuros, ao passo que os de Mary eram da cor do mel.

— Não — concordou James. — Não temos desde que o seu avô deixou a família, mas é parte da nossa herança mesmo assim.

Deixou que Isabel saísse do colo e apanhou a espada.

— Vejam. Isto é ferro escocês de qualidade.

Deu um poderoso golpe cortante no ar. A lâmina atingiu a jarra de refresco, que foi atirada para fora da mesa e se espatifou num canto. William começou a rir.


*Novo Templo, Londres, 15 de setembro de 1260*

A empunhadura era fria entre os dedos. A espada estava levemente enferrujada em torno da guarda em forma de cruz e as tiras de fios de prata estavam um pouco frouxas. Will virou o rosto quando um ronco partiu do catre ao lado do seu. A chama da luz noturna dançava e tremeluzia sobre as formas dos corpos dos outros oito sargentos com quem compartilhava o quarto. Como todos os alojamentos no prédio dos sargentos, o dormitório era um recinto obscuro, de teto baixo. Nove catres se enfileiravam junto a uma parede, cada qual munido de um rústico cobertor de lã. De frente para os leitos, havia dois armários, que continham as roupas e os poucos pertences dos sargentos, e uma mesa para a vela. Um vento frio penetrava pelas janelas estreitas, erguendo as sacas que eram colocadas sobre elas e trazendo consigo o cheiro úmido e salobro do Tâmisa. Como sargentos e cavaleiros eram proibidos de dormir nus, Will vestia camisa e ceroulas, mas o ar estava frio e havia envolvido os ombros com o manto curto de inverno. Sombras oscilavam nas paredes e teias de aranha ocultas emitiam reflexos prateados quando a luz noturna da vela tremeluzia e iluminava os recessos escuros entre as vigas.

Will depositou a espada com cuidado sobre o catre diante de si e abraçou os joelhos junto ao peito, tendo um sobressalto quando as costas doeram. A cada vez que se movia, uma nova dor inflamava os músculos. Os pés estavam inchados e uma bolha se formara no calcanhar onde a bota o havia friccionado. Passava da meia-noite e estava exausto, porém perturbado, e os pensamentos não o deixavam dormir.

Quando alcançou Garin no campo de treino, o amigo ficou sem falar por algum tempo e ambos correram as primeiras voltas em silêncio. Por fim, Garin falou.

— Por que está fazendo isso? — ofegou.

Will encolheu os ombros como se aquilo não tivesse importância.

— Achei que você podia querer companhia.

Era a única coisa que precisava ser dita. Entre respirações ofegantes, com os cabelos caindo nos olhos, conversaram e riram durante todo o tempo da punição imposta por Jacques, encorajando um ao outro quando o campo parecia interminável e as pernas latejavam de dor. Depois disso, num pequeno, mas satisfatório, ato de rebelião, Garin montou guarda, enquanto Will subia numa das árvores do pomar para colher um punhado de ameixas. Escondidos entre os contrafortes curvos atrás da capela, devoraram sofregamente as frutas, enquanto o sol dissipava o que restava da neblina e secava suas roupas. Para Will, a lembrança de como as coisas haviam sido apenas revelava o quanto tinham mudado.

Fazia mais de dois anos desde que Will havia conhecido Garin, na manhã seguinte à chegada ao Novo Templo. Will, que nunca fora a Balantrodoch como o pai prometera, havia sido levado ao campo de treino, onde foi apresentado aos sargentos com os quais passaria os próximos sete anos de vida. Garin também havia chegado recentemente, e Will, completando um grupo de número par, foi designado como seu parceiro de treinos. Os outros sargentos foram amigáveis e curiosos, reunindo-se em torno dele, mas Garin havia se retraído. Will, sem ter respondido nenhuma das perguntas dos sargentos, apanhou a espada de madeira que lhe havia sido entregue e seguiu os comandos de Jacques sem dizer uma palavra. Nas refeições e na capela, sentava-se sozinho e o rumor das vozes dos sacerdotes, enquanto liam trechos das escrituras no jantar e durante os ofícios, era um zumbido constante e enfadonho nos ouvidos.

As coisas transcorreram dessa forma por quase uma quinzena e o interesse inicial em Will havia se desvanecido, pois os companheiros concluíram que era mudo ou arrogante. Poderia ter se conformado com seu silêncio por muito mais tempo, não tivesse sido por Garin. Esse nunca lhe havia perguntado sobre sua casa ou sua família. Tampouco havia indagado por que James Campbell era visto tão raramente fora do solar onde trabalhava com Jacques e Owein como guarda-livros, substituindo um escriturário doente — o cargo que havia trazido ele e o filho a Londres. Vários meses depois da chegada, James havia entrado na sala capitular e feito os dois últimos votos, os de castidade e pobreza. Will ficara chocado ao ver o pai vestido com o manto branco de um cavaleiro plenamente declarado. O homem que havia se tornado quase um estranho para ele, reservado, formal, era agora inatingível, frio e distante naquelas vestes totalmente brancas. Will, em sua túnica preta, ainda pecador, ainda humano, sentiu como se o tivesse perdido para sempre. A mãe e as irmãs, dissera-lhe o pai, haviam se mudado para um convento perto de Balantrodoch, uma vez que a propriedade fora dada à Ordem em troca da aceitação de James como cavaleiro. Lá seriam mantidas pelo Templo e não teriam, garantiu-lhe o pai, necessidade de nada. Porém isso não aliviava a tristeza de Will nem atenuava a consciência de ser o responsável pela perda do pai, da família e do único lugar que havia conhecido e amado. O desinteresse de Garin por coisas de que Will não tinha forças nem desejo de falar fez com que se sentisse à vontade e quando ele sugeriu que praticassem no tempo livre, acolheu a companhia do garoto sem curiosidade. Hesitantemente, ao longo das semanas seguintes, Will havia começado a falar, inicialmente sobre movimentos de espada, depois perguntando a Garin sobre a preceptoria, por fim, contando sobre si próprio. A sombra que o havia seguido desde a Escócia nunca o deixara, mas quando estavam juntos se tornava invisível.

Depois que o pai partira para a Terra Santa, a ousadia de Will aumentou. Tanto ele quanto Garin haviam achado que o tédio das atividades diárias e dos ofícios era uma amarra que impedia suas liberdades e se rebelavam contra a rigidez do regime. Não eram os únicos sargentos a fazer isso, mas juntos, como Owein frequentemente dizia, eram fogo e lenha. Uma vez, no inverno anterior, quando os charcos além do portão norte de Londres haviam congelado, chegaram até mesmo à ousadia de escapar da preceptoria no meio da noite para patinar. Amarrando blocos de gelo aos pés com tiras de couro, como haviam visto os meninos da cidade fazerem, passaram várias horas divertidas e inesquecíveis competindo um com o outro pelo meio do gelo até que, quase congelados e exaustos, fizeram a longa caminhada para casa, jurando jamais contar aquilo a ninguém.

Will não conseguia imaginar Garin fazendo nada parecido com aquilo agora. Apanhou a espada novamente e pousou o metal no colo, no sentido do comprimento, percorrendo a parte achatada da lâmina com os dedos. O amigo estivera ausente durante a refeição da tarde e como nem Garin nem Jacques compareceram à capela para as Completas, começou a se preocupar. Perguntou-se o que deveria fazer. A resposta que lhe veio foi a mesma de sempre: não havia nada que pudesse fazer. Jacques era um cavaleiro, e ele, um sargento, não tinha autoridade. Will passou a ponta do dedo pelo cabo da espada, sentindo a mudança sutil entre prata e ferro. Às vezes pensava saber como Garin se sentia. E às vezes se indagava se era pior ter um tio que o maltratava ou um pai que sequer lhe dirigia a palavra.

# 5
## Novo Templo, Londres
### 15 de setembro de 1260

Hassan acomodou o corpo esguio numa banqueta. Os olhos escuros inspecionavam o solar. Jacques empurrou os pergaminhos sobre a mesa para o lado, com um movimento do braço, e sentou-se. Oferecendo uma das duas taças que segurava, sorriu quando Hassan a recusou.

— É água.

— Obrigado — Hassan aceitou a taça e devolveu o sorriso. — Eu me desacostumei à companhia de amigos. O hábito de recusar a maioria das ofertas bem-intencionadas é difícil de romper. — Tomou um gole e a água lavou da garganta o pó da estrada.

Jacques escutava com atenção, lutando contra o sotaque de Hassan, que tornava parte da fala abrupta difícil de compreender.

— Peço desculpas — prosseguiu Hassan — pela surpresa e pelo adiantado da hora, mas não houve tempo para avisá-lo de minha visita. Cheguei a Londres esta noite.

Jacques dispensou a desculpa com um gesto de mão.

— O que o traz aqui, Hassan? Não tenho notícias do irmão Everard há um bom tempo.

Hassan pousou a taça na mesa.

— O *Livro do Graal* foi roubado.

Jacques estava acostumado com a maneira franca de Hassan falar; geralmente a acolhia bem, nas ocasiões pouco frequentes em que ambos se encontravam. Mas se o aparecimento do homem em si havia sido um choque, isso não era nada comparado ao impacto abrupto daquelas palavras. Jacques sufocou a exclamação que quase se libertou da boca e permaneceu em silêncio por alguns momentos, deixando que a frase fosse assimilada.

— Quando isso aconteceu? — perguntou, por fim. — E como?

— Doze dias atrás. Foi tirado dos subterrâneos da preceptoria por um copista.

— Você sabe quem o roubou?

Jacques passou a mão pelos cabelos cinzentos e conteve a impaciência a custo.

— O roubo foi descoberto quando o tesoureiro encontrou o corpo inconsciente de um dos dois copistas mais velhos que cuidam dos cofres. Depois de ser reanimado, o escrivão disse que havia descido até as galerias por ter ouvido um distúrbio. Foi atacado por um dos companheiros, um jovem copista de nome Daniel Rulli, que o espancou com um jarro de esmolas até que perdesse os sentidos.

— Esse Rulli havia se apoderado do livro?

Hassan fez que sim.

— O visitador ordenou uma busca na preceptoria, mas o irmão Everard acreditava que Rulli havia fugido. Fui enviado cidade adentro para persegui-lo. Apanhei-o perto da Porta de Saint-Martin.

Hassan contou a Jacques o que o copista havia dito antes de ser assassinado.

— Foi coagido a roubar o livro?

— Foi o que disse, irmão.

Jacques franziu as sobrancelhas.

— Se estava dizendo a verdade, podemos presumir que o assassino e o homem que obrigou Rulli a roubar o *Livro do Graal* são a mesma pessoa ou pelo menos estão agindo juntos.

— Eu pensaria assim. Parece razoável achar que Rulli estava a caminho de entregar o livro. Pode ter sido morto para evitar que dissesse onde isso aconteceria, ou a identidade da pessoa que o forçara a roubar, ou ambas as coisas. Por que não o levava consigo, não sei dizer. Pode ter escondido em algum lugar quando se deu conta de que eu estava atrás dele.

— Ou a transferência já havia acontecido.

— Isso também é possível. Infelizmente, não pude perseguir o assassino. A guarda chegou e tive de fugir. Duvido que tivesse alguma chance de explicar por que estava parado diante de um cadáver; só minha aparência já teria me condenado aos olhos deles. Voltei mais tarde para procurar, mas não encontrei nada.

Jacques não replicou. Tomou um bom gole da taça cheia de vinho.

— Quando retornei à preceptoria, Everard foi ter com o visitador e pediu para interrogar o tesoureiro e os dois copistas mais velhos, que, além de Rulli e do próprio visitador, têm acesso às galerias. Nenhum deles fazia ideia de por que o copista cometera tal crime ou quem pode tê-lo forçado a fazer isso. Um camarada de Rulli, um sargento, também foi interrogado por nós. Esse sargento contou-nos que o amigo parecia perturbado havia alguns dias, mas não tinha ideia do porquê e negou saber qualquer coisa sobre o roubo, mesmo quando o ameaçamos com o encarceramento em Merlan.

— Alguém sabe o que foi roubado?

— Os copistas e o visitador sabem apenas que é um documento valioso pertencente ao irmão Everard. Ignoram a verdadeira importância.

— Isso pelo menos já é alguma coisa. — Jacques secou o resto do vinho de um só gole.

— Quando a guarda chegou à preceptoria para nos informar do assassinato de Rulli, o visitador declarou que havia sido um roubo para ganho monetário. Uma investigação conjunta do Templo e do senescal não levou a nada.

— O rei deve ter levado isso a sério, então, fazendo com que o ministro superior de justiça investigasse o caso?

— O visitador insistiu nisso.

Jacques levantou-se e serviu-se de mais bebida.

— As galerias de Paris contêm muitos tesouros inestimáveis. Medido em ouro, o livro vale muito pouco. Alguma outra coisa foi tirada?

— Absolutamente nada. — Os olhos escuros de Hassan não abandonaram o cavaleiro em momento algum. — Posso falar francamente, irmão?

— É claro.

— Por mais periclitante que essa situação seja, tenho minhas dúvidas de que alguém consiga extrair algum sentido do livro. Para um leitor comum, não pareceria mais do que um romance de Graal, ainda que heterodoxo.

— Heterodoxo? — opôs-se Jacques, retornando ao assento. — Essa é uma palavra leve demais para ritos sacrificiais e profanação da Cruz. Qualquer coisa que vá contra o caráter da Igreja é considerado heresia, Hassan. Estou certo de que você tem ciência do que aconteceu aos cátaros.

Hassan fez que sim. Não se encontrava no Ocidente quando a Cruzada contra os cátaros começou, mas conhecia o destino deles. Os cátaros, uma seita religiosa que havia florescido nas regiões meridionais do Reino da França, reconheciam dois deuses: um de suprema bondade, outro de mal absoluto. Ao seguir a própria doutrina, adotavam o Velho e o Novo Testamentos mas acreditavam que eram alegorias, e não interpretações literais da fé. O deus mau, defendiam, criara o mundo e tudo o que há nele, e toda matéria era, portanto, corrupta. Por causa dessa crença, não consideravam Jesus verdadeiramente humano, negando que o divino, que transcenderia a Terra poluta, pudesse jamais ter sido uma parte dela.

Advogando a experiência pessoal do sagrado, haviam se oposto à Igreja, a seu clero e aos luxos temporais. Quando seus ensinamentos se espalharam e ganharam popularidade, a Igreja os declarou heréticos e moveu a guerra contra eles. A Cruzada foi travada em solo natal, durou 36 anos e assistiu ao extermínio da maioria dos sectários. O golpe mais devastador contra os cátaros viera 16 anos antes, com a queda de sua última fortaleza importante e a queima de duzentos homens, mulheres e crianças. Para a Igreja, a heresia era uma doença que precisava ser extirpada, removendo o membro afetado, se necessário, para salvar o corpo da infecção.

— Além disso — continuou Jacques, pousando a taça —, não acredito que o livro esteja nas mãos de qualquer leitor comum, como você afirma. Creio que podemos ter certeza de que seja lá quem tiver coagido o copista a roubá-lo deve saber que pertence à Irmandade. Por qual outro motivo se dariam ao trabalho de forçar o copista a roubar algo aparentemente tão destituído de valor de uma de nossas galerias carregadas de tesouros?

— Mas apenas alguns dentro do Templo sabem, que dirá estranhos a ele.

— Sempre há os rumores.

— Rumores, sim, nada mais do que isso — respondeu Hassan, com cautela. — A Alma do Templo é uma lenda. Em todos esses anos ninguém foi capaz de provar sua existência.

— Porque não há prova para ser descoberta, apenas os testemunhos dos envolvidos, que juraram às dores da morte nunca divulgar nossos segredos. E aquele maldito livro. — Jacques sentou-se novamente com exaustão. — Nem todos aqueles que deixaram o círculo em seguida à nossa dissolução estão mortos. Talvez os juramentos que fizeram não lhes importem mais. Talvez um ou mais deles tenha descoberto que a Anima Templi vem continuando seu trabalho sem eles. Que nossos planos ainda estão em andamento. Talvez o ladrão pretenda usar o *Livro do Graal* como prova contra nós ou chantagear-nos com a ameaça da exposição. — Jacques meneou a cabeça. — Não se engane, Hassan, estaremos realmente em grande perigo enquanto o livro estiver perdido. Se nossos planos forem revelados, o Templo poderia se defrontar com a destruição, a Irmandade poderia enfrentar a fogueira e tudo em que trabalhamos para conquistar no último século terá sido por nada. E se a Igreja descobrir nosso plano supremo? Bem, não tenho certeza se uma punição adequadamente cruel o bastante já foi concebida, nem mesmo pelos inquisidores.

Jacques apanhou a taça, levou-a aos lábios e depois pousou-a sem beber nada.

— Sem o poder do Templo, sem os amplos recursos em homens e dinheiro que inadvertidamente nos provê, não podemos continuar nosso trabalho.

Hassan ficou calado, pensativo, por alguns instantes.

— Se o ladrão sabe da Irmandade — disse —, talvez por um antigo membro que tenha divulgado seus segredos, então quem poderia ser ele? Quem quereria nos destruir ou ao Templo?

— Ao longo dos anos fizemos muitos inimigos; pessoas invejosas de nosso poder e de nossa riqueza. O Templo responde unicamente ao papa e está além do alcance da legislação de reis e tribunais. Como cavaleiros, não pagamos impostos ou dízimos e temos autorização para abrir igrejas com as quais obter donativos. Temos negócios em quase todos os reinos deste lado do mar e temos mais influência do que a maior parte dos que estão além dele. Ofender-nos é um crime e matar ou até mesmo ferir um de nós é punido com a excomunhão. Quem poderia ser? — Jacques espalmou as mãos de um modo expansivo. — Os hospitalários, os mamelucos, mercadores genoveses ou pisanos cujos negócios confiscamos, grande número de reis ou nobres, os cavaleiros teutônicos? A lista é longa.

— Encontrarei o livro, irmão — disse calmamente Hassan —, mesmo que tenha de virar a cama do rei Luís em pessoa para isso.

Jacques contemplou os pergaminhos sobre a mesa, cujos conteúdos haviam ocupado seus pensamentos nas horas despertas pelas últimas duas semanas. Agora pareciam nada mais do que uma contrariedade mesquinha.

— Quanto tempo você pode ficar? — perguntou.

— O tempo que você precisar de mim, embora quanto antes retornar, melhor.

Jacques caminhou até o armário ao lado da janela.

— Tenho assuntos a resolver aqui. Infelizmente, não é algo que possa abandonar. Haveria questionamentos demais. Mas irei com você a Paris quando me for possível e ajudarei nas buscas.

Depois de abrir as portas duplas, procurou atrás de uma Bíblia na prateleira inferior e pegou uma pequena caixa. Apanhando uma chave da prateleira superior, destrancou a caixa e tirou uma algibeira. Sacudiu várias moedas para a palma da mão e entregou-as a Hassan, para então devolver a chave e a caixa aos seus lugares.

— Farei com que meu cavalo seja selado para você. Há uma estalagem na Friday Sreet, a oeste da Walbrook. Procure a tabuleta da Lua Crescente. Entregue o ouro e cite meu nome e você será bem-vindo ali. Mandarei procurá-lo quando meu compromisso estiver terminado.

Hassan deu um leve sorriso.

— Um alojamento de nome bem apropriado. — Guardou as moedas numa algibeira no cinto. — Everard ficará contente. Ele me mandou assim que o inquérito do Templo foi concluído. Sei que esperava que você estivesse livre para retornar comigo.

— Tenho certeza de que o padre ficará feliz. Ainda que não demonstre.

Hassan levantou-se do banco e pescou algo dentro do saco de viagem que mantivera no colo durante todo o encontro.

— Há uma última coisa, irmão.

Jacques observou Hassan retirar um estojo para pergaminho em couro, que havia sido atado com arame para mantê-lo fechado.

— O que é isso? — perguntou, pegando o objeto.

— A única boa notícia que trago.

Jacques desenrolou o arame e abriu a proteção de couro. Havia um pedaço de pergaminho enrolado dentro dela. Quando o cavaleiro o tirou, pôde sentir o cheiro do mar, aprisionado na pele grossa e amarelada. A página estava coberta por uma escrita bem alinhada. Correu a vista pelos primeiros parágrafos, depois ergueu o olho para Hassan.

— Isto é de fato uma boa notícia. Devo confessar que não esperava que ele conseguisse tão rápido. Posso ficar com isto? Gostaria de algum tempo para lê-lo com calma.

— É claro.

Jacques enfiou a carta sob os rolos de pergaminho que estavam sobre a mesa e gesticulou para a porta.

— Venha. Vou acompanhá-lo até o estábulo.

*Rio Tâmisa, Londres, 15 de setembro de 1260*

Henrique III, o rei da Inglaterra, protegeu os olhos com a mão quando o sol surgiu de trás de uma nuvem e transformou o rio numa ofuscante cortina de prata. Ainda era cedo, mas o sol estava surpreendentemente quente sobre as cabeças do monarca e de sua grande comitiva de pajens, escrivães e guardas, que se sentavam rigidamente nos bancos ou permaneciam de pé em posição de sentido. Ouviu-se um grito quando o capitão da barcaça real ordenou que um barco a remo à proa saísse do caminho. O Tâmisa estava coalhado de barcos de pesca e navios mercantes e a tripulação da embarcação volumosa e pesada tinha de negociar o trajeto rio acima cuidadosamente, com os longos remos imergindo e varrendo a água.

Henrique apalpou a cabeça no ponto em que os cabelos grisalhos eram mais finos, examinando o efeito do calor do sol sobre a pele pintalgada pela idade. A despeito do calor e dos volumosos trajes de veludo preto guarnecidos no colarinho e nos punhos com uma pele de lobo, sentia frio. Remexeu-se em desassossego sobre a almofada e tentou atrair a atenção do filho mais velho, que estava sentado no banco atrás dele, mas os olhos do príncipe Edward estavam fixos nos dois homens da embarcação infratora, que remavam freneticamente para fora do caminho da barcaça. Henrique voltou-se então para o homem de manto preto e chapéu sentado à sua esquerda. A pele desse parecia mais pálida do que o normal.

— A água o incomoda, lorde chanceler? — indagou o rei.

— Nao, meu suserano. É o movimento que me perturba.

— É o modo mais rápido de chegar ao Templo saindo da Torre — disse Henrique, alegremente, como se isso pudesse fazer alguma diferença para o desconforto do homem.

Dispensou com um gesto um pajem que tentava se aproximar com uma bandeja de bebidas.

— Este meio pelo menos é um pouco mais discreto do que a cavalo — respondeu o chanceler —, e isso me deixa grato. Quanto menos pessoas nos virem entrar no Templo, melhor. É bem sabido que suas únicas relações com os cavaleiros nestes dias residem no tesouro deles. Seus súditos poderiam questionar por que o senhor precisa de mais ouro quando já tira tanto deles. Os novos impostos já são suficientemente impopulares por si próprios.

O cenho de Henrique se fechou ainda mais.

— Esses impostos foram elevados a conselho seu, chanceler.

— E lhe asseguro, meu suserano, que foi um bom conselho. Simplesmente apontei o que estaria de acordo com seus melhores interesses, e o que está em seus melhores interesses hoje é fazer de nosso comparecimento ao Templo o mais rápido e despercebido possível. Já é bastante impróprio termos concordado em ir ao encontro deles. Os templários sempre crescem acima da posição que lhes cabe.

Henrique contemplou a superfície da água e massageou a mandíbula, que parecia estar sendo lentamente travada pela pressão de um torno. As margens do rio estavam abarrotadas, como sempre, pelo fluxo contínuo de comerciantes e mascates, carregadores e pechincheiros. Por todas as ruas eles caminhavam, rodavam ou passavam chacoalhando em carruagens puxadas por cavalos e em carros de boi. Mais além, a cidade era uma floresta de residências de pedra e vigamento, casarões de madeira, lojas, mansões e conventos, todos subjugados pelos imponentes pináculos das capelas e pelo telhado da Catedral de São Paulo. O clarão do sol, os cheiros das docas pesqueiras e a movimentação coletiva e frenética dos cidadãos fizeram com que a cabeça de Henrique latejasse.

— O chamado deles foi dos mais impertinentes, meu suserano — prosseguiu o chanceler, vendo que o rei não falava. — Nenhum detalhe sobre a ordem do dia determinada por eles, apenas uma solicitação para que eu e a assessoria do tesouro comparecêssemos.

O semblante do chanceler alterava-se sutilmente de branco para rosa pálido por causa da indignação crescente.

— Isso deveria ser informação suficiente para você, chanceler — disse secamente Henrique, esfregando a testa. — Devo presumir que diz respeito ao nosso débito.

— Mas o senhor conversou com um deles sobre esse assunto recentemente.

— O irmão Owein. Um homem persistente, de fato. Eu lhe disse que pagaria a dívida quando pudesse e ele aceitou.

— Se é assim, meu suserano, por que a convocação?

Henrique abriu a boca para responder, mas o filho falou antes dele.

— Talvez queiram discutir uma nova Cruzada.

O chanceler e Henrique voltaram os rostos para ver que o príncipe os observava. Os olhos cinza pálidos de Edward cintilaram à luz solar refletida pela água. O fato de que as pálpebras eram caídas, dando-lhe o aspecto de alguém sempre profundamente imerso em pensamentos, não prejudicava a boa aparência. A voz era suave e ele falava lenta e cuidadosamente para disfarçar a leve gagueira que o afetava desde a infância.

— Ela por certo é necessária há muito tempo. Não há uma investida prolongada e eficaz para o Oriente desde a campanha do rei Luís, e essa terminou seis anos atrás. Agora recebemos vagos relatórios de que os mongóis ampliaram suas invasões e que os mamelucos estão se preparando para marchar sobre a Palestina a fim de confrontá-los.

— No momento — respondeu Henrique — preciso me concentrar mais em problemas domésticos do que em distúrbios no estrangeiro, que podem ser resolvidos, em primeira instância, pelas ordens militares. É para isso que servem, afinal.

— Já faz dez anos desde que o senhor tomou a Cruz, meu pai — disse o príncipe, brandamente, mas com um desafio no tom de voz. — Pensei que o senhor quisesse ir à Cruzada. Foi o que disse aos cavaleiros quando lhe perguntaram para que era o dinheiro que lhe estavam emprestando.

— E irei. No devido tempo.

Henrique deu-lhe as costas, sinalizando o fim da conversa, mas atrás dele ainda podia sentir os olhos de Edward sobre si. Isso o deixava pouco à vontade. No ano anterior, haviam começado a circular rumores na casa real de que o filho estava envolvido num complô para derrubá-lo, idealizado pelo cunhado de Henrique, o homem que ele havia feito conde de Leicester, Simon de Montfort. Havia confrontado o filho e o conde mas, sem provas, acabou forçado a se reconciliar com ambos. O incidente havia, porém, deixado entre ele e Edward um abismo, que parecia ficar um pouco mais fundo a cada dia.

— Bem, só precisaremos ser firmes com os cavaleiros, meu suserano — disse o chanceler em tom decidido. — Seja lá o que quiserem de nós.

Henrique caiu num silêncio pensativo, enquanto a barcaça atravessava os muros da cidade. À distância, erguia-se a preceptoria dos templários.

*Novo Templo, Londres, 15 de setembro de 1260*

As portas da capela fecharam-se com um estrondo e os poucos cavaleiros retardatários sentaram-se, enquanto o sacerdote caminhava para trás do altar. Will correu como uma flecha até o lugar que ocupava com os companheiros sargentos na nave e ajoelhou-se quando o padre abriu o ofício da Terça com o fervor usual. Will entrelaçou as mãos em oração, mas não era o louvor a Deus nem mesmo a iminente parlamentação com o rei que ocupavam sua mente. Ele se atrasara para o ofício e ainda não havia visto Garin. Com os olhos semicerrados, vasculhou a igreja e deu um suspiro de alívio quando avistou o amigo. Garin estava ajoelhado várias fileiras à frente, com a cabeça baixa, os cabelos caindo como uma cortina sobre o rosto.

Will se remexeu desconfortavelmente quando o sacerdote se pôs a ler as escrituras. Suportara sete dessas leituras todos os dias durante dois anos, e isso sem incluir a missa, a que assistiam uma vez ao dia após o ofício da Sexta ou das Vésperas e nas vigílias, rezadas para os mortos a cada tarde. No entanto, as leituras não pareciam ficar nem um pouco mais curtas. Havia também serviços especiais para as festividades: a Missa do Galo; a Epifania; a Festa da Anunciação; a Festa da Assunção; a Festa de São João Batista, apenas para citar algumas. Ao menos depois dessas havia sempre uma boa refeição à espera.

Uma aranha numa fenda entre as pedras do piso, perturbada pelo arrastar de pés de Will, saiu a passos rápidos em direção às efígies de cavaleiros confinadas no chão da nave, com a solenidade esculpida nos rostos e espadas de granito sobre os peitos. A nave era uma câmara altiva e circular, circundada por cabeças de pedra de pecadores e demônios que espiavam das paredes, com as faces contorcidas por variadas expressões de sofrimento e malevolência. Abria-se para uma coxia que conduzia ao altar. Pilares dividiam a coxia, erguendo-se para o teto abobadado, e os bancos entre eles estavam cheios de cavaleiros.

Finalmente, o padre ergueu as mãos.

— Fiquem de pé, irmãos. Humildes servos de Deus, defensores da verdadeira fé e portadores da Lei Divina. Levantem-se para rezarmos o Pai-Nosso.

Will se levantou, com as pernas formigantes, para recitar a Oração do Senhor. Sua voz uniu-se às dos outros 260 homens na capela, as palavras colidindo entre si até pronunciarem um único som, tão ressoante quanto as ondas do mar.

— *Pax vobiscum!*

Houve um arrastar de pés quando o padre fechou o breviário, sinalizando o encerramento do ofício.

Will esperou impacientemente com os outros sargentos até que os cavaleiros se retirassem. Quando chegou a vez de sua fileira sair, o fez às pressas, acotovelando os companheiros. Depois de ter estado na penumbra da capela, o sol parecia excessivamente claro e teve de cobrir os olhos ao atravessar a arcada. Os sargentos seguiam em fila atrás dos cavaleiros, percorrendo o caminho até o Grande Salão para fazer o desjejum. As edificações em volta do pátio principal pareciam douradas na manhã de outono. O céu era magnífico, de um azul nebuloso, e o cheiro de maçãs e ameixas maduras nos pomares era um perfume doce a mascarar o odor generalizado de suor e esterco de cavalo que permeava a preceptoria. Algo na cor da luz matinal, a maneira como parecia iluminar tudo a partir de dentro, fez com que Will se recordasse do dia em que chegara ao Novo Templo.

Com assaduras causadas pela sela e exausto da cavalgada de 15 dias desde Edimburgo, ele e o pai haviam vencido a Floresta de Middlesex, atravessado campos de trigo e vinhedos, até verem Londres se estender diante deles. Era outono na época, também, e folhas vermelho-ferrugem pendiam dos ramos. Haviam parado para dar de beber aos cavalos num riacho e Will contemplou maravilhado aquela ampla cidade. Fora dos muros, à direita, vira diversas propriedades imponentes ao longo das vastas margens do rio, uma das quais havia suposto ser o Templo. Tudo tinha parecido tão grande, majestoso e reverencial que Will havia imaginado que anjos, e não homens, residiam nos prédios. Voltara-se para o pai, exaltado, mas encontrara na expressão de James aquele mesmo vazio tristonho com que se confrontava havia meses.

Will repeliu a lembrança com esforço. Uma vez que as sombras se apossassem dele, seria difícil espantá-las e se recusava a deixar que a escuridão penetrasse aquele dia. Avistando Garin na fila de sargentos que marchavam para fora do recinto da capela, desceu correndo os degraus, forçando um sorriso.

Garin olhou quando Will chegou correndo ao seu lado.

— Você está indo para o arsenal? — perguntou.

Will segurou o seu braço.

— Onde você esteve na noite passada?

Garin fez uma careta.

— Na enfermaria, com o irmão Michael e uma dor de barriga. Ele disse que deve ter sido alguma coisa que comi. Não contei a ele sobre as ameixas.

— Pensei... — Will se deteve, rindo para encobrir a quase declaração do que havia de não dito entre eles. — Isso vai nos ensinar. Por sorte, meu estômago tem uma armadura.

— Devemos apanhar os escudos — disse Garin, atravessando o pátio. — Esse é um encontro para o qual não quero me atrasar.

Os dois garotos dirigiram-se para o arsenal, sem fazer caso dos olhares curiosos dos sargentos mais jovens ao deixarem as fileiras. Depois de retirar os escudos dos mestres, seguiram até o pátio interno. Will suspendia o escudo de Owein bem alto sobre o braço, pois as tiras de couro beliscavam sua pele. Os escudos, que eram tingidos de branco por cal viva e seccionados por uma cruz em carmesim, eram quase do tamanho deles. Situado no centro do quartel dos cavaleiros, o gramado do pátio era cingido por claustros cujas portas em arco davam para os níveis inferiores das edificações. A grama, perolada por gotas de orvalho, brilhava com uma fosforescência esverdeada. Um grande conjunto de tábuas e cavaletes havia sido colocado no centro e uma multidão de servos passava em alvoroço ao redor dele na dança complexa e inabalável dos que foram criados para servir, transportando bancos, bandejas de comida e vinho da cozinha. Will aproximou-se de Owein e Garin o seguiu. O cavaleiro conversava atentamente com um dos escrivães do Templo. Levantou a cabeça. Will abriu a boca para saudar o mestre, mas outra voz gritou antes que pudesse falar.

— Irmão Owein.

Will voltou-se para ver Jacques avançando na direção deles.

Jacques, ignorando Will e Garin por completo, fez um cumprimento de cabeça para Owein.

— A barcaça real chegou.

— Muito bem, irmão. Creio que estamos prontos. — Owein acenou para Will. — Ao seu posto, sargento, e lembre-se: só fale se alguém se dirigir a você.

— Sim, senhor.

Avançaram até a mesa de tábuas e cavaletes, onde mais dois sargentos portavam os escudos dos mestres. Garin ficou ao lado de Will, segurando o escudo, com uma só mão, diante de si. O olhar de Will desviou-se para Jacques, que estava parado com Owein à beira do gramado. A expressão azeda e a postura rígida e arrogante do Ciclope fizeram com que Will tivesse um arrepio de desagrado. Pouco tempo depois, ouviu o som de vozes e muitos passos se aproximando. As portas duplas do lado oposto do pátio se abriram.

Na dianteira da companhia que marchou para dentro do pátio estava Humbert de Pairaud, o mestre da Inglaterra. O mestre dos templários era um homem altivo, de peito largo, com uma juba de cabelos pretos de um tom metálico, cuja presença pareceu preencher o pátio. Caminhando ao lado de Humbert vinha o rei Henrique. Os cabelos grisalhos eram encaracolados nas pontas, conforme a moda da época, e a face era preguegada pela idade. À direita do rei vinha o príncipe Edward. O jovem de bela cabeleira era quase uma cabeça mais alto do que o restante da comitiva e, aos 21 anos, já tinha a postura de um monarca. Um homem de rosto pálido, com as bochechas encovadas e vestido de preto, assim como um séquito de pajens, secretários e guardas reais seguiam-se a eles.

Owein adiantou-se e fez uma saudação, primeiro para o mestre, depois para o rei e o príncipe.

— Meus senhores, é uma honra dar-lhes as boas-vindas ao Templo. Senhor chanceler — acrescentou, cumprimentando o homem de preto com um aceno de cabeça.

Henrique deu um sorriso baço.

— Sir Owein. Que bom vê-lo, e tão pouco tempo depois de nosso último encontro.

Will olhou para Owein, surpreso. Não sabia que seu mestre havia se encontrado com o rei.

— Meu senhor — interveio Humbert, e sua voz tinha a aspereza da idade e da autoridade. — Vamos sentar e discutir com conforto.

— Certamente — consentiu Henrique, com um olhar dúbio para o assento.

Dois auxiliares cobriram a cadeira da ponta com uma toalha quadrada de seda escarlate. Os servos do Templo retiraram-se para o claustro, enquanto Henrique se sentava e os pajens esvoaçavam ao redor dele como mariposas. Ele os dispensou com um gesto de mão.

— Como vocês podem residir em fortalezas tão insípidas é um mistério para mim, mestre templário. Certamente os homens mais abastados da Cristandade podem se permitir um pouquinho de luxo, não?

— Nossos serviços se destinam a Deus, meu senhor — replicou Humbert placidamente, ocupando o lugar à esquerda do rei. — Não ao conforto de nossas carnes.

Will deu um passo para trás a fim de permitir que Owein se sentasse ao lado do mestre. Edward estava à direita do rei e três cavaleiros, incluindo Jacques e cinco escrivães, dois do palácio e três do Templo, ocuparam o restante dos lugares em volta do cavalete. Um espaço foi deixado vazio. Will supôs que fosse destinado ao chanceler, que havia optado por ficar de pé atrás do rei, como um corvo empoleirado no encosto da cadeira.

Henrique olhou para as bandejas de frutas e as jarras de vinho.

— Afortunadamente, vocês foram corteses o bastante para nos prover de prazeres mais mundanos.

— Sim, senhor meu rei. — Humbert gesticulou para que um criado servisse o vinho. — O Templo se regozija em acolher os convidados de acordo com os costumes e as maneiras dos próprios salões.

Henrique olhou Humbert fixamente por um momento, depois desviou os olhos quando o criado serviu o vinho numa taça e passou-o a ele com uma reverência. O olhar percorreu a companhia e recaiu sobre Will.

— Seus soldados parecem ficar mais jovens a cada ano. Ou talvez seja eu quem esteja ficando mais velho? Qual a sua idade, garoto?

— Treze anos e 8 meses, meu senhor.

Pelo canto do olho, Will notou que Jacques olhava para ele.

— Ah! — disse Henrique, sem se dar conta do constrangimento de Will. — Um escocês, a menos que meus ouvidos me enganem.

— Sim, meu senhor.

— Então você goza do privilégio de ter sido súdito de duas das mais belas damas destas ilhas. Minha esposa e minha filha, Margaret.

Will curvou a cabeça em aquiescência, mas não disse nada. Tinha apenas 4 anos quando Henrique casou a filha de 10 com o rei da Escócia. Mas crescera ouvindo as ideias do pai sobre o assunto e compreendia que, por meio de Margaret, Henrique havia estabelecido um domínio mais forte sobre a Escócia, um país que os reis ingleses cobiçavam havia séculos.

— É nos jovens que os velhos devem depositar esperanças para o futuro — prosseguiu Henrique, tomando um gole de vinho. — No mês passado, incumbi o melhor artista da Inglaterra de recriar a queda de Jerusalém nos meus aposentos particulares na Torre. Essa foi a idade de ouro da cavalaria, quando irmandades eram ordens do mais alto renome e homens como Godofredo de Bouillon caminhavam sobre as pegadas de Nosso Senhor Jesus Cristo, sacrificando-se pela glória de Deus e da Cristandade. Talvez — acrescentou, com secura — aqueles dias ainda possam retornar.

Humbert ergueu as sobrancelhas.

— Era da crença, meu senhor, de que as somas que lhe emprestamos destinavam-se aos seus planos para uma Cruzada na Palestina, não para as que revestem as paredes de seu palácio.

— Não choramingue pelo seu ouro, Pairaud, ele é bem empregado. Você se preocupa demais com tais coisas. O Templo negocia o suprimento de bens por terra e por mar, taxa peregrinos que viajam em seus navios, recebe donativos de nobres e reis e, no serviço de empréstimo monetário, cobra quase tanto juro quanto os malditos judeus! — O rei enfrentou o olhar de Humbert. — Creio que a denominação de Pobres Soldados de Jesus Cristo, pela qual soube que preferem ser conhecidos, é um tanto equivocada.

— O Templo deve usar de todos os recursos disponíveis para gerar fundos deste lado do mar, se quisermos continuar nossa luta além dele. De fato, devemos utilizar cada faceta de nossa Ordem para alcançar aquilo que tem sido o sonho de todo homem, mulher e criança da Cristandade nos últimos dois séculos: recobrar Jerusalém do poder dos muçulmanos e estabelecer uma Terra Santa Cristã. Como monges, oramos por isso; como guerreiros, construímos armas e enviamos soldados para fortalecer nossas guarnições em Outremer, a fim de auxiliar nisso; e como homens, produzimos e vendemos o que estiver em nossa capacidade, com o objetivo de conseguir tal coisa. E se não fizermos isso — acrescentou Humbert, com os olhos penetrando os de Henrique —, quem o fará, senhor meu rei? O Ocidente pode ainda ansiar por esse sonho, mas poucos são aqueles que hoje acorrem para alcançá-lo.

— Você se esconde por trás de sua piedade, mestre templário — disparou Henrique, irritado pela farpa que lhe havia sido dirigida. — É bem sabido que o Templo, com todas as suas posses e todos os seus ativos financeiros, ocupa-se em construir para si próprio um império no Ocidente. Um império em que talvez nem mesmo um rei tenha mais controle sobre o seu reino!

Por um momento, houve um completo silêncio no pátio. Ele foi quebrado pela voz suave do príncipe Edward.

— Chegaram mais notícias do Oriente, mestre templário? Em seu último comunicado, você foi informado de que os mongóis haviam atacado Bagdá e várias outras cidades. Há algum motivo para pensar que atacarão nossas terras?

Henrique fechou a cara para o filho e Humbert voltou a atenção para o jovem.

— Não, não soubemos de mais nada, senhor meu príncipe — respondeu o mestre templário. — Mas não creio que enfrentemos qualquer perigo imediato vindo dos mongóis. São os mamelucos que me preocupam.

Henrique zombou disso.

— O líder deles, Kutuz, é um escravo! Que poder teria?

— Um escravo guerreiro — corrigiu Humbert. — E não é mais um escravo, na verdade. É de meu parecer, e de meus irmãos, que os mamelucos representam uma ameaça maior do que muitos no Ocidente têm suposto. Atualmente, somente os mongóis evitam que a atenção deles recaia sobre nós.

— Pelo que deveríamos estar gratos — disse Henrique, bruscamente. — Os mongóis são de longe o exército mais forte e soube que usam mulheres e crianças cristãs como escudos na batalha. É bom que os sarracenos ocupem a atenção deles.

— Perdoe-me, majestade, mas o senhor está enganado. Os mongóis são poderosos, sim. Mas a Igreja converteu muitos deles. Em Bagdá, foram somente os sarracenos que eles mataram, os cristãos foram poupados. As últimas informações que recebemos da Terra Santa dizem que os mamelucos estavam se preparando para marchar sobre a Palestina. Nossos espiões no Cairo dizem que vão à guerra contra os mongóis em consequência de um insulto contra o sultão. A vanguarda deles estará sob as instruções de um dos mais capazes comandantes do exército mameluco, Baybars.

— Baybars?

— Eles o chamam de "A Besta". — A expressão de Humbert se endureceu. — Foi responsável pelo extermínio de trezentos dos melhores homens do Templo. Baybars conduziu o massacre de Mansurá, meu senhor. A batalha que encerrou a Cruzada empreendida por seu cunhado, o rei Luís.

Atrás dele, Will sentiu Garin enrijecer. Sabia qual era o motivo. Garin, aos 4 anos, havia perdido o pai e dois irmãos nessa campanha. Jacques havia sido o único membro da família De Lyons a sobreviver ao massacre de Mansurá. O olhar de Will dardejou o cavaleiro. O cenho do Ciclope estava vincado. Havia um olhar distante nos olhos dele, como se a mente estivesse num lugar inteiramente diverso. Will desviou os olhos quando Humbert prosseguiu.

— Depois que as forças de Luís tomaram a cidade de Damieta, avançaram para o sul através do Egito, chefiados pelo irmão do rei, Robert de Artois. Eles se depararam com o exército mameluco acampado junto à cidade de Mansurá. Artois conduziu um acirrado ataque contra o acampamento, desafiando as ordens do rei. Muitos soldados mamelucos foram dizimados, incluindo o chefe da Guarda Real deles. Baybars assumiu o posto do líder morto e armou uma emboscada em Mansurá, sabendo que iríamos seguir seus homens cidade adentro. Nas ruas, nossos irmãos caíram sob as centenas de espadas dos homens de Baybars. Os mamelucos não devem ser subestimados, meu senhor.

O príncipe Edward se agitou.

— Temos forças suficientes para nos opor a essa ameaça, mestre templário?

— Sim! — disse Henrique, com ênfase, antes que Humbert pudesse responder. — Aqueles que juraram proteger os cidadãos cristãos na Terra Santa terão dificuldades em cumprir seu voto?

— Há, como em todas as coisas, a questão do custeio, meus senhores — disse Owein.

Humbert disparou um olhar cortante para o cavaleiro.

— Os mamelucos conhecem aquela terra muito bem em consequência de suas muitas campanhas, meu senhor rei. Bem mais do que os nossos colonos, que estabeleceram seus negócios em uma ou outra cidade e se contentaram em permanecer ali. Usam pombos para enviar mensagens e seus espiões estão por toda parte. Hoje, estão em melhor posição para atacar do que nós para defender.

— Devemos agir de maneira decisiva — disse Edward. — Uma Cruzada iria...

— Diz-se — interrompeu Henrique, dando um tapinha no braço do filho — que uma decisão prematura incorrerá numa queda ainda mais prematura. Uma Cruzada pode ser necessária, sim, mas devemos planejá-la com cuidado.

— É claro, pai — Edward assentiu com um movimento de cabeça polido e ligeiramente afetado.

Henrique relaxou.

— Bem, isso é muito perturbador, mestre templário. Mas neste momento há pouco que eu possa fazer. Então, por que, pergunto, vocês me chamaram aqui?

— Se convém a Vossa Majestade — disse Humbert —, o irmão Owein abrirá a discussão.

Owein voltou-se para Henrique, com as pontas dos dedos unidas e as mãos pousadas sobre a mesa.

— Nós lhe concedemos o uso da tesouraria do Templo, Vossa Majestade, para o armazenamento de seus bens e o uso de nossos fundos quando o senhor os requer, assim como foi garantido ao seu pai, o rei João, e a seu irmão, o rei Ricardo. Enquanto o Templo se compraz em oferecer assistência monetária à família real...

— Assim espero — interrompeu Henrique. — O bom Deus sabe que lhes concedo poder suficiente nestas terras para recompensar a magra generosidade com que me agraciam em raras ocasiões.

— O bom Deus sabe — disse Humbert —, e o senhor pode ter certeza de uma grande recompensa no Paraíso pela benevolência que demonstra aos seus soldados. Por favor, prossiga, irmão Owein.

— Mas, embora sintamos prazer em oferecer tal serviço, nossos fundos não são ilimitados.

Owein estendeu a mão a um dos escrivães do Templo, que lhe entregou um rolo de pergaminho. Ele o empurrou até o outro lado da mesa em direção ao rei.

— Como pode ver, meu senhor, seus débitos para conosco cresceram consideravelmente ao longo do último ano.

Henrique percorreu o pergaminho com os olhos e as rugas no cenho se aprofundavam à medida que a leitura avançava. Entregou-o ao chanceler, que absorveu as palavras à primeira vista, antes de devolver os escritos ao rei. Edward inclinou-se para a frente a fim de ver o rolo, enquanto Henrique acariciava a barba rala e olhava para Owein.

— Essa soma me foi dada em boa-fé — disse o rei. — Eu a restituirei quando puder, mas minha situação no momento não me permite tal oportunidade.

— Descobrimos, senhor meu rei — disse Owein, com um rápido olhar para Jacques —, que recentemente o senhor organizou alguns torneios em Cheapside, para o deleite de cortesãos franceses. Quem pagou por eles?

Jacques balançou a cabeça mas não disse nada.

Henrique dardejou ambos com o olhar.

— Certamente, senhor cavaleiro, você pode entender a posição de meu pai — disse Edward, erguendo os olhos do pergaminho. — Como soberano desta nação, é seu dever dar ao povo proteção em tempos de guerra e esporte em tempos de paz.

— Isso nós entendemos — concordou Owein, com um respeitoso menear de cabeça para o príncipe. — Mas não podemos permitir que tais débitos fiquem sem pagamento. Precisamos de todo ouro que pudermos reunir se quisermos amparar nossas forças na Terra Santa.

— O que aconteceu com a caridade? — perguntou Henrique, secamente. — Os templários se eximiram dos deveres cristãos?

— Se é caridade que procura, senhor rei — disse Humbert —, então, com todo o respeito, sugeriria que o senhor dirigisse uma petição aos hospitalários.

A face de Henrique enrubesceu.

— Que insolência você demonstra a mim! — Atirou o pergaminho sobre a mesa. — Vocês terão seu maldito dinheiro em breve. Elevei os impostos aqui e nas minhas terras na Gasconha, mas, advirto-os, não me insultem novamente ou não verão um centavo!

— Impostos levam muito tempo para dar frutos, senhor rei. As somas devem ser pagas antes disso.

— Jesus no Paraíso! Vocês querem que venda as roupas que me cobrem as costas? Não posso colher ouro das árvores ou obtê-lo transformando o chumbo!

Owein olhou para Humbert, que fez um movimento de aprovação com a cabeça.

— Há um meio de resolver isso, senhor rei — disse o cavaleiro.

— Qual é ele, então, seu maldito?

— Penhore as joias da coroa para nós, meu senhor. Nós as manteremos até que os débitos possam ser pagos.

— *O quê?* — trovejou o rei.

Edward se levantou bruscamente e o chanceler encarou Owein com assombro. Will lutou para manter a expressão neutra.

— É o único modo, Vossa Majestade — disse Humbert.

O rei se levantou rapidamente, derrubando a cadeira. A seda escarlate escorregou de cima do assento e se esparramou na grama. Ele bateu com o punho na tábua da mesa, deslocando várias taças de vinho.

— As joias da coroa são símbolos da minha linhagem e os adornos da realeza, não de alguns soldados parasitas que parecem posicionar a si próprios acima de Deus! — Agarrou o pergaminho de cima da mesa, rasgou-o ao meio e atirou os pedaços na grama.

Humbert se levantou, mantendo a voz firme.

— Devo lembrar-lhe que a lealdade do Templo tem sempre sido extremamente benéfica e, poder-se-ia dizer, essencial aos soberanos desta nação. Seria uma grande pena, meu rei, caso o senhor perdesse essa lealdade.

— Devia arrancar a sua cabeça! — disse Henrique, com a respiração dissonante.

Nas bordas do gramado, os guardas reais se mexiam de maneira intranquila. Dois cavaleiros haviam se levantado, com as mãos nos cabos das espadas.

Edward pôs uma das mãos no braço de Henrique.

— Vamos, pai, creio que este encontro está terminado.

Henrique disparou contra Humbert um último olhar de fúria. Depois, arrancando o braço da mão do filho com um safanão, atravessou o pátio a passos largos. Com um curto cumprimento de cabeça para Humbert e Owein, Edward saiu rapidamente atrás do pai, com a comitiva.

O chanceler ficou. Olhou para Humbert, com a boca desenhada numa fina linha horizontal.

— O senhor será formalmente notificado da decisão do rei dentro de um mês, mestre templário — disse.

Humbert contemplou os pedaços do pergaminho rasgado esvoaçando pelo chão.

— Tenho uma cópia desses registros no meu solar pessoal. Vossa Majestade desejará que ela seja enviada ao palácio?

O chanceler fez que não com a cabeça.

— Eu a receberei agora.

Humbert correu os olhos em volta da mesa.

— Lyons — disse, gesticulando para Garin. — Escolte o lorde chanceler até o meu solar. Meu escudeiro lhe entregará os pergaminhos relevantes.

Garin fez uma reverência e atravessou o gramado com o chanceler. Will olhou para Owein, ao ouvir sua voz atrás de si.

— Isso não correu tão bem quanto eu esperava. Só desejo que o rei não decida retaliar.

— Cães que latem dificilmente mordem, irmão Owein — respondeu Humbert. — Da última vez que Henrique tentou nos intimidar, logo recuou, depois que ameaçamos depô-lo.

# 6
# Planície de Sharon, Reino de Jerusalém

9 de outubro de 1260

— Estamos próximos do trecho final, emir.

Baybars mal ouviu as palavras do sultão. O ar em torno deles palpitava com as batidas dos tambores. Quando os mamelucos retornassem ao Cairo, o rufar da vitória soaria por sete dias. Os tambores que haviam tomado dos mongóis foram partidos e pendurados em estacas. Silenciosos.

— Retornamos para casa em triunfo — continuou Kutuz, erguendo a voz acima do rumor —, como tinha certeza de que faríamos.

— A cidade cantará louvores ao seu nome, meu senhor sultão — disse Baybars, e a calma na voz não expressava qualquer relação com a mente revolta.

Kutuz sorriu.

— Os mongóis pensarão duas vezes antes de me provocar novamente, agora que consolidamos nossa posse sobre a Síria.

— Sim, meu senhor — disse Baybars, olhando por cima do ombro.

Atrás dele, o exército mameluco obstruía a estrada por vários quilômetros. As bandeiras e estandartes eram erguidos muito acima das carroças carregadas de saques e carretas abarrotadas de escravos. Os conselheiros do sultão e os oficiais *mu'izziya* impedem a visão de Baybars. Por um momento, a fileira deles se abriu e o emir pôde avistar Omar a alguma distância atrás dele, na dianteira do regimento *bahri*; depois as linhas se fecharam novamente.

Baybars tornou a voltar-se para a estrada. Era quase hora do crepúsculo. O sol era um olho cingido de vermelho que se fechava lentamente ao se encontrar com o horizonte. À distância, uma ampla faixa verde cortava horizontalmente a Planície de Sharon, acalentando um rio que fluía rumo ao mar, cerca de 30 quilômetros a oeste. A estrada cruzava o rio no ponto mais raso e serpenteava em direção ao sul. O exército aproximava-se rapidamente de Gaza, onde faria um breve descanso antes da árdua jornada através do deserto do Sinai e para o interior do Egito.

Baybars avaliou o sultão pelo canto do olho. Kutuz estava sentado rigidamente na sela, com uma ruga dividindo o rosto. O sultão estava certo, retornariam para casa em triunfo. Os mamelucos haviam feito o que ninguém mais fora capaz de fazer, o que ninguém mais *ousara*: haviam enfrentado os mongóis e os esmagado. Mas, para Baybars, a vitória deles tinha gosto de poeira. Havia perdido mais do que Alepo nessa campanha. Havia perdido a chance da vingança — uma vingança que havia planejado e encenado nos sonhos durante anos. Desde que começaram a marcha para casa tentava se concentrar em seus planos para Kutuz. O tempo estava correndo a cada quilômetro que passava e, até ali, não se havia apresentado nenhuma chance de preparar os detalhes do assassinato.

Cinco dias depois da batalha de Ayn Jalut, os mamelucos haviam marchado para Damasco, com os mongóis desmoronando à frente deles. De lá, avançaram para o norte, até Homs e Hamah, onde os emires que haviam fugido da invasão mongol foram restituídos às posições e, assim, as cidades voltaram a ter um governo muçulmano. Em Alepo, os mongóis resistiram por quase um mês, mas por fim os mamelucos esmigalharam suas defesas e tomaram a cidade. Quando a luta acabou, Kutuz desfilou pelas ruas. Os muçulmanos, que haviam sofrido sob o jugo mongol, saíam com cautela das casas para encontrar o libertador. Os cristãos, que haviam prosperado, foram mortos.

No momento em que o cortejo do sultão chegou ao mercado central de Alepo, a notícia havia se espalhado e os cidadãos muçulmanos em júbilo se aglomeraram às centenas na praça para dar as boas-vindas ao seu novo chefe supremo. Baybars havia se postado em silêncio ao lado de Kutuz, enquanto o sultão fazia uma elaborada demonstração de controle sobre as massas à base de gestos para um governador mameluco. Quando a cerimônia acabou e os comandantes e oficiais se reuniram em volta de Kutuz para se congratular com o triunfal líder, Baybars desapareceu na multidão. Depois de falar com um dos soldados, se dirigiu à plataforma dos escravos que aparecia meio indistintamente no centro da praça.

Não parecia ter-se passado tanto tempo desde que havia parado, envolto em correntes, naquela plataforma, encarando abaixo dele os homens que o olhavam como se fosse um animal num leilão de gado. Além do mercado, em algum lugar ao sul da mesquita da cidade, ficava a propriedade em que servira por seis meses como escravo.

Baybars subiu a rampa de madeira, com os gritos do exército ressoando nos ouvidos.

— *Allahu akbar!* Deus é o maior!

Omar o encontrou sentado à beira da plataforma, duas horas mais tarde.

— Emir?

Baybars olhou para cima, ligeiramente surpreso ao ver quanto o sol havia se deslocado sobre a cidade. Omar subiu para ficar ao lado dele.

— Estava procurando por você — disse, ajustando o cinto que prendia a espada. — Esteve aqui esse tempo todo?

— Sim.

— Tenho notícias. Os oficiais foram pagos. Você tem o apoio deles.

Baybars fez que sim mas não disse nada. Omar continuou falando.

— Consigo entender por que você ficou aqui em vez de retornar ao acampamento. Kutuz está embriagado pela vitória e cantando louvores ao governador que indicou. Acho que ficou desapontado por você não estar lá para testemunhar seu tripúdio.

Baybars contemplou o outro lado da praça, que estava dourada à luz do início do anoitecer. A multidão havia desaparecido, mas um esquadrão de mamelucos havia permanecido para patrulhar as ruas, enquanto a força principal se retirava para assentar acampamento. Kutuz e o cortejo haviam se apossado da cidadela para o festim de vitória. Baybars voltou-se para Omar.

— O sultão não é a razão por que não me retirei com os homens. Alepo pode não ter passado às minhas mãos hoje, mas quando Kutuz estiver morto, não serão louvores que o novo governador receberá de mim. Devo ter a cidade em breve. — Desviou o olhar. — E muito mais.

— Então, por que se esconder aqui? Venha, vamos festejar por nossa própria conta.

— Não estou me escondendo, Omar. Estou esperando.

— Esperando? — Omar franziu as sobrancelhas. — O quê?

— Um velho amigo.

Baybars se levantou e observou as ruas que partiam da praça. O domo da mesquita era um grande sino dourado suspenso acima dos padrões angulosos dos telhados brancos e planos. Omar ficou de pé, seguindo o olhar dele.

— Você não me disse que conhecia alguém na cidade. Faz quanto tempo? Dezoito anos desde que você esteve aqui?

— Dezenove. — Baybars apertou as mãos atrás das costas. — Volte para o acampamento. Logo me juntarei a você.

— Os oficiais foram pagos, mas o momento e o local não foram estabelecidos. Enquanto temos a chance de conversar em particular, deveríamos finalizar...

— Você desobedece a meu comando, oficial? — perguntou Baybars, sem olhar para ele.

— Perdoe-me, emir — respondeu Omar, com a dolorosa surpresa transparecendo na voz. — Não me dei conta de que era uma ordem.

Deu as costas para se retirar, depois parou quando Baybars saltou da plataforma. Um soldado mameluco havia chegado a cavalo por uma das ruas próximas. O soldado procurou em volta e fez com que a montaria se aproximasse a trote ao avistar Baybars.

— Emir. — O soldado desmontou e fez uma reverência.

— Encontrou a propriedade?

— Sim, emir, mas o homem que o senhor me mandou procurar não estava lá.

— O quê?

— A residência está abandonada há algum tempo. Perguntei nos arredores, embora poucos conhecessem a família que vivia ali. Encontrei um mercador que pensou recordar-se de um cavaleiro do Ocidente que foi um dia proprietário do lugar. Ele acha que o cavaleiro morreu e diz que a família retornou ao Ocidente cerca de dez anos atrás.

Baybars deu um passo para trás e agarrou a beira da plataforma.

— Isso é tudo, emir? — perguntou o soldado.

Baybars dispensou-o com um gesto.

O soldado fez um cumprimento de cabeça. Depois de montar o cavalo, saiu a galope.

Omar juntou-se de um salto a Baybars.

— Quem é esse cavaleiro?

— Volte para o acampamento.

— *Sadeek*, fale comigo — insistiu Omar, frustrado. — Você nunca me contou o que lhe aconteceu em Alepo, mas percebi como esse lugar o assombra. Esse cavaleiro era o seu senhor aqui?

Omar perdeu o fôlego quando Baybars agarrou-o pelos ombros e girou-o para atirá-lo de encontro à plataforma.

— Eu disse *vá*! — ordenou Baybars.

Omar olhou-o fixamente nos olhos, respirando com dificuldade. Baybars deixou as mãos caírem e recuou um passo.

— Conversaremos em breve, Omar — disse, com a voz mais calma. — Você tem minha palavra. Mas não hoje.

Ele se afastou, deixando Omar sozinho na praça do mercado, enquanto o chamado à oração era gritado ao anoitecer.

Baybars apanhou as rédeas do cavalo. À sua volta, os tambores continuavam a batida contínua, veloz e baixa como um coração em disparada. Com esforço, ele se obrigou a se concentrar no assunto mais premente. Era um comandante do exército mameluco. Havia combatido os cristãos e os mongóis e vencera. Havia sido um escravo de papel passado, mas não seria escravo da memória. O fracasso em fazer em Alepo o que havia planejado ao longo de tantos anos havia-o abalado, mas não tinha mais tempo a perder com o passado. O cavaleiro se fora ou estava morto. Não receberia sua retribuição.

— Você está calado hoje, emir. Há algo errado? — provocou Kutuz.

— Não, meu senhor.

Kutuz perscrutou intensamente o comandante, mas a expressão de Baybars era ilegível. Era o mesmo que estar olhando para uma parede, tal era a emoção que transparecia naqueles olhos.

— Quando chegarmos ao Cairo, você será, é óbvio, fartamente recompensado pela participação em nossa vitória.

— Sua generosidade é digna de apreço, meu senhor.

— Meu senhor sultão!

Um batedor deixou a coluna e cavalgou em direção a eles. Fez-lhes uma saudação enquanto obrigava o cavalo a dar meia-volta e parar ao lado de Kutuz.

— A estrada passa junto a uma vila 5 quilômetros a leste, meu senhor.

— Outro assentamento cristão?

— Sim, meu senhor, há uma igreja.

— Mandarei os *mu'izziya*.

— Os homens estão exaustos, meu senhor — disse Baybars rapidamente. — Esse será o quarto assentamento que saqueiam em cinco dias. Sinto necessidade de esticar minhas pernas, deixe-me levar os *bahri*.

Kutuz pensou por um momento, depois assentiu com um movimento de cabeça.
— Vá, então. Continuaremos até Gaza. Estou certo de que não preciso recordá-lo dos procedimentos.
— Não, meu senhor sultão, fique seguro de que todas as coisas de valor lhe serão levadas.

Baybars bateu os calcanhares contra os flancos do cavalo. Ao seu comando, quinhentos homens separaram-se do corpo do exército e o seguiram. Várias carretas saíram da estrada atrás deles: as jaulas de madeira sobre os veículos tinham lugar para mais escravos.

A vila ficava aninhada entre duas suaves inclinações de terreno que ascendiam da Planície de Sharon, onde os olivais cresciam espessa e desordenadamente. Uma paliçada feita de estacas de madeira amarradas circundava as sessenta residências em seu interior; fileiras desorganizadas de choupanas de tijolos agrupavam-se em torno de uma igreja e de três edificações maiores feitas de pedra. A fumaça das fogueiras escavadas no chão das casas voluteava no céu cor-de-rosa encarnado. Os lavradores que trabalhavam nos olivais haviam retornado para o anoitecer, conduzindo carros de boi.

Momentos após alcançar o perímetro da vila, os mamelucos se puseram a despedaçar a ineficiente barreira de estacas. Vários lavradores, que viram os soldados subirem da planície, haviam dado o alarme e o pânico agora engolfava o vilarejo como uma onda, espalhando-se de uma residência a outra, enquanto o sino da igreja repicava um alerta inútil. Alguns homens corriam para se armar com qualquer coisa que pudessem encontrar: uma pedra, uma foice, uma vassoura. Outros gritavam para que o lugar fosse evacuado, para que alguém argumentasse com os invasores. Mas os mamelucos já haviam entrado no assentamento.

A delgada linha de camponeses que havia se preparado para o ataque por trás de uma fileira de carroças se dispersou à medida que a cavalaria lhes deu carga, os soldados, sobre as montarias armadas, brandindo espadas e maças com tachões sobre as cabeças descobertas e as costas dos fugitivos. Homens e meninos caíram sob golpes de espada e foram pisoteados pelos cavalos dos soldados que vinham atrás. Um lavrador, após conseguir esquivar-se de um golpe decapitador, fugiu. Três soldados o seguiram, gritando enquanto o atacavam, entusiasmados pela caçada. Um pungente odor de azeitonas se ergueu quando as carroças foram viradas com o choque dos soldados que se precipitavam através das defesas rompidas; os frutos caíram em cascatas sobre o solo como contas de um rosário partido.

Baybars cavalgou vila adentro, com os habitantes fugindo à sua passagem, numa correria para o parco abrigo das choupanas. Esquadrinhou as ruas à sua frente, enquanto os soldados liquidavam os últimos lavradores.

Havia tais vilarejos às pencas espalhados pela Palestina, um dia extensamente habitada por cristãos ortodoxos coptas, armênios e gregos, cujas famílias haviam trabalhado a terra por gerações. Quando os primeiros cruzados chegaram do Ocidente, a paz relativa entre os cristãos nativos e os senhores muçulmanos havia sido engolida pela guerra. Os duques e príncipes francos haviam tomado Antioquia, Jerusalém, Belém e Hebron e logo passaram a comandar uma vasta região da Palestina central e meridional e do norte da Síria. Haviam dividido essa região em quatro Estados que juntos formaram seu novo império: Outremer, a terra de além-mar. Haviam batizado esses Estados como o Reino de Jerusalém, o Principado de Antioquia e os Condados de Edessa e Trípoli. Casas poderosas da nobreza ocidental governavam cada província e acima de todas elas legislava o novo rei cristão de Jerusalém. Algumas das cidades, incluindo Jerusalém, e Edessa, um dos quatro Estados, os muçulmanos já haviam recuperado desde então, mas para Baybars essas vitórias não bastavam.

Ergueu os olhos para a igreja. A estrutura atarracada, compacta e cinzenta era uma marca da influência ocidental e da fé romana dos infiéis.

— Suas ordens, emir? — gritou um dos oficiais, cavalgando até ele.

Baybars indicou as choupanas de taipa.

— Queime tudo. Não encontraremos nada de valor ali. — Então apontou para as edificações de pedra ao redor da igreja. — Revistem aquelas.

O oficial se afastou a galope para transmitir os comandos. Em breve, as choupanas estavam fumegando, enquanto os mamelucos cavalgavam pelas ruas, atirando tochas flamejantes sobre os telhados baixos. A fumaça se elevou e homens, mulheres e crianças correram sufocados para fora dos refúgios, apenas para ser imolados ou capturados nas ruas. Baques pesados partiam do centro do vilarejo, enquanto os soldados arrombavam as portas das casas de pedra. O estilhaçar da madeira foi seguido de gritos. O administrador da vila, cujos ancestrais tinham vindo do Ocidente, foi arrastado para a rua com a esposa. Os filhos foram puxados até as carretas, aos gritos, enquanto os pais eram jogados contra o chão e decapitados pelos soldados mamelucos.

Baybars saltou do cavalo quando viu Omar cavalgando em sua direção. Com ele vinha outro oficial *bahri*, um homem alto e elegante chamado Kalawun, de rosto belo e ossatura forte. Os dois puxaram as rédeas dos cavalos e desmontaram.

— Estava começando a me perguntar se vocês viriam — disse Baybars.

— Temos de conversar, emir — disse calmamente Omar.

— Não aqui. O sultão tem olhos por toda parte. Mantém uma vigilância estreita sobre mim desde que deixamos Ayn Jalut. O homem não confia em mim.

— Então — disse Kalawun, com um meio-sorriso —, é menos tolo do que eu pensava.

Os três se voltaram quando uma mulher saiu correndo e gritando de uma choupana do outro lado da rua. Parte do telhado havia desmoronado, emitindo uma chuva de fagulhas para o céu. A mulher apertava um pequeno embrulho branco de encontro ao peito. Quando um soldado correu em sua direção, ela disparou para um dos lados e tentou desviar-se dele. Mas ele foi mais rápido. A espada cravou-se no estômago dela e saiu descrevendo um arco escarlate de sangue. O embrulho escapou do abraço da mulher quando ela desabou na poeira e o soldado olhou surpreso para baixo ao ouvir um som alto semelhante a um miado. Afastou o tecido branco com a ponta da espada e encontrou um bebê. O soldado olhou em volta desconcertado e viu Baybars.

— Emir? — chamou, apontando para o infante, que agora estava aos berros. — O que devo fazer?

Baybars franziu o cenho.

— Pretende amamentá-lo você mesmo?

Alguns dos mamelucos das proximidades deram gargalhadas.

— Não, emir — disse o soldado, ruborizando. Ele levantou a espada.

Omar desviou os olhos quando a ponta da espada desceu sobre o bebê. Era um gesto de clemência matar a criança, que teria padecido de uma morte lenta, por abandono ou fome, se fosse poupada, mas não tinha de assistir àquilo. Quando olhou novamente, o soldado estava se afastando e uma mancha se espalhava em volta do bebê, tornando rubro o tecido branco.

A atenção de Baybars se voltou para a igreja. As portas estavam fechadas; ninguém havia ainda tomado o prédio.

— Venham — disse a Omar e Kalawun, atravessando a rua a passos largos em direção a ela.

As portas da igreja rangeram quando as empurrou, depois foram obstruídas por alguma coisa do outro lado. Vinda de dentro, Baybars escutou a voz de um homem, trêmula porém desafiadora.

— Para trás, seus demônios!

Empurrando os ombros contra a madeira, Baybars forçou caminho por entre as portas. O banco que as estava bloqueando rugiu contra o chão de pedra quando foi empurrado para trás. Após sacar o sabre, entrou, com Omar e Kalawun logo às suas costas. O emir avaliou o recinto com um olhar. A igreja era pequena e desprovida de adornos, exceto por um débil altar sobre o qual estava suspenso um crucifixo de madeira entalhada. A câmara era grosseiramente iluminada pela claridade âmbar que atravessava duas frestas abertas à guisa de janelas na parede. Do lado de fora, a vila estava em chamas. Por trás do altar, brandindo um castiçal de ferro de aparência pesada, havia um velho padre vestindo uma batina esfarrapada. O padre apontou o candelabro para Baybars.

— Para trás, estou avisando!

Era um homem esquelético, mas havia poder na voz.

— Você não tem direito de entrar aqui. Esta é a casa de Deus!

— Sua igreja, padre — replicou Baybars —, está em nossa terra. Temos todo o direito.

— Esta é a terra de Deus!

— Você e a sua gente são formigas, ocupadas em construir suas igrejas e seus castelos sem se dar conta de onde estão ou do que fazem. Vocês são uma pestilência.

— Nasci aqui. Meu povo também! — gritou o padre, apontando a mão para a janela, por onde o crepitar e o chiar das labaredas podiam ser ouvidos.

— Filhos e filhas dos francos. Há sangue ocidental em vocês todos. É uma nódoa que você não pode negar.

— Não! — bradou o padre. — *Este* é o nosso lar!

Saiu de trás do altar e açoitou o ar com o candelabro. Baybars deu um salto para a frente, com o sabre descrevendo um alto arco cortante. O padre se agachou, mas o poderoso golpe não era dirigido a ele. A lâmina seccionou a fina corda que sustentava o crucifixo, que caiu ao chão com um estrépito diante do altar. Baybars pisou-o e a bota pesada partiu a figura de Cristo ao meio. O padre fitou-o, horrorizado, enquanto ele se curvava para apanhar um dos pedaços.

— Você pode ter nascido nestas terras mas carrega a infecção do Ocidente. — Baybars atirou a metade da cruz para o lado. — O que estamos fazendo aqui, agora, faremos por toda a Palestina.

Avançou até o padre e arrancou o candelabro da mão do homem com um golpe em prancha da lâmina. O padre ficou pálido e trêmulo quando a ponta do sabre foi repousar em sua garganta.

— Seu Deus, padre, irá chorar ao ver Suas igrejas e relíquias em chamas. As cinzas da Cristandade irão se espalhar aos ventos e sua passagem será como uma doce brisa entre todos os muçulmanos.

— Você morrerá tentando — sussurrou o padre. — Os guerreiros de Cristo irão esmagá-lo.

Baybars deu um impulso para a frente e a lâmina perfurou a garganta do sacerdote e prosseguiu, com mais dificuldade, entre osso e carne. O padre emitiu uma tosse breve e sufocada como uma ânsia e o corpo se curvou quando a lâmina saiu pelo outro lado. Baybars girou o cabo e o sangue derramou pela boca do clérigo. Arrancou a espada com um puxão e o homem desabou para o lado, chocando-se contra o altar e caindo ao chão. Baybars ergueu a lâmina e talhou o corpo repetidas vezes, até que as pedras estivessem inundadas de sangue. A respiração se tornou curta e áspera e os olhos pareciam selvagens à luz das chamas. Ele teria sua retribuição! Ele a conseguiria de todos eles! Girou o corpo ao sentir um forte aperto no braço e viu Omar. Cambaleou para trás, com o peito arfando.

— Ele está morto, emir — disse Omar.

Afastando-se do corpo destroçado, Baybars levou a mão à algibeira e tirou um trapo. Olhou para as faces interrogativas de Omar e Kalawun enquanto limpava a lâmina.

— Bem? Vocês querem conversar ou não?

Kalawun deu um passo adiante.

— Omar me contou de seu plano, emir. Ficarei ao seu lado quando a hora chegar.

Baybars agradeceu com um cumprimento de cabeça. Kalawun havia sido alistado no regimento *bahri* dois anos depois dele e Omar. Havia-os acompanhado através das fileiras e provara seu valor em Damieta, quando ajudou a matar Turansah.

— Sua lealdade será recompensada — disse.

— Não será fácil — disse Omar. — O sultão raramente está sem seus guardas. Pode ser melhor esperar até voltarmos para o Cairo.

— Não — disse Baybars, com firmeza. — Deve acontecer antes de chegarmos à cidade. Não podemos permitir que Kutuz chegue à segurança da fortaleza, pois estará ainda mais protegido de ataques ali.

— Veneno, talvez? — sugeriu Omar. — Não poderíamos pagar um dos pajens?

— Há muito risco nisso. Além do mais, não vou pagar para que outro faça o que eu mesmo posso fazer.

Baybars terminou de limpar o sabre e enfiou-o na bainha.

— O que você propõe, emir? — perguntou Kalawun.

— Atacaremos quando chegarmos ao Egito. Depois de atravessar o Sinai, acamparemos em Al-Salihiyya. A cidade fica a apenas um dia de distância do Cairo e Kutuz estará menos alerta por estar tão perto de sua cidade. Se pudermos afastá-lo da maioria dos guardas, teremos nossa chance.

Omar balançou vagarosamente a cabeça.

— Concordo, mas ainda não sei com clareza como você assegurará o trono depois que o sultão estiver morto. Certamente um de seus comandantes vai...

— Khadir cuidará disso — interrompeu Baybars.

Omar pareceu preocupado com essa notícia.

— Seu adivinho é melhor ser mantido sob rédea curta, emir. Soube que a Ordem dos Assassinos o expulsou por ser muito sanguinário, até mesmo para eles. Ele é um risco.

— Ele cuidará para que a missão seja cumprida. Vocês estão comigo?

— Sim, emir — disse Kalawun.

Omar fez que sim, depois de uma pausa.

— Estamos com você.

— Emir Baybars.

Os três viraram o rosto quando um soldado apareceu no umbral.

— A vila está tomada — disse o soldado, fazendo uma reverência. — Estamos carregando as carretas.

— Venham — disse Baybars a Omar e Kalawun, quando o soldado desapareceu. — Vamos levar ao sultão o seu último butim.

Juntos saíram da igreja a passos apressados. Labaredas dardejavam o céu, enquanto as últimas mulheres e crianças eram arrebanhadas para dentro das carretas, encorajadas pelas espadas dos mamelucos.

* * *

Kutuz virou-se na sela para espreitar a escuridão. As colinas que se erguiam da planície estavam coroadas por um tênue halo alaranjado. Não pôde senão concluir que eram as línguas de fogo que assinalavam que Baybars havia tomado o assentamento. O sultão deslocou o olhar novamente para a estrada e esfregou o pescoço.

Já havia várias semanas que o desassossego o corroía, tornando-se progressivamente pior desde que haviam deixado Ayn Jalut. Tinha dúvidas antes disso. Mas a audácia de Baybars ao pedir o governo de Alepo demonstrou além de qualquer questionamento a extensão de suas ambições. Depois da recusa à solicitação, Kutuz esperava que Baybars estivesse raivoso ou amargurado; a calma subsequente do comandante o havia deixado intranquilo. Kutuz respirou fundo e percorreu as colunas com os olhos até ver o chefe da guarda, várias fileiras atrás de si.

— Quero ter uma palavra com você, Aqtai — chamou em voz alta.

O homem carnudo e de pele morena ergueu os olhos à convocação e fez com que o cavalo trotasse por entre as colunas.

— Meu senhor sultão?

— Preciso de um conselho seu — disse Kutuz, quando o chefe da guarda alinhou-se a ele.

— Em que posso servi-lo, meu senhor? — perguntou Aqtai, num tom untuoso.

— Há um espinho na minha carne. Quero removê-lo.

# 7
## Novo Templo, Londres
### 13 de outubro de 1260

Jacques apanhou uma pena de ganso do pote de barro sobre a mesa do solar e girou-a distraidamente entre o polegar e o indicador enquanto observava o sobrinho.

— Você sabia que seu pai e eu vencemos dois desses torneios quando tínhamos sua idade? Você está aqui há dois anos. Já está na hora de vencer.

Garin levantou a cabeça, surpreso pela menção ao pai. Jacques raramente falava do irmão morto.

— Será a primeira chance de verdade que tenho, senhor — disse, calmamente. — Estava doente no ano passado e no anterior havia apenas começado meu treinamento.

— Este ano será diferente, não?

— Darei o melhor de mim, senhor.

— Certifique-se disso. Eu o mencionei aos nossos convidados esta manhã e os mestres de nossas fortalezas irmãs esperam grandes coisas de meu sobrinho no campo de combate.

Garin engoliu em seco. Naquela manhã, os mestres das preceptorias escocesa e irlandesa haviam chegado com a escolta de cavaleiros para o cabido geral, que ocorreria em quatro dias. O cabido se reunia todos os anos para discutir os assuntos do Templo na Bretanha e no dia seguinte assistia ao torneio realizado em homenagem ao encontro.

— A competição será acirrada, senhor. Will é um bom combatente e...

— Campbell é um plebeu — disparou Jacques, fechando a mão em torno da pena. — Você pertence à família De Lyons. Quando se apresentar à posição de comando, seu histórico deve falar por si próprio. Campbell nunca será comandante. Para ele não é importante vencer. Mas para você, é um imperativo.

— Sim, senhor.

Garin ia começar a roer uma unha, então fechou as mãos firmemente atrás das costas. O tio odiava esse hábito. Jacques suspirou e acomodou-se no assento, jogando a pena sobre a mesa.

— Você tem um dever para com a sua família. Quem mais defenderá nosso nome agora que seu pai e seus irmãos estão mortos? Meus dias de glória se esgotaram. Sua mãe viu o falecimento de marido e filhos, e com ele o sonho de restituir a família ao lugar que lhe cabe entre as posições nobiliárquicas do reino. Ela não deixa transparecer, Garin, mas Cecília me contou que chora quase todas as noites antes de dormir naquele barraco úmido. Um dia teve joias, perfumes, vestidos suntuosos; tudo o que uma mulher de sua posição deve ter. Agora só tem lembranças.

Garin reprimiu as lágrimas. Nunca vira a mãe evitar que nada transparecesse. Suas expressões sempre lhe revelaram tudo o que sentia: raiva, infelicidade, amargura, frustração. Causava-lhe uma dor física imaginá-la chorando à noite na alcova, alarmada com o arranhar dos pássaros no telhado, os movimentos de acomodação das tábuas do chão. Na pequena propriedade de Rochester, paga com a modesta pensão que recebia do Templo, havia três criadas para limpar e cozinhar, mas Garin sabia que não passavam de um pobre substituto para o exército de servos que Cecília havia comandado em Lyons, onde o pai fora um abastado cavaleiro secular, antes de se juntar ao Templo.

— Farei o melhor para ela. Prometo, senhor — sussurrou.

A voz de Jacques se suavizou um pouco.

— Sua mãe e eu gastamos muito tempo e esforços para torná-lo apto a assumir esse fardo. Desde que tinha 6 anos, você teve os melhores instrutores de que ela podia dispor e agora tem o amparo da minha tutela. Em meus anos de serviço ao Templo, adquiri muita experiência. Você pode se beneficiar disso, se estiver disposto a aprender.

— Estou disposto.

— Bom garoto. — Jacques sorriu, enrugando os cantos dos olhos.

Garin assustou-se com a expressão. Deu um passo involuntário para trás quando o tio se levantou e deu a volta na mesa em sua direção. Jacques pousou as mãos nos ombros do sobrinho.

— Sei que tenho sido duro com você nestes últimos meses. Mas é para o seu bem, entende?

— Sim, senhor.

— Há perspectivas consideráveis à sua disposição aqui, Garin, maiores até do que um comando.

— Maiores, senhor?

Jacques não respondeu. Tirando as mãos dos ombros de Garin, deu um passo para trás e o sorriso desapareceu.

— Agora vá. Eu o verei no campo durante o treino.

Garin fez uma reverência.

— Obrigado, senhor.

Virou-se para partir, sentindo as pernas bambas.

— Garin.

— Sim, senhor?

— Faça com que me orgulhe.

Quando Garin deixou o solar e se dirigiu ao alojamento, não tinha qualquer ilusão sobre o que o tio havia pretendido dizer. Faça com que me orgulhe era apenas outro jeito de dizer não me decepcione.

Ao encontrar o dormitório vazio, Garin fechou a porta e encostou-se nela. Um dos gatos da preceptoria estava sentado num retalho de sol sob a janela. No chão ao lado dele havia um pássaro. Os pequeninos olhos estavam semicerrados e sem vida e as entranhas pendiam da barriga em linhas azul-púrpura. Garin curvou-se quando o gato veio em sua direção para trançar-se em suas pernas.

— Você deveria apanhar ratos — repreendeu, pegando o animal no colo e caminhando até seu catre, onde se sentou.

Quando Garin se deitou, o gato esticou-se sobre seu estômago e o rapaz afagou-lhe o pelo preto e macio. Ele iria ser um comandante do Templo, mas invejava os sargentos que não tinham um destino tão grandioso. Estava cansado de viver no fio da navalha da raiva do tio e farto de seu nome preso como uma pedra em torno do pescoço.

O gato, ainda agitado pela caçada, deu-lhe um tapa com as garras. Garin sentou-se com um sobressalto, vendo as gotas escarlate de sangue brotarem numa linha que atravessava as costas da mão. Contemplou o sangue, surpreso pela cor viva, enquanto o gato se acomodava no colo e começava a ronronar. O tio havia dito que para ser um comandante é necessário ser implacável. É necessário suportar a dor e as privações e aprender como infligi-las a outros. Garin mordeu o lábio, mas não pôde deter as lágrimas. Mergulhando o rosto no pelo morno do gato, entregou-se a elas.

* * *

Depois de pegar um atalho através do terreno da capela no caminho para o alojamento dos cavaleiros, Will ziguezagueou entre as lápides que se projetavam como dentes do meio do gramado. Após pular o muro baixo que separava a capela do pomar, havia andado apenas alguns passos quando foi detido pelo som de uma jovem garota cantando. Embora não entendesse as palavras, reconheceu a língua da terra natal de Owein. A garota caminhava entre as árvores. Parou numa faixa de sol e se agachou, apanhando uma maçã da grama. Will havia ouvido falar de preceptorias para irmãs no Reino da França, mas uma mulher entrar numa das principais fortalezas da Ordem era estritamente proibido segundo a Regra e era como se aquela garota tivesse vindo de outro mundo. Will, observando-a, deu-se conta de que já a tinha visto uma vez. Isso havia sido cerca de 18 meses antes, pouco depois da partida do pai.

James Campbell havia retornado pouco tempo antes de uma breve viagem para escoltar Humbert de Pairaud até a preceptoria do Templo em Paris quando chamou Will até seu quarto e contou ao garoto que partiria para Acre. Will implorou para ser autorizado a ir com ele, mas James não cedeu. Na manhã da partida, três semanas mais tarde, segurou a mão do filho apenas por um momento e depois, sem dizer uma palavra, subiu a prancha do navio de guerra que estava ancorado na cais do Templo. Will ficou sentado no muro da doca até tarde daquela noite, muito depois de o navio ter zarpado e a cor do Tâmisa ter passado de cinza a negra.

No dia seguinte, começou sua aprendizagem com Owein. O cavaleiro havia sido simpático à situação de Will, mas apenas alguns dias depois também partiu, repentinamente. Ficou fora por mais de um mês, e Will foi posto temporariamente sob a tutela de Jacques. O rapaz nunca soube de onde veio a imperscrutável rejeição do cavaleiro a ele, mas durante aquelas poucas semanas, e desde então, o homem havia deixado claro que considerava Will nada melhor do que algo que poderia raspar da sola da bota. O que tornava o tratamento que Jacques lhe reservava ainda pior era o fato de que Owein e seu pai sempre aparentaram gostar do cavaleiro. Isso parecia uma traição.

Will estava trabalhando nos estábulos quando Owein retornou numa noite já avançada. O menino ficou surpreso ao ver uma garota aproximadamente da sua idade cavalgando o *destrier* atrás do mestre. Os dois foram recebidos no pátio do estábulo por Humbert de Pairaud. A garota, que saltou do imponente cavalo sem nenhuma ajuda, era alta e magra, perdida em meio às dobras de um manto manchado da viagem, muitos números maior do que ela. Os cabelos desciam pelas costas numa massa emaranhada e a pele pálida estava esticada sobre os ossos salientes do rosto. Para Will, aparentou ser uma criatura fria e selvagem, com os olhos grandes e luminosos dardejando tudo, até mesmo o mestre, a quem ela avaliou intensamente, como se tivesse direito a isso. A garota partiu na manhã seguinte. Quando Will perguntou quem ela era, Owein disse ser sua sobrinha e que ela não podia mais ficar em Powys, mas recusou-se a se delongar mais no assunto.

Como a sobrinha de Owein parecia diferente agora! Esbelta em vez de esquelética, com as bochechas mais cheias e a pele, desafiando o bom-tom e o recato, ainda bronzeada do sol de verão. Enquanto a maioria das garotas usava os cabelos presos sob uma touca, os dela pendiam soltos ao redor dos ombros, brilhando como moedas de cobre dourado. Quando Will caminhou na direção dela, a garota olhou para cima e interrompeu a canção. Ficou de pé, com a orla do vestido branco presa entre as mãos, cheia com as frutas que havia colhido.

— Olá.

Will ficou em silêncio por um momento, incerto sobre o que dizer.

— Você é a sobrinha de Sir Owein.

— Sou. — Os olhos dela, de um tom de verde muito mais claro do que os deles, cintilaram. — Embora prefira ser chamada de Elwen. Quem é você?

— Will Campbell — respondeu, constrangido pelo olhar inquiridor da garota.

— O sargento de meu tio — disse, com um leve sorriso. — Ouvi falar de você.

— Ouviu? — disse Will, tentando parecer indiferente. Cruzou os braços sobre o peito. — O que você ouviu?

— Que você veio da Escócia e que sempre está metido em problemas porque seu pai está na Terra Santa e você sente falta dele.

— Você não sabe *nada* sobre mim — disparou Will — nem o seu tio!

Elwen recuou um passo diante da explosão de raiva do rapaz.

— Desculpe. Não queria deixar você zangado.

Will virou o rosto, lutando para conter o mau humor que se apossara dele de maneira tão súbita.

— Você é só uma garota. — Chutou taciturnamente uma das maçãs caídas. — O que poderia saber sobre qualquer coisa?

Elwen se empertigou.

— Mais do que um garoto que passa os dias batendo em coisas com um bastão!

Eles se encararam em silêncio. Um grito fez com que ambos se voltassem. Will praguejou entre dentes ao ver o padre que havia oficiado a missa da manhã avançando a passos largos na direção deles, com a batina preta roçando a grama.

— Em nome de Deus, o que é isso? — berrou o padre, com os olhos chispando sobre Will.

— Estávamos conversando — disse o rapaz. Pelo canto do olho, viu que Elwen fitava-o petrificada.

— E por que, sargento, você está *conversando*, quando há trabalho a ser feito? — O padre fez uma carranca. — Tem de haver disciplina entre estes muros para que não caiamos nas maneiras dos ímpios. Na indolência e na desobediência você encontrará o Demônio. Essas são as obras dele e são uma afronta à obra de Nosso Senhor.

Elwen se agitou.

— Só estávamos...

— Silêncio, garota! — vociferou o padre, girando para olhar para ela pela primeira vez. — Foi com grande relutância que concordamos com o pedido de Sir Owein para abrigá-la aqui.

— Minha guardiã ficou doente. Não tinha nenhum outro lugar para ir.

— O mestre nos assegurou que você permaneceria nos seus aposentos. Mas vejo que sua presença é...

Calou-se ao notar as frutas coletadas na orla do vestido e, por baixo dela, as pernas nuas e morenas. Will se deliciou ao ver um intenso rubor brotar nas bochechas do padre.

— E o que é isso? — fervilhou o sacerdote, apontando um dedo para as maçãs. — Você está roubando?

— Roubando? — Elwen fingiu uma expressão chocada. — É claro que não. Esperava que os servos pudessem fazer com elas algo doce para o mestre.

Agitado, o padre abriu a boca e depois fechou-a novamente.

— Parece uma vergonha deixá-las apodrecer, não é? — sugeriu Elwen com doçura, estendendo uma maçã para o sacerdote.

Will teve de esconder o sorriso com a mão. Quando Elwen encontrou seu olhar, a fisionomia da garota suavizou-se ligeiramente. O pároco olhou para ambos, com as sobrancelhas levantadas numa expressão de suspeita.

— Aos seus deveres, sargento! — ordenou, por fim. Depois voltou-se para Elwen. — Quanto a você, eu a conduzirei até seus alojamentos, onde você permanecerá. O mestre, que Deus o guarde, pode julgar apropriado abrir exceções à Regra de acordo com sua vontade, mas não compactuarei com essa flagrante violação de sua caridade.

Estava prestes a pôr a mão sobre o braço da garota e então parou, a centímetros da pele, como se tivesse medo de tocá-la. O padre não tinha necessidade de conduzi-la. Elwen, com a orla do vestido ainda carregada de maças, apressou o passo à frente dele.

Will, meneando a cabeça em admiração pela audácia da garota, saltou o muro do pomar e entrou no pátio principal. Antes do ofício da tarde havia algo que precisava fazer; algo que havia adiado por tempo demais. Escreva para sua mãe, dissera-lhe o pai antes de partir. Essa havia sido a única recomendação que lhe fizera e, ainda assim, Will não havia tomado nenhuma atitude quanto a isso. A lembrança da partida deles da Escócia, os lábios da mãe roçando levemente sua face e o tênue sorriso dela ainda o assombravam. Mas o tempo seguia em frente e pelo menos agora tinha algo bom para contar a ela: que havia portado o escudo do mestre numa parlamentação com o rei.

Will bateu à porta do solar, na esperança de que fosse Owein, e não Jacques, que a abrisse. Aguardou e depois bateu novamente, dessa vez com mais força. Ainda assim não houve resposta. Depois de verificar o corredor, Will abriu a porta cautelosamente e olhou para dentro. O solar estava vazio. Terminou de empurrar a porta, depois parou ao ver uma pilha de pergaminhos sobre a mesa. Uma pomba, empoleirada no beiral da janela, fugiu quando ele entrou.

Os feixes haviam sido dispostos em três pilhas. Will folheou-as, procurando apressadamente por uma folha limpa. Todos os pergaminhos haviam sido usados. Alguns dos escritos, notou, tinham a caligrafia floreada de Owein, outros tinham os rabiscos espinhosos de Jacques. Pausou por um momento, segurando um dos pergaminhos, quando viu o selo real impresso em cera vermelha, no topo da pele de carneiro. Will olhou para a porta, depois novamente para a pele. Os olhos percorreram-na com curiosidade. A carta, endereçada a Humbert de Pairaud, era um pedido para que os cavaleiros reconsiderassem a exigência da penhora das joias. Will, perdendo o interesse depois das primeiras linhas, folheou o último dos pergaminhos.

Esse era um registro das dívidas de Henrique e era um pouco mais interessante. Will deixou escapar um leve assobio por entre os dentes ao ver quanto o rei da Inglaterra havia pegado de empréstimo ao Templo ao longo dos poucos anos anteriores. Depois de um momento, porém, obrigou-se a pôr os pergaminhos de lado. O olhar recaiu sobre o armário. Depois de aproximar-se dele e abrir as portas, encontrou uma pequena pilha de pergaminhos novos numa das prateleiras. Estendeu a mão para apanhar um deles e, ao fazer isso, deslocou a pilha. Ao curvar-se para endireitá-la, notou que um deles tinha algo escrito. Dobrou a pele em branco, enfiou-a na parte de trás dos calções, depois puxou o pergaminho rachado e amarelento, levemente curioso sobre o que estaria fazendo no meio das folhas novas, e não na pilha com as outras cartas. Estava escrito em latim, mas o que atraiu a atenção de Will foi que o manuscrito estava em letras maiúsculas. Aquilo não parecia natural, como se o escritor tivesse propositalmente tentado disfarçar a caligrafia. Procurou por um selo, mas, e isso também chamou a atenção dele pela estranheza, não havia nenhum. O documento tampouco era endereçado a alguém. Havia, porém, uma data.

*1 abril. Anno Domini, 1260.*

*Peço desculpas por não ter dado notícias antes, mas havia pouco a relatar até agora. Após ter chegado em segurança no outono do ano passado, fiz contato com nossa Irmandade em Acre. Mandam saudações ao mestre e pedem que lhe informe que o trabalho aqui tem prosseguido bem, embora mais lentamente do que gostaríamos. Um de nossos irmãos faleceu durante o inverno e temos sentido dolorosamente sua falta. Os demais se perguntam quando você retornará para eleger mais membros para o nosso círculo.*

*Há outros fatores, também, que têm tornado minha missão aqui mais difícil de cumprir do que se havia avaliado. O ano começou com guerra e vem prosseguindo do mesmo modo incessantemente. Em janeiro, os mongóis assolaram a cidade de Alepo e em março caíram sobre Damasco. No mês passado soubemos que o general deles, Kitbogha, ordenou que suas tropas tomassem a cidade de Nablus e nossas forças se viram cercadas. Não fizeram qualquer tentativa de nos combater, mas a ameaça impeliu o grão-mestre Bérard a reforçar as posições do Templo. Tentamos entrar em negociações, mas tivemos pouco sucesso até agora.*

*Apesar desses obstáculos, tenho conseguido completar minhas incumbências. O contato que fiz no acampamento mameluco já se provou dos mais úteis e aprendemos muito. A Irmandade está otimista acerca do que isso poderia significar para o futuro. Ele ocupa uma alta posição dentro de um dos regimentos deles — mais alta do que poderíamos esperar — e fará o que puder para ajudar nossa obra aqui. Tenho certeza de que vocês em muito breve terão notícias através dos meios normais, mas os mamelucos estão atualmente se preparando para um confronto com os mongóis em...*

Will ergueu os olhos bruscamente, após ouvir um movimento no corredor. Enfiou a pele de volta na pilha e disparou para trás do biombo de madeira que dividia o solar, no momento exato em que as portas se abriram. Com o coração em disparada, agachou-se, ouvindo passos, depois o farfalhar dos pergaminhos. Após alguns segundos, arriscou um olhar para o outro lado do biombo e o coração bateu ainda mais rápido ao ver Jacques de Lyons curvado sobre os pergaminhos na mesa. O cavaleiro apanhou uma das pilhas e virou-se para partir, depois parou e olhou para trás, com as sobrancelhas franzidas, vendo as portas do armário abertas. Vagarosamente, atravessou a sala, olhando em torno. Will sentiu-se gelar, mas estava suficientemente abaixo da linha de visão de Jacques para se manter despercebido. O cavaleiro curvou-se até a prateleira onde as peles estavam e então, sem qualquer hesitação, puxou a carta do centro da pilha. Ainda de cenho franzido, colocou-a entre as folhas que segurava, depois fechou com firmeza o armário, pressionando-o duas vezes com a mão para certificar-se de que permaneceria fechado. Will esperou que as portas se fechassem e os passos sumissem antes de sair de trás do biombo.

*Palácio de Westminster, Londres, 13 de outubro de 1260*

O rei Henrique olhou pela janela, o vitral tingindo seu rosto num padrão de diamantes azuis e vermelhos. Um nevoeiro baixo havia se infiltrado, vindo dos charcos que circundavam o labirinto desordenado de prédios.

Os romanos haviam fundado um assentamento na ilha formada quando os dois braços do Tyburn encontram o Tâmisa. A ilha de Thorney era o lar dos reis desde os tempos de Eduardo, o Confessor, e os estilos multifários dos prédios demonstravam os diferentes gostos de todos eles. Atrás do palácio, as paredes brancas da Abadia de Westminster elevavam-se até o céu e os muitos anexos no terreno amontoavam-se à sua volta como criancinhas sentadas aos pés de um avô sábio. Henrique preferia o palácio a todas as suas residências: era menos austero do que a Torre e próximo da cidade.

Uma leve tosse veio de trás dele.

— Queria me ver, meu suserano?

Henrique desviou os olhos da janela para ver o chanceler observando-o ansiosamente. As simples roupas pretas do homem e a pele branca contrastavam nitidamente com as cores vívidas do aposento. As paredes da câmara, de 25 metros de comprimento, eram decoradas com pinturas e perfiladas de tapeçarias. As janelas eram vitrais coloridos e o chão de ladrilhos era adornado com tapetes espessos e suntuosos. Havia plantas em grandes urnas, uma mesa de carvalho contornada por cinco cadeiras entalhadas com formas intrincadas, sofás almofadados e um batalhão de estátuas e ornamentos. Uma pessoa que entrasse na sala pela primeira vez poderia ser perdoada caso pensasse estar pondo os pés num depósito de tesouros. O rei havia esbanjado ouro em muitas de suas propriedades, mas na Câmara Pintada despejara uma fortuna.

Henrique dirigiu-se até a mesa de carvalho e apanhou um rolo de pergaminho.

— Isto chegou há uma hora. — Estendeu o pergaminho para o chanceler.

Enquanto o homem lia, a porta se abriu e Edward entrou. Os belos cabelos estavam emplastrados de suor, e os calções e as botas de cavalgar, salpicados de lama.

— Pai — saudou com um leve cumprimento de cabeça, enquanto fechava a porta. — Estava prestes a liderar uma caçada — acrescentou, dirigindo um olhar para o chanceler. — Sua convocação dizia que era urgente.

Henrique apontou para o rolo de pergaminho que o chanceler segurava.

— Leia aquilo. — O rei sentou-se pesadamente em um dos sofás. — Querem levá-las para a preceptoria em Paris! Presumo que acreditam ser melhor guardar as joias o mais longe possível das minhas vistas e da minha influência. Que sejam condenados ao inferno!

Edward pegou o pergaminho das mãos do chanceler e passou os olhos por ele.

— Deveríamos pedir outro encontro — disse, olhando para o pai. — Tentar renegociar.

Henrique passou uma das mãos pelos cabelos ralos.

— Para quê? Já pedi para os templários reconsiderarem. — Apontou para o pergaminho. — A resposta deles foi *requerer polidamente* a transferência dentro de nove dias!

— O que o senhor fará, meu suserano? — perguntou o chanceler.

Henrique recostou-se nas almofadas e fechou os olhos, sentindo a cabeça começar a latejar.

— Se desafiar os cavaleiros, chanceler, o que você acredita que fariam?

— É impossível dizer com certeza, meu suserano, mas posso imaginar que buscariam a aprovação do papa para esta ordem. É de se esperar que usassem a atual situação em Outremer como argumento para conseguir o consentimento papal em favor deles. O papa poderia, então, fazer uma solicitação pessoal ao senhor.

— Então não tenho outra escolha senão concordar.

A testa lustrosa de Edward se enrugou.

— Vai ceder com tanta facilidade? O senhor deve ser mais firme com os cavaleiros. Enfrente-os como fez no Templo. O senhor *é* o rei, não eles.

— Eles bem poderiam ser, com todo o poder que têm.

— As joias da coroa são nossas, pai. *Nossas.*

Os olhos de Henrique abriram-se num repente. Olhou para o filho.

— Você acha que quero fazer isso? Que outra opção há? Que espere por um édito papal e depois, ignorando-o, pela excomunhão? — Henrique se levantou, com uma das mãos pressionando a testa. — Pagaremos o dinheiro quando formos capazes disso, depois veremos nosso tesouro retornar a nós. Até que chegue esse momento, os cavaleiros o terão. Pelo menos isso os manterá longe do meu pé.

Ele se dirigiu até a porta, com a borda do manto de veludo chiando sobre os ladrilhos.

— Informe os cavaleiros, chanceler. Diga-lhes que aceito os termos deles. Não suporto mais pensar nisso.

Edward, com o rosto tomado por uma expressão de protesto, ia saindo atrás do rei, mas o chanceler o deteve. Edward olhou para a mão sobre o seu braço, depois para o homem que o havia segurado. Os olhos cinza pálidos chisparam.

O chanceler servia na casa real havia apenas um ano, mas já vira aquela expressão na face do príncipe uma vez. Atravessava os corredores do palácio a caminho de um encontro com sua equipe quando viu um jovem pajem, que carregava uma terrina de sopa, tropeçar e acidentalmente derrubar a vasilha e o conteúdo no chão. Edward estava caminhando logo à frente do rapaz e um pouco da sopa havia respingado em suas vestes. O príncipe, que até aquele momento o chanceler havia presumido tratar-se de um afável e resoluto jovem dotado de autocontrole, fizera o garoto aterrorizado lamber a sopa do chão, depois limpar suas botas com a língua como medida adicional.

O chanceler deixou a mão cair do braço de Edward.

— Perdoe-me, meu senhor príncipe. Mas creio que seu pai está correto. Ele não tem outra escolha a não ser entregar as joias para os cavaleiros.

— Meu pai está velho e doente — disse Edward, num tom glacial. — Quem você acha que será responsável pelo débito quando ele se for? Até que isso seja pago, os cavaleiros manterão as joias com as quais eu deveria ser coroado. Eu me recuso a deixar que peguem o que é meu por direito.

— Não quero que os templários levem esse tesouro, tampouco — disse o chanceler. — Mas pode haver um modo de o senhor mudar essa situação a seu favor sem maiores contrariedades e sem envolver seu pai. Embora acredite que isso provavelmente exigiria a ajuda de seu... — o chanceler tentou pensar num termo polido para empregar — ... valete — concluiu.

— Prossiga.

— Descobri algo na preceptoria, algo que o senhor talvez seja capaz de usar.

# 8
# Novo Templo, Londres

15 de outubro de 1260

— Paris? — perguntou Simon, em tom de dúvida.

— Owein contou-me esta manhã — disse Will, sorrindo, enquanto ajudava o cavalariço a arrastar um grande fardo de feno através do pátio. — Vou escoltar as joias da coroa.

— Só você? — disse Simon, um pouco sardonicamente.

— Bem, com Owein, mais nove cavaleiros e seus sargentos e a rainha Eleanor. — Will apontou com a cabeça na direção das docas, onde o mastro principal de um navio despontava por sobre os telhados. — Iremos no *Endurance*.

— Aquele trambolho? — disse Simon, torcendo o nariz. — Não parece capaz de atravessar uma poça. Levante um pouco seu lado.

Will ergueu o fardo mais para cima, com os pés escorregando no chão úmido. Havia chovido intensamente nos últimos dois dias e tudo, incluindo o campo de treino, estava encharcado. Restavam apenas três dias até o torneio e Will havia passado os ofícios mais recentes orando pelo sol. Neste dia, as preces haviam sido atendidas com um alvorecer gélido e nevoento, que se converteu numa manhã fria e luminosa. Juntos, ele e Simon suspenderam o fardo, atravessaram com ele a entrada do estábulo e o largaram. Will sentou-se pesadamente sobre ele, com o nariz tomado pelo cheiro quente e animal da estrebaria, enquanto Simon desaparecia no depósito onde a corda era guardada. O estábulo era longo e sombrio. Os *destriers* estavam nas baias de um dos lados e os palafréns, usados pelos sargentos, ficavam do lado oposto. Um cavalariço varria o chão na extremidade mais afastada. A poeira da palha redemoinhou à sua volta e ele espirrou.

— Você está bem preparado para a batalha, então? — A voz de Simon veio de dentro do depósito.

— Tanto quanto posso estar.

— Sir Jacques tem pesado a mão sobre você?

— Humm.

Will puxou uma palha do fardo e torceu-a ao redor do dedo. Nos últimos dois dias, sua concentração no campo de treino estivera um tanto abalada. Jacques havia gritado com ele várias vezes.

*"Deus do céu, sargento, você está surdo ou é simplesmente tonto? Pare de olhar para mim e faça seus malditos pés andarem! Até parece que você não precisa de treino!"*

Mas Will achava difícil não encarar o cavaleiro. A carta que havia descoberto no solar, que parecia pertencer ao Ciclope, não saía de sua mente. Embora em grande parte parecesse honesta, havia certas palavras que o garoto ficava repetindo, palavras que o faziam se perguntar sobre seu significado: *nossa Irmandade, o mestre deles, nosso círculo.* Sabia que o Templo empregava espiões que agiam em território hostil, mas a carta parecia sugerir algo mais do que isso, algum tipo de ligação entre o Templo e o inimigo. E por que não tinha selo? Gostaria de ter tido tempo para terminar de lê-la.

— Você vencerá — disse Simon, de maneira prosaica, saindo do depósito com uma sela nas mãos, a qual suspendeu em um banco.

— O quê? — perguntou Will, levantando os olhos. — Ah. É, talvez.

Encolheu os ombros, mas sorriu, satisfeito com a confiança inabalável do amigo.

— Então — falou Simon, apanhando um tecido e uma jarra de cera de abelha —, quanto tempo você ficará em Paris?

— Uma semana. — Will chegou mais perto quando Simon tirou uma camada da cera amarelo-escuro. — Talvez mais.

Simon olhou para Will enquanto encerava a sela.

— Espero que você não se esqueça de mim quando for todo cavalheiresco e nobre e partir pelos mares.

— Jamais! Você é o meu... — Will meneou a cabeça, incapaz de pensar em palavras adequadas. — Não sei. Duas coisas que andam juntas.

— A bosta da sua pá? — sugeriu Simon.

Ambos riram.

O som de cascos ecoou no pátio. Simon largou o pano, esfregou as mãos na túnica e adiantou-se para cumprimentar o cavaleiro. Will, que ficara do lado de dentro, ouviu vozes um momento mais tarde. A primeira voz, de Simon, pareceu cautelosa e incerta; a segunda, uma voz de homem, fez com que Will olhasse na direção dela com perplexidade. Ele se dirigiu à entrada para ver Simon tomando as rédeas de um *destrier* preto com uma estrela branca no focinho. Will conhecia o cavalo: era a montaria do Ciclope, mas não conhecia o cavaleiro, que havia falado com um sotaque que nunca ouvira antes. O homem vestia um manto cinzento com o capuz puxado sobre o rosto, mas quando cumprimentou Simon com a cabeça e voltou-se para partir, Will conseguiu ver uma barba negra e uma pele que era muito mais escura do que a de qualquer inglês. Observou o homem atravessar o pátio na direção dos alojamentos dos cavaleiros.

— Quem era aquele? — perguntou, enquanto Simon conduzia o grande cavalo para dentro do estábulo.

— Não sei. Cara de estrangeiro, não?

— Por que estava usando o cavalo do Ciclope?

— Acho que esse deve ser o homem que o pegou no mês passado. O mestre da estrebaria disse que um camarada de Sir Jacques estava pegando o cavalo dele emprestado por algumas semanas. — Simon pendurou os arreios num tronco e curvou-se para afrouxar os estribos. — Você vai ficar aqui mais um pouco? Pode me ajudar?

— Não — disse Will, distraidamente. — Não posso — acrescentou, vendo o olhar de desapontamento de Simon. — Tenho treino.

— Mas você virá aqui logo? Não o via fazia semanas.

— Virei.

Simon observou Will sair, depois removeu a sela do *destrier* e levou o animal até a baia. Aproximando-se do fardo de feno, começou a cortar com sua faca a corda que o atava. Uma sombra bloqueou parcialmente a luminosidade que entrava pela porta do estábulo, e Simon ergueu a cabeça para ver outro estranho parado ali, esse vestido com uma capa de burel manchado. O homem, que tinha cabelos longos e esparsos e um rosto com a mandíbula protuberante e com marcas de varíola, fez um cumprimento de cabeça mecânico para Simon.

— Qual o caminho para o alojamento dos sargentos?

Simon endireitou-se. Enfiando a faca no cinto, se aproximou.

— Por quem você está procurando?

O homem sorriu, revelando uma boca com tocos de dente marrons apenas pela metade. Levava uma adaga curva de aspecto ameaçador presa ao cinto.

— Isso é problema meu, garoto. Qual é o caminho?

Simon calou-se por um momento mas não tinha o direito de questionar visitantes ou de negar-lhes acesso à preceptoria, por mais estranho ou, nesse caso, desagradável que fosse o aspecto deles.

— Do outro lado do pátio — respondeu secamente, apontando para os prédios do lado oposto do complexo. — Aquele mais alto.

*Torre de Londres, 17 de outubro de 1260*

A balsa deslizou vagarosamente rumo à Ponte de Londres, depois de desembarcar todos, menos um, os passageiros nas docas de Wallbrook. Garin, aninhado por conta própria num banco da popa, observava as carretas manobrarem pela capela e as muitas lojas que abarcavam toda a extensão da ponte. Quando a balsa passou sob os arcos, teve uma boa visão das cabeças dos traidores, que pendiam como lanternas dos postes. Garin apertou ainda mais a capa em volta de si para cobrir a cruz vermelha na túnica preta, aterrorizado com a possibilidade de que alguém nas margens distantes ou na ponte acima dele pudesse reconhecê-lo. Estava sozinho fora da preceptoria e sem permissão. Sentia tonturas ao pensar nisso. Mas sob a ansiedade havia uma sensação de curiosa expectativa. Foi esse sentimento que o havia levado tão longe, isso e o medo de recusar a convocação. Em qualquer outro dia, nenhuma das duas coisas teria sido suficiente para levá-lo a deixar a preceptoria, mas nesse dia ocorria a reunião do cabido e os cavaleiros estariam encerrados na casa durante a maior parte do dia. Ninguém sentiria sua falta.

Depois da ponte, a Torre de Londres dominava a vista, com as vastas paredes que desciam como cortinas até um fosso que a flanqueava por três lados: nenhuma embarcação era autorizada a atravessar a comporta sem permissão. Quando a rampa foi atirada para o outro lado por um dos membros da tripulação, Garin se levantou do banco e atravessou-a a passos cautelosos até a margem. Seguindo as instruções que lhe haviam sido dadas, seguiu por um quebra-cabeça de ruelas até chegar ao muro do lado da cidade. Ali encontrou uma ponte levadiça que atravessava o fosso, conduzindo a uma pequena passagem arqueada em meio às pedras, tirando isso, indistinguíveis. Dois guardas reais usando uniformes escarlate estavam parados de cada lado do portão. Um deles sacou a espada quando Garin pisou na ponte.

— Fique onde está.

Garin fez o que lhe havia sido mandado e esperou que o guarda se aproximasse.

— O que deseja?

— Meu nome é Garin de Lyons. — Hesitou. — Eu... acho que me aguarda.

— Siga-me.

Garin acompanhou o homem até o outro lado da ponte e o segundo guarda desprendeu um molho de chaves do cinto e destrancou a porta. Abriu-a e Garin viu um grande pátio estendendo-se até uma colossal fortaleza cinza e branca de pedra e mármore, com as torres de vigilância perfurando o céu. Em volta da fortaleza havia jardins delineados por árvores e vários anexos, incluindo uma longa estrutura de madeira que dominava o pátio.

— Prossiga, então — disse o primeiro guarda, com impaciência.

— Para onde vou? — perguntou Garin, sentindo as bochechas enrubescerem.

— Você será recebido no pátio. Foi só o que nos disseram.

Garin atravessou a porta e sobressaltou-se quando ela bateu atrás de si. Ouviu o som metálico da chave na pesada fechadura e sentiu a frágil confiança que havia conseguido reunir até ali ser despida dele como se fosse um manto, deixando-o nu, insignificante sob os muros compactos e as torres inexpugnáveis. Vagarosamente, começou a caminhar.

Depois de percorrer uma curta distância, alcançou a estrutura de madeira e moveu-se ao longo dela, torcendo o nariz ao cheiro rançoso e almiscarado que vinha de dentro daquilo. Havia guardas andando pelo terreno e, perto da fortaleza, algumas figuras que supôs serem serventes, mas o pátio em si estava vazio. Garin voltou-se ao ouvir um som abafado que vinha do prédio ao seu lado. Curioso, aproximou-se e perscrutou pelas frestas entre as ripas. Não pôde ver nada na escuridão que havia lá dentro. Mais adiante, notou uma abertura quadrada cortada entre as tábuas. Dirigiu-se até ali e, parando nas pontas dos pés, espiou através dela. O cheiro era pior ali. Havia algo pendurado logo à frente da abertura. Parecia uma manta de couro cinzenta e enrugada. Garin agarrou-se às bordas do orifício e içou-se até ele. A manta de couro se moveu e de repente ele se deparou com um olho enorme e estreito. O olho piscou e uma cabeça colossal virou-se para encará-lo. Garin berrou quando uma cobra gigantesca serpenteou para fora do buraco. Caiu para trás e cambaleou de encontro ao peito de um vulto que estava atrás dele. Após virar-se, ele se viu face a face com o homem de mandíbula proeminente e rosto marcado de varíola que lhe havia entregado a convocação dois dias antes. Da edificação partiu um som como de dez trombetas.

— *O quê...! O que é isso?*

— O bichinho de estimação do rei Henrique — respondeu asperamente o homem. — Depressa. — Apertando o ombro de Garin com a mão imunda, guiou o garoto chocado em direção à Torre, com a capa de burel manchado tremulando atrás de si ao vento gelado que varria o pátio. — Ele está esperando.

— Mas *o que* é isso? — perguntou Garin, olhando por sobre o ombro para a serpente que se remexia através do orifício e que ele agora via que estava presa à face da besta.

O homem, que se apresentara como Rook, fez uma carranca mas parecia esforçar-se para ser educado.

— Um elefante. Foi um presente do rei Luís. Ele o trouxe do Egito.

Garin, desviando o olhar do monstro, deixou-se conduzir. Um cheiro de umidade, suor e mau hálito desprendia-se de Rook em ondas espessas e repulsivas, e Garin tinha de aspirar o ar pela boca em pequeninas golfadas para evitar inalá-lo. Sentiu-se bastante nauseado, de todo modo.

— Você contou a alguém que estava vindo para cá?

Garin meneou a cabeça.

— Não. Fiz o que você disse. Não contei a ninguém e não fui visto ao sair.

Rook estudou o rapaz intensamente, com um imperturbável olhar calculista. Depois de um momento, deu um grunhido.

Garin quase tinha de correr para acompanhar Rook, que acelerou o passo quando se aproximaram do prédio principal. Caminharam ao longo dele, passando por vários guardas que lhes prestavam pouca atenção, contornaram-no pelo fundo e entraram por uma porta baixa de madeira. Parecia uma entrada para os servos; certamente não era, observou nervosamente Garin, a passagem que qualquer convidado normal teria usado. Rook manteve a mão firmemente apertada sobre o ombro de Garin enquanto fazia o garoto andar por um corredor obscuro e subir por uma escada estreita em espiral, talhada numa parede na extremidade oposta, mais empurrando-o do que o guiando. Garin custava a respirar quando chegou ao topo, onde uma fileira de pórticos em arco dava para o pátio deserto e para o rio Tâmisa, além dos muros. Rook, ofegante mas sem diminuir o passo, levou-o até um conjunto de portas de carvalho. Parou para dar duas batidas e depois as empurrou. Quando as portas abriram para o lado de dentro, Garin foi tomado pelo impulso de dar meia-volta e correr. A curiosidade havia mirrado e agora a mente estava dominada apenas pela pergunta que o assolava desde que Rook o havia procurado na preceptoria. Que diabo o herdeiro do trono da Inglaterra podia querer com ele? Mas Rook estava bem atrás dele e não havia lugar nenhum para ir a não ser em frente.

A câmara era grande e escura. Pesadas cortinas pretas cobriam as janelas, bloqueando a maior parte da luz do dia. A intervalos irregulares, raios de luz preenchidos por partículas revoluteantes de poeira penetravam pelas frestas e apunhalavam as lajes largas e planas. Tirando essa frágil iluminação, havia apenas uma única vela ardendo sobre uma mesa de carvalho, da qual havia dois bancos de cada lado. Garin pôde apenas distinguir a forma corcovada de uma cama ampla encostada na parede oposta do cômodo. Quando os olhos se acostumaram à penumbra, se deu conta de que as paredes do aposento eram cobertas por cenas pintadas. Forçou os olhos contra a obscuridade, tentando distingui-las: prédios; uma floresta; soldados a cavalo; um homem alto de vestes negras. Quando os olhos se fixaram nesse último quadro, quase deu um grito quando a pintura se destacou da parede e veio em sua direção.

— Sargento De Lyons — disse o príncipe Edward, sorrindo. — Estou feliz que tenha vindo.

Ainda chocado, Garin esqueceu de curvar-se.

O príncipe não pareceu considerar isso como ofensa.

— Por favor, sente-se — disse, apontando para o banco diante da mesa.

Garin, suas pernas trementes e vacilantes, fez o que lhe foi mandado, após olhar de esguelha para Rook, que se posicionara junto à porta fechada.

Edward sentou-se no banco oposto ao de Garin, com a face iluminada pela vela, o que intensificava a impressão de que o queixo e os maxilares fortes tivessem sido esculpidos a formão. Apanhou uma xícara que estava entre duas taças.

— Gostaria de beber algo?

Garin engoliu em seco.

— Sim. Quero dizer, sim, senhor meu príncipe.

— Veio das terras de meu pai, na Gasconha — disse Edward, servindo a bebida e entregando uma das taças a Garin. — O melhor vinho da Cristandade.

Garin, mal sentindo o sabor, tomou vários goles sôfregos, tentando umedecer a garganta. Depois de alguns momentos, o calor e a potência do vinho o invadiram, e sentiu-se levemente relaxado.

Edward tornou a encher a taça do garoto.

— Presumo que você não teve problemas para deixar a preceptoria — disse.

— Não, senhor meu príncipe.

— Ótimo.

Edward acomodou-se no assento, aninhando a taça nas mãos de longos dedos, nos quais havia diversos anéis de ouro cravejados de pedras preciosas.

— Lamento tê-lo convidado dessa maneira tão incomum, Garin, mas queria conversar com você tão logo fosse possível e, dada a natureza delicada do meu pedido, o sigilo era necessário. Espero não lhe ter causado nenhum sobressalto indevido.

— Não, senhor meu príncipe.

Olhando para trás, Garin pôde ver a silhueta ensombrecida de Rook, bloqueando a porta. Deixou de dizer que o portador do convite havia-o alarmado muito mais do que a convocação em si. Rook o havia encurralado no dormitório, entregado-lhe a mensagem de que o príncipe queria vê-lo e o dinheiro para a balsa e não partiu até que Garin tivesse prometido ir até a Torre.

— O motivo pelo qual queria vê-lo — continuou o príncipe, com a voz calma e medida — é que creio que você talvez seja capaz de ajudar-me com um problema. O rei concordou em penhorar as joias da coroa mediante a reivindicação do mestre de Pairaud. Em cinco dias elas serão levadas a Paris, onde serão conservadas até o devido tempo em que os débitos do rei para com o Templo sejam ressarcidos.

Garin fez que sim. O tio havia-lhe contado na noite anterior que o rei Henrique havia concordado com a reclamação do mestre e que ele estaria na comitiva que iria escoltar as joias. Sentia-se cada vez mais incerto sobre o que estaria fazendo ali.

Edward fez uma pausa para tomar um gole da taça e avaliou o garoto atentamente.

— Serei muito sincero com você, Garin. Não quero que as joias vão para a sua Ordem. Pertencem a meu pai e à sua linhagem. Tentamos conversar com os cavaleiros e oferecemos outros meios pelos quais o débito poderia ser pago, mas recusaram qualquer diálogo adicional e insistiram nesse caminho. Não me deixaram nenhuma outra opção além de resolver esse assunto com as próprias mãos. As joias serão entregues aos cavaleiros, como meu pai concordou em fazer, mas eu as pegarei de volta.

Garin esforçou-se para entender o que o príncipe estava dizendo.

— Meu senhor, eu...?

Edward levantou a mão, ordenando silêncio.

— Quero que você me ajude a conseguir isso, Garin. Minha mãe, a rainha, escolherá as joias por ordem de meu pai, mas os cavaleiros mantiveram os detalhes da viagem em segredo. Como sobrinho de um dos cavaleiros envolvidos nesse arranjo, você terá, estou certo disso, acesso a tais detalhes.

A compreensão do que o príncipe estava querendo dizer atingiu Garin como um tapa. Ele se levantou, com a cabeça girando por efeito do vinho e da revelação.

— Eu... Eu lamento. Não posso!

Quase tropeçou no banco quando se dirigiu apressadamente à porta, desejando sair para a luz do dia e o ar fresco, longe daquela câmara de sombras e intentos adultos.

A voz de Edward ressoou atrás dele.

— Você não quer restaurar o bom nome de sua família? Não deseja que os De Lyons sejam novamente a casa grandiosa e nobre que um dia foram no Reino da França?

Garin vacilou. Quando olhou novamente para Edward, não viu Rook dar um passo adiante, desembainhando uma adaga curva.

— Não foi isso o que disse ao lorde chanceler quando o acompanhou até o solar do mestre? — indagou Edward. — Você não falou que era difícil ser o sobrinho de um cavaleiro de alta patente? Que se sentia sobrecarregado pela pressão do dever que lhe foi imposto, de restaurar a abastança e a nobreza de sua família?

Garin sacudiu a cabeça. Não havia sido isso o que dissera, *exatamente.*

— Posso fazer isso por você, Garin. Posso fazer de você um lorde, conceder terras e títulos a você. Posso torná-lo rico.

Garin ficou onde estava. Atrás dele, a adaga de Rook reluzia.

— Você só precisa me contar o que sabe sobre a viagem. É só isso. E lhe darei tudo o que puder em troca.

— E se alguém descobrir? — sussurrou Garin, com a voz soando estranha aos próprios ouvidos.

— Ninguém jamais saberá.

— Mas como...? — Garin lutou para olhar o príncipe nos olhos. — Como o senhor pegaria as joias de volta?

Edward terminou de beber o vinho e pousou a taça sobre a mesa.

— Você não precisa se preocupar com a maneira como isso será feito. Ninguém irá se machucar.

Levantando-se, contornou o banco até onde Garin estava. Para o garoto, o príncipe belo e alto parecia um guerreiro de algum poema antigo, ao mesmo tempo aterrorizante e imponente, mais mito do que homem.

— As joias pertencem à minha família. Só estou fazendo o que é meu dever para salvaguardar nossa propriedade, tenho certeza de que você consegue entender isso.

Apanhou a vela que estava sobre a mesa.

— Venha comigo, Garin.

O rapaz hesitou, mas depois de um momento seguiu o príncipe até a grande parede no fundo da câmara. À medida que se aproximavam, a chama da vela iluminava as pinturas e as volutas escuras tremeluziam até se transformar em cor.

— Meu pai fez com que pintassem este quadro — disse Edward, segurando a vela diante das obras — em homenagem àqueles que deram suas vidas para arrancar Jerusalém das mãos dos infiéis, quase duzentos anos atrás.

O olhar de Garin percorreu a paisagem de uma cidade murada. Jerusalém. Edificações brancas em forma de cebola, domos dourados que subiam a encosta de uma colina até uma ampla estrutura ornamentada no topo, que concluiu tratar-se do Domo da Rocha, um importante santuário islâmico antes da queda da cidade, depois do que fora convertido numa igreja. A cena toda era de uma beleza majestosa e despertou em Garin o sentimento de querer pisar sobre a grama pintada em primeiro plano e caminhar entre os olivais até aqueles altos muros brancos. Mas à medida que Edward se deslocava, a imagem desaparecia e a vela iluminava um novo cenário. Dessa vez a cidade estava mais próxima e alguns dos prédios eram obscurecidos por nuvens de fumaça. Perante os muros havia um exército, uma massa pardacenta e esparramada de homens e máquinas de sítio, cavalos, carroças, tendas e estandartes.

— Quando o papa Urbano II pregou a convocação para a Cruzada no ano de Nosso Senhor de 1095, muitos homens tomaram a Cruz, cavaleiros, nobres, reis e camponeses, e partiram para reclamar a Terra Santa das mãos dos ímpios. Mas não foi senão quase quarenta anos mais tarde, depois de uma árdua jornada por terra, durante a qual muitos homens perderam a vida, que avistaram esses muros diante de si. — Edward apontou para as máquinas de sítio que estavam alinhadas entre a cidade e o acampamento dos cruzados. — Passaram quase um mês construindo armas para a batalha. Depois, em 13 de julho, esgotados e enfraquecidos pela longa campanha e as muitas privações que haviam sofrido, começaram o ataque.

A vela se deslocou novamente, e dessa vez as cores eram todas escuras; preto e escarlate para a fumaça e as línguas de fogo que lambiam pelos beirais de telhados e prédios; carmesim e púrpura para o sangue.

— Eles tomaram a Terra Santa pela força da espada e dentro de apenas um dia seu sonho, e o de todos aqueles que haviam ficado para trás, se realizou. Jerusalém era nossa. As ruas foram limpas pelos nossos cavaleiros da presença de sarracenos e judeus. Os sítios sagrados onde Cristo fustigara os vendilhões, a tumba de onde Ele se erguera dentre os mortos, o lugar onde a Virgem dormira um dia, todos foram santificados pelos nossos sacerdotes. Foi um dia como nunca se viu igual. — Os olhos de Edward cintilavam à luz da vela e seu rosto se avivou. — Como gostaria de ter visto isso!

Garin observou em silêncio o cenário que se desenrolava e viu rios de sangue fluindo pelas ruas, homens e mulheres cortados ao meio pelos cavaleiros, arrastados para fora de mesquitas e residências, montanhas de ouro e despojos de guerra ao lado de pilhas de corpos. A vitória nos rostos dos cruzados parecia jubilosamente demoníaca à luz rubra dos incêndios que havia sido pintada em seus rostos.

Edward voltou-se para Garin.

— Os sarracenos tomaram Jerusalém de nós 16 anos atrás. Devemos recapturá-la se quisermos que as vidas daqueles que abriram o caminho para o leste por nós não tenham sido em vão e que a esperança da Cristandade seja uma vez mais reacesa. Você quer que louvem seu falso deus nos salões que foram abençoados pelos nossos sacerdotes?

Garin não sabia o que dizer. Apenas meneou a cabeça.

— Se meu tio-avô, Ricardo Coração de Leão, ainda estivesse vivo, você acha que esperaria até que o inimigo tivesse tomado todos os nossos baluartes para fazer alguma coisa a respeito? É claro que não. — A expressão de Edward endureceu. — Meu pai jamais liderará uma Cruzada nesta vida. Disso tenho certeza. Mas eu irei. As joias são minhas por direito e serei coroado com elas quando me tornar rei. Nem eu nem meu pai temos recursos para pagar a dívida que temos com o Templo quando precisamos, *todos nós*, de uma nova Cruzada. Quero a mesma coisa que os templários, mas farei isso em meus próprios termos, não nos deles. Você entende isso, Garin?

Garin roeu a unha de um dos dedos e balançou a cabeça.

Edward sorriu, depois afastou-se daquela parede e se dirigiu a um baú que estava colocado ao pé da cama, deixando que as pinturas se apagassem na escuridão.

Garin seguiu-o com cautela, observando Edward levantar a tampa do baú e apanhar alguma coisa dentro dele. O príncipe tirou uma algibeira de veludo com fecho de cordão, que entregou a Garin.

— Tome.

A bolsa de veludo tilintou ao pousar, macia e pesada, na mão do rapaz. Estava cheia de dinheiro.

— Isso é só o começo — disse Edward, assistindo ao garoto, de olhos arregalados, apertar a sacola na mão. — Ajude-me, Garin, e prometo que o ajudarei. Você não tem nada a perder. A meu serviço, só tem a ganhar.

Garin pensou na mãe naquela casa apertada de Rochester, chorando à noite no leito, os vestidos e ornatos perdidos, vendidos, ela o recordava com frequência, para pagar sua educação. O conteúdo da bolsa em sua mão poderia, achava, comprar para ela todas as vestes que pudesse desejar. Garin pensou no tio, em todos os seus defeitos e erros. Havia, perguntou-se, algum meio de fazer com que o homem se orgulhasse? Ele havia tentado. Deus, ele havia tentado. Mas nada nunca havia sido o suficiente. Olhou para Edward.

— O senhor irá restaurar o nome da minha família? Tornar-nos nobres novamente?

— No devido tempo, sim.

Garin examinou a face do príncipe. Viu astúcia ali, ambição e crueldade, mas não viu falsidade.

— Só quero que minha mãe seja feliz — disse, num sussurro. — Que meu tio sinta orgulho.

— Sei como é difícil corresponder às expectativas familiares — disse o príncipe, com suavidade.

Garin piscou para reprimir as lágrimas que ameaçavam brotar.

— Nosso navio, o *Endurance*, não nos levará por todo o trajeto até Paris — disse, num ímpeto. — Será carregado com mercadoria, lã de nossos teares londrinos, para ser vendida nos Reinos da França e de Aragão. O *Endurance* atracará em Honfleur, na foz do Sena, onde desembarcaremos com as joias, depois o navio seguirá para nossa base em La Rochelle.

— Você estará na comitiva? — perguntou Edward, de maneira pungente.

— Sim. Meu tio mandou uma mensagem à preceptoria de Paris, pedindo-lhes que mandem um navio menor para nos receber em Honfleur. Acho que a rainha passará a noite numa chácara que temos junto ao porto, então zarparemos na manhã seguinte.

— Você agiu muito bem, Garin. Estou impressionado.

Garin mordeu o lábio e olhou para o chão. Sentiu-se nauseado.

— Agora — disse Edward, bruscamente —, é melhor voltar para a preceptoria. Vá cuidar dos deveres diários como de costume. Se precisar entrar em contato com você novamente antes da viagem, mandarei Rook. Esconda o ouro num lugar seguro, onde não seja encontrado. — Ao alcançar a porta, Edward voltou-se abruptamente e olhou para Garin, colocando a mão com firmeza no ombro do rapaz. — E se contar a alguém sobre este encontro, negarei que tenha ocorrido e cuidarei para que você e sua família passem a vida eterna contemplando a vista da Ponte de Londres. Você me entendeu?

Garin, com a mente tomada pelas cabeças deformadas e cheias de vermes penduradas nos postes, fez rapidamente que sim. Sentiu a bexiga estourando por causa do vinho e do medo e estava desesperado para partir.

— Não direi nada, juro.

— É bom que não diga. — Edward indicou a porta. — Espere do lado de fora. Rook conduzirá você.

Garin avançou para a porta. Por um momento, Rook continuou parado ali, com os olhos cheios de ameaça, depois deu uma risadinha de desprezo e afastou-se para o lado, permitindo que o garoto saísse às pressas para o corredor.

Rook fechou a porta.

— Acha que podemos confiar que o pequeno rato mantenha a boca fechada? — murmurou.

— Se não achasse, não deixaria que saísse desta câmara — respondeu Edward, calmamente. — Não temos outra escolha. Essa será a única oportunidade para ter as joias de volta. Uma vez que estejam nos cofres de Paris, duvido que as vejamos novamente.

— Acredita que o pirralho vai colaborar se precisarmos dele novamente?

— Creio que sim. Mas descubra o que puder sobre a família dele para termos certeza. Enquanto isso, vamos pôr nossos planos em ação. Cinco dias não nos dão muito tempo.

— Não se preocupe, as joias jamais verão aqueles cofres.

Edward sorriu.

— Fico satisfeito com que meus esforços para livrá-lo de sua sentença não tenham sido em vão, Rook. Um homem dos seus talentos não deveria ser desperdiçado nas galés.

Rook inclinou a cabeça.

— Minha vida vos pertence.

# 9
## Novo Templo, Londres
### 18 de outubro de 1260

Will tirou os cabelos dos olhos com uma manobra de cabeça, mantendo a atenção no sargento de ombros de touro à sua frente, um garoto um ano mais velho do que ele chamado Brian. Estava acostumado com as espadas de madeira para treino e a lâmina de ferro pesava na mão. Usava um colete de couro cru endurecido, tachado sobre o peito, e grevas e canhões braçais de couro curtido protegiam as canelas e os antebraços. Rodeou o sargento, contra quem nunca havia lutado antes. Foi necessário um assalto para que Will o avaliasse. Brian era forte, porém lento.

Sem dar atenção aos gritos de encorajamento esparsos vindos das laterais, Will ficou parado onde estava, sobre as plantas dos pés. Brian investiu. Will aparou o primeiro golpe, esquivou-se do segundo e girou o corpo, dirigindo a espada, com as mãos, às costas do sargento. As espadas eram cegas, como precaução contra ferimentos sérios, mas a força do golpe derrubou Brian sobre os joelhos com um grunhido. Depois de erguer a espada, Will brandiu-a, com a ponta para baixo, contra o pescoço do rapaz, num movimento que o teria matado caso o atingisse. Uma aclamação explodiu das margens do campo de combate, fazendo com que vários pássaros deixassem um carvalho próximo e voassem, num forte bater de asas. O arauto proclamou o nome de Will, Brian levantou-se a custo e abraçou brevemente o vencedor antes de sair do campo.

As aclamações cessaram quando Humbert de Pairaud ficou de pé. No banco ao lado do mestre da Inglaterra sentavam-se os mestres da Escócia e da Irlanda. Num suporte diante deles encontravam-se os prêmios: uma espada para o vencedor do grupo mais velho e, para o grupo da idade de Will, uma insígnia de bronze representando dois cavaleiros montados sobre um só cavalo — um troféu que era uma réplica do brasão da Ordem. Will fez uma reverência para os três mestres.

— Declaro William Campbell, sargento de Sir Owein ap Gwyn, mestre do campo de combate — retumbou a voz de Humbert. — Campbell lutará no duelo final. — Olhou para Will. — Pode deixar o campo, sargento.

Will fez uma nova reverência, depois correu para a tenda que havia sido erigida nas laterais.

Apenas uma hora antes havia sido o quinto na corrida entre os trinta sargentos de seu grupo. Havia chegado em quarto lugar na competição do *quintain*, quase caindo do cavalo e errando o aro três vezes com a lança. Mas quando Garin ganhou e Will viu a vitória escapar por entre os dedos, adquiriu tenacidade, chegando em primeiro lugar na corrida a pé e derrotando os três adversários nos duelos. O braço com que usava a espada estava dormente, mas o triunfo aquecia suas veias, queimando toda a exaustão. Havia vencido sucessivamente até o último duelo e estava a uma luta da possível vitória. Queria que o pai estivesse ali.

Quando Will entrou na tenda, viu Garin junto ao suporte onde as armas eram depositadas. Estava testando o peso de uma espada, brandindo-a de um lado para outro. Havia um sargento mais velho num dos cantos, desatando as tiras do colete. Do lado de fora, o campo estava sendo preparado para o próximo duelo.

Depois de colocar a espada no suporte, Garin olhou para Will.

— Parabéns.

— Obrigado — disse Will, notando a indiferença no tom do amigo. Enxugou o suor da testa com o antebraço. — Meu adversário era violento. Não achei que conseguiria superá-lo. — Ele sorriu. — Se você vencer o próximo duelo, nos encontraremos na última batalha.

Garin balançou pesadamente a cabeça.

— O que há?

— Nada — Garin encolheu os ombros, enquanto Will franzia as sobrancelhas para ele. — Não há prêmio para o segundo lugar.

— Isso não importa — Will falou de um modo espontâneo. — Se lutarmos no duelo final, ambos seremos os campeões do dia, qualquer que seja o ganhador entre nós. — Olhou para o sargento mais velho, que tirou o colete e saiu. — Onde você esteve ontem? — perguntou a Garin, abaixando a voz.

— Em lugar nenhum — disse rapidamente o amigo. — Quero dizer, no arsenal — acrescentou, afastando-se para apanhar outra espada no cavalete.

— Tentei encontrá-lo. Queria perguntar-lhe algo. — Will fez uma pausa. — Quando seu tio esteve pela última vez na Terra Santa?

— Ele voltou após ter sido ferido em Herbiya, depois que os sarracenos tomaram Jerusalém. Por quê?

Will sugou o lábio inferior.

— Ele manteve contato com alguém de lá, talvez algum estrangeiro, alguém que possa tê-lo visitado?

Garin tornou a virar-se para ele.

— Por que está perguntando isso? — O garoto apontou para o campo do torneio. — Tenho de ir até lá para lutar a qualquer minuto. De que se trata?

Will olhou em volta, ouvindo os arautos chamarem o nome de Garin.

— Não é nada. Só uma dúvida que tinha sobre a Terra Santa. Estava imaginando se poderia perguntar para ele. É melhor você ir. — Pôs a mão no ombro do amigo. — Boa sorte.

Garin ficou olhando para o campo além das abas da tenda por um instante prolongado, depois saiu a passos largos, com a espada agarrada com firmeza na mão.

A investida inicial de Garin foi feroz, com a espada descendo numa série de poderosos golpes cortantes que empurraram o outro garoto para trás. O oponente se recobrou, avançando, com a face enrijecida de concentração. Os dois se bateram e foram até o centro do campo. O ar estava parado, o único som que se ouvia era o tilintar das espadas. Poucos momentos após o ataque inicial, Garin retalhou a túnica do rapaz, traçando uma linha rubra em seu braço. Um breve bramido soou das laterais. Will nunca tinha visto o amigo lutar tão bem. Garin movimentava-se com graça e cada golpe que dava era preciso e poderoso. O oponente estava cansando com rapidez.

Garin barrou várias investidas curtas, girou rapidamente sobre os pés e desferiu um golpe em círculo contra o lado esquerdo do sargento. Duas de suas estocadas rápidas como um raio foram desviadas, fazendo com que o sargento tivesse de virar-se desajeitadamente para contê-las. Garin fintou para a direita, mas o adversário não caiu no truque e em vez disso avançou para enfrentá-lo. Colidiram com força e Garin perdeu o equilíbrio e deu um passo em falso, caindo de joelhos. A luta não havia acabado. Bloqueando os golpes do sargento, Garin cambaleou até ficar de pé e bateu-se repetidamente contra o garoto, forçando-o a recuar uma vez mais. Quando o sargento se afastou, Garin lançou um breve olhar para o banco dos juízes. Jacques conversava acaloradamente com o mestre da Irlanda.

A espada agora parecia deslocada na mão de Garin. O punho já não estava solto, permitindo os movimentos fluidos que havia demonstrado no ataque anterior, mas sim travado, o que fazia com que cada golpe fosse mais lento, cada aparada mais hesitante. Will pôde vê-lo perder a oportunidade de um ataque lateral e conseguir apenas por pouco bloquear um baixo golpe cortante contra sua coxa. O adversário também havia notado a mudança e agora partia para o ataque. Os sargentos começaram a aclamar, pressentindo a vitória. Garin tentou um movimento sem entusiasmo. Will notou quando o punho se afrouxou. A espada caiu da mão, tentou recuperá-la mas não foi rápido o bastante. O adversário prontamente talhou um risco atravessando seu colete de couro. O sargento deu um grito de triunfo, levantando a espada quando o arauto chamou seu nome. Will observou quando Garin, sequer se dando ao trabalho de apanhar a espada, ficou ali parado, olhando fixamente para Jacques. O cavaleiro estava de pé, com uma expressão fria como a morte. Garin se retirou para a tenda, de cabeça baixa. Will abriu caminho em meio à multidão de sargentos aos gritos para ir atrás dele, mas se deteve quando seu nome foi chamado para o duelo final. Hesitou, mas em seguida caminhou para o campo de combate.

Quando Garin entrou na tenda, arrancou o colete e deixou-o cair ao chão. Espalmou as mãos sobre o banco e o nó na garganta avolumou-se até sufocá-lo. A visão tornou-se enevoada e esfregou os olhos com raiva, determinado a não deixar que as lágrimas caíssem. Se começasse a chorar, achava que não seria capaz de parar.

— Saia.

Garin assustou-se com a voz. Jacques estava parado na abertura da tenda e sua figura alta a preenchia. A luminosidade por trás dele era forte demais para que o rapaz visse seu rosto, mas não precisava disso para saber qual era a expressão dele. Estava tudo na voz. O temor de Garin se enrodilhou nas vísceras, uma cobra gélida, enroscando-se a toda força.

— Senhor — conseguiu dizer. — Lamento... Eu...

— Poupe suas desculpas — disse Jacques, ainda falando naquele tom baixo e glacial que Garin odiava. — Venha comigo.

— Mas o torneio...? — Garin recuou, esbarrando no banco quando o cavaleiro se aproximou.

Jacques apertou seu braço com força e o arrastou para fora da tenda. Garin, em parte num andar trôpego, em parte correndo para acompanhar o caminhar das longas pernas do tio, olhava para trás enquanto era obrigado a andar na direção da preceptoria, para ver Will pulando para trás e para a frente no campo de combate, rodopiando a espada.

O pátio estava em silêncio, apenas alguns servos andavam pelos arredores. Alguns deles olharam Garin e Jacques com curiosidade. Garin queria gritar para eles, implorar-lhes que o salvassem. Mas a garganta estava apertada e, de qualquer forma, não faria isso: o orgulho não se subjuga com facilidade, nem mesmo pelo terror. Quando alcançaram o quartel dos cavaleiros, Jacques forçou-o ao longo do corredor e empurrou as portas do solar.

— Dentro — ordenou, impelindo Garin.

O rapaz se voltou, esfregando o braço, quando o tio fechou a porta.

— Senhor, eu...

As palavras foram cortadas abruptamente, pois Jacques estapeou cruelmente seu rosto com as costas da mão, fazendo-o cambalear de encontro à mesa, cujo balançar fez com que o pote de tinta rolasse para fora e se espatifasse sobre as lajes. Garin bateu o quadril na quina da madeira e gritou, a dor de ambos os ferimentos transpassando o entorpecimento causado pelo choque da primeira agressão. O segundo golpe veio um momento depois, quando Jacques avançou um passo e atingiu-o na cabeça, com o punho fechado. Garin levantou o braço para se proteger.

— Por favor, tio! — implorou, defendendo-se o melhor que podia, enquanto os socos choviam sobre ele. Mesmo com a força das batidas e com o sangue começando a verter do nariz e da boca, conseguiu manter-se de pé. Seria pior se caísse. O tio usaria as botas. — *Por favor!*

— Eu lhe disse que queria que você vencesse! — berrou Jacques, com a respiração ofegante por causa do esforço. — O que foi que lhe falei?

— Para vencer — gritou Garin. — O senhor me falou para vencer. Mas não pude... Eu...!

— Eu o vi, seu insolente desprezível! Você perdeu aquela batalha de propósito! Para me magoar, não foi isso? — Jacques agarrou Garin pelos ombros e sacudiu-o rudemente. — *Foi isso?*

— Não!

Através das janelas veio um alto clamor do campo de treinos. Jacques largou Garin. Em meio ao bramido, ouviram o nome de Campbell ser gritado pelos arautos. O rosto de Jacques, já violentamente ruborizado, corou ainda mais. Ele praguejou alto e se dirigiu ao sobrinho.

— Ouviu isso? Você deixou aquele moleque ganhar!

Garin, distraído pelas aclamações, levantou o braço tarde demais, pois o tio esbofeteou-o brutalmente no rosto. O rapaz cambaleou até o canto ao lado da janela. Ficou ali por um momento, suspenso como uma imagem congelada de si próprio, depois escorregou vagarosamente até o chão, com a face incendiada e a impressão vermelha da mão do tio já inflamando a pele, por cima de outras feridas, mais sérias, que se revelariam com mais lentidão. O rosto estava emporcalhado de sangue e dois filetes de muco pendiam do nariz.

— Levante-se!

— Você não estava nem olhando — disse Garin, lutando para falar, com o peito ofegando.

— O quê?

Garin ergueu os olhos para o tio, sem se incomodar em enxugar as lágrimas.

— Você não estava assistindo à minha luta. Eu o vi! Você estava conversando com o mestre da Irlanda!

— Eu dizia a ele o quanto estava impressionado com você — respondeu Jacques, num tom severo.

Garin sacudiu a cabeça, agora soluçando abertamente.

— Não foi só hoje. É o tempo todo. Você quer que faça tudo para você. — Ele se apoiou na parede para ficar de pé, trêmulo mas desafiador. — Mas mesmo quando faço, você não se satisfaz. Como posso agradá-lo? Você nunca me dá a menor chance!

— Eu lhe dei todas as chances, rapaz! Todas as chances que seu pai e eu nunca tivemos quando fomos...

— *Eu não sou você!* — gritou Garin, avançando um passo, com os punhos fechados, o azul dos olhos reluzindo de dor, humilhação e fúria. — Não sou você, e não sou meu pai, e não sou meus irmãos! Sei que não sou bom o bastante para ser. Eu *sei* disso! Mas sempre tentei fazer o melhor!

Jacques encarou o sobrinho, pois nunca o vira falar tão franca e apaixonadamente. E ao ver o sangue, as lágrimas e a marca de sua mão no rosto do garoto, uma imagem de seu irmão, Raoul, lhe veio à mente.

Numa rua poeirenta da cidade de Mansurá, Raoul estava morrendo, com as costas fraturadas e o peito perfurado por três flechas. O cavalo o havia atirado da sela logo depois que um grupo de soldados mamelucos, sob o comando de Baybars, jogou vigas de madeira dos telhados para bloquear as ruas estreitas, emboscando os cavaleiros numa zona mortal. Perto dali, os dois filhos mais velhos de Raoul jaziam mortos. A batalha havia muito se deslocara mais para adiante, deixando o caminho salpicado de cadáveres, e foi ao som dos gritos distantes de guerra e do tênue retinir de espadas que Jacques se ajoelhou ao lado do irmão e aninhou nos braços o corpo quebrado e ensanguentado.

"*Cuide de minha esposa e de meu filho, irmão*", foram as últimas palavras ditas por Raoul. Já estava morto antes que Jacques fosse capaz de responder.

— Estou fazendo isso pelo seu bem — disse Jacques, agora mais calmo, ainda olhando fixamente para Garin. — Você tem de entender.

O sobrinho estava chorando com violência demais para responder.

— Garin. — Jacques caminhou até o garoto e pôs as mãos em seus ombros. — Olhe para mim. — Garin tentou virar o rosto, mas o tio pegou o queixo do garoto com a mão. — Você acha que quero puni-lo desse jeito? Você me força a isso quando deixa de alcançar aquilo de que sei que é capaz.

Garin olhou de frente para Jacques. O olho direito estava inchando, começando a se fechar.

— Serei sagrado cavaleiro, tio — disse, com voz rouca. — O senhor não precisa fazer isso. Restituirei a honra de nossa família e farei minha mãe feliz. Ela não terá de viver naquele lugar para sempre. Farei tudo isso, *eu juro*!

— Não me refiro a ser sagrado cavaleiro — respondeu Jacques, frustrado. — Há outras coisas que quero para você. Coisas de que você não sabe. — Foi até a janela e pôs as mãos no peitoril. Ainda podia ouvir os vivas que partiam do campo, o nome de Will gritado repetidamente. Voltou-se novamente para o sobrinho. — Há mais coisas sobre o Templo do que você sabe. — Fez uma pausa por um longo momento. — Pertenço a um grupo de homens, *irmãos*, dentro da nossa Ordem. Hoje somos poucos, mas ainda assim poderosos. Muitos têm auxiliado nossa causa, consciente ou inconscientemente, ao longo do século que se passou desde nossa fundação. O rei Ricardo Coração de Leão foi um de nossos patronos durante algum tempo. Mas trabalhamos em segredo e mesmo o grão-mestre não sabe nada sobre nós. Chamamo-nos Anima Templi: a Alma do Templo.

Garin meneou a cabeça, desnorteado.

— Não entendo. O que esse grupo faz? Como o senhor se envolveu?

Jacques levantou a mão.

— Não posso lhe contar tudo agora, mas no devido tempo o farei. No momento, estamos todos em grande perigo. Nosso grupo teve algo precioso que lhe foi roubado e que, em mãos erradas, poderia se demonstrar fatal para nós e talvez até mesmo para o próprio Templo.

— O que é?

Jacques hesitou, com a incerteza evidente no rosto.

— Conte-me, tio — implorou Garin. — Se não souber o que o senhor quer de mim, jamais conseguirei satisfazê-lo.

Jacques tornou a olhá-lo no rosto. Depois de uma longa pausa, falou, mantendo a voz calma.

— Chama-se o *Livro do Graal*. É nosso código de conduta e contém nossa cerimônia de iniciação e detalhes dos nossos planos, que ninguém deve conhecer até que estejamos prontos. Depois que eu tiver ajudado a escoltar as joias da coroa até Paris, ficarei na cidade para auxiliar na busca ao livro.

— Ele se aproximou de Garin. — Quero que você fique lá comigo e conheça o líder do nosso grupo, Everard. Sempre tive esperança de que um dia você tomasse meu lugar em nosso círculo, mas ser um membro da Irmandade requer certos atributos e para impressionar Everard é necessário ser um homem de grande força e caráter. Desculpe-me, Garin. Nem sempre o ato de ensinar é uma missão fácil. Temendo demonstrar favoritismo, talvez o tenha tratado mais duramente do que aos outros. Mas ser introduzido em nossa organização traz consigo uma séria responsabilidade, o tipo de responsabilidade que poucos homens podem suportar. Foi por isso que o pressionei, porque preciso que você seja melhor do que garotos como Campbell. É por esse motivo que ajo assim — murmurou, tocando o rosto do sobrinho. Então deu um suspiro áspero e puxou Garin para os seus braços.

Garin ficou olhando para o chão, ouvindo os batimentos cardíacos do tio, rápidos e baixos junto ao seu ouvido. Fechou os olhos e ouviu a voz do príncipe Edward. *Se você contar a alguém sobre este encontro... Cuidarei para que você e sua família passem a vida eterna contemplando a vista da Ponte de Londres.* O sangue gotejou do nariz quebrado de Garin até o queixo, manchando o manto branco do tio.

*Novo Templo, Londres, 19 de outubro de 1260*

Elwen andava de um lado para outro na câmara, com os braços cruzados sobre o peito. Usava um traje de linho verde-claro de mangas justas com um cinto de seda dourada plissado. O vestido aderia ao corpo esguio e a longa bainha fazia com que parecesse ainda mais alta. A ceia continuava intocada sobre a mesa ao lado da cama. O criado a havia servido uma hora antes e uma película de gordura havia se solidificado sobre a superfície do ralo cozido. Elwen torceu o nariz. O quarto, no anexo contíguo às dependências dos cavaleiros, o qual continha o guarda-roupa da preceptoria, era pequeno e parcamente mobiliado. Owein havia dito que o lugar era usado como um depósito para os materiais do alfaiate. Cheirava a lã e couro velho. No canto junto à janela havia uma vara da qual pendiam várias túnicas e um manto azul-escuro. Sobre a mesa, ao lado da bandeja de comida, havia um pequeno bastidor de bordar e um amontoado de fios coloridos. Havia um bordado inacabado no bastidor: duas colinas índigo com um rio de fios azuis correndo entre elas.

Elwen foi até a janela. Nuvens disputavam uma corrida pelo céu. Por um momento, o sol apareceu por trás delas e a garota fechou os olhos em reação à claridade. Ela se virou ao ouvir uma batida alta na porta.

— Elwen?

Ao ouvir a voz de Owein abafada pela madeira espessa, puxou o ferrolho e abriu a porta.

— Tio — ela o saudou com um sorriso.

Owein entrou, fechando a porta atrás de si. Puxou-a para ele e beijou-a no alto da cabeça. Quando deu um passo para trás, os olhos caíram sobre a bandeja de comida.

— Você não tocou na refeição.

— Não estou com fome.

Owein pôs a mão na testa da garota.

— Não está se sentindo bem?

Elwen se afastou.

— Não, tio, eu apenas... — Deu um suspiro profundo. — Quanto tempo tenho de ficar aqui? Sinto-me como se estivesse numa prisão. Não fui autorizada nem mesmo a assistir ao torneio de ontem. Ouvi chamarem o nome do seu sargento. Ele venceu?

— Você deve permanecer nos aposentos — disse Owein gentilmente, mas com firmeza. — Não podemos abusar da caridade do mestre. Se ele não tivesse concordado em alojá-la aqui, eu não saberia para onde mandá-la.

— Sou grata pela caridade dele. — Elwen foi até a mesa e fingiu examinar seu bordado. — Mas vou enlouquecer se tiver de ficar trancada neste quarto por muito tempo.

— Foi por isso, na verdade, que vim até aqui, Elwen. Você partirá em breve.

— Minha protetora? Ela está melhor?

Owein olhou nos olhos esperançosos da garota. Colocando as mãos dela entre as suas, a conduziu até a cama.

— Receio que não — disse, fazendo-a sentar-se. — Sua protetora faleceu, Elwen. Recebi esta tarde a mensagem da enfermaria na cidade. Uma doença súbita se abateu sobre ela e o médico não pôde fazer nada. — Owein sentou-se na cama ao lado de Elwen e pôs o braço em torno dos ombros delgados da garota. — Lamento, minha querida. Sei que você era feliz lá.

Elwen olhou suas mãos.

— Sim. — Ficou em silêncio por algum tempo. Com um suspiro, enxugou os olhos. — O que acontecerá comigo? Ficarei aqui?

Owein apertou-lhe os ombros.

— Este alojamento é apenas temporário, Elwen. O Templo não é lugar para uma mulher.

— Quero dizer, em Londres. — Elwen voltou-se para ele, com os grandes olhos bem abertos e brilhantes. — Não quero retornar a Powys, tio.

Owein sorriu.

— Você não tem de voltar para lá. Mandei uma mensagem a um camarada meu em Bath. Charles deu baixa do serviço ativo na Ordem por um ferimento vários anos atrás e supervisiona a administração de uma das fazendas onde os cavalos do Templo são criados. Ele tem uma propriedade fora da cidade e tenho certeza de que a admitirá em sua casa.

— Bath? — A voz de Elwen mudou. — Gosto daqui.

Owein afagou seus cabelos.

— Partirei para Paris dentro de três dias. Não sei quando vou retornar e não me será permitida nenhuma oportunidade para percorrer a cidade em busca de alojamentos apropriados para você nesse meio-tempo. Você gostará de Bath. A propriedade de Charles é certamente maior do que o espaço a que você se acostumou aqui. — Deu um sorriso de encorajamento para a garota. — Ele tem três filhas, uma delas da sua idade. Sob seus cuidados, você receberá a educação a que uma jovem dama tem direito.

Elwen apanhou uma ponta do cobertor e puxou um fio solto.

— Quanto tempo ficarei lá?

— Um ano, no máximo, até que você tenha a idade adequada.

— Idade adequada? — disse, lentamente. — Adequada para quê?

— Para o casamento, quando lhe encontrar um pretendente digno.

— Titio! — Elwen tentou rir. — Não quero me casar!

— Não agora, é claro — disse, num tom tranquilizador.
— Não! — falou a menina com veemência. — Nem nunca!
— Você se acostumará com a ideia no devido tempo — respondeu Owein, com firmeza.
— Essa é minha única opção?
— Você pode optar entre o casamento ou ser destinada a uma congregação e viver como freira.
— Não quero isso também — apressou-se em dizer. — Pelo menos deixe-me ficar em Londres, até... — Respirou fundo. — Até o senhor encontrar um pretendente para mim.

Owein retirou o braço dos ombros da sobrinha.

— Lamento, Elwen — disse —, mas você não pode ficar aqui. As dependências em Bath são o melhor que posso lhe oferecer, com as melhores oportunidades para o seu futuro. Você não teve o benefício de uma orientação paterna e sei que se acostumou com sua independência, mas já passou da idade de fazer o que quer e ir para onde lhe agrada. Você precisa de uma mão firme para guiá-la e de instrução adequada quanto ao comportamento apropriado para uma jovem. Prometi a sua mãe que cuidaria de você como se fosse minha própria filha. — Elwen abriu a boca para falar, mas Owein a interrompeu. — Não mudarei de opinião. — Ele se levantou da cama. — Espero ter notícias de Charles dentro das próximas semanas. Se tudo correr bem, quando eu retornar de Paris você terá partido para Bath.

Ele se dirigiu à porta e a abriu. Olhou novamente para ela como se fosse dizer algo, depois se retirou sem uma palavra, fechando a porta calmamente atrás de si.

Sozinha, Elwen envolveu o corpo com os braços e parou de pé no centro do quarto minúsculo. As paredes a oprimiam. Quando a mãe viúva foi forçada por uma pobreza escorchante a aceitar um emprego na residência de um proprietário de terras, Owein a levou para Londres. Quando ela chorou, o tio achou que fosse de tristeza. Mas, na verdade, as lágrimas haviam brotado de alívio.

Em Powys, a mãe partia a cada amanhecer, pálida e silenciosa, para um dia de trabalho como criada. Elwen se ocupava com os próprios afazeres, limpando os dois quartos do casebre úmido e escuro, alimentando a leitoa temperamental e as poucas galinhas de penas eriçadas que possuíam. Tão logo terminava de fazer isso, dirigia-se aos amplos espaços abertos dos campos, à procura de novas árvores para subir ou crianças com quem brincar.

Todas aquelas tardes frias, assistia aos lavradores e seus filhos voltarem dos pastos, chamando uns aos outros com gestos familiares. À medida que o tempo passava, a mãe afastava-se cada vez mais, até se apagar numa presença indistinta que se deixava ficar nas bordas da vida da filha. Uma voz mais alta ou um rompante de risos parecia causar-lhe dor, e Elwen aprendera a viver em silêncio. Depois de chegar a Londres, passou três dias à porta da casa da protetora, apenas ouvindo a cidade.

Os anos passados esfregando o chão para pôr migalhas na mesa haviam transformado a mãe empobrecida numa sombra de mulher, que não sabia dar nem receber amor e que se esquecera do que era sentir, do que era sonhar. Owein não entendia. O único tipo de morte que conhecia era aquele que chega na ponta de uma espada.

— Will Campbell!

Will, carregando baldes d'água até os estábulos para encher os cochos, viu dois sargentos do grupo abaixo do seu se aproximarem.

— Assistimos a você lutar no torneio — disse um deles, um garoto pequeno e sardento, com o nariz empinado.

— E daí?

— Podemos ver a insígnia? — perguntou o outro.

Will suspirou com impaciência, mas largou os baldes e enfiou a mão no bolso da túnica. Tirou o distintivo de bronze, o prêmio por vencer o torneio.

— Aqui está — disse, entregando o objeto ao menino sardento.

O garoto recebeu-o com reverência e curvou-se para examiná-lo com o amigo. Will viu uma porta se abrir no edifício em frente: a enfermaria. Um sargento saiu de lá.

— Como foi que você fez aquele último movimento? — perguntou o rapaz sardento.

Will não respondeu. O sargento que emergira da enfermaria era Garin. Soube que era ele por causa dos cabelos, mas o rosto do amigo estava quase irreconhecível.

— Mãe de Deus — ofegou, sem dar atenção ao arfar dos sargentos que se seguiu à blasfêmia.

Agarrando a insígnia, correu. O olho direito de Garin havia inchado até fechar, a pálpebra estava horrivelmente vermelha e esticada. A pele em volta dela estava contundida e com um tom púrpura-escuro, como o de uma ameixa, amarela e manchada nas bordas. Os lábios também estavam inchados, a pele rachada onde se dividiam, e todo o lado direito do rosto estava estufado como se tivesse um chumaço de pano enfiado na bochecha.

— Garin? Como foi...?

— Deixe-me em paz — resmungou Garin, com a voz tão distorcida quanto o rosto.

Will pôs a insígnia no bolso da túnica e apertou o ombro do amigo.

— Foi o Ciclope quem fez isso?

— Não o chame assim! — Garin afastou seu braço com um safanão e correu para a passagem que dava para as docas da preceptoria. Will seguiu-o.

O *Endurance*, o navio que os levaria a Paris, esticava as amarras, rilhando de encontro à doca. A galé bojuda, com dois mastros, casco alto e castelos espigados nos deques de proa e de popa, era um navio volumoso, construído para transporte de carga, ao contrário dos navios de guerra, mais esguios. Acima do tombadilho, cordames se entrecruzavam como teias de aranha e a bandeira preta e branca do Templo — que assinalava o ponto de reunião deles em batalha — tremulava e farfalhava no mastro de proa. Os tripulantes no cais, vigiando o navio, lançaram um breve olhar quando os dois sargentos chegaram correndo à amurada da doca, depois voltaram ao jogo de damas.

Garin parou numa posição rígida, com os punhos fechados, depois debruçou-se sobre o cais.

Will sentou-se ao seu lado. Olhou para a água. O Tâmisa refletia o sol como um espelho quebrado, a superfície espalhando mil cacos de luz. O brilho fez com que os olhos dele marejassem.

— Como ele pôde fazer isso? Você tem o sangue dele.

— Perdi o torneio. Ele estava zangado.

— Quando aconteceu?

— Ontem.

Will balançou a cabeça.

— Não consegui encontrá-lo na hora da ceia. Fiquei preocupado.

O rosto de Garin estava impassível.

— Os ferimentos não me incomodam. Eu os mereci. Falhei.

— Mereceu-os? — Will meneou a cabeça, em desaprovação. — O que o enfermeiro disse?

— Que devo ser capaz de enxergar novamente quando o olho abrir.

— Cristo.

— Talvez consiga um tapa-olho — disse Garin, olhando para outro lado. Tirou uma bolsa de pano da túnica. Estava cheia de uma substância verde e escura, de cheiro pungente. — O irmão Michael me deu um cataplasma para o inchaço.

Garin examinou o cataplasma por um momento, depois recuou a mão para atirá-lo no rio.

Will segurou seu braço.

— Não! Isso vai curá-lo.

Garin olhou para ele, depois riu. O som constrito e agudo enervou Will e ele se sentiu aliviado quando parou de forma abrupta.

— Se quiser, procuro Owein. Ele pode conversar com seu tio, pedir-lhe que pare com isso.

— Isso é assunto de família — disse bruscamente Garin. — Não tem nada a ver com Owein... ou com você. Apenas deixe para lá.

— O desgraçado foi longe demais desta vez — murmurou Will. — Gostaria que você o enfrentasse mais vezes.

— Como você fez com seu pai? — disparou Garin.

— É diferente — falou laconicamente Will. — Meu pai nunca me bateu.

— Você me disse uma vez que preferia que ele tivesse feito isso — respondeu Garin. — Seus punhos seriam melhores do que seu silêncio, foi o que você disse.

Will rangeu os dentes e virou o rosto.

— Não estamos falando sobre mim.

— Meu tio só quer me ensinar a ser um comandante. Só quer o melhor para sua família, assim como eu. Ele me puniu porque fiz algo errado. Ele não é um homem mau. A culpa é minha se não faço as coisas direito.

— Como você pode dizer isso? Ele mudou tudo. *Você* mudou. Costumávamos nos divertir, não é?

— Tenho quase 14 anos, Will, e você também. Se Owein não fosse tão mole com você, já teria sido expulso meses atrás por todas as regras que quebrou só por achar divertido. Você precisa começar a agir como um homem.

— Se ser um homem significa perder o bom humor, ficarei como estou. E a maioria das regras é *inútil*. Elas nos dizem como devemos cortar o queijo na mesa de jantar! Isso não tem nada a ver com ser um cavaleiro.

— Às vezes, acho que você não quer de fato ser um cavaleiro — disse Garin, torcendo o nariz.

— Pare de mudar de assunto — disse Will bruscamente, contrariado pelo rumo que a conversa havia tomado. — Seu tio não deveria ter feito o que fez. Vai muito além da punição, como você afirmou.

Garin deu uma risada sem humor.

— Você acha que ele é a primeira pessoa a me bater? Minha mãe costumava surrar-me com um bastão quando fazia algo de que ela não gostava, e meu tutor... com ele era diferente. Quando errava uma lição, preferia o cinto. — Os olhos de Garin se tornaram coléricos. — Você não sabe o que é ter um nome à altura do qual se é obrigado a viver, o que é necessário fazer para deixar todos satisfeitos. — Olhou para Will. — Você não entende nada, Will. Você não *sabe*.

— Ouça, Garin — disse Will calmamente. — Talvez haja um jeito de fazê-lo parar de tratá-lo dessa forma. Acho que está envolvido em algo. Antes de mais nada, emprestou seu cavalo para alguém, um homem que...

— Você nunca entendeu por que ele me trata assim — Garin interrompeu-o sem escutar. — Ele só quer que eu me saia bem. Talvez se Owein o tratasse com mais firmeza, você fosse um sargento melhor.

— O quê? — disse Will, perplexo.

— Você se livra de tudo só porque é bom com uma espada. Você não leva nada a sério, mas não será um comandante como eu. Você na verdade não é ninguém!

As palavras de Garin ficaram pairando no ar. Suspirou com força.

— Não quis dizer isso — murmurou. — Mas é o que meu tio pensa. Ele diz que você é má companhia e que me proibiria de falar com você se não fôssemos parceiros de treino. Ele o culpa por várias coisas que faço errado.

— Ah.

Will mordeu o lábio. Pegando uma pedra do chão ao seu lado, atirou-a no casco do navio. Ela bateu com um leve *plinc*, depois caiu na água.

Então se levantou. Pôs a mão no bolso da túnica e os dedos tocaram a insígnia, seu prêmio. Iria dá-lo ao pai; prova, havia pensado, de que era digno do orgulho paterno; ainda bom o bastante para ser seu filho. Mas o pai não estava ali. O pai não o vira treinar por horas todas as manhãs, não o assistira vencer o torneio, nem permanecer acordado à noite, segurando aquela maldita espada e contemplando a escuridão, tentando esquecer. Will parou por um momento, depois tirou o emblema do bolso. Passou a ponta do dedo sobre os dois cavaleiros de bronze e então entregou-o ao amigo.

— Tome.

Garin se ergueu e olhou o distintivo.

— Não quero o seu prêmio — disse, com firmeza.

— Não é mais um prêmio — disse Will, pegando a mão de Garin e pressionando a insígnia em sua palma. — É um presente.

Garin não disse nada por alguns momentos, depois a mão se fechou em torno do distintivo.

— Obrigado — murmurou.

Will fez um gesto de aprovação com a cabeça e pôs as mãos novamente dentro da túnica. Garin abriu a boca como se fosse dizer algo, depois se afastou. Will sentou na amurada quando o amigo se foi e apoiou-se nos cotovelos, observando um barco mercante deslizar rio acima. O Tâmisa era sempre movimentado naquele ponto. Os barcos traziam especiarias, vidro, tecidos e vinho de Bruges, Antuérpia, Veneza, até mesmo de Acre, para vender em toda a Bretanha. Na primavera anterior, o capitão de um galeão mercante genovês havia passado perto o suficiente para jogar duas grandes laranjas e um punhado de tâmaras para Will. Naquela noite, ele e Garin haviam se banqueteado como reis.

Will apanhou outra pedra da amurada e atirou-a no rio. A pedra atingiu a água e desapareceu, deixando anéis ondulando pela superfície. Garin estava errado. Ele não violara as Regras por ser divertido. As incumbências intermináveis, orações e refeições, todas desempenhadas em silêncio reverente, mantinham-no preso dentro de si mesmo, dando-lhe tempo para pensar. Somente o combate no campo de treino, a emoção causada por ele, a concentração intensa, baniam tais pensamentos. O mesmo acontecia sempre que fazia algo indevido; a excitação fazia com que a sombra desaparecesse, as lembranças se dissipassem.

Enquanto a tarde findava e a temperatura caía, Will se dirigiu vagarosamente ao estreito corredor que levava ao interior da preceptoria. Seguiu caminho passando pelo arsenal e rumo à capela. Uma pessoa num manto azul-escuro estava sentada no muro baixo que circundava o cemitério. Era Elwen. Olhava para o pomar e o vento chicoteava seus cabelos longos. Ensaiou passar direto por ela, depois mudou de ideia.

— Elwen? — Mesmo na penumbra, Will podia ver que ela estivera chorando.

— O que você quer, Will Campbell? — disse, virando o rosto para o outro lado.

Ele encolheu os ombros e deu as costas para se retirar.

— Espere! — chamou Elwen. — Fique — disse, olhando novamente para ele. — Gostaria da sua companhia.

Will sentou-se no muro ao lado dela.

— O que há? — perguntou, perscrutando sua expressão cabisbaixa.

— Estou partindo.

Elwen palitou uma mancha de sujeira sob a unha e contou o que Owein havia dito.

— Lamento — disse ele, de um modo desajeitado, quando a garota acabou de falar.

Ela reagiu com irritação ao tom de Will.

— Por que você lamentaria? Você não vai ser obrigado a se casar com algum velho feio!

— Eu me referi à sua protetora. Lamento que ela tenha morrido.

Elwen enxugou as lágrimas com a manga e evitou os olhos de Will.

— Eu também, mas... — Seu tom se suavizou. — Não quero ir para Bath. — Deu um riso amargo. — Não verei mais a Terra Santa, não é?

Will ficou surpreso.

— Você quer fazer uma peregrinação?

— Não uma peregrinação. — Ela o encarou, alisando as dobras da capa que cobria a saia. — Havia um homem na vila onde morei que esteve na Terra Santa. Ele dizia que lá há cidades com castelos e torres de ouro e que o mar é tão azul que fere os olhos. Contava que lá há lugares onde nunca chove. Sempre chovia em Powys.

Os olhos de Elwen brilhavam com as últimas luzes do dia.

— Quero ver isso. *Tudo isso.* Todas as coisas e todos os lugares sobre os quais costumava inventar histórias. Se tivesse ficado em Powys não demoraria até que minha mãe me desse como noiva a algum lavrador. Teria criado porcos e crianças e não veria nada além de campos pela janela do telheiro onde fosse morar. Tive uma amiga em Powys, da minha idade, que foi prometida a um homem vinte anos mais velho. Creio que ela está casada agora, esfregando o chão da casa dele. E o mesmo destino me aguarda aqui. — Elwen ficou de pé e puxou as bordas do manto em torno de si. — Quero viajar, ver lugares diferentes, não ficar velha, infeliz e pobre como todas as outras de onde vim. Como minha mãe. Preferiria morrer a isso — acrescentou, com revolta. — Realmente preferiria.

Will abriu a boca para falar, mas ela o interrompeu.

— E não me diga que apenas os homens podem viajar. Muitas mulheres foram para a Terra Santa e garotas também. Minha protetora contou-me sobre a Cruzada das Crianças.

— A Cruzada das Crianças não conta. Elas só chegaram até Marselha, onde foram vendidas como escravas. Mas não ia dizer isso. Ia dizer que entendo. Se pudesse, iria amanhã mesmo. Acredite em mim, iria — acrescentou, com fervor.

— Para a guerra? — disse, secamente.

— Não.

— Por que você treina senão para lutar?

Will suspirou.

— Quando for para a Terra Santa será para guerrear — concordou —, mas não é por isso que quero ir.

— Por que, então? — ela perguntou, com simplicidade.

— Quero ver meu pai — respondeu, calmamente.

— Estava certa, então, quando falei aquilo? Você sente falta dele?

Will se levantou.

— Você não sabe se verá a Terra Santa ou não. Owein disse que você ficará em Bath por apenas um ano.

— E você acha que o meu *marido* me deixará ir? Não — suspirou. — Acho que estaria ocupada demais criando bebês e fazendo pão. É para isso que servem as esposas, não é? Esse não é o dever delas?

— Nem sempre — disse Will, sem muita certeza na voz.

— Não? Sua mãe não faz essas coisas?

— Só estou dizendo — respondeu Will — que nunca se sabe o que acontecerá. — Olhou para um grupo de sargentos que passou marchando, com as botas pisoteando o terreno. Alguns deles olharam intrigados para Elwen. — É melhor eu ir.

— Foi bom vê-lo novamente, Will Campbell.

Will se afastou, depois olhou para trás.

— Owein uma vez me disse que um homem faz o próprio destino. Talvez o mesmo valha para uma mulher, não?

— Sim — disse Elwen, com um pequeno sorriso. — Talvez.

# 10
# Honfleur, Normandia
22 de outubro de 1260

O *Endurance* cortava as vagas, orvalhando de respingos o gurupés. O céu era de um azul profundo e sem nuvens e as velas triangulares ondulavam na verga latina. Os gritos dos homens ressoavam, repetindo ordens.

O *Endurance* tinha um capitão templário e cinco oficiais cavaleiros, mas o resto da tripulação era composto por sargentos e marujos contratados. Will apoiou os braços na amurada e contemplou a água abaixo dele. Já havia viajado em balsas no Tâmisa, mas aquelas jornadas vagarosas e sedantes não se comparavam absolutamente àquilo. Para onde quer que se voltasse, não conseguia ver nada além da vasta extensão de azul. Era como se voasse. Perto dali, um sargento de cara cinzenta vomitava ruidosamente por sobre o costado.

Will desviou os olhos das golfadas do sargento e dirigiu-os à figura sentada no tombadilho superior, acima dele. As longas pernas do homem balançavam por sobre a beira do deque, com o manto cinzento estreitado sobre ele. Na claridade do dia, o capuz do manto oferecia pouco disfarce para o rosto. Tudo nele era sombrio: os olhos eram negros como carvão; os cabelos e a barba, da cor dos corvos; a pele era um mogno lustroso. Will não era o único a olhá-lo com atenção. Anteriormente, ouvira dois dos sargentos mais velhos da comitiva do Templo falarem sobre o estranho em cochichos abafados.

— Ele poderia ser um genovês — sussurrou um deles para o outro — ou um pisano. Mas o que está fazendo aqui, nem imagino. Ouvi um cavaleiro dizer que é um camarada de Sir Jacques.

— Não — murmurou o outro sargento, dando ao homem de cinza um olhar sorridente. — Ele não é das Repúblicas Marítimas. Creio que é um sarraceno.

O primeiro sargento fez o sinal da cruz e pousou a mão no cabo da espada.

Will evitou o olhar dele, fingindo observar alguma coisa na água, pois o homem havia retribuído seu olhar e sorrido. Quando Will olhou novamente, estava contemplando o mar, com uma expressão pensativa no rosto. Poderia ser um sarraceno? Will não achava que isso fosse possível: um inimigo de Deus a bordo de um navio templário? Mas pensou no estranho sotaque do homem e na carta que vira no solar e ficou curioso.

Will procurou ver Garin, ansioso para compartilhar as preocupações sobre o estranho. O amigo estava sentado sozinho num dos bancos perto da popa. O inchaço no rosto havia diminuído um pouco, embora o olho direito ainda estivesse parcialmente fechado. Will deu um passo na direção dele, depois afundou no banco ao lado da sacola que continha seus pertences: uma túnica, calções sobressalentes e o alfanje. Durante os últimos dias, Will havia tentado conversar com Garin, mas a indiferença reclusa do rapaz havia-lhe causado apenas frustração. Decidiu que deixaria que Garin o procurasse.

Depois de esticar as pernas, Will prestou atenção na cabine do capitão, debaixo do tombadilho superior, cuja porta estava entreaberta. Os dez cavaleiros do Templo sentavam-se em volta da mesa do lado de dentro, bebendo vinho com a refeição da tarde. No chão ao lado do banco de Owein, Will pôde ver um grande baú preto sobre o qual, banhado a ouro, encontrava-se o timbre real. Concluiu que no baú estavam as joias da coroa. A rainha Eleanor e sua comitiva tinham se acomodado na cabine adjacente.

Após deixarem o estuário do Tâmisa, a rainha havia aparecido no tombadilho com duas das aias. Os cabelos castanho-escuros estavam recolhidos sob uma coifa de rendas, algumas mechas fugitivas ondeavam em torno do rosto de ossatura delicada e o capuz de seda carmesim tinha uma flor-de-lis bordada a fios de ouro, o emblema oficial do Reino da França. Eleanor, que fora entregue a Henrique como uma jovem noiva de Provença, era irmã de Margarida, esposa do rei Luís IX.

Ela havia contemplado a linha do horizonte ao sul com ansiedade, enquanto o navio contornava a ponta mais oriental da Inglaterra, e pouco depois desapareceu na cabine, seguida pelas criadas. Ocasionalmente, as notas vibrantes de uma harpa tocada com delicadeza escapavam entre as cortinas escarlate que cobriam a janela da cabine.

Apoiando a cabeça contra a amurada, Will fechou os olhos.

Algum tempo depois, foi acordado pelo som das gaivotas. Bocejou, sentindo gosto de sal nos lábios. O sol estava baixo no céu e o mar espelhava a parte inferior, arroxeada, das nuvens. Estavam se aproximando da terra firme. A faixa verde se desfraldou lentamente em colinas baixas e extensas, cinzeladas por íngremes rochedos brancos. Will ficou desapontado com a paisagem. Havia pensado que o Reino da França ofereceria algo mais próximo a uma revelação, mas os campos verdes e as praias pedregosas pareciam idênticas aos da costa da Inglaterra. A galé contornou uma península estreita que apontava como um dedo para o mar e, quando navegou para o interior da vasta embocadura de um rio, Will, ouvindo as conversas da tripulação, descobriu que haviam chegado a Honfleur.

As colinas recuaram para revelar um pequeno porto aninhado numa angra bem abrigada às margens a estibordo. Além do porto, casas formavam um anel em volta de uma praça, que estava atulhada de pessoas, com os rostos dourados à luz do entardecer. Uma feira havia sido armada e, acima das barracas, bandeiras de cores vivas agitavam-se na brisa. Sons de risos, música e palavras de uma língua que Will não entendia flutuavam por sobre a água. Apanhou a sacola, aprontando-se enquanto a galera rangia de encontro à amurada do porto. Jacques e o homem de cinza estavam parados sob o tombadilho superior, conversando calmamente. Will passou perto deles, mas os dois homens ficaram em silêncio quando a voz de Owein gritou.

— Salve, irmão!

Will viu um homem baixo e corpulento, de cabeça tonsurada e barba hirsuta e pardacenta atravessar apressadamente as docas. Vestia o manto preto dos sacerdotes templários.

O padre levantou uma das mãos ao chamado de Owein.

— *Pax tecum* — ofegou, com o suor reluzindo na cabeça calva.

Owein desceu a prancha para encontrá-lo.

— *Et cum spiritu tuo*. Presumo que você nos esperava?

— Recebemos a mensagem de Humbert de Pairaud na semana passada. Os aposentos de Sua Majestade já foram preparados — disse o padre, fazendo uma careta — embora eu tema que nossos alojamentos sejam por demais humildes, mais apropriados a um plebeu do que a uma rainha.

— Estou certo de que servirão por uma noite. Nosso barco está pronto?
— Sim, irmão. — O padre apontou para a outra extremidade do porto. — O *Opinicus* chegou esta manhã de Paris.

Will seguiu a direção do dedo do sacerdote e viu um barco compacto e robusto, com um mastro e uma vela quadrada. Na vela havia a pintura de um opinico, uma besta heráldica composta de leão, camelo e dragão.

— A tripulação está ceando conosco. Nossas dependências não ficam longe. — O padre apontou para a encosta de uma colina onde havia uma edificação de pedra cinzenta rodeada por um muro aos pedaços. — Vocês se juntarão a nós para a refeição e a oração da noite? Somos uma corporação muito simples aqui e raramente temos a oportunidade de conversar com nossos irmãos. — Deu um sorriso beatífico e entrelaçou as mãos, pousando-as sobre a vasta barriga. — Seguindo os passos do abençoado Bernard de Clairvaux, nosso serviço à Ordem consiste unicamente em deveres espirituais. Aqui, preferimos pensar em nós mesmos como monges em vez de guerreiros. Mas — acrescentou rapidamente — seria uma honra jantar com tão importante companhia. — O padre olhou para o navio e sua grande tripulação com um ar de dúvida. — Embora talvez seja difícil alimentar tantas bocas.

— Talvez mais tarde — respondeu Owein. Então consultou o céu. — Vamos esperar algumas horas, depois escoltaremos a rainha até sua sede. Quanto menos atenção atrairmos para nossa presença, melhor. Mande a tripulação do *Opinicus* nos encontrar no navio.

O padre pareceu um tanto contrariado pelas maneiras bruscas de Owein.

— Como quiser, irmão — disse, de maneira formal, para depois afastar-se gingando, puxando o cinto em volta do manto.

Várias horas depois, Will se via na zona portuária guardando uma montanha de arcas, caixotes e barris que a tripulação e os sargentos estavam desembarcando do *Endurance*. A maior parte da carga pertencia à rainha, incluindo a harpa que ouvira ser tocada, mas alguns dos caixotes e barris, cheios de sal e cerveja, destinavam-se à preceptoria de Paris. Will ouviu um grito e uma risadinha e virou-se para ver um grupo de crianças olhando-o com curiosidade. O mercado ainda estava em alvoroço, embora fosse quase meia-noite. Tochas haviam sido colocadas ao redor da área e o cheiro de carne assada dos espetos fazia o estômago de Will roncar. Um dos sargentos mais velhos lhe disse que a celebração era em louvor à última colheita do outono. Muitas das mulheres usavam coroas de cereais e os homens haviam vestido máscaras grotescas confeccionadas à semelhança de lobos, cães e cervos. Era uma visão fantasmagórica; aquelas paródias de feras que dançavam e rodopiavam à luz das tochas sob a sombra da igreja.

Will desviou a atenção da praça para ver dois tripulantes carregando um caixote pela prancha. Atrás deles, uma figura esguia num manto azul escuro, com o capuz puxado sobre o rosto, lutava com uma caixa de aspecto pesado. A figura tropeçou. Will avançou para ajudá-la, mas os dois tripulantes que haviam largado o caixote já estavam lá.

— Deixe-me levar isso, senhorita — disse um dos homens.

A mulher hesitou.

— Duvido que a sua senhora deseje que a camareira dela sofra danos — disse o tripulante, tomando a caixa das mãos dela — ou seus bens — acrescentou, erguendo facilmente a caixa sobre os ombros.

Will ouviu passos atrás de si e viu um homem alto que não pôde reconhecer, usando uma túnica de sargento.

— Onde está Sir Owein? — perguntou o homem, com os olhos postos no navio.

— A bordo — respondeu Will.

— Diga-lhe que o *Opinicus* está pronto. Mandarei mais dos meus tripulantes para ajudar.

Will olhou novamente para o navio enquanto o homem cruzava as docas. Os tripulantes do *Endurance* haviam se retirado para buscar mais caixotes. Não havia sinal da aia da rainha. Owein desembarcou com dois sargentos, um dos quais era Garin, que estavam carregando o baú preto, lavrado com o timbre real. Will contou a Owein o que o tripulante do *Opinicus* havia dito.

— Ótimo — respondeu Owein. — Sir Jacques supervisionará o embarque da carga.

Owein voltou-se quando três cavaleiros e a rainha com a comitiva desceram a rampa.

— Está pronta, minha senhora? — perguntou à rainha, enquanto um dos pajens da soberana ajudava-a a descer os últimos metros. Os soldados que a acompanhavam inspecionaram a zona portuária com grande cautela.

— Sim — respondeu a rainha, com sua voz suave e musical. — Meus pertences...? — Apontou para a pilha que Will estava guardando.

— Serão carregados no *Opinicus* imediatamente — assegurou Owein.
— Venha, minha senhora, nós a acompanharemos até seus aposentos.

Garin e o outro sargento haviam erguido o baú preto acima do resto da carga. A rainha parou por um momento.

— Preferiria que as joias de meu marido permanecessem comigo — disse.

Ouviu-se um ruído quando Garin deixou escapar o baú e esse se chocou contra o solo.

— Eu lhe asseguro, minha senhora — disse Owein, lançando um olhar furioso para Garin, que havia se curvado, com o rosto vermelho, para endireitar o baú — que as joias estarão seguras conosco.

Olhou para as crianças que miravam boquiabertas a rainha e a majestosa comitiva.

— Devemos ir — apressou, gesticulando para os três cavaleiros que haviam se juntado a ele na zona portuária.

A rainha e a comitiva atravessaram as docas do porto, flanqueados por Owein e os cavaleiros. O grupo de crianças seguiu-os, tagarelando agitadamente, até que um dos cavaleiros gritou com eles e todos fugiram.

— Este foi o último — disse Jacques, descendo a rampa com o restante dos cavaleiros e sargentos. Com ele vinha o homem de cinza. A tripulação do *Endurance* içou a prancha e soltou as cordas do ancoradouro. — Vamos mover esses caixotes — berrou —, rápido.

Ordenou que dois sargentos e dois cavaleiros guardassem a pilha, depois partiu com os outros rumo ao *Opinicus*, carregando ele próprio o baú que continha as joias.

Will viu-se arrastando um caixote de sal. O homem cinzento, como Will o apelidara para si próprio, caminhava na frente, carregando uma sacola pendurada no ombro por uma alça e um pequeno barril. A área estava escura, pois apenas algumas poucas velas lançavam círculos de luz sobre as pedras limosas. O grupo passou por vários membros da tripulação do *Opinicus* no caminho, os quais se apressavam pelas docas para ajudar. Quando alcançaram o barco, Will deixou o caixote onde deveria ser embarcado com os outros. A embarcação era muito menor do que o *Endurance*, com uma só cabine sob o deque elevado de popa.

Jacques entregou o baú preto para um dos membros da tripulação.

— Deixe isso aqui, Hassan — disse, apontando para o barril que o homem de cinza carregava.

— O que foi que eu disse — sussurrou o sargento atrás de Will. — Hassan é um nome árabe!

— Campbell!

Will desviou a atenção do homem cinzento para ver Jacques dirigindo-lhe um olhar raivoso.

— Ajude De Lyons com o resto dos caixotes.

— Sim, senhor — disse Will, laconicamente.

Atravessou a trote as docas em sentido contrário. Mas quando alcançou a pilha da carga, o amigo não era visível em lugar algum.

— Onde está Garin? — perguntou a um dos sargentos.

O rapaz deu de ombros distraidamente.

— Com o *Opinicus*, acho — disse. Depois deu as costas para Will e pegou um dos caixotes, que entregou a outro sargento.

Will percorreu a doca com os olhos, pensando que devia ter passado por Garin ao voltar, sem vê-lo. Quando virou o rosto para a praça do mercado, o olhar caiu sobre um homem alto que ziguezagueava por entre as barracas. Era Hassan. Will se abaixou, fingindo ajustar as botas quando dois sargentos passaram por ele, e manteve a atenção sobre o homem cinzento. Hassan contornava um grupo de homens que cantavam em tons altos e ébrios. Depois de dirigir um olhar para o *Opinicus*, desapareceu na multidão. A curiosidade de Will venceu a cautela. Ele se dirigiu à praça, agachando-se atrás de alguns caixotes pútridos que recendiam a peixe, a fim de evitar um cavaleiro que vinha carregando a harpa da rainha.

Depois da escuridão das docas, a luz das fogueiras e os sons de música e cantos eram desorientadores. Uma mulher de constituição pesada passou por ele dançando e rindo, com a saia rodopiando. Hassan se demorou numa barraca um pouco à frente, inspecionando uma fileira de pães e bolos. Will chegou mais perto, tomando cuidado para não ser visto. Perto dali, um menestrel com trajes extravagantes fazia malabarismos com maçãs. Ao lado dele, estendia-se um grande cão sarnento. O menestrel atirou as maçãs para o alto, deu uma cambalhota e apanhou-as de novo, para alegria da multidão. Will evitou pisar no cão, que abriu um olho amarelado e rosnou. Ficou nas pontas dos pés para enxergar por cima das cabeças de um grupo de homens. Hassan havia se afastado da barraca e estava próximo dos altos prédios no fundo da praça. Will abriu caminho a custo por entre os corpos pressionados uns contra os outros. Quando emergiu deles, Hassan havia desaparecido.

O sino da igreja começou a repicar o toque da meia-noite. Will não podia ficar ali por muito tempo: o Ciclope logo notaria sua ausência. Perto dos prédios no fundo da praça a multidão era mais esparsa. Will entreviu um lampejo cinzento quando uma sombra desapareceu por uma das aberturas que passavam entre os prédios. Correu, sem saber o que faria se esbarrasse com Hassan, e parou diante da entrada que dava para um corredor estreito, fedendo a urina e legumes apodrecidos. Enquanto espreitava a escuridão, uma onda de ruído e um cheiro de cerveja partiu numa lufada da edificação ao seu lado. Dois homens saíram carregando jarros. Havia um quadro tosco pintado na porta, que Will supôs ser de alguma hospedaria ou estalagem. Não pôde distingui-lo com exatidão, mas achou que poderia ser a representação de uma ovelha amarela parada sobre um campo verde-azulado. O sino da igreja parou de badalar. Will gritou, pois alguém o agarrara por trás, segurando-o num aperto férreo. Foi arrastado rudemente pelo beco. Lutou, tentando virar-se ou dar chutes, mas quem quer que o estivesse prendendo era muito forte. Will foi arremessado contra a parede de um dos prédios. Tentou correr quando a mão que o detinha afrouxou, mas ficou imóvel quando algo frio e duro pressionou-se contra sua garganta. Will ergueu os olhos para o homem que segurava a adaga. Na luz pálida que vinha pelo corredor, os olhos de Hassan brilharam.

# 11
# Al-Salihiyya, Egito
## 23 de outubro de 1260

Baybars entrou na tenda atrás de dois de seus servos, que carregavam uma bandeja de frutas e uma jarra de *kumis*. Ao passar por eles, viu Omar sentado numa das almofadas que haviam sido postas sobre um tapete diante de um baú. Além da escassa mobília e de um braseiro que iluminava o interior com uma incandescência rubra, a tenda era desnuda.

O exército havia chegado a Al-Salihiyya com a noite avançada, despertando os moradores algum tempo antes de alcançar os muros com os ecos das batidas dos tambores. A cidade, que ficava a cerca de 30 quilômetros do Cairo, havia sido construída pelo sultão Ayyub vinte anos antes, como ponto de parada para o exército na viagem de volta da Palestina. Era habitada por um pequeno destacamento de soldados e agricultores locais com suas famílias que, tão logo ouviram os tambores, tinha deixado as camas e se ocupado em providenciar suprimentos frescos para as tropas cansadas da marcha. Os mamelucos haviam assentado acampamento fora dos muros, ao longo de uma planície uniforme e forrada de grama, que brilhava com a luz prateada e translúcida do luar.

Baybars achou agradável o interior despojado da tenda, em contraste com o alvoroço do acampamento do lado de fora: a vacuidade parecia reproduzir a clareza de pensamento em sua mente. Kutuz e os comodantes haviam ordenado que os pavilhões fossem adornados com o costumeiro revestimento de ornatos, mas conforto era a última das preocupações de Baybars. Fez um cumprimento de cabeça para Omar enquanto desafivelava o cinto que prendia a espada.

— Onde está Kalawun? — perguntou.

— Ele se juntará a nós em breve, emir. Ele está... — Omar se deteve, pondo os olhos sobre os dois servos.

Baybars seguiu seu olhar.

— Vão — disse aos servos, apontando para a abertura da tenda.

Enquanto os servos largavam a comida e partiam, Baybars depositou os sabres sobre o tapete e ajoelhou-se ao lado de Omar. Abafou um bocejo e esfregou os cabelos com as mãos, fazendo com que o couro cabeludo formigasse. Kutuz havia-o mantido ocupado durante as últimas três horas com os preparativos para o acampamento e já passava da meia-noite. A marcha de nove dias através do Sinai sob o sol calcinante havia sido implacável e sua pele parecia tesa e quente.

— Você deveria comer algo, *sadeek* — disse Omar.

Baybars olhou de lado para os figos e os lustrosos gomos de laranja.

— Não estou com fome. Mas — disse, estendendo a mão para o *kumis* — uma bebida é bem-vinda.

Omar observou-o secar o conteúdo da jarra.

— Kalawun está se encontrando com o último dos comandantes que acredita que possam ser convencidos a nos apoiar. — Deu um leve sorriso. — Acho que aprecia seu novo papel.

— Ele tem talento para a persuasão — respondeu Baybars, devolvendo a jarra vazia ao baú. — Quando ele fala, os homens escutam. E — admitiu, com um dar de ombros indiferente — a língua dele é mais macia do que a minha.

Ambos ergueram os olhos quando as abas da tenda se abriram e Kalawun entrou. Fez uma reverência para Baybars.

— Emir.

— Como se saiu com os comandantes?

— Os dois com quem falei não farão qualquer movimento para obstruir nosso caminho ao trono, uma vez que o sultão esteja morto. Eles sentem que você seria o melhor candidato.

Baybars deu um sorriso malicioso.

— Quanto a lealdade deles me custou?

— Uma mera gota no oceano dos tesouros que estão à sua espera na cidadela. — Kalawun deu as costas e abriu as abas da tenda. — Enquanto estava fora encontrei algo que lhe pertence, emir.

Khadir entrou na tenda. O manto do adivinho estava úmido e enlameado e ele segurava pelas orelhas uma lebre morta. Correu para o meio das sombras além do braseiro e ali depositou a lebre diante de si e agachou-se até ficar de quatro. Com os membros longos e ossudos esparramados na areia, causou em Omar a perturbadora impressão de uma aranha à espera do bote. Omar repeliu o desconforto. Não entendia por que Baybars insistia em ter o canalha tão intimamente envolvido em assuntos tão importantes. Isso o deixava preocupado e contrariado.

— Onde você esteve? — inquiriu Baybars.

— Caçando — respondeu Khadir, com petulância. A adaga com cabo de ouro que pendia da corrente em torno da cintura estava salpicada de sangue. Afagou as orelhas da lebre. — Tão macias — murmurou.

— Descobriu o que preciso saber? — Baybars perguntou a Khadir, enquanto Kalawun sentava-se numa das almofadas e apanhava um figo da baixela.

— Sim, mestre. — Khadir sentou-se e olhou para os três homens. — A chave para o trono pode ser acionada.

— O que isso significa? — Omar perguntou a Baybars. — Chave para o trono?

— Aqtai, o chefe do estado-maior do sultão. Ele tem o poder para entregar o trono a um sucessor com a morte do sultão. — Baybars olhou para Khadir. — Você tem certeza?

— Eu o estive observando de perto nestas últimas semanas, mestre. O homem é um tolo covarde. Ele se dobrará facilmente se pressionado. — Khadir sorriu. — O tempo é propício. A estrela vermelha da guerra domina o céu. Ela clama por sangue.

— Então, sangue ela terá. — Baybars voltou-se para Omar e Kalawun. — Kutuz decretou que descansássemos aqui durante o dia. Sem dúvida pretende instigar os homens com um discurso vangloriando-se de seu grande triunfo antes de fazer seu glorioso retorno para o Cairo. O pavilhão real foi erigido além dos muros da cidade. Logo depois da oração matinal, ao nascer do sol, fará o desjejum, que sempre é sucedido por uma hora de sono. Esse será o momento em que estará mais vulnerável e afastado da maioria dos guardas. Descobri, entre o pavilhão e o muro, um pomar de limoeiros onde a vegetação rasteira é espessa. Logo às primeiras luzes nos esconderemos ali e quando Kutuz se recolher para seu repouso, cortaremos uma abertura no pavilhão e entraremos no compartimento privado. Kalawun, você eliminará os dois *mu'izziyya* que o estarão guardando, depois vai se posicionar na entrada da área do trono. Omar, você me dará cobertura e se encarregará de lidar com qualquer servo que possa intervir. Eu matarei Kutuz.

Ambos fizeram que sim.

— Como isso não nos deixa muito tempo — prosseguiu Baybars — preciso que você vá agora até Aqtai, Kalawun. Ele deverá estar lá quando a ação for levada a cabo para me entregar o controle do trono. Ameace-o, ou pague-o se puder ser comprado, não me importa como, apenas faça com que concorde.

— Ao seu comando, emir Baybars — disse Kalawun, levantando-se.

— Aqtai recolheu-se uma hora atrás — disse Baybars, olhando para ele.

— Você o encontrará em seu pavilhão.

Kalawun saiu para a noite e atravessou o acampamento. Como o exército descansaria em Al-Salihiyya por apenas um dia, nem todas as tendas haviam sido erguidas e muitos grupos de homens haviam se deitado sob as estrelas, aconchegados em volta de fogueiras amareladas. Os tamborileiros haviam cessado a batida interminável e havia se espalhado pelo exército uma suave imobilidade, quebrada apenas pelo murmúrio dos soldados e a melodia de um alaúde. Nas sombras à margem do acampamento, as máquinas e as carroças compunham estranhos contornos da escuridão e camelos eram tangidos numa longa fileira pelos campos de algodão até um dos muitos riachos que atravessavam a planície. Kalawun seguiu seu caminho passando pelo pavilhão real, por trás do qual pôde distinguir os muros baixos da cidade e as casas de tijolos que ficavam além desses. As pesadas dobras de tecido na parte frontal do pavilhão haviam sido puxadas e presas em duas abas, revelando a plataforma sobre a qual havia sido colocado o trono do sultão. Vários *mu'izziyya* estavam postados, rígidos e silenciosos, na entrada. Kalawun passou por eles, sem que seus passos produzissem som algum no capim flexível, e aproximou-se da tenda menor, que pertencia ao chefe do estado-maior do sultão.

— Oficial Kalawun.

Kalawun se deteve. Virando-se, viu um dos comandantes com quem havia se encontrado anteriormente, a quem deveria subornar.

— Devemos conversar — disse o comandante, vindo parar diante dele.

Kalawun fez um respeitoso cumprimento de cabeça.

— Neste momento, comandante, tenho uma audiência com o chefe do estado-maior do sultão. Estarei livre para me encontrar com o senhor depois disso.

— Se é um aliado que procura — disse o comandante, apontando para a tenda de Aqtai —, não encontrará nenhum ali.

— De que se trata? — perguntou Kalawun, franzindo o cenho.
— Tenho informações valiosas.

Kalawun olhou em volta, depois fez um sinal para que o comandante o seguisse. Avançaram escuridão adentro, até alguma distância da tenda de Aqtai.

— Conte-me.

O comandante deu um ligeiro sorriso.

— Como disse, é informação valiosa.

— Você será recompensado.

O comandante parou por um momento, depois fez que sim.

— O sultão, com a ajuda do chefe do estado-maior, organizou uma caçada depois da oração matinal, à qual Baybars será convidado. Kutuz planeja matá-lo.

Kalawun respirou fundo.

— Por que Kutuz faria isso? Ele soube alguma coisa do assassinato?

— Não — respondeu o comandante. — Creio que vem planejando a morte de Baybars há algum tempo. O sultão sabe que ele tem grande apoio entre os homens e não apenas dentro do regimento *bahri*. Kutuz teme que Baybars possa recrutar um exército e se voltar contra ele.

— Como você sabe disso?

— Kutuz acredita que ainda lhe sou leal. Ele me convidou para uma reunião que teve com Aqtai, durante a qual finalizou esses arranjos.

Kalawun meneou a cabeça, digerindo a notícia.

— Quantos estarão nessa comitiva de caça?

— Kutuz, seis *mu'izziyya* e cinco comandantes, contando comigo.

— Você pode falar com algum dos outros comandantes antes da caçada? Talvez influenciar aqueles que Baybars ainda não pagou para apoiá-lo?

— Um, talvez dois — respondeu o comandante.

— Baybars cuidará para que você seja recompensado generosamente por sua lealdade.

— Não esperaria menos.

Kalawun sumiu em meio às sombras e seguiu de volta para o acampamento. Na tenda, encontrou Baybars e Omar ainda conversando.

— Emir — disse, calmamente.

Baybars levantou os olhos.

# 12
# Honfleur, Normandia

23 de outubro de 1260

Hassan pressionou a adaga com mais força junto à garganta de Will.

— Por que está me seguindo? — repetiu, com as palavras parecendo viscosas por causa do sotaque. — Responda!

— Não estava — sussurrou Will, forçando os olhos a se afastarem da adaga para enfrentar o olhar do homem.

O canto da boca de Hassan se contorceu.

— Sei quando estou sendo espionado. Você vem me observando desde que partimos da Inglaterra. Não me considere um tolo.

— Queria ver para onde você estava indo. Ouvi alguns dos outros conversando. Dizem que você é sarraceno. Não confiam em você.

— Entendo — disse Hassan, em tom pensativo. — Então você me seguiu para ver se... o quê? Se estava reservando um momento do meu tempo para matar alguns cristãos, estuprar freiras, devorar crianças? — Will enxergou um brilho alvo quando o homem sorriu. — É isso que os *sarracenos* fazem, não é?

Hassan deu um passou, para trás, afastando a adaga, e tirou algo da bolsa. Will não ousou mover-se.

— Aqui está — disse, segurando um pedaço de pão. — Era isso o que estava fazendo. Comprando comida.

Guardou o pão na bolsa e introduziu a adaga numa bainha de couro curta na cintura.

— Sugiro que retorne ao barco. — O sorriso dele desapareceu. — Este não é um lugar seguro para crianças, por mais corajosas que possam ser.

Will afastou-se da parede, mantendo os olhos em Hassan, e recuou. Vagarosamente, com o coração palpitando contra o peito, deu a volta e caminhou rigidamente pelo beco. A cada passo podia sentir o olhar de Hassan sobre ele. Quando chegou ao fim, olhou para trás. Hassan ainda estava parado ali, observando-o. Will disparou em direção à zona portuária, esbarrando num homem de manto preto que praguejou selvagemente contra ele por trás de uma máscara branca que parecia uma caveira.

O *Endurance* havia partido, engolido pela escuridão da embocadura do rio. Will carregou até o *Opinicus* o caixote que havia apanhado da agora diminuta pilha. Por duas vezes, teve de parar e largar a caixa, esperando até que as forças retornassem e as pernas parassem de tremer antes de erguê-lo novamente. Combater outro sargento com a espada era uma coisa. Ser ameaçado por um homem com uma adaga despertava uma sensação inteiramente distinta.

Tochas haviam sido postas em suportes em volta dos costados do *Opinicus*, iluminando o tombadilho e as docas abaixo dele. Garin estava lá, arrastando um baú para a pequena cabine onde os pertences da rainha eram guardados.

Owein olhou de cima do tombadilho enquanto Will se aproximava.

— Sargento! — O cavaleiro levantou uma sacola. — Isto é seu?

Will reconheceu a trouxa que continha suas roupas e sua espada.

— Sim, senhor — disse, largando o caixote no trapiche.

— Não deixe largado por aí. — Owein atirou a trouxa para ele. — Duvido que a rainha queira que suas ceroulas acabem no meio das posses dela.

Will observou o mestre ordenar que dois sargentos nas docas deslocassem um baú de aparência pesada prancha acima. Refletiu se deveria contar a Owein o que havia acontecido. Hassan estava armado e era obviamente perigoso. Mas se era camarada de Jacques, então talvez Owein já soubesse que era um sarraceno. Will não entendia isso. E a carta que havia encontrado no solar seria ligada a Hassan ou havia alguma outra coisa? Um movimento atraiu seu olhar. Alguém estava rastejando por entre os barracos de madeira que se alinhavam nas docas, mantendo-se nas sombras. O vulto saltou subitamente para trás de uma pilha de armadilhas de vime para enguias. Um cavaleiro, parado na proa do *Opinicus*, olhava na direção dos barracos. Quando deu as costas, o vulto começou a se mover novamente. Intrigado, Will seguiu pelo trapiche, passando pelo *Opinicus*. Atrás dele, houve um ruído e alguns gritos e palavrões.

— Cuidado com isso, maldição! — Will ouviu Owein gritar.

Havia, Will percebeu, algo de familiar na figura que se aproximava; algo no modo como o capuz estava puxado, tão baixo sobre o rosto. Houve um estalo em sua mente: era a camareira que vira lutando com a caixa no *Endurance*. Will saiu da escuridão diante dela e a mulher se deteve.

— O que está fazendo aqui?

Ela recuou.

— A rainha a enviou? — perguntou, seguindo-a.

Ela continuou recuando até esbarrar num amontoado de redes atadas que estava atrás dela e tropeçar, perdendo o equilíbrio. O capuz escorregou da cabeça. Ao cair, os cabelos de Elwen se soltaram. Do barco, veio outra algazarra, seguida por sons altos de objetos caindo na água e um grito. Uma das pranchas apoiadas ao costado do *Opinicus* tinha virado, lançando ao mar os dois sargentos e o grande baú que estavam arrastando. Owein estava gritando para que recuperassem o baú antes que afundasse. Will ficou imóvel por um momento, depois correu até Elwen. Ela estava se debatendo, enroscada nas redes de pesca sobre as quais havia tropeçado. Quando se ajoelhou ao lado dela, a garota ficou imóvel e deu um suspiro de frustração. Will largou a sacola e arrancou um pedaço da rede que estava em volta do braço dela.

— Elwen? Como você...? — Sentou-se sobre os calcanhares quando a rede cedeu. — Que diabos você está fazendo?

Elwen estava pálida e tremendo. O manto azul abrira ao cair e havia uma mancha escura na frente do vestido.

— Sangue? — murmurou, estendendo a mão para ela.

— Não — disse, empurrando a mão dele impetuosamente para o lado e puxando o manto em volta do corpo. — Estava enjoada. — Ficou de pé com esforço.

Owein ainda estava gritando. Os dois sargentos que haviam caído no rio ainda tentavam nadar até o trapiche, agarrados ao baú. Um dos tripulantes havia atirado uma corda para eles.

— O que você estava pensando? — perguntou Will, levantando-se e encarando-a. — Como entrou a bordo do *Endurance*?

— Eu me escondi no porão ontem à noite, quando os guardas não estavam olhando. — O cenho de Elwen formou um sulco. — O cheiro. Senti tanta cãibra e fiquei tão enjoada que achei que fosse morrer. — Olhou para o trapiche, em cuja borda Owein estava ajoelhado, tentando alcançar o baú semissubmerso. — Mas pensei que se meu tio visse que não poderia me mandar para Bath, teria me escutado. — Deu de ombros. — Isso ou ficaria no porto, talvez seguindo por conta própria para Paris.

Will encarou-a numa mistura de incredulidade e respeito.

— Você é...

Ele se calou abruptamente, pois um grande agrupamento de figuras vestidas com mantos negros saiu das sombras da zona portuária. Os rostos eram caveiras, totalmente brancas à luz das tochas. Como se fosse uma só pessoa, o grupo correu em direção ao *Opinicus*. Ouviu-se um som rascante, pois muitas espadas foram sacadas simultaneamente das bainhas.

Will deu um grito de alerta, mas os cavaleiros no barco já estavam sacando as lâminas. Duas das figuras de manto preto destacaram-se do conjunto, avançando rumo a Owein. Will bradou o nome do cavaleiro, enquanto, ao seu lado, Elwen gritou. Owein girou o corpo, a espada ficou presa na bainha por um momento terrível, depois soltou-se enquanto um dos homens caía sobre ele. Os metais, ao se encontrarem, produziram um tinido agudo e ecoante. Os dois sargentos que haviam caído no rio estavam a meio caminho do trapiche acima quando o ataque começou. Então largaram o baú e lutaram para subir a borda. Um deles caiu imediatamente sob os golpes de um dos atacantes, despencando novamente na água com um gemido que se interrompeu quando afundou.

— As joias! — urrou Owein, batendo a espada fortemente contra a lateral do corpo de um dos homens, fazendo com que caísse, rodopiando ao solo. — Protejam as joias!

O segundo homem investiu contra Owein e as lâminas de ambos descreveram um arco no ar, faiscando ao colidir.

Dezesseis atacantes abordaram o *Opinicus*, correndo a toda velocidade prancha acima ou saltando sobre as amuradas baixas. A batalha irrompeu no tombadilho. Dois dos tripulantes do *Opinicus* lutaram ao lado dos cavaleiros e dos três sargentos armados, mas os demais, desarmados e destreinados, eram alvos fáceis. Três deles caíram na primeira investida. Jacques lutava contra dois homens, com a espada girando na mão e a face travada em rígida concentração. Garin pressionou-se contra a porta da cabine e seu rosto era uma máscara de terror observando o tio. Um uivo angustiado partiu de um dos cavaleiros quando uma lâmina talhou cruelmente seu rosto, abrindo a bochecha até o osso. O atacante o empurrou, lançando-o por sobre a amurada. Owein, outro cavaleiro e os sargentos restantes eliminaram os três homens que estavam nas docas e saltaram a bordo para ajudar os companheiros.

Will correu em frente, depois parou, com as mãos flexionadas, vazias. Elwen agarrou seu braço com força.

— O que faremos? — O pavor havia elevado sua voz a um tom agudo. — Will! O que faremos?

Will prendeu a respiração ao ver Owein ser forçado para trás por uma série de estocadas de um homem de físico potente. O cavaleiro se agachou, girou o corpo e cravou a espada nas costas do homem, mas não antes de receber um corte profundo no braço. Jacques havia despachado dois homens e estava agora enfrentando o terceiro. Outro cavaleiro pereceu, depois mais dois dos atacantes. Um dos tripulantes desarmados arrancou uma tocha de um suporte na amurada do navio e brandia-a de um lado para outro para defender-se dos golpes de espada. As chamas desenhavam traços brilhantes no ar. Um grito partiu do fundo do barco quando Garin foi empurrado para o lado por um homem robusto. O homem arrombou a porta da cabine e mergulhou para dentro dela, chutando um tonel contra um sargento que correu contra ele. Will deu meia volta, lembrando-se da sacola. Estava jogada no chão junto às redes. Correu até ela e a rasgou. Depois de puxar o alfanje para fora, correu até o barco.

— *Não!* — Elwen gritou atrás dele. — *Will!*

Will correu rampa acima e saltou para o outro lado. Esquivou-se quando um dos homens, que havia acabado de matar outro sargento, brandiu a espada contra ele. Dando um passo para trás, se chocou contra a amurada, enquanto o homem imenso partia contra ele, rosnando através da máscara de caveira. Will desviou a investida com um movimento da lâmina e sentiu o golpe e seu impacto pulsarem através da espada até seu braço, afrouxando sua mão. Cerrou os dentes e apertou com mais força a empunhadura, enquanto o homem investia repetidamente, cada golpe mais forte e mais rápido do que o anterior. Tudo à sua volta estava caótico, mas seus olhos estavam fixos no homem que brandia a espada contra seu peito e sua barriga. Will evadiu-se da posição em que se encontrava, entre a amurada do navio e o atacante, girando o corpo e jogando a cabeça para trás no instante em que a espada assobiava acima dele, errando seu couro cabeludo por centímetros.

O tombadilho, escorregadio por causa do sangue e coberto de cadáveres, não era um campo de treino. O oponente não parava a espada antes de golpear novamente. As lâminas não eram de madeira nem tinham o fio cego. Will sentiu, subitamente, e com absoluta certeza, que iria morrer.

A espada do atacante desceu sobre ele vagarosa, quase preguiçosamente. Sua própria arma havia feito um movimento amplo demais para conseguir bloquear o golpe. Não havia nada entre o comprimento do metal que voava em sua direção e seu peito. Will deu um passo para trás, os olhos se fecharam no último momento, então o pé escorregou numa poça de sangue e as pernas falsearam sob ele. A espada inimiga cortou o ar quando ele caiu no tombadilho. Ouviu um ganido acima de si e seu rosto foi salpicado de sangue, cujo calor o surpreendeu. A ponta de uma espada havia atravessado a barriga daquele homem grande. Will rolou no chão para evitar o corpo que desabava e viu Hassan de pé atrás do homem, com a espada escorrendo sangue. Hassan atravessou em disparada o tombadilho. Will se levantou custosamente no momento em que um grito de garota se ouviu vindo das docas. Enquanto lutava, os dez homens restantes vestidos de manto preto haviam conseguido chegar até a cabine. Dois deles seguravam o baú que continha as joias da coroa. Os outros oito abriam caminho até a amurada do barco. Owein havia sido encurralado por dois inimigos que o combatiam com selvageria. Um homem caiu sob uma estocada brusca de Jacques, que combatia lado a lado com Hassan, mas os dois que carregavam as joias conseguiram chegar até a prancha. Desceram a toda carga para as docas, diretamente ao encontro de Elwen, que, vendo Owein em perigo, havia corrido na direção do navio.

Com a colisão, Elwen foi estatelada no chão. Um dos homens largou seu lado do baú, que se chocou contra as pedras, produzindo um som de rachadura. Will gritou quando o homem se voltou contra Elwen com a espada erguida. Houve uma movimentação indistinta e o homem voou após receber uma pancada, quando Garin se chocou em grande velocidade com ele. Ouviu-se um estalo surdo, seguido do som de água. O homem havia tombado no rio, batendo a cabeça contra o costado da galé na trajetória. Will saltou para fora do navio.

O segundo homem havia deixado cair a espada e agarrado o baú. Ele se pôs a correr, mas Owein e outro cavaleiro estavam nos seus calcanhares numa questão de instantes. O homem caiu, a apenas alguns metros do navio, em consequência de uma estocada curta da espada de Owein nas costas. O baú espatifou-se no chão ao lado dele, esparramando o conteúdo entre as rochas. Uma coroa incrustada de pedras preciosas saiu rolando pelo trapiche e retiniu até parar na beirada. Anéis, um pesado globo de ouro e um cetro dourado cintilavam à luz das tochas.

Owein deu meia-volta e viu Will e Garin, que havia apanhado a espada do homem que tinha sido derrubado no rio.

— Guardem as joias — gritou para eles.

Seu queixo caiu e a espada se afrouxou na mão ao ver Elwen parada entre ambos. Owein virou-se, distraidamente, ao ouvir um brado vindo do navio. Garin deixara escapar um grito quando viu o tio cair, pois uma espada havia sido cravada lateralmente no corpo do cavaleiro e retirada em seguida. O homem que deu o golpe caiu no momento seguinte, sob os ferozes movimentos de Hassan. Seis dos atacantes pularam para fora do barco. Três deles correram para Owein, mas a visão das joias esparramadas, irresgatáveis, e os cavaleiros saltando por sobre a amurada atrás deles os detiveram. Os homens deram meia-volta e fugiram com o restante da companhia. Quatro cavaleiros e dois sargentos os perseguiram através das docas, enquanto Garin avançava para o tombadilho, gritando o nome de Jacques. Um pequeno ajuntamento de pessoas havia se reunido a alguma distância do navio, pessoas que corriam do mercado para ver que comoção era aquela. Eles se dispersaram rapidamente quando as figuras de mantos pretos correram em sua direção, com as espadas desembainhadas. Mulheres gritaram e arrastaram as crianças para fora do caminho da ameaça.

Owein dirigiu-se à sobrinha.

— Elwen?

Um gemido veio de trás dele. O cavaleiro virou o rosto. O homem que Owein havia golpeado nas costas lutava para ficar de joelhos, com a espada fracamente segura na mão. Owein avançou a passos largos na direção dele. O homem ergueu a mão, com os olhos postos no cavaleiro.

— *Pax!* — gritou, derrubando a espada. — *Pax!*

— Levante-se!

O homem obedeceu, vagarosamente, com a cabeça baixa em sinal de respeito. Foi somente quando tirou as mãos dos lados do corpo que Will avistou a adaga. O garoto gritou, tarde demais, pois o homem saltou contra Owein e cravou a lâmina no peito do cavaleiro, atingindo o coração. A espada de Owein caiu com estrépito sobre as pedras. Ele vacilou para trás, as mãos agarradas ao cabo da adaga. O choro escapou da boca de Will quando o cavaleiro desmoronou no chão do porto com um baque, sufocando como um peixe fora d'água. O homem deu as costas e se afastou cambaleando. Olhou para trás ao ouvir passos soarem imediatamente às suas costas e os olhos castanhos, por trás da máscara de caveira, se arregalaram ao ver o alfanje na mão de Will descer sobre ele. A lâmina atingiu o homem do lado da cabeça com um estalo abafado e uma gota de sangue escuro espirrou da têmpora. Afundou sobre os joelhos. Will puxou a espada de volta. Quando seus olhos se encontraram, hesitou por um momento infinitesimal, que pareceu durar muito mais, e então deu uma estocada para a frente, perfurando a garganta do homem, sentindo a resistência inicial e depois a suavidade da carne e dos tecidos submissos.

— *Owein!*

Will girou o corpo e viu Elwen curvada sobre o cavaleiro. Puxou o alfanje e correu. Elwen segurava a cabeça de Owein nas mãos, gritando seu nome repetidas vezes. A adaga se projetava do peito do templário, enterrada até o cabo, e uma bolha de sangue rebentou em seus lábios, manchando-os como se fosse vinho. Os olhos estavam abertos. Will contemplou o mestre, depois olhou para o alfanje na mão. Havia uma grossa camada de sangue na lâmina curta. Sentiu a bile lhe subir à garganta, enquanto os gritos de Elwen ressoavam nos seus ouvidos. Deixou cair a espada e caiu de joelhos ao lado da menina. Segurando-a pelos ombros, tentou puxá-la para trás a fim de acalmá-la. As mãos dela estavam cobertas de sangue.

— Vamos!

Ela continuou gritando.

— *Elwen!* — falou mais alto, puxando-a para trás.

As mãos dela escorregaram do rosto de Owein. A cabeça dele rolou para trás.

— *Não!* — deu um grito agudo, batendo em Will com os punhos. — *Não!*

Will segurou seus pulsos e puxou-a para si, envolvendo-a fortemente nos braços, quase esmagando-a. Por cima dos ombros da garota, ficou olhando para o rosto de Owein: a boca flácida, os olhos que nada viam.

# 13

## *Al-Salihiyya, Egito*

23 de outubro de 1260

Kutuz sentou-se no trono, assistindo ao oriente se tingir de cor-de-rosa com a chegada do sol. Seria uma manhã boa para lebres, possivelmente até mesmo para um javali. O acampamento estava despertando. Homens enrolavam os cobertores, faziam o desjejum e cuidavam dos cavalos. Os cinco comandantes e os seis *mu'izziyya* que havia convocado para a caçada estavam esperando na entrada do pavilhão. De Baybars, não havia sinal.

Kutuz se levantou do trono, desceu da plataforma e atravessou a grama até onde os pajens haviam estendido o tapete para a oração. Voltou-se em direção a Meca quando os primeiros raios de sol irromperam no céu. E todos os homens de seu exército fizeram o mesmo. A cantiga de suas palavras vagou através da planície.

— *Bismillah ar-rahman ar-rahim. Alhamdulillah, rabb al 'alamin. Ar-rahman ar-rahim. Malik yawm addin.*

Quando terminou, Kutuz, ajoelhado no solo, encostou a testa no capim, aspirando o cheiro úmido e verde. Tornou a sentar-se e viu três pessoas vindo em sua direção. Kutuz franziu o cenho ao ver Omar e Kalawun ao lado de Baybars.

— Emir — chamou, ficando de pé.

Baybars fez uma reverência.

— Meu senhor.

— O convite era só para você, Baybars — disse Kutuz, com um sorriso zombeteiro para Omar e Kalawun.

Baybars pareceu surpreso.

— Minhas desculpas, meu senhor sultão. Não me dei conta de que a caçada seria uma empreitada particular. — Ele se dirigiu a Omar e Kalawun. — Deixem-nos.

— Espere! — intercedeu Kutuz, levantando a mão. — Não é necessário. Seus oficiais são bem-vindos a se juntarem a nós, emir. — O sultão sorriu. — Tenho certeza de que haverá caça suficiente para todos nós. — Gesticulou para os pajens. — Selem mais dois cavalos. — Kutuz aproximou-se de sua égua branca. — Vamos cavalgar! — gritou para a comitiva. Pouco antes de montar, o sultão apanhou sua lança leve de caça, que estava com um dos *mu'izziyya*, e se inclinou para mais perto desse. — Diga aos outros — murmurou — que teremos três mortes hoje.

Enquanto a comitiva de caça cavalgava para fora do acampamento e se dirigia para o norte, a terra se dourou ao sol da manhã. Os cavalos saltaram sobre córregos estreitos e abriram um caminho entre os campos de algodão, que haviam se tornado mais escassos pelas colheitas recentes. Os agricultores, que estavam colhendo a última safra do outono, olharam para cima e os observaram passar.

Kutuz relaxou com o ritmo da montaria, prendendo os flancos da égua com os joelhos e sentindo a brisa secar o suor de sua pele. Estavam fora fazia quatro meses, mas parecia muito mais tempo. Quando partiram do Egito, a cheia do Nilo estava apenas começando: o rio subindo até engolfar o delta e engolir córregos e canais. As águas haviam desde então recuado, deixando uma terra plana e verde em todas as direções. Havia voltado para casa em triunfo e na noite do dia seguinte seu nome ressoaria em todo o Cairo.

A comitiva se aproximou das águas douradas do lago Manzala, passando por lagunas juncosas e matas de árvores retorcidas, fazendo cegonhas e aves silvestres partirem em revoada ao atravessar ruidosamente a vegetação rasteira. Nas margens, onde o capim era curto e esponjoso, búfalos pastavam. Dois homens gritaram ao avistar as primeiras lebres saltitando sobre o capim em direção à água, corpos ágeis subindo e descendo, marrons em contraste com o verde. Kutuz acompanhou o grito e os homens começaram a perseguição, com os arpões levantados. Três dos comandantes trotaram na frente, a fim de cercar as lebres, e logo o ar estava tomado de brados e gritos, enquanto um a um os animais eram mortos. Kutuz fez voar o arpão e a ponta perfurou a última lebre, que caiu pesadamente ao solo e ficou imóvel.

Baybars fez o cavalo dar meia-volta ao lado de Omar e Kalawun quando o sultão desmontou e os *mu'izziyya* se dispersaram para reunir as presas. Baybars se deixou escorregar do lombo do cavalo.

— Estão prontos? — perguntou aos outros dois, com o olhar fixo em Kutuz.

— Sim, emir — respondeu Omar, saltando ao solo e fechando o punho em torno do cabo do sabre.

Kalawun fez que sim.

Aqtai caminhou indolentemente até as travessas de comida que haviam sido dispostas sobre a mesa. A tenda estava quente e abafada e ele se abanou com a mão enquanto pegava um pedaço de carne e enfiava na boca, lambendo a gordura dos dedos. O manto de seda branca aderia em dobras flácidas ao corpo carnudo e havia dois círculos úmidos sob os braços. Suspirou e fechou os olhos quando uma brisa bem-vinda se infiltrou atrás de si, depois deu um grito ao sentir algo agudo cutucar suas costas. O grito foi abafado por uma mão que apertou fortemente sua boca.

Aqtai piscou os olhos de terror quando ouviu uma voz silvar em seu ouvido.

— *Silêncio!*

A ponta nas costas cutucou mais fundo e ele balançou a cabeça freneticamente. Quando a mão foi removida, vagarosamente, de sua boca, ele se virou e viu Khadir a sorrir-lhe. O adivinho estava apontando uma adaga com cabo de ouro para ele.

— O que você está fazendo? — Aqtai apontou para a abertura da tenda com um dedo trêmulo e tentou recuperar o fôlego. — Saia daqui!

Sentiu-se desolado ao ouvir que as palavras lhe saíam mais como um guincho do que como um comando.

Khadir girava a adaga entre os dedos e o rubi engastado no cabo capturava a luz em suas profundezas rubras.

— Meu mestre me enviou. — A voz dele desceu até quase um sussurro. — Ele tem uma mensagem para você.

— Que mensagem?

Khadir disparou na direção de Aqtai e conduziu a lâmina até que essa parasse a centímetros do seu estômago. O chefe do estado-maior deu um passo para trás e esbarrou na mesa atrás dele, virando uma jarra de vinho.

— Por favor — implorou —, não me mate!

— Meu mestre pede que você o encontre no pavilhão real quando retornar da caçada.

— O que o emir Baybars quer comigo? — balbuciou Aqtai, com os olhos fixos na adaga.

— O emir Baybars não existe mais. — Khadir deu uma risadinha. — Não é com ele que você vai se encontrar.

Riscou a adaga levemente sobre a barriga de Aqtai, a lâmina cortando os finos fios de seda. Ele se deteve no peito do homem.

— Você se reunirá com o *sultão* Baybars.

— O que você...? — Aqtai se calou e os olhos se arregalaram.

— Você irá saudá-lo no pavilhão real e convidá-lo a sentar no trono como sultão do Egito e comandante do exército mameluco.

— *Não!* — A voz de Aqtai se ergueu. — Prefiro ver Baybars enforcado antes disso!

Saiu em disparada para a esquerda, a adaga traçando uma linha vermelha em sua pele, e mergulhou rumo à abertura da tenda.

Khadir num instante estava diante dele, empurrando-o para o chão com uma força que o assustou. O adivinho postou-se sobre o chefe do estado-maior do sultão e abriu o manto imundo, revelando o corpo morto da lebre que havia apanhado naquela madrugada, o qual estava atado pelas orelhas a uma corda na cintura.

Khadir arrancou o animal da corda e segurou-a acima de Aqtai, que estava esparramado no tapete, ofegando.

— Dei um nome a esta criatura — disse o adivinho. — O nome de Aqtai.

Khadir levantou a adaga e fez um corte abrindo a boca da lebre.

— Aqtai deve falar apenas o que lhe ordenamos a dizer.

Decepou uma das orelhas da lebre.

— Aqtai não deve tolerar que más palavras sejam ditas de Baybars.

O adivinho arrancou um dos olhos da criatura e deixou o cair, parando de pernas abertas sobre a barriga de Aqtai.

— E Aqtai deve ver unicamente o poder do novo sultão.

Depositou a lebre sobre o peito ofegante do chefe do estado-maior.

— E se Aqtai deixar de fazer isso... — Khadir pegou a adaga e fez um longo corte atravessando a barriga da lebre. Sangue e entranhas azul-violeta se derramaram sobre suas mãos, encharcando o manto de Aqtai. — Ele morrerá.

* * *

Baybars atravessou o capim salpicado de lebres. A comitiva havia se dispersado para apanhar os arpões caídos e Omar e Kalawun separaram-se atrás do sultão. Baybars seguiu direto até Kutuz, que estava apanhando uma lebre que havia matado.

Kutuz ergueu o animal pelas orelhas.

— Teremos um bom banquete esta noite! — disse, apontando para a presa. Olhou em volta quando Baybars se aproximou. — Uma boa caçada, não foi, emir?

— Sim — respondeu Baybars —, uma boa caçada.

Kutuz olhou para os dois *mu'izziyya* que estavam atrás de Baybars. Fez um sinal de cabeça para eles. Baybars, com toda a atenção concentrada em Kutuz, não notou os guardas sacarem os sabres às suas costas. Mas Omar sim.

— Meu senhor sultão! — gritou, desembainhando a espada.

Kutuz voltou-se para ele, desviando os olhos de Baybars. O sorriso desapareceu ao ver a lâmina nas mãos de Omar. Omar levantou a espada e olhou para os homens.

— Vamos prestar homenagem ao nosso senhor! — gritou, caindo de joelhos perante Kutuz.

Os comandantes olharam-se, depois seguiram o exemplo de Omar, para não parecer descorteses, e o mesmo fez Kalawun. Os *mu'izziyya* e Baybars, que tinha as sobrancelhas franzidas para Omar, permaneceram de pé. Mas, depois de um momento, também posicionaram suas espadas num gesto de lealdade e se ajoelharam no capim. Os olhos de Omar voltaram-se brevemente para Baybars, que estava no chão atrás do sultão. Ele deu um leve sorriso.

Kutuz olhou para todos, surpreso.

— Meu senhor — disse suavemente Omar. — Posso jurar-lhe minha lealdade?

Kutuz sorriu e ofereceu a mão.

— Você pode.

Omar segurou a mão com firmeza e beijou-a.

Kutuz ouviu um grito, depois sentiu uma dor intensa nas costas. Vacilou, caindo de joelhos, e, olhando para baixo, viu a ponta de uma espada projetando-se do estômago. A espada foi puxada e o sangue escorreu num jorro quente pelas coxas, enquanto uma dor terrível o engolia. À sua volta, ouviu o tilintar de aço contra aço e, indistintamente, por entre a caligem de sua visão, percebeu Omar se erguer e avançar, com Kalawun, para atacar os guardas. Tentou ficar de pé, mas o corpo não obedeceu ao comando e simplesmente pendeu inutilmente para diante. Tossiu fracamente e espalmou a mão sobre a grama úmida, ao lado de uma das lebres. Viu um par de botas caminhar para dentro de sua linha de visão e levantou a cabeça, que parecia feita de pedra. Baybars parado acima dele. O sabre na mão do emir tinha estrias de sangue. Baybars chutou o braço com que Kutuz se apoiava e ele tombou de lado e rolou sobre as costas. Sentiu a umidade fria da terra infiltrar-se nele e ouviu uma voz que parecia vir de muito longe.

— Não sou mais seu escravo.

Baybars se afastou. Quatro *mu'izziyya* estavam mortos, os outros haviam se rendido. Ele se aproximou de Kalawun, que apontava a lâmina para os dois comandantes que ainda tinham espadas nas mãos.

— Larguem as armas — gritou.

Um dos comandantes protestou.

— Você não pode fazer isso!

— Acabei de fazer.

Os dois homens, indefesos, deixaram cair as espadas. Kalawun recolheu as armas e fez um aceno de cabeça para o comandante que lhe havia informado dos planos de Kutuz.

Baybars dirigiu-se à margem do lago. Após largar o sabre na areia, entrou na parte mais rasa para lavar o sangue das mãos. Então se levantou, protegendo os olhos contra o brilho do sol, e olhou para o lado oposto das águas, onde um bando de flamingos levantava voo sobre o lago numa nuvem rosada. Baybars riu. Aquilo era seu. O lago, a planície, as aves; tudo lhe pertencia. Dragou a água límpida com as mãos. Ela era sua. Pela primeira vez em anos, talvez desde sempre, não havia nada a atá-lo: nem as cordas da escravidão, nem os laços da lealdade. Ele se viu livre.

A comitiva desfalcada cavalgou para o acampamento, Omar e Kalawun na dianteira ao lado de Baybars. Haviam trazido a égua branca do sultão e os cavalos dos guardas mortos, mas, apesar dos protestos dos guardas sobreviventes e de um dos comandantes, Baybars havia deixado o corpo de Kutuz insepulto, no capim ao lado do lago. Os soldados no acampamento pararam o que estavam fazendo quando a comitiva passou por eles e os olhares incidiram sobre as montarias sem cavaleiros. Baybars puxou as rédeas do cavalo diante do pavilhão real e saltou de cima dele, enquanto vários comandantes apressaram-se em sua direção. Ignorando os chamados, entrou a passos largos no pavilhão aberto. Aqtai estava postado sobre o pódio ao lado do trono, pálido e trêmulo. Khadir estava ao seu lado. Baybars fez um cumprimento de cabeça ao adivinho e subiu no pódio para confrontar os homens que se aglomeravam em torno do pavilhão. Outros mais juntaram-se a eles à medida que os soldados vieram correndo, movidos pelos chamados dos companheiros.

A voz profunda de Baybars ecoou pelo acampamento.

— O sultão Kutuz está morto!

Aqtai se adiantou a um olhar de Khadir.

— Emir Baybars — chamou, com sua voz trêmula. — O trono é seu.

Os murmúrios da multidão, que haviam começado com o anúncio, agora se elevavam a um coro de gritos chocados e vivas exultantes. Baybars sentou-se no trono, pondo as mãos sobre os dois leões de ouro nos braços do assento real.

Aqtai caiu de joelhos perante ele.

— A vós empenho minha submissão, Baybars Bundukdari, sultão do Egito!

Os soldados e oficiais do regimento *bahri* foram os primeiros a seguir o exemplo de Aqtai, depois os dos outros regimentos e os homens das companhias livres. Os guerreiros de manto branco dos *mu'izziyya* fitaram uns aos outros, estupefatos, quando se deram conta de que também haviam sido substituídos: os *bahri* seriam novamente a Guarda Real. Porém, um a um, também se curvaram diante do novo líder.

Kalawun e Omar ficaram de pé, foram se posicionar cada um de um lado do trono e o primeiro levantou a espada.

— Um viva a Baybars al-Malik al-Zahir!

O exército mameluco se ergueu em uníssono para seguir o chamado e o nome de Baybars foi elevado ao céu.

— Um viva a Baybars al-Malik al-Zahir! Viva Baybars, o Soberano Vitorioso.

Baybars levantou-se do trono e caminhou até a borda do pódio. Ergueu as mãos pedindo silêncio.

— Kutuz planejou estar aqui, diante de vocês esta noite, para fazer um discurso em celebração à nossa grande vitória contra os mongóis. — Alguns gritos de aclamação continuaram. — Mas não falarei de nossos triunfos. Devo falar dos nossos fracassos. — As aclamações cessaram. — Pois fracassamos.

A voz de Baybars ecoou em meio ao silêncio dos homens.

— Por muito tempo definhamos sob o domínio de governantes que careciam da vontade de nos liderar no caminho da vitória. Por muito tempo nos acomodamos na segurança de nossas fortalezas, enquanto na Palestina o nosso povo vive sem qualquer outra escolha senão lutar e morrer. Por muito tempo permitimos que o Ocidente rastejasse como uma sombra através de nossas terras. Pois há quase duzentos anos ele manda soldados, com suas cruzes e espadas, para nos aviltar e destruir. Seremos para sempre escravos diante da presença deles?

— Não — responderam alguns gritos esparsos.

— Ficaremos parados sem fazer nada?

As negativas se tornaram mais altas, à medida que mais homens somavam suas vozes.

— Não ficarei parado! — rugiu Baybars. Desembainhou o sabre, enquanto as vozes eram submersas por um aplauso ensurdecedor. — O tempo de esperar e observar se acabou.

Suas palavras crepitaram entre eles.

— Vocês ficarão ao meu lado contra os francos?

O exército mameluco respondeu-lhe em uníssono.

Baybars apontou o sabre para o céu.

— Eu invoco a *Jihad*!

# 14
# Templo, Paris
## 26 de outubro de 1260

Uma garoa leve estava caindo, formando gotas nas cabeças curvadas dos homens e aderindo à vela que pendia flácida do mastro, sem vento algum para inflá-la. Tudo era silêncio; os remos não faziam nenhum som ao se erguer e cair, e ninguém falava nada. A cidade que despontou depois da curva do rio estava velada por uma neblina úmida; um borrão escuro que ficava progressivamente maior a cada movimento dos remos. À frente, o rio se dividia em dois, correndo de cada um dos lados de uma ilha que abrigava diversas estruturas grandes e imponentes, sendo a mais alta e magnífica uma catedral ofuscantemente branca no lado mais afastado. O *Opinicus* tomou o ramo esquerdo do rio, cortando a água entre a ilha e a margem, deslizando ao lado de uma fortaleza com jardins que se estendiam até a beira d'água, onde fantasmas de árvores assomavam no ar esbranquiçado. A fortaleza ficou para trás revelando igrejas, monastérios, mansões majestosas e depois casas frágeis, um mercado e fileiras abarrotadas de oficinas e estalagens, entrecruzadas por ruas estreitas.

Will observou as pessoas se movendo nas margens, entrando em estalagens, saindo de igrejas, como numerosas formigas à sombra do formigueiro. Vestiam-se todas de preto. A chuva agora estava mais pesada, caindo silenciosamente sobre os telhados, os pináculos das torres e os corpos dos nove homens mortos estendidos no tombadilho, amortalhados nos mantos; brancos para os cavaleiros, pretos para os sargentos e os tripulantes. O dilúvio lavava o sangue dos corpos, formando poças vermelhas que manchavam as tábuas. Elwen estava ajoelhada ao lado de Owein, com os nós dos dedos pressionados contra os olhos. Will observava o sangue do tombadilho ser embebido pelo vestido dela, encharcando o tecido delgado.

— Venha — disse, com a voz abafada.

A mancha rubra se espalhou pelo estômago, peito, pescoço.

— Elwen! — chamou, agora com urgência. — O sangue...

De repente, ela estava diante dele, esfregando a face do rapaz com o dedo, e seus olhos verdes riam.

— Will Campbell — ela o repreendeu de um modo zombeteiro —, seu mestre não está morto.

Will virou-se para o corpo de Owein e viu que ela estava certa.

— Para ser um templário, você deve estar disposto a fazer muitos sacrifícios — disse Owein, atravessando o tombadilho em direção a ele.

Os olhos de Will se fixaram na adaga projetando-se do peito.

— Você me matou, sargento.

— Não.

*Você me matou.*

Will percebeu que Owein não havia falado.

— Não o matei — gritou Will, desesperado para que Owein o ouvisse.

Mas o cavaleiro se fora.

Will parou à margem de um lago negro. Alguém estava gritando. O som aguilhoou seus sentidos. Perto dali, uma jovem com cabelos cor de mel estava dançando e a saia escarlate voava. Ela girou na direção dele, cada vez mais perto, e, enquanto rodopiava, a saia se tornava uma névoa vermelha em torno dela. A garota passou por ele e quando se foi, Will enxergou um homem parado à sua frente. Os olhos castanhos do homem contemplavam-no de um vazio branco onde o rosto deveria ter estado. Levantou lentamente a mão, tentando alcançar uma ponta de pele branca que Will viu pender da têmpora. Apanhou a ponta e a puxou. A brancura se rasgou com um som semelhante ao de um pergaminho sendo rompido. Quando a máscara caiu, Will gritou.

— Você a matou! — disse seu pai, estendendo-lhe a mão e apertando seu ombro.

— Ele vai fazer isso todas as noites?

A voz tinha vindo do catre adjacente.

O sargento acocorado ao lado de Will voltou-se na direção dela.

— Quieto, Hugues. — Ele olhou novamente para Will. — Seus gritos nos acordaram.

Will empurrou para trás os cabelos que lhe caíam nos olhos. O cobertor estava emaranhado nas canelas e a camiseta e as ceroulas estavam encharcadas de suor, aderindo gelidamente à pele. Repeliu do seu ombro a mão do sargento.

— Estou bem.

O sargento, que se apresentara no dia anterior como Robert de Paris, deu de ombros e atravessou o aposento até sua cama.

Will arrancou o cobertor e pousou os pés nas pedras geladas. Um ronco alto e irregular partiu de um dos leitos quando se levantou. O sargento chamado Hugues bufou e se virou, puxando o cobertor sobre os ouvidos. Will foi até a mesa, sobre a qual estavam postas uma jarra, uma bacia e a vela para a noite. A vela havia diminuído, a cera derretida formando uma poça que se solidificava em volta da base. Gotas de um amarelo cremoso pendiam suspensas como pingentes de gelo do candeeiro. Will introduziu as mãos em concha na jarra e levou-as ao rosto, fazendo com que a água provocasse um choque na pele. Depois foi até a única janela redonda e sentou-se no parapeito, apoiando-se na curva da pedra. O vento era gelado. Olhou em volta quando outro ronco se fez ouvir e Hugues deu um suspiro de contrariedade. Will era um estranho ali, perturbando a rotina deles, sua familiaridade. Ele lhes contara fragmentos da batalha de Honfleur, mas não havia contado o que acontecera depois dela. O caos nas docas e os dias no navio que haviam se passado em silêncio.

Depois da batalha, os homens que haviam perseguido os seis atacantes fugitivos retornaram às docas após terem matado dois deles, mas perdido os outros. Os cavaleiros queriam ficar para caçá-los e descobrir quem os havia mandado. Mas o capitão do *Opinicus* queria apenas deixar o porto imediatamente.

— Eram mercenários! — gritou um dos cavaleiros, um homem de meia-idade chamado John. — Devemos descobrir quem os mandou!

Os atacantes haviam sido revistados, mas os cadáveres não revelaram qualquer pista de quem fossem ou como haviam descoberto sobre a carga do navio. Os tripulantes remanescentes içaram os corpos do tombadilho para as docas. Duas máscaras de caveira flutuavam no rio, brancas faces gêmeas agitando-se na superfície.

— Três dos meus tripulantes estão mortos — respondeu o capitão, com amargura. — O *Opinicus* parte antes que não restem mais mãos para navegá-lo.

— Não farão outra tentativa. Pelo amor de Deus, matamos a maior parte do grupo deles! Vamos terminar isso.

— Você não sabe — insistiu o capitão. — Pode haver mais deles.

— Temos de encontrar os responsáveis — disse John, num tom baixo.

Um dos sargentos desembainhou a espada.

— Acho que deveríamos perguntar para *ele* quem é o responsável.

Apontou a lâmina para Hassan, que estava no navio, observando em silêncio a transferência.

Alguns dos cavaleiros e o capitão voltaram-se para Hassan, cujos olhos não abandonaram o sargento.

— Você tem motivo para me acusar? — perguntou ele, calmamente.

— Você é um sarraceno — disparou o sargento. — De que outro motivo preciso? Ninguém sabe por que você está aqui. Ninguém o conhece.

— Sir Jacques me conhecia. A palavra de um cavaleiro não basta para você?

— Sir Jacques está morto!

— Chega — disse John, avançando um passo e pousando uma das mãos sobre o ombro do sargento.

A gritaria prosseguiu por algum tempo, até que a opinião do capitão do *Opinicus* saiu vitoriosa e um sargento foi mandado até a preceptoria para acordar a rainha. Essa chegou à zona portuária com o séquito, o padre e vários irmãos locais.

O corpulento sacerdote retorcia as mãos, olhando em torno com incredulidade, como se esperasse acordar a qualquer momento.

— Deus tenha piedade! — seguia dizendo. — Deus tenha piedade!

A rainha inspecionou a carnificina com as mãos pressionadas nas faces. O povo, que viera da praça do mercado durante a comoção, ainda se demorava nos arredores do porto. Lançavam olhares para a rainha quando essa passava e cochichavam uns com os outros.

— As joias? — perguntou Eleanor, numa voz fina como papel, com os olhos nos corpos espalhados no tombadilho e no trapiche das docas.

— Estão a salvo, minha senhora — disse John.

As joias haviam sido coletadas das imediações do baú quebrado, por onde haviam se espalhado, e depositadas numa caixa sem adornos que fora guardada na cabine.

Depois que a rainha e o séquito subiram a bordo do *Opinicus*, dois cavaleiros se dirigiram ao corpo de Sir Owein, que havia sido deixado nas docas. Até aquele momento, ninguém parecia disposto a perturbar Elwen, que cobria com o corpo o cadáver do tio. Will tentara movê-la, mas sem sucesso.

Os cavaleiros não foram tão gentis.

— Ela é a sobrinha de Sir Owein? — um deles perguntou, avançando até Will.

O rapaz fez que sim.

— O que, em nome de Deus, ela está fazendo aqui?

Will não viu razão para mentir. Contou ao cavaleiro que ela havia embarcado clandestinamente no *Endurance*.

O cavaleiro praguejou e meneou a cabeça em sinal de contrariedade. Ele se curvou e agarrou Elwen pelos braços.

— De pé, garota!

Will avançou um passo quando Elwen gritou.

— Retire-se, sargento! — berrou o segundo cavaleiro, ajudando o companheiro a afastar Elwen. — Owein está morto. O choro dela não o trará de volta.

Posicionada entre ambos, os cavaleiros em parte arrastaram, em parte carregaram Elwen até o *Opinicus*, onde a deixaram afundada num dos bancos. A brutalidade deles a chocara a ponto de afastar as lágrimas e ela sentou-se num silêncio exaurido, assistindo com um olhar vazio enquanto o corpo de Owein era deitado no tombadilho e coberto com o manto branco.

Três cavaleiros, com o padre e os irmãos da preceptoria, saíram para vasculhar o porto em busca de qualquer sinal dos quatro atacantes sobreviventes. Logo retornaram. Os cavaleiros ordenaram que os homens da preceptoria de Honfleur continuassem as buscas ao romper do dia. Mas ninguém alimentava muita esperança. Ao padre e aos irmãos também foi dada a incumbência de sepultar os mercenários.

— Não os ponha em terreno consagrado — acrescentou John.

— Irmão — disse o padre, chocado —, certamente não podemos entregar suas almas a Satã sem um julgamento ou um veredicto justo.

— Eles receberão seu julgamento no inferno.

Will havia subido a bordo atrás dos cavaleiros, carregando a espada de Owein, que depositou ao lado do mestre. Foi então que viu Garin ajoelhado junto ao corpo de Jacques. O amigo havia afastado o manto da cabeça do cavaleiro e contemplava seu rosto, que estava congelado no sorriso que exibia no momento da morte. As faces de Garin estavam úmidas e as mãos fechadas em punhos sobre os joelhos. Estendeu uma delas para tocar a face do tio, depois parou, com a mão pairando no ar acima do tapa-olho de Jacques. Quando Will pôs a mão sobre seu ombro, Garin estremeceu e se virou, com o rosto contorcido pela dor.

— *Não me toque!*

Will recuou, assustado pela veemência na voz dele. Deixando Garin a fitar o corpo do tio, atravessou o tombadilho até um dos bancos e sentou-se com a cabeça entre as mãos.

O caos que se seguiu à batalha havia sido difícil. Porém pior foi o silêncio que se abateu enquanto o *Opinicus* navegava pelo Sena: um silêncio que se fechou como um punho em torno da comitiva. Os guardas e pajens da rainha sentaram-se nos bancos com os cavaleiros e sargentos. Só havia espaço suficiente para a soberana e as criadas na cabine, abarrotada que estava com seus pertences. Entre todos, apenas Elwen parecia capaz de expressar sua dor. Seus soluços haviam recomeçado no meio da noite e prosseguiram até o amanhecer. Até mesmo Will, que compartilhava sua dor pela morte de Owein, havia desejado que ela ficasse quieta. Em dado momento, um dos sargentos gritou com ela e sua voz soou terrivelmente alta em meio à quietude. A porta da cabine abriu-se um momento depois para revelar a rainha Eleanor, com o rosto pálido emoldurado no umbral.

— Você não tem coração? — disse ao sargento, que ficou olhando-a boquiaberto.

A rainha foi até Elwen e ajudou-a a se levantar com palavras suaves de encorajamento, que recordaram a Will o modo como Simon sempre acalmava os cavalos no estábulo do Novo Templo durante as tempestades. Conduziu Elwen até a cabine, onde ambas permaneceram durante a maior parte da jornada, que se passou, para Will, em estado de alheamento. Não havia nada a fazer além de aguardar e observar a paisagem que se modificava lentamente e as moscas que zumbiam em volta dos corpos sobre o tombadilho.

Quando o *Opinicus* chegou a Paris, tarde da noite, um dos membros da tripulação se dirigiu antecipadamente à preceptoria para fazer com que carroças fossem mandadas às docas a fim de recolher os caixotes de sal e cerveja e os mortos. A rainha enviou dois de seus guardas ao palácio, onde a irmã, a rainha Margarida, a esperava. Quando uma carreta e uma carruagem puxada por quatro cavalos pretos chegaram, Elwen foi conduzida para dentro com as criadas, enquanto os pertences da rainha, tudo à exceção das joias da coroa, foram carregados na carreta.

— Eu a levarei ao palácio — disse a rainha aos cavaleiros, subindo para o interior almofadado do veículo. — A preceptoria não é lugar para uma mulher. Principalmente se estiver de luto — disse, lançando um olhar para o sargento que havia gritado com Elwen.

Quando a carruagem partiu, os cavaleiros e sargentos marcharam através das ruas sinuosas da cidade, passando por fileiras de oficinas, pela sede dos hospitalários, depois subindo pela Rue du Temple, até a preceptoria, que ficava além dos muros da cidade, numa agradável extensão de campos. Will havia prestado pouca atenção aos arredores. Quando chegaram à preceptoria, foi-lhe mostrado um dormitório, onde passou a maior parte do dia que se seguiu.

Agora passava seu segundo dia em Paris, o dia do funeral de Owein.

Quando o sino das Matinas repicou, Will continuou sentado no parapeito da janela, enquanto os outros sargentos se levantavam dos catres com um coro de bocejos e conversas abafadas. Os sotaques eram estranhos a Will, mas quando falavam em latim ele os entendia. Nas preceptorias, com tantos cavaleiros de terras diferentes vivendo juntos, o latim havia se tornado a língua comum.

Os sargentos atiraram as túnicas pretas por cima dos calções e das camisas e se revezaram na jarra e na bacia, borrifando os rostos. Do lado de fora, ainda estava totalmente escuro. Três dos sargentos já haviam saído quando Robert chegou à mesa para mergulhar as mãos em concha na água gelada. Enxugou a face com a orla da túnica, arrumou os belos cabelos louros com os dedos e acenou com a cabeça para Will.

— Você vem para a capela? — perguntou, dirigindo-se ao armário no canto do aposento e abrindo as portas duplas.

Will fez que não.

— Deixe-o ficar, Robert, se é isso o que ele quer.

Will olhou para Hugues, que estava alisando a túnica. Hugues lançou-lhe um olhar penetrante.

— Talvez você deva dormir quando saímos. Assim não teremos que compartilhar seus sonhos.

Robert revirou os olhos. Havia apanhado um graveto numa das prateleiras do armário e estava palitando os dentes, que eram incomumente brancos.

— Não ligue para ele — disse para Will, retirando o graveto da boca. — Hugues só está de mau humor por falta de sono.

Hugues encarou Robert.

— Não fale de mim como se eu não estivesse aqui! Você sempre faz isso!

Will, observando-os, sentiu uma ponta de sorriso. Os dois jovens, que eram ambos um ano mais velhos do que ele, não podiam ser mais diferentes. Robert era alto e esguio, com uma beleza quase feminina nos ângulos delicados dos maxilares salientes e as sobrancelhas arqueadas. Hugues era baixo e gorducho, com olhos muito juntos e escuros, que espreitavam por baixo de um punhado de cabelos pretos lisos, de cada lado de um nariz grosseiro e arrebitado.

Hugues deu as costas para ambos e foi até o armário. Apanhou um manto preto que atirou sobre os ombros.

— Não lhe dê atenção — disse Robert, calmamente, para Will. — Ele apenas desconfia de qualquer um que não conheça. — Como Will não disse nada, Robert acrescentou. — Por causa de seu nome.

— Do nome dele? — perguntou Will num tom indiferente.

— Hugues de Pairaud. Humbert, o mestre da Inglaterra, é seu tio. A família Pairaud serve ao Templo há anos e Hugues teme que algum sargento, dos de linhagem menos nobre, possa procurar amizade com ele para obter vantagens pessoais.

— De que vocês estão falando? — intimou Hugues, alisando o manto enquanto atravessava o aposento.

Robert voltou-se para ele.

— Só estava contando a Will que você será grão-mestre algum dia.

— Isso é verdade — respondeu Hugues, com arrogância. — Ou pelo menos visitador do Reino da França. É para isso que venho me prep...

— Se você falar da sua preparação novamente, vou açoitá-lo. — Robert se interpôs diante dele. Atirou o gravelo sobre o catre e conduziu Hugues em direção à porta. — Vamos, Hugues. Deus deu-lhe uma alma, vejamos se Ele pode lhe dar um coraçãozinho para acompanhá-la. — Piscou para Will ao deixar o alojamento.

Algum tempo depois, o sino das Matinas cessou os badalos, sinalizando que o ofício havia começado. Will não deixou o parapeito da janela. Todos os dias, durante os últimos quatro anos, primeiro com o pai, depois no Novo Templo, havia se levantado antes do alvorecer para o primeiro ofício. Não se ajoelharia naquele dia. Em vez disso, assistiu ao céu gradualmente se iluminar e ouviu a melodia dos pássaros começar.

Os alojamentos dos sargentos estavam situados em torno de um quadrante próximo aos estábulos. Sobre o telhado da cavalariça, podia ver campos se estenderem, coroados por carvalhos nodosos e bétulas prateadas. Cúpulas de vime se espalhavam por um dos campos, para as abelhas que proviam mel à preceptoria. Um riacho cortava o capim até um moinho d'água. Além do moinho, tanques de peixes refletiam o céu pálido do amanhecer e as silhuetas indistintas dos anexos e celeiros que Robert lhe dissera que abrigavam as dependências dos servos, o arsenal, o guarda-roupa, a panificadora e o silo. Havia um forno de olaria. Se Will se inclinasse o bastante para fora da janela, poderia ver as altas torres do calabouço. O Templo de Paris, a principal preceptoria do Ocidente, era muito maior e mais grandioso do que o Novo Templo, que agora lhe parecia um tanto humilde em comparação.

Quando a dor nas costas e nas pernas se tornou insuportável, Will escorregou para fora do parapeito. Contemplou a sacola que havia depositado aos pés do catre. Agachando-se, puxou a espada, a túnica e os calções que havia usado durante a luta. As manchas de sangue haviam secado no tecido. Will largou as roupas dentro da bacia e começou a esfregá-las. A água logo assumiu uma coloração castanho-avermelhada. Esfregou com mais força. A água espirrou sobre a borda da bacia, empoçando a mesa e respingando no chão. O cheiro rançoso do sangue invadiu o aposento, fazendo o estômago de Will se revolver. Viu os olhos do mercenário arregalados por trás da máscara de caveira quando a lâmina em sua mão desceu sobre ele. Sentiu novamente aquele impacto nauseante. Chocou-o descobrir como era fácil matar outro homem, saber quão frágil era a carne humana. Sentiu-se aliviado, ao menos, por não ter visto a face do homem. Poderia tê-lo feito; os corpos dos mercenários, despojados dos disfarces, haviam sido empilhados nas docas de Honfleur. Poderia ter descoberto qual deles havia sido sua presa, mas manteve-se bem afastado. Um homem de máscara era inumano. Sem família, sem história, sem futuro.

Uma voz de rapaz gritou do corredor do lado de fora do quarto. Passos ecoaram, depois se apagaram. Will deixou as roupas no parapeito da janela, perguntando-se se alguém notaria que não havia comparecido à capela, que não havia nem mesmo deixado o dormitório. Mas a única pessoa que realmente conhecia ali era Garin, e não haviam se encontrado desde a chegada nem ficaram no mesmo alojamento.

Ele se pôs a limpar o alfanje. A espada não era mais um brinquedo de criança para bancar o soldadinho, nem um presente de um pai amoroso. Era um instrumento de morte. Enquanto esfregava a extensão da lâmina, o sangue seco destacando-se e esfarelando do gume, Will tentou imaginar o pai sentado ao seu lado, dizendo-lhe que havia feito a coisa certa; que aquilo fora necessário e que era para isso que tinha sido treinado; que aquele era seu dever. Mas só o que conseguia escutar era o pai, numa voz monótona que o traía, dizendo que não fora sua culpa, que aquilo havia sido um acidente e que não culpava o filho.

O sino bateu enquanto os cavaleiros e sargentos seguiam o padre, que conduzia a Missa do Réquiem, para fora da capela. Will caminhou ao lado do caixão de Owein, que era carregado por quatro cavaleiros do Novo Templo. Os dois outros cavaleiros que haviam sobrevivido à batalha, a tripulação do *Opinicus*, Garin e uma hoste de cavaleiros, padres e sargentos que Will não reconhecia transportavam os oito caixões restantes ou caminhavam atrás deles. Robert e Hugues estavam ambos ali, mas de Elwen não havia sinal. Will ficou ressentido de que tantas pessoas que não conheciam Owein estivessem ali para o seu funeral. Sentia-se zeloso do mestre e da própria importância como sargento de Owein.

O padre conduziu a procissão ao terreno da capela, que estava situado num recesso murado. Ao lado do clérigo, caminhava o visitador do Reino da França, comandante das fortalezas do Ocidente, cujo posto era subordinado apenas ao do grão-mestre. O visitador era um homem de aspecto suntuoso, com uma barba aparada em forma de tridente. No lado oposto do cemitério, nove tumbas haviam sido abertas em fileira. Os homens formaram um círculo em torno das sepulturas quando os caixões desceram à terra. Will desviou o olhar enquanto o caixão de Owein desaparecia, balançando ao ser baixado por meio de cordas, centímetro a torturante centímetro.

O padre começou a salmodiar. "*Requiem aeternam dona eis, domine, et lux perpetua luceat eis.*" Dá-lhes o repouso eterno, ó Senhor, e permite que a luz perpétua brilhe sobre eles.

Depois das orações, o padre estendeu a mão ao solo, apanhou um punhado de terra e atirou-o sobre o caixão de Owein. Passou sucessivamente por todas as sepulturas e fez o mesmo em cada uma delas.

— Pois tu és pó e ao pó tornarás.

O visitador deu um passo à frente e desembainhou a espada. Segurando o cabo com ambas as mãos, levantou a lâmina.

— Que aquilo que sacrificamos aqui em baixo seja recompensado nas alturas. Quando nossos irmãos adentrarem o Reino, que possam encontrar a paz nos braços de Deus.

Embainhou novamente a espada e recuou para se posicionar ao lado do padre, enquanto os coveiros suspendiam as pás. Os baques dos torrões de terra atingindo os caixões tinham o timbre oco da finitude.

Will continuou ao lado das sepulturas enquanto a companhia começava a deixar o terreno da capela. Garin saiu pela arcada na parede. Ele não havia lhe dito nem uma palavra, não havia sequer olhado para Will durante toda a cerimônia. Will, exausto demais para ir atrás do amigo, ajoelhou-se, sentindo a grama úmida encharcar os calções. Em Honfleur, havia desejado contar a Garin sobre a carta que encontrara no solar, mas agora isso já não importava. Suas preocupações com a lealdade de Jacques haviam desbotado até a insignificância mesquinha em face do que havia acontecido nos últimos dias. Will viu o visitador aproximar-se dos cavaleiros do Novo Templo.

— Partiremos para Londres depois de amanhã, senhor — disse John, o cavaleiro que havia assumido o comando depois da batalha. — Com as joias em segurança nos cofres e nossos irmãos deixados para descanso aqui, há pouca necessidade de que fiquemos. O mestre da Inglaterra precisará ser informado do que aconteceu. Uma investigação sobre esse assunto deve ser iniciada tão logo seja possível. — Abaixou a voz. — Embora tema que isso possa ser difícil. Ninguém fora do Templo sabia dos detalhes de nossa viagem, mas o rei Henrique tornou claro que cedia as joias de má vontade. Não é inconcebível que pudesse ter tentado recuperá-las.

— Farei com que um navio esteja preparado — respondeu o visitador. — Informe ao mestre Pairaud que tudo de que ele precisar para a investigação, seja a força das armas ou ajuda financeira, está à sua disposição. Ele tem plena autoridade nesse caso. Mandarei uma mensagem ao grão-mestre Bérard, em Acre.

— Sim, senhor.

Quando a última das sepulturas foi fechada, pedreiros trouxeram lajes de granito para cobrir os montículos. No dia seguinte, para não perturbar a passagem das almas dos homens para o Paraíso, os pedreiros cinzelariam os contornos das espadas dos cavaleiros nas lápides.

Will ergueu o rosto quando alguém tocou seu ombro e viu Robert.

— Você quer que eu fique?

— Não — disse Will, olhando para o outro lado e enxugando rudemente os olhos com a manga.

— Tenho deveres a cumprir no arsenal. Estarei lá pelo resto do dia, se você precisar de companhia.

Robert se afastou, mas Will ainda não estava só; um padre postou-se ao seu lado. A face estava parcialmente oculta pelo halo formado pelo capuz, mas Will pôde ver que o homem era velho, mais velho do que qualquer pessoa que já tivesse conhecido. Mechas de cabelo brancas e frágeis como teias de aranha tremulavam em volta do pescoço do sacerdote e a barba era irregular na altura do queixo, onde uma feia cicatriz contorcia sua boca num permanente esgar. Estava encurvado e imóvel como uma árvore negra e nodosa, sem dar qualquer sinal de que tivesse sequer notado Will.

O rapaz tocou brevemente o solo em volta da sepultura de Owein e se ergueu. A proximidade silenciosa do padre causava-lhe desconforto.

— Espere — disse, correndo atrás de Robert. — Vou com você.

Robert fez que sim, mas não disse nada enquanto Will acertava o passo ao seu lado. Quando caminharam para fora da trilha, Will olhou para trás na direção do sacerdote.

— Quem é aquele? — perguntou.

Robert olhou para trás.

— Padre Everard de Troyes. — Deu um meio sorriso. — Mas não se deixe enganar pela aparente decrepitude. Eu preferiria cruzar com o Diabo.

— O que quer dizer?

— Você viu a mão dele? Aquela que tem dois dedos faltando?

Will não havia visto, mas balançou a cabeça mesmo assim.

— Ele os perdeu em Jerusalém, quando os *khorezmi* retomaram a Cidade Sagrada, 16 anos atrás. Combateu e matou dez guerreiros sozinho. Estava na Igreja do Santo Sepulcro quando o ataque começou e teve de ficar escondido sob os corpos dos padres mortos durante três dias para evitar ser capturado.

O tom de Robert era sério, mas Will teve a impressão de que ele gostava de contar essa história.

— Você consegue imaginar isso? Três dias naquele calor, com as moscas e o fedor? Dizem que foi o único cristão a sobreviver ao massacre.

Pouco antes de os dois atravessarem a arcada que conduzia para fora do terreno da capela, Will olhou para trás e viu o velho ainda imóvel ao lado das sepulturas. Pensou que uma rajada de vento mais forte poderia derrubar o padre de aspecto frágil que havia enfrentado dez guerreiros.

*Templo, Paris, 27 de outubro de 1260*

No dia seguinte, seu último em Paris, Will retornou à sepultura de Owein depois das Nonas, sem saber para onde mais ir. Estava contente por regressar no dia seguinte à familiaridade do Novo Templo — e temeroso por isso. Ao contornar o canto da capela, onde uma gárgula revestida de musgo projetava-se de uma pilastra com um sorriso lunático e cheio de dentes voltado para o céu, Will avistou Elwen ajoelhada ao lado da tumba de Owein, com um ramalhete de lírios nas mãos. O capuz era simples e preto, orlado de branco ao longo da bainha, e os cabelos estavam cobertos por uma touca. Quando ele se aproximou, ela levantou brevemente os olhos, depois olhou novamente para a sepultura.

— Você acha que ele se importaria por eu não ter vindo ao enterro?

— Não — disse Will, calmamente, ajoelhando-se ao lado dela.

— Ninguém foi ao palácio me informar sobre o funeral. Tenho o sangue dele deveria ter estado aqui. — Elwen depositou os lírios sobre a lápide. — Perguntei à rainha Eleanor se poderia vir esta manhã. Um dos guardas dela me escoltou. — Estendeu a mão para arrumar um dos lírios. — Como foi? A cerimônia?

Will encolheu os ombros com indiferença.

— Como todos os funerais.

— Fico pensando se ele teria morrido se eu não estivesse lá. Ele poderia ter sido mais cuidadoso. Poderia ter visto a adaga mais cedo ou...

— Você não pode pensar assim — disse Will, observando-a passar um dos dedos sobre a lápide, onde partículas de quartzo reluziam no granito. O dedo saiu branco de poeira do contorno cinzelado da espada de Owein.

— O que você fará quando retornar?

— Não vou voltar para Londres — disse Elwen, fechando as mãos sobre o colo. — Ficarei aqui.

— Na preceptoria? — Will ficou surpreso.

— No palácio. Quando contei à rainha Eleanor que não podia voltar para a minha mãe, que não tinha nenhum lugar para ir, ela disse que não queria ver mais nenhum sofrimento vindo dessa tragédia. Ela falou com a irmã, a rainha Margarida, que concordou em me tomar ao seu serviço. Sou tratada como camareira. — Elwen voltou-se para Will. — Você devia ver o palácio. É tão grande que não posso deixar meu quarto sem um servo, caso contrário me perco. Há jardins à beira do rio, lindos gramados, centenas de árvores. Parece um lar, um lar de verdade, cheio de gente e risos. — Olhou para a sepultura de Owein. — E estarei perto dele.

— Owein ficaria feliz por você — disse Will tolamente, sentindo o peso da própria vacuidade. Ele não tinha mestre, não tinha um lugar para si. Tentou afastar a inveja do tom de voz. — Essa é uma alta posição.

Will ouviu passos, olhou para trás e viu Garin dirigindo-se às tumbas. Esse parou ao ver Will e Elwen. A garota se levantou.

— Você é Garin de Lyons, não é?

— Sim — respondeu Garin secamente.

Elwen foi até ele.

— Obrigada — disse, com sinceridade. — Você salvou minha vida. Soube que você também perdeu um parente na batalha — acrescentou com voz suave. — Um tio?

— Sim — Garin se afastou.

— Garin! — Will passou por Elwen, que ficou mordendo o lábio e olhando para Garin. — O que há? — perguntou Will, quando alcançou o amigo.

— Nada. — Os olhos de Garin moveram-se brevemente para Will. — Queria um pouco de paz.

— Podemos ir. — Will olhou para Elwen, que balançou a cabeça.

— Eu vou — Garin continuou caminhando.

Will se adiantou e bloqueou seu caminho.

— Garin, por favor, você não fala comigo desde a batalha. O que está acontecendo?

O rosto de Garin se crispou.

— Não quero falar com você.

— Por quê?

Garin afastou-o e correu entre as sepulturas.

— Apenas me deixe em paz.

Will alcançou-o junto à sepultura de Owein. Segurou o braço do amigo com mais força do que pretendia.

— Também perdi meu mestre! — disse. — Sei como você se sente!

- Você não tem nem ideia de como me sinto! — gritou Garin.

Quando deu um rude puxão para se livrar do aperto de Will, algo caiu de sua mão. Will curvou-se para apanhar. Era o tapa-olho de Jacques. O couro estava vincado e aquecido pelo punho de Garin. Esse deu um salto para diante e arrancou o objeto dele.

— Isso tudo foi sua culpa! — gritou.

— O quê? — Will encarou o amigo.

— Todas aquelas vezes em que você se meteu em encrencas! — A voz de Garin estava alta e a face corada. — Todas aquelas vezes em que Owein deixou você se safar sem nada além de palavras duras! O que eu ganhei?

— Isso não é minha...

— Ganhei cada punição que você deveria ter recebido!

Elwen os observava.

— Não puni você, Jacques fez isso. Ele teria feito de qualquer forma, ainda que eu não estivesse ali.

— Não! Se não fosse por você, meu tio não teria necessidade de me punir e eu não teria precisado...! — Garin parou, com os olhos cheios de lágrimas. — Ele está morto. Meu tio está morto. E isso é *sua culpa*!

— Por que você está me culpando? — intimou Will. — Não fiz nada errado!

— Você nunca faz nada errado, não é? — sibilou Garin, com a face ferida distorcida pela fúria. — Owein ainda sentia orgulho de você quando o desobedecia. E seu pai? Ele o alistou no Templo mesmo depois que você matou sua irmã!

Will teve um surto de raiva. Partiu para o ataque, atingindo Garin direto no queixo. Elwen gritou no momento em que Garin tropeçou. Seu tornozelo enroscou na borda da lápide de Owein e ele caiu de costas sobre a laje, amassando os lírios que ela havia posto ali. Will avançou, com os punhos erguidos, depois viu o sangue brotar do lábio de Garin. Recuou.

— Garin. Eu... Eu não...

A voz de Will morreu enquanto Garin se endireitava e tirava a mão, que havia levado à boca. Olhou para o sangue, depois para Will, e em seguida deu uma guinada e se foi, com o tapa-olho de Jacques no punho.

Will se sobressaltou ao sentir um toque no braço.

— Por que você bateu nele? — Elwen murmurou. — O que foi que ele quis dizer sobre sua irmã?

O cenho de Will se enrugou quando viu os lírios esmagados e espalhados pela tumba de Owein.

— Lamento.

Esquivando-se da mão da garota, correu.

# 15
# Templo, Paris
## 27 de outubro de 1260

Will sentou-se no catre, a respiração soando muito alta no dormitório vazio. Marcas vermelhas já haviam aparecido nos nós dos dedos. Garin era a única pessoa a quem havia contado sobre a irmã, nem mesmo Simon sabia. Não podia acreditar que o amigo havia usado aquilo contra ele. Garin. Will levou as mãos à cabeça, sentindo vergonha ao lembrar do sangue vertendo do lábio do rapaz. Com a mão trêmula, tirou de sua sacola um pedaço de pergaminho dobrado. Começara a carta para a mãe pouco antes de partirem para Paris. Ainda estava inacabada. Will sentou-se no catre e contemplou as palavras escritas com a caligrafia pequena e grosseira.

Algumas horas mais tarde, depois que os sinos já haviam tocado o fim das Vésperas, a porta se abriu e Robert entrou.

— Estava me perguntando para onde você teria ido. É quase hora da ceia.

Will estava sentado no leito e tiras de pergaminho estavam espalhadas pelo cobertor. Esfregou o rosto enquanto Robert se aproximava.

— O que aconteceu? — perguntou Robert, olhando para o pergaminho rasgado.

— Não quero falar sobre isso.

Robert deu de ombros e sentou-se ao pé do catre.

— Então, não falaremos.

Will levantou a cabeça.

— Por que ele está me culpando?

— Quem?

— Garin. Ele diz que a culpa por seu tio ter morrido é minha.

— Minha mãe morreu quando eu era mais jovem — disse Robert. — Por algum tempo, meu pai culpava todo mundo pela morte dela, mas não era culpa de ninguém. Foi uma doença. Não havia nada que ele, ou qualquer outra pessoa, pudesse ter feito.

— Jacques foi assassinado. Alguém teve culpa. — Will reclinou-se, olhando para o teto. — Talvez tenha sido eu.

Robert se virou de lado, apoiou o cotovelo na cama e a cabeça na mão.

— Como poderia ser isso?

— Às vezes, queria que Jacques pagasse por ferir Garin. Talvez, ao desejar isso, tenha feito acontecer.

Will passou um dedo vagarosamente pelos nós dos dedos contundidos. Robert apontou as marcas com a cabeça.

— Alguém tem contusões no rosto que combinam com essas aí?

— Garin.

— Por que vocês brigaram?

— Ele disse algo sobre minha irmã — disse Will, sentando-se novamente. — Algo que não deveria ter dito.

Robert aguardou.

— Matei minha irmã — disse Will, de súbito.

As palavras pareceram assumir uma presença tangível no aposento. Esperou que Robert visse a forma escura e distorcida que elas assumiam, amontoadas, ofegantes, no canto do quarto. Por fim, Robert falou.

— Como?

Will ficou em silêncio.

— Como ela morreu? — pressionou suavemente Robert.

Will fechou os olhos.

Meu pai dizia que ela era o seu anjo. Ele costumava trazer-lhe fitas de Edimburgo. Passava horas observando-a brincar. — Will abraçou os joelhos junto ao peito. — Mas Mary não era um anjo. Estava sempre roubando pão da cozinha e pondo a culpa em mim, ou deixando as galinhas fugirem, ou quebrando os ovos, ou ficando amuada por alguém ter-lhe pedido para fazer algo.

"Eu me lembro de que queria que ela desaparecesse, não que morresse, mas que de algum modo ela se perdesse. Não queria isso de fato. — Will lançou um olhar para Robert. — Aconteceu no verão, antes de eu ir para o Novo Templo. Meu pai tinha ido para Balantrodoch. Eu ia até o lago para terminar o bote que estávamos construindo para pescar. Queria surpreendê-lo quando retornasse. Mary me seguiu. Disse que não queria que ela fosse, porque sabia que iria me atrapalhar, mas ela continuou me seguindo. Chegamos ao lago e comecei a trabalhar no bote. Estava quente. Mary ficou entediada e foi apanhar conchas. Eu queria passar o dia ali, concluir o trabalho, mas Mary começou a dizer que queria ir embora. Disse para ela ir, mas ela fingiu não saber o caminho. Havia uma floresta do outro lado do lago. Fui procurar alguns galhos que pudesse usar como remos e Mary foi comigo. Ela ficava dizendo que nosso pai gostaria muito mais das conchas que ela havia encontrado do que de algum barco estúpido feito por mim. — Will pôs as mãos na cabeça. — Estávamos sobre umas pedras acima da água. Mary disse... Não consigo nem lembrar, mas ela disse algo e atirou as conchas em mim e me zanguei. — Fez uma pausa. — Por isso a empurrei. Não queria fazer isso com tanta força. Ela caiu das rochas dentro d'água. Bateu a cabeça ao cair. Estávamos mais alto do que eu pensava. Mergulhei e a encontrei, mas... — Will sacudiu a cabeça com força. — Eu a tirei da água e carreguei-a para casa. Ficava a quilômetros de distância e ela era pesada. Falava com ela o tempo inteiro, mas ela não acordava e a cabeça estava toda cortada. Meu pai estava em casa. Estava atravessando o pátio com um balde de água para o banho que havia apanhado no riacho. Sorriu e começou a me cumprimentar, mas então viu Mary. Largou o balde no chão e correu para tirá-la de mim.

Will engoliu em seco, lembrando-se dos gritos angustiados do pai ao embalar a filha morta e da mãe, descalça, atravessar o pátio em disparada na direção deles.

— Mais tarde, ele me levou para fora e perguntou-me como havia acontecido e lhe disse que ela havia caído. — Will deixou a cabeça pender. — Mas continuou me fazendo perguntas e tive de contar a verdade. Foi como se já soubesse. Apenas balançou a cabeça, levantou-se e voltou para dentro. Nem mesmo olhou para mim.

"Quando enterramos Mary, minha mãe chorou. Durante meses. Ela tinha outro bebê, uma garota chamada Ysenda, mas nunca mais sorriu, ou riu, como costumava fazer. Meu pai passava fora a maior parte do tempo. Nunca me levou para Balantrodoch como havia prometido. Levou-me para Londres quando lhe pediram para substituir um escrivão doente. — Will se levantou e cruzou os braços sobre o peito. — Ele me levou para Londres para se livrar de mim. Passava muito tempo fora ou no solar, trabalhando com o tio de Garin. Mal o via. Podia ter ido para casa quando o escrivão melhorou, ou mesmo ficado no Novo Templo, mas tornou-se cavaleiro, foi para a Terra Santa e me deixou. Não tenho notícias dele há 18 meses.

Robert ficou de pé diante de Will.

— Você só quis empurrá-la, não matá-la. Seu pai devia saber disso.

— Então, por que ele me odeia? — disse Will, numa voz sufocada.

A porta se abriu e Hugues entrou.

— O que está havendo? — perguntou, indo parar ao lado de Robert. Fez estalos com a língua no céu da boca ao ver o pergaminho rasgado. — Que bagunça.

Robert lançou-lhe um olhar de advertência.

— Hugues.

Hugues olhou carrancudo para o amigo.

— E por que você está aqui quando deveria estar ceando? Ele parte de volta para Londres amanhã, de qualquer forma.

Antes que Robert pudesse responder, Will empurrou Hugues para o lado e saiu da sala a passos largos. Correu para fora do alojamento dos sargentos, sentindo os pés triturarem a poeira. Vários grupos de cavaleiros se dirigiam ao Grande Salão e seus mantos tornavam-nos fantasmagóricos à luz do crepúsculo. Will passou por eles sem diminuir o passo, mesmo quando um deles gritou-lhe que parasse. Continuou correndo, passando pelo alojamento dos cavaleiros e sob a longa sombra do calabouço, pelos prédios oficiais e o arsenal, sem saber para onde estava indo, mas sem querer parar. O suor formou gotículas na pele e as pernas começaram a doer quando entrou no cemitério e seguiu o caminho que levava à capela.

A capela era fracamente iluminada por velas postas em volta do altar. Havia uma espiral de fumaça partindo de um turíbulo cujo incenso queimara durante as Vésperas. Will fechou a porta atrás de si e avançou vagarosamente pela coxia, passando a mão pelos braços dos bancos e as curvas das pilastras de mármore. Caminhou até o altar, onde se erguia um pequeno crucifixo de madeira, com uma imagem de Cristo com os olhos voltados para baixo, as pálpebras pesadas. Havia algumas migalhas espalhadas pela superfície do altar, resíduos da hóstia. O estômago vazio de Will roncou, lembrando-o de que não comia desde manhã. Reuniu algumas das migalhas, levou-as à boca e depois caminhou desassossegadamente até a sacristia, cuja porta estava entreaberta. Dentro dela, uma única vela ardia sobre uma mesa de canto. A sala estava tomada por um forte cheiro de incenso.

Velas e livros com encadernação de velino estavam empilhados num banco sob a janela da pequena câmara. Will parou à entrada e os olhos percorreram as jarras de vinho que estavam colocadas em prateleiras atrás da mesa, sob a qual havia um cibório de carvalho e o cálice da Comunhão. Depois de um momento, entrou, avançou até as prateleiras e apanhou um jarro pela metade. O vinho dentro dele emitia um brilho vermelho à luz da vela. Will serviu uma grande dose no cálice bento. Depois abriu a tampa do cibório e tirou um punhado de hóstias. O sangue e o corpo de Cristo. Sentado de pernas cruzadas no chão, levou o cálice até os lábios.

— Pai-nosso — disse, depois riu.

Após sorver todo o vinho, encheu a boca com o pão e olhou para as sombras do teto abobadado, esperando que Deus o punisse, *desafiando-O* a fazê-lo. Nada aconteceu. Quando terminou a refeição, encostou-se na perna da mesa, com os joelhos enlaçados junto ao peito. Sentiu-se exausto. Ficaria ali até o último ofício, então se esconderia no cemitério. Quando os outros fossem para a cama, poderia voltar e dormir até de manhã. E no dia seguinte? Encolheu-se no chão de pedra fria, repousando a cabeça no braço. Depois pensaria no amanhã.

— Acorde, eu disse!

Will voltou vagarosamente a si, sentindo algo cutucar a perna. Abriu os olhos e sentou-se ebriamente. O vinho havia tornado a cabeça pesada e sentia um gosto azedo na boca. Não sabia por quanto tempo estivera dormindo, mas do lado de fora da alta janela da sacristia já estava totalmente escuro. Havia um homem de pé acima dele, usando o manto preto dos padres. Era Everard de Troyes, o velho do cemitério. O capuz estava puxado para trás e Will pôde ver que a cicatriz que começava no lábio seguia o caminho inteiro até a testa, um córrego róseo de aspecto doloroso. A pele era fina e esticada sobre as faces, mas pendia em pregas sob os olhos como se, como uma veste já gasta, não mais lhe assentasse apropriadamente. As mãos eram nodosas e numa delas havia dois tocos ossudos onde dedos deveriam estar. Examinou Will com toda a atenção de seus olhos pálidos de margens rubras. Sob aquele olhar, Will sentiu como se sua alma fosse esquadrinhada.

— Quem é você? — A voz de Everard era pouco mais do que um chiado seco, embora houvesse nela uma agudeza opressora.

Will deixou o banco e ficou de pé com esforço, atordoado. Olhou para o chão ao seu lado, viu o cálice vazio e as migalhas das hóstias e hesitou.

— Responda! — exigiu o padre, com a voz crepitando como lenha ao fogo.

— Meu nome é William. Cheguei aqui a bordo do *Opinicus*. Meu mestre, Sir Owein, foi um dos que morreram no ataque em Honfleur.

— O que faz aqui?

— Um dos sargentos me pediu para pegar uma vela nova para o dormitório — disse Will, adotando a expressão inocente que sempre enganava Owein.

Everard deu um sorriso sem humor e Will sentiu-se inseguro. O sacerdote chegou mais perto e cheirou o ar com uma expressão de astúcia.

— Esteve bebendo, sargento?

— Não, senhor.

— Não? — Everard cheirou novamente o ar. — Tenho certeza de sentir um cheiro de vinho barato. — Olhou para o cálice no chão. — Talvez você estivesse dormindo sob os efeitos da Eucaristia? O sangue de Cristo pode ser um sedativo potente. Especialmente — murmurou, num tom ameaçador, olhando novamente para Will — se for tomado como uma libação de taberna, e não como ato sagrado realizado em profunda reverência!

Will abriu a boca para dizer algo em defesa, mas o padre pôs a mão ossuda sobre o ombro dele e virou-o em direção à porta.

— Para onde o senhor está me levando? — perguntou Will, tentando parecer indignado, mas sentindo um desalento ao ouvir o tom de sua voz.

— Ao visitador — rosnou Everard. — Não posso autorizar uma expulsão por minha própria conta.

Will tentou pensar em algo a dizer que aplacasse o sacerdote, mas sentiu na cabeça uma sensação confusa e só o que conseguiu proferir a caminho do solar do visitador foram algumas desculpas tartamudeadas, todas as quais encontraram ouvidos surdos.

As dependências do visitador ficavam no prédio oficial sob a torre do calabouço. A área estava tomada por cavaleiros, que haviam terminado a refeição noturna e naquele momento completavam as incumbências e reuniões do dia antes do último ofício religioso. Will forçou-se a manter a cabeça erguida quando atravessaram o amplo pórtico que dava para o edifício e seguiu por um corredor ecoante até um conjunto de portas duplas de cor preta. Everard bateu fortemente nelas.

— Entre — uma voz profunda se fez ouvir.

Everard abriu as portas, impelindo Will à frente.

A câmara era espaçosa e decorada de modo mais opulento do que quaisquer das dependências de cavaleiros no Novo Templo. Junto à parede mais afastada havia uma mesa bem polida com quatro bancos postados diante dela e por trás uma cadeira semelhante a um trono, almofadada e coberta por um dossel bordado. A grande janela era parcialmente cortinada por um tecido espesso e tapetes cobriam o chão. Velas tremulavam em candeeiros de ferro e o fogo ardia densamente na lareira, estalando e flamejando ao redor de um grande tronco que emitia um odor de terra e floresta.

O visitador estava sentado naquela espécie de trono atrás da mesa, com um livro aberto diante de si.

— Irmão Everard? — disse, olhando do sacerdote para Will com uma ruga de expectativa entre as sobrancelhas. — Qual é o assunto?

— Este canalha profanou o Sacramento. Fui aprontar a capela para as Completas e apanhei-o dormindo sob os efeitos do vinho eucarístico.

As rugas entre as sobrancelhas do visitador se aprofundaram e Will abaixou a cabeça, incapaz de enfrentar o olhar severo e desaprovador do homem.

— Bem, isso é de fato repreensível. — Os olhos do visitador se moveram para Everard. — Mas é algo que, tenho certeza, pode ser resolvido na próxima reunião do cabido.

Will ergueu a cabeça com esperança. A expressão de Everard, no entanto, permanecia resoluta.

— Normalmente, teria esperado por isso, irmão, mas este é um dos que vieram da Inglaterra. Ele parte amanhã e não admitirei que venha até aqui para tratar nossa capela como uma taverna sem receber qualquer punição pelo ato de violação.

O visitador aguardou uma pausa, depois fechou o livro e entrecruzou as mãos sobre a mesa, de um modo que fez com que Will se recordasse, com uma pontada de dor, de Owein.

— O que tem a dizer em sua defesa, sargento?

Will abriu a boca, mas não conseguiu falar. Pigarreou e tentou novamente.

— Fui até a capela e caí no sono, senhor. Não foi por mal.

A expressão do visitador não se modificou.

— O fato de ter dormido na capela obviamente não é o caso. O que quero saber é por que profanou o Sacramento?

Will contemplou o chão. O visitador começou a bater os polegares um contra o outro.

— Você é um dos sargentos do Novo Templo, não?
— Sim, senhor — disse Will com serenidade. — Meu mestre, Owein, morreu em Honfleur.
— Qual é o seu nome?
— William Campbell, senhor.
— Campbell? Você não é filho de James Campbell, é?
— Sim, senhor — respondeu Will, levantando a cabeça.
— Eu o encontrei algumas vezes quando visitei a preceptoria. Atualmente está lotado em Acre, creio, sob o comando do grão-mestre Bérard. — O visitador meneou a cabeça. — Isso é muito desapontador. Esperava mais do filho de um cavaleiro tão altamente respeitável.
— Um momento, irmão. — Foi Everard quem falou. Tinha dado um passo adiante. — Posso ter uma palavra em particular?
— É claro — disse o visitador, parecendo um tanto perplexo. — Espere lá fora — disse a Will.
Quando Will deixou a sala, notou que Everard olhava com interesse para ele. Achou que isso de certa forma era mais desconfortável do que o olhar de raiva do sacerdote.

Garin deitou-se no catre, tocando com cuidado o lábio partido. O dormitório estava escuro e silencioso. Os sargentos haviam concluído a refeição da noite e agora estariam completando os afazeres antes do último ofício. O leito era desconfortável, a palha espetava as costas de Garin através do fino tecido da camisa. Depois de um momento, foi até a janela. Não queria esperar até o amanhecer, quando o navio estaria pronto; queria deixar Paris naquele momento. Garin fitou os homens movimentando-se pelo pátio iluminado por tochas abaixo dele.
A porta se abriu. Um servo de túnica marrom entrou no dormitório, segurando uma pilha de cobertores sob um dos braços e uma vela tremulante no outro. O servo manteve a cabeça abaixada enquanto arrastava os pés pelo aposento. Garin voltou-se novamente para a janela e mordeu com força as unhas, que já estavam mastigadas até a carne viva. Os passos do servo batiam sobre as pedras enquanto ele acendia a vela da mesa com a que havia trazido consigo. Seguiu de um catre para outro, trocando os cobertores. Garin ouviu um farfalhar de palha e depois um tênue tilintar de moedas. Girou de súbito. O servo estava junto ao catre e mexia em sua sacola.

— Não! — gritou Garin, saltando para a frente quando o servo enfiou a mão na sacola e tirou uma pequena bolsa de veludo. — Tire suas mãos da...!

Ele se deteve, com as palavras entaladas na garganta, quando o criado de cabelos desgrenhados e mandíbula saliente olhou para ele e sorriu, exibindo tocos acastanhados de dentes.

— Tirar minhas mãos do quê? — inquiriu Rook, segurando a bolsa. — Disto? — Ele chacoalhou o objeto.

— O que você está...? — Garin olhou para a porta. Ela estava fechada. — Como você...?

— Servos — disse Rook, seguindo o olhar do rapaz — estão abaixo do interesse dos cavaleiros. — Gesticulou para a túnica marrom. — Indigno de um olhar mais atento. Um sargento gentil me disse onde encontrá-lo.

Ergueu a túnica, revelando a adaga curva que estava numa bainha em seu cinto. As dobras volumosas do traje mal assentado haviam disfarçado a lâmina.

— Você não achou que escaparia com isto, achou? — disse ele.

Garin observou Rook amarrar a bolsa de veludo ao cinto ao lado da arma.

— Isso é meu — disse, com uma voz apagada.

— Seu?

Garin deu um passo para trás e esbarrou no parapeito da janela enquanto Rook desembainhava a adaga e avançava para ele.

— Este ouro foi um pagamento pelo seu serviço, se você se recorda. — Rook descreveu um círculo no ar com a adaga e fez com que a ponta se encostasse sobre o coração de Garin. — Mas você não nos serviu, não é, rapaz? Você serviu a si próprio.

— Fiz o que o príncipe Edward me pediu! Informei a ele os planos da viagem e encontrei seus homens na Velo de Ouro, em Honfleur, para contar-lhes que o *Endurance* havia partido.

Garin havia ficado aterrorizado quando, dois dias antes da viagem, Rook entregou-lhe uma mensagem de Edward, exigindo que fosse até a taverna em Honfleur quando o navio aportasse, para dar aos mercenários, que estariam escondidos lá, o sinal para o ataque. Até aquele momento, Garin nutrira a ardente esperança de que o príncipe não agisse segundo a informação que lhe tinha dado; que Edward simplesmente deixasse o assunto morrer.

— Não foi minha culpa se seus homens morreram! — gritou, sentindo a ponta da adaga exercer pressão contra seu corpo.

— Nossos homens estavam bem preparados para a morte. O que não estavam preparados era para serem atacados por uma criança. Uma criança que, depois de informá-los tão lealmente de que o *Endurance* havia partido, matasse aquele que estava com as joias, dando tempo aos cavaleiros de bloquear sua fuga. Por acaso — disse, beliscando a face de Garin cruelmente entre o polegar e o indicador —, os quatro que sobreviveram o descreveram com grandes minúcias. Um merdinha de cabelos louros, olhos azuis e cara de cavalo, disse um deles.

— Seu homem ia matar uma garota! — A raiva inundou Garin, afogando o medo. — Ele me disse que ninguém sairia ferido!

Rook deu uma gargalhada de escárnio.

— *Ele me disse que ninguém sairia ferido!*

— Vocês mataram meu tio! — gritou Garin, empurrando com força o peito de Rook. O homem cambaleou para trás. — Fiz o que vocês pediram! *E vocês o mataram!*

Rook se recobrou e atirou-o novamente contra a parede. Garin sufocou quando a adaga foi pressionada contra seu peito, perfurando sua pele.

— E agora — silvou Rook — você vai juntar-se a ele!

Garin reagiu, mas Rook forçou um dos braços sobre sua garganta. Garin sentiu o sangue escorrer vagarosamente pelo peito sob a camisa. Rook chegou mais perto e seu hálito râncido soprou quente contra o rosto de Garin.

— Você alertou os cavaleiros, seu merdinha! Você contou a eles sobre o meu patrão!

— Não! — Garin começou a sufocar, pois o ar lhe era cortado pelo braço de Rook. — Você tem... a minha palavra!

— Sua palavra vale tão pouco quanto sua vida para mim.

— Não contei a ninguém!

Garin afundou fracamente contra a parede.

— Fique em pé direito, seu miseravelzinho chorão! Você alertou os cavaleiros, não foi?

— *Não!*

— Você fez com que perdêssemos as joias!

— Eu... Eu não consigo respirar! — Garin estava em pânico, agarrando-se selvagemente ao braço de Rook. Sua visão estava turva. O mundo se tornava cinzento. — Deus, por favor! *Não me mate!*

— Por que não o faria?

— Sei coisas... segredos! Há um livro que foi roubado... importante para o Templo... um... um grupo dentro do Templo... e o rei Ricardo estava envolvido... e..

— Sobre o que você está gaguejando? — exigiu Rook de má vontade. Mas afrouxou um pouco o seu aperto.

— Há um grupo secreto dentro do Templo — ofegou Garin, inspirando grandes golfadas de ar. — Um livro foi roubado deles, desta preceptoria. Ele poderia arruinar o Templo. — Sacudiu a cabeça. — Não sei por quê.

— Sabe bosta nenhuma. — Rook retirou a adaga. — Eu é que sei que você contou aos cavaleiros.

Garin olhou Rook nos olhos.

— Faça isso, então! — arfou. — Faça logo! Mas não contei aos cavaleiros. Juro!

Fechou os olhos, retesando-se à espera do golpe, do relâmpago de dor. Os olhos se abriram de súbito quando ouviu o som de um bufar. Rook tinha dado um passo para trás e um sorriso perverso devidiu seu rosto. Estava rindo.

— Não vim aqui para matar você, garoto. — O riso cessou. — Mas precisava saber se você havia informado a alguém sobre nós e o terror torna todos os homens honestos. — Embainhou a adaga. — A perda das joias entristeceu muito o meu patrão, mas ele acredita que a continuidade do seu serviço irá, um dia, quitar o débito que você agora tem para com ele. Antes da sua trapalhada em Honfleur, ele o considerava muito prestativo.

— Não — disse Garin, esfregando as bochechas umedecidas com a mão trêmula. — Não posso fazer isso. Não deixarei a Ordem.

Os olhos de Rook se apertaram.

— Ele não quer que você deixe o Templo. Você é muito mais útil dentro do que fora. Sua posição, mesmo como sargento, lhe dá poder, poder que você pode exercer sobre outros.

— Não — repetiu Garin, vigorosamente. — Foi pelas ordens dele que meu tio morreu. Não o servirei novamente.

— Você o servirá, garoto! — rugiu Rook. — E ainda se sentirá feliz por isso! — O tom dele se suavizou. — O que o espera em Londres, agora que seu tio está morto?

Garin hesitou às palavras de Rook.

— Eu... eu não sei.

— Ah, acho que você sabe. — Rook sorriu com um ar de sabedoria. — Sir Jacques era um homem poderoso, um homem de influência. Há poucos na posição dele, poucos que pudessem lhe oferecer o mesmo grande futuro que ele poderia ter oferecido, e você tem tanta culpa pela morte dele quanto aquele que ordenou o ataque.

— Os mercenários o mataram! Não foi minha culpa!

— As espadas deles desferiram o golpe, mas a sua língua cedeu a informação que tornou isso possível. — Rook suspirou. — Pelos próprios atos, você perdeu a maior oportunidade de recuperar aquele seu outrora nobre nome. Não era isso o que queria? Meu patrão não disse que poderia fazer isso por você? — Rook levantou a túnica e puxou a bolsa de veludo do cinto. — Tome. — Atirou-a para Garin, que a pegou no ar. — Meu patrão é um homem justo. Fique com o ouro. Concorde com seu pedido e ele cuidará bem de você; recuse-o e não posso dizer o que acontecerá. Ele também é um homem de influência. Pode tornar sua vida fácil. E pode torná-la insuportável.

Garin contemplou a bolsa por um momento, depois atirou-a de volta para Rook.

— Era meu tio quem queria restituir nossa casa a seu lugar de direito. Fiz tudo isso por ele. Agora ele está morto. Isso não me interessa mais.

Rook ficou em silêncio por um momento.

— E sua mãe? — perguntou, calmamente. — Isto não interessa a ela?

Garin enrijeceu.

— Você não sabe nada sobre minha mãe.

Rook olhou pensativamente para o teto.

— Lady Cecília é alta, um pouco magra para o meu gosto, e tem cabelos louros. — Olhou novamente para Garin. — Bonitos, não? Ela os usa presos por uma touca. Mas é uma bela visão quando os deixa soltos às costas.

— Você nunca a viu.

Rook pôs uma das mãos sobre o coração.

— Eu a vi apenas alguns dias atrás. Meu patrão gosta de saber quem ele tem a seu serviço. — A expressão dele endureceu. — E o que consideram precioso. Ele mandou que eu encontrasse a sua casa em Rochester no dia seguinte àquele em que você concordou em nos ajudar.

— Você está mentindo — sussurrou Garin.

— Como disse, sua mãe é uma bela visão, mas não formei uma boa opinião de sua caridade quando bati à porta dela, um pobre mendigo pedindo esmolas. Mandou uma das suas criadas me expulsar. — Ele se inclinou para mais perto de Garin. — Se tiver de bater à porta dela novamente, ela se sentirá obrigada a me tratar com mais liberalidade. Na verdade, com mais liberalidade do que qualquer verdadeira dama deveria ter.

Segurou a mão de Garin e enfiou a bolsa de ouro dentro dela.

— Então, entenda, você nos servirá.

Garin, pálido e trêmulo, ergueu os olhos para ele.

— Não é? — intimou Rook.

Garin deu um leve balançar de cabeça.

— Diga, rapaz.

— Sim — proferiu Garin.

— Assim está melhor. Agora, mandarei um recado para você no Novo Templo dentro de um mês. Creio que meu patrão tem algumas pequenas tarefas para você. E você pode contar a ele tudo o que sabe sobre aquele livro de que me falou ainda há pouco. — Rook deu uma risadinha enquanto se dirigia para a porta. — Acho que ele ficará muito interessado nisso.

— Eu o matarei se você machucá-la — murmurou Garin, vendo-o partir.

Rook não olhou para trás.

Garin atirou a bolsa sobre o catre quando a porta se fechou. Ele se virou e os olhos caíram sobre a mesa em que estava firmada a vela da noite. Com um movimento do braço, fez com que a mesa fosse pelos ares. A vela se apagou, mergulhando o quarto na escuridão.

Will olhou quando as portas duplas pintadas de preto se abriram e um cavaleiro saiu do solar do visitante. Era Sir John. Will havia ficado de pé no corredor por mais de uma hora. Pouco depois de ter recebido a ordem para esperar do lado de fora, vira Everard sair. Então o padre retornou com o cavaleiro após alguns instantes. Sir John lançou-lhe um olhar de desaprovação, depois seguiu pelo corredor. Will, com o estômago embrulhado, olhou novamente para a porta e viu Everard parado no umbral. O padre fez um gesto para que entrasse. Depois que Will obedeceu e a porta foi fechada, Everard foi até a lareira e parou diante dela, estendendo as mãos nodosas para as chamas bruxuleantes.

— Sente-se — ordenou o visitante, apontando para Will os bancos diante da mesa.

Will atravessou a sala, com os passos abafados pelo tapete. Ocupou um dos bancos, com as mãos pousadas sobre os joelhos.

— Lamento ter bebido o vinho da Comunhão, senhor — começou, após ter ensaiado essa fala do lado de fora. — Perdi a ceia e estava com sede. Mas realmente lamento e...

Will se calou e apertou os lábios sob o olhar impassível do visitador.

— Fico feliz que esteja arrependido, sargento, mas temo que isso não baste. Essa é uma ofensa séria. Sob circunstâncias diferentes você seria levado perante o cabido semanal, despido da túnica e expulso.

— Circunstâncias diferentes? — perguntou Will, com uma voz rouca.

O visitador relaxou no assento e alisou a barba com os dedos, passando-os sob cada um dos lados da boca.

— Você aparentemente demonstrou coragem e iniciativa em Honfleur — disse. — Pelo que me disseram, é um sargento de alto calibre, um jovem talentoso de grande potencial. Você venceu o torneio do Novo Templo, parece-me.

Will fez que sim.

— Não desejo privar o Templo de alguém com suas capacidades — disse o visitador. — E parece que Deus está zelando por você.

Olhou para Everard, apenas de modo muito breve, mas Will percebeu.

— Senhor?

— Levando essas circunstâncias em conta — disse o visitador, sem lhe dar atenção — sua punição, nós decidimos, deve ser a seguinte: quando atingir a maioridade, daqui a cinco anos, não receberá os votos da cavalaria como os outros sargentos. Será privado do manto por um ano e um dia após a data estipulada para sua investidura.

Will agarrou-se à borda do banco. Seis anos? Seis anos de espera para vestir o manto?

— Você também será açoitado. Uma vez que se comporta como um cão, será tratado como tal. Não tolerarei que aqueles que devem tomar o hábito dos guerreiros de Cristo se comportem de um modo que é mais condizente com o hábito dos pagãos. O irmão Everard concordou em administrar as chicotadas. — O visitador fez um gesto de cabeça para Everard. — Pode levá-lo, irmão.

Will pensou ter visto um lampejo do que poderia ter sido triunfo passar pela face murcha do padre, antes que Everard o conduzisse de volta pelo corredor e para o pátio externo. Caminharam em silêncio até a capela, cada passo aumentando o medo de Will. Nunca havia sido surrado.

Depois de fechar as portas, Everard fez um sinal para que Will se aproximasse do altar.

— Rápido, garoto, não tenho a noite toda.

Will caminhou vagarosamente.

Quando alcançaram a plataforma, Everard apontou para o chão.

— De joelhos.

Will ajoelhou-se, com os olhos postos na figura de Cristo presa ao crucifixo sobre o altar.

— Agora — disse Everard, fechando o cenho —, onde está?

Apalpou a batina preta, depois deslocou-se até a porta na parede lateral e desapareceu sacristia adentro. O silêncio parecia ecoar nos ouvidos de Will. Quando Everard retornou, segurava alguma coisa nas mãos. Will retesou-se ao ver o chicote.

— Levante a túnica e vire o rosto para o chão.

Will ergueu a túnica e a camisa, sentindo o ar frio aguilhoar a pele. Ele se curvou para a frente, pressionando a testa de encontro à pedra e plantando as palmas das mãos no chão.

— Por que o visitador não me expulsou, senhor? — perguntou, e a interrupção retardou o momento em que o chicote desceria, ainda que isso fosse inevitável. — Poderia ter feito isso.

— Foi de comum acordo que sua expulsão não seria útil a ninguém — disse Everard, com calma — e, desse modo, tanto você quanto eu conseguimos algo que queremos.

— O que é? — Will tentou sentar-se, mas Everard pôs um dos pés sobre suas costas, pressionando-o para baixo.

— Você consegue continuar como sargento do Templo e eu — disse Everard, tirando o pé das costas de Will — consigo um aprendiz.

— Um aprendiz? — Will encolheu-se ao ouvir o chicote cantar acima dele. Como nenhuma dor se seguiu, concluiu que Everard havia-o apenas estalado. O garoto respirou fundo. — O que o senhor quer dizer com isso?

— Quero dizer — respondeu Everard com deliberada lentidão — que você agora é um sargento do Templo de Paris. E que *eu* sou seu novo mestre.

O chicote estalou novamente. Uma dor pungente e ardente atingiu a espinha de Will como um relâmpago, extraindo um grito de seus lábios. Ao senti-la percorrer o corpo, cravou os dedos na pedra, como numa tentativa de enterrar a dor, e ouviu vagamente outro estalo. Will forçou a inspiração e tentou falar, mas o golpe seguinte chegou antes que pudesse articular qualquer palavra. Dessa vez a dor foi diferente, de certa forma pior, por ter sido prevista. O chicote desceu cortando, repetidamente, e a dor fez com que sentisse ânsias. Will fechou os olhos e lágrimas incandescentes verteram deles.

Quando acabou, Everard dobrou o chicote e fez o sinal da cruz diante do altar. Will encostou o rosto na pedra, onde suas lágrimas e sua saliva estavam empoçadas.

— De pé.

As costas de Will estavam em chamas e as pernas pareciam feitas de água. Ele se levantou, sufocando um gemido quando a túnica roçou a pele partida. Queria encolher-se e chorar, mas não daria ao padre essa satisfação: a perda do orgulho seria de algum modo pior do que a dor.

Havia dois pontos corados no alto das bochechas pálidas do sacerdote.

— Por quê...? — Will fechou os olhos e rilhou os dentes em reação ao latejar nas costas. — Por que o senhor, um padre, necessita de um sargento?

— Sou colecionador e tradutor de manuscritos nos campos da medicina, matemática, geometria, astronomia e coisas parecidas — disse Everard, atirando descuidadamente o chicote sobre um dos bancos. — Mas embora 70 anos neste mundo maldito possam ter trazido sabedoria a esta mente — Everard deu um tapinha na têmpora —, não foram tão generosos com este corpo. Minha visão está falhando. Necessito de um escriba.

— Um escriba — ecoou Will, tentando manter a voz firme.

— Venho requerendo isso ao visitador há meses, mas até agora ele não havia conseguido designar um sargento para essa missão. — Everard sorriu para Will. — Foi uma sorte para mim você estar aqui. — O sorriso se alargou. — E ter decidido profanar meu Sacramento.

Will fitou o padre com horrorizada incredulidade.

— Um escriba? — repetiu.

— Ao contrário de muitos da sua idade e condição, você sabe ler e escrever, não é?

— Estou treinando para ser um *cavaleiro*, não um escrivão!

— Você acredita que um templário necessita apenas da espada, garoto? — Everard sacudiu a cabeça. — Seu antigo mestre ensinou-o a usar o braço. Eu o treinarei a usar a inteligência. — Percebeu Will com olhos apertados. — Se é que possui uma.

O padre deu as costas.

— Volte para o alojamento. Depois das Matinas de amanhã, venha até meus aposentos. Você pode começar os deveres limpando meu chão. A julgar pelo cheiro, um dos gatos entrou lá novamente.
— Não.
— Não?
— Não farei isso!
— Então saia por aquela porta.
Will abriu a boca, depois a fechou. Fitou o padre.
— O quê?
— Saia por ela, não posso detê-lo.
Will olhou para a porta.
— É uma piada?
— Não.
— Pois bem — disse Will, depois de um momento. Então deu um passo em direção à porta. — Farei isso.
— Saia por essa porta, garoto — disse o sacerdote atrás dele — e continue andando até deixar esta preceptoria. Você não é mais um sargento da Ordem do Templo. Eu o dispenso dos vínculos.
— Não era isso que eu...
— Se não consegue obedecer seu mestre, é melhor que não esteja aqui.
Will parou no corredor entre a porta e o altar. Nunca havia sentido o mesmo desejo de ser cavaleiro que outros sargentos que conhecia; lutar pela Cristandade contra os infiéis e conquistar a glória pelas armas; servir da melhor forma a Deus e receber o poder e os privilégios que a cavalaria traz. Mas Owein havia-lhe dito que, quando veste o manto, um homem renasce, purificado de todos os pecados pregressos. Will havia entendido isso. Não era o manto que importava — era a absolvição. Precisava que o pai o visse naquele traje; visse que ele havia renascido; que não era mais o menino que havia matado sua irmã.
— Não — sussurrou. — Não irei embora.
— Então, sargento Campbell, eu o verei ao amanhecer.
Everard observou o rapaz arrastar-se para fora da capela. Depois que Will se foi, o padre estalou os lábios em desaprovação e então começou a preparar o altar para as Completas.
Pouco tempo depois, as portas da capela se abriram e um homem alto, usando uma capa cinzenta, entrou.

— Ah, aí está você — disse Everard, espreitando o corredor entre os bancos. — Suponho que tenha dado o seu testemunho sobre a batalha?

— Sim, irmão — disse Hassan, aproximando-se. — Disse ao visitador que estava em Londres para encontrar um contato seu, um livreiro.

— Ele não lhe fez mais perguntas? Ótimo. — Everard pôs sobre o altar o breviário que segurava e desceu a plataforma até Hassan. — Não podemos nos permitir mais nenhuma dificuldade. A morte de Jacques por si só já nos trouxe um golpe suficientemente pesado. No entanto, devemos continuar a busca pelo livro tão logo nos seja possível. Se Rulli já o tivesse entregado no momento em que você o capturou, seja lá quem o tem agora pode ainda estar na cidade. Jacques lhe contou sua opinião a respeito enquanto você estava no Novo Templo?

— Ele se preocupou, assim como você, com a possibilidade de que a pessoa que forçou Rulli a roubar o *Livro do Graal* pretenda usá-lo como prova para expor a Anima Templi e seus planos.

Hassan se dirigiu ao banco para sentar-se, mas viu o chicote que estava largado ali e o apanhou.

— Alguém se meteu em encrencas?

Everard deu um grunhido e apanhou o chicote.

— O filho de James Campbell, você acredita nisso?

— O filho de James?

— William. Um sargento do Novo Templo. Ele veio até aqui no navio que zarpou de Londres. Acabei de tomá-lo como meu aprendiz, para dizer a verdade.

Hassan levantou uma das sobrancelhas.

— William? Então ele é aquele de quem lhe falei; o que peguei me seguindo em Honfleur. Acha que ele sabe?

Everard meneou a cabeça após um momento.

— James sabia o que estava em jogo. Não lhe teria contado. E o garoto certamente não deu nenhum sinal de saber quem eu era. Provavelmente só estava sendo curioso. Não é como se nunca tivesse encontrado alguém curioso ou preocupado a seu respeito, Hassan. — Everard arrastou os pés até a sala lateral. — Pelo menos farei bom uso dele enquanto estiver aqui.

Hassan observou Everard guardar o chicote numa prateleira.

— Sei que você estava à procura de um servo, irmão — disse. — Mas, se não se importa que diga, não estou certo de que era isso o que James tinha em mente quando lhe pediu para tomar conta do filho dele.

— Que maneira melhor poderia encontrar para ficar de olho nele? — respondeu Everard, com concisão. — Ele está sem um mestre. O que você acha que James gostaria que fizesse? Mandá-lo de volta sozinho para a Inglaterra ou mantê-lo aqui comigo?

Hassan balançou a cabeça após uma pausa, sabendo que não deveria provocá-lo.

— Talvez devêssemos repensar a possibilidade de contatar o resto da Irmandade para informá-los de que o livro foi roubado — disse, enquanto Everard caminhava até ele.

— Nossos irmãos no Leste têm seus próprios trabalhos a cumprir. A guerra entre os mamelucos e nossas forças está sendo fermentada. Eles precisarão de toda a atenção concentrada ali se quisermos nos sair bem nas provações que temo que logo recairão sobre nós.

— Mas sem o apoio deles será uma tarefa árdua encontrar o livro. Talvez impossível. Se o *Livro do Graal* for revelado ao mundo e a Anima Templi for exposta, tudo por que trabalhamos poderia perecer. Isso não é por certo uma ameaça maior?

— O livro é de minha responsabilidade, Hassan — disse Everard, com firmeza. — Cuidarei dele.

Esfregou a testa com irritação.

— Maldito Armand! — disparou de súbito. — O grão-mestre tinha de conseguir sua pompa e cerimônia, não tinha! — Everard suspirou e olhou para Hassan. — Aquele livro tem sido uma pedra no meu sapato desde que foi escrito. Quando Armand morreu em Herbiya deveria tê-lo destruído, não trazido comigo para Paris. Por minha causa, tudo por que trabalhamos com tanto afinco para conquistar foi posto em risco. Nossa obra é importante demais a este mundo para se perder, Hassan.

— Não é nossa culpa, irmão.

— Não? Escrevi aquela maldita coisa. Se a culpa não é minha, não sei de quem é. Foi a vaidade que me fez conservá-lo, Hassan. — Everard meneou a cabeça. — Vaidade.

Hassan ficou em silêncio por alguns momentos, sem ter certeza do que dizer. Por fim, enfiou a mão na sacola e tirou um pergaminho rachado e amarelado, que entregou a Everard.

— Tirei isso de Jacques depois que ele morreu. Não queria que ninguém o descobrisse.

Everard pegou o pergaminho com ar cansado.

— Ele o leu?

— Sim. Estava satisfeito de que James tivesse conseguido alcançar tanto em tão pouco tempo dentro do acampamento mameluco. — Hassan fez uma pausa. — Você contará ao novo aprendiz sobre o envolvimento do pai dele?

— Não — disse Everard, secamente. Depois de rasgar o pergaminho, guardou-o na batina. — Aquele ainda tem muito a aprender.

# PARTE DOIS

# 16
## Safed, Reino de Jerusalém
### 19 de julho de 1266

James Campbell levantou-se e fez o sinal da cruz diante do altar. A capela estava fresca e silenciosa. Ainda não havia amanhecido e a maioria dos habitantes da fortaleza estava dormindo ou guarnecendo as muralhas. James havia acordado cedo para desfrutar da paz que a capela deserta oferecia, uma paz que, apenas por alguns momentos, podia ajudá-lo a esquecer onde estava. Quando o sino das Matinas soasse, os bancos se encheriam de pessoas, tantas que aqueles que chegassem por último teriam de se ajoelhar do lado de fora. Toda manhã, havia quase três semanas, acontecia o mesmo. Antes disso, apenas os cinquenta cavaleiros e trinta sargentos que guarneciam Safed levantavam-se ao alvorecer para comparecer ao primeiro ofício na privacidade da capela. Mas, agora, todos tinham motivo para rezar e os padres não tinham coragem de mandá-los embora.

— Nestes dias que virão, precisaremos de todas as orações — dissera o irmão Joseph.

Dando as costas para o altar, James caminhou pelo corredor entre os bancos. Parou diante de uma estátua que montava guarda à porta. Os olhos de São Jorge estavam voltados para o teto abobadado, e também a espada, erguida em um gesto de triunfo. No peito havia uma cruz entalhada e sob o pé direito encontrava-se uma serpente, com as mandíbulas deslocadas pela morte. James tocou o pé do santo.

— Proteja-nos — disse.

As portas se abriram e uma grande figura de manto branco entrou na capela. À luz das velas, os cabelos e a barba do cavaleiro, espessos e secos como palha e coloridos pelo sol, assumiram uma coloração dourada.

— Achei que o encontraria aqui — disse, com um sorriso. A pele, queimada pelas longas vigílias recentes sobre as muralhas, formava rugas nos cantos dos olhos. — Acha que Deus o ouviu hoje, irmão?

James olhou para o cavaleiro, que era uns 30 centímetros mais alto do que ele. Campbell, aliás, não era nem baixo nem de constituição franzina, mas sempre sentia-se um tanto diminuído quando em presença desse homem enorme.

— Deus sempre nos ouve, Mattius.

— Às vezes me pergunto, quando tantos imploram a Ele ao mesmo tempo, como Ele pode nos escutar, afinal? — Mattius ergueu um pouco os ombros. — Espero que você esteja certo. Eles estão se preparando para outro ataque. O comandante acredita que acontecerá ao alvorecer, somos necessários nas muralhas.

James forçou um sorriso decido e apontou para a porta.

— Então lhe mostrarei que Ele nos escuta quando os repelirmos novamente.

Os dois homens saíram da capela para a obscuridade noturna da circunvalação interna. A capela, os depósitos e as cisternas que ocupavam o espaço central pareciam anões em comparação com as alturas impessoais de pedra que as circundavam. Numa das extremidades do terreno murado erguia-se o imponente forte que abrigava os alojamentos e o refeitório dos cavaleiros, padres e sargentos. Enfileiradas ao longo do restante das muralhas ficavam a enfermaria, o arsenal, o guarda-roupa e as cozinhas.

Os dois cavaleiros caminharam rapidamente, dirigindo-se para um portão na base da muralha. À distância, o tinido dos martelos ecoava da circunvalação externa. Mais próximos eram os gritos de um homem, quando passaram sob a enfermaria. Depois de cruzar o portão, entraram num corredor úmido que cortava o muro de quatro metros de espessura. A luz tênue de uma tocha brilhou através de uma abertura gradeada no teto do corredor, pela qual o óleo combustível podia ser vertido de uma galeria superior. Mattius abriu a porta no fim da passagem e saiu. Os guardas que vigiavam o portão se voltaram, levando as mãos às armas, depois relaxaram ao ver os dois cavaleiros.

— É bom ver que vocês ainda estão acordados — disse Mattius, fechando a porta, que era reforçada do lado de fora por placas de ferro. Bateu nas costas de um dos homens, fazendo com que esse tossisse e avançasse um passo com a força do golpe. — O único problema é que não creio que a ameaça venha *de dentro*.

— Talvez você tenha de engolir suas palavras, Mattius — disse James, afastando-se. — É pelo lado de dentro que a maioria das fortalezas cai.

Mattius deu um grunhido e seguiu-o através da circunvalação externa, ao longo de passagens estreitas entre os prédios e por áreas abertas cheias de pessoas aconchegadas ao redor de fogueiras, encolhidas nos umbrais das torres. O cheiro de esterco dos currais e estábulos era forte e enjoativo. Acima dos gritos dos guardas do turno da madrugada, do murmúrio dos habitantes que caminhavam por ali e dos relinchos dos cavalos, ressoava o sempre presente retinir dos martelos à medida que os pedreiros continuavam os reparos dos barbacãs. Da cortina das muralhas projetavam-se torres nos cantos e nos flancos, interconectadas por passarelas cobertas de catapultas e arqueiros. As línguas amarelas das tochas tremulavam sobre as sombras dos homens que se deslocavam pelas ameias. Em tempos de paz e durante sítios, a circunvalação externa servia como quartel para os soldados e servos. Se um inimigo rompesse os muros avançados, ela se tornaria um campo de morticínio sobre o qual os defensores poderiam despejar óleo, pedras e flechas. Caso a circunvalação externa caísse, o contingente bateria em retirada para a interna, transformando Safed numa fortaleza dentro da fortaleza, um dos mais inexpugnáveis de todos os baluartes cruzados em Outremer. Era o orgulho do Templo.

Enquanto caminhava, o olhar de James adejava sobre os grupos de pessoas, algumas das quais erguiam os olhos para ele, as expressões numa mistura de esperança e temor. Além dos cavaleiros, sargentos e servos, Safed abrigava um contingente de 16 mil soldados cristãos sírios — mercenários com armas leves, pagos para guarnecer a fortaleza. Mas, em semanas recentes, a população havia inchado, pois lavradores com as famílias e os rebanhos haviam fugido das casas para a segurança do baluarte. James estimou a quantidade deles. Havia abandonado a pena em Londres, mas os anos de contabilidade em Balantrodoch jamais o deixaram e ainda via tudo com a simplicidade em preto no branco de um livro caixa. Tudo era uma questão de números e do balanço entre esses. Tal quantidade de grãos poderia alimentar tantas pessoas por tanto tempo: quanto mais bocas para alimentar, menor o tempo. Era verdade que ainda não havia escassez de comida ou água. Mas ninguém sabia por quanto tempo ficariam aprisionados ali, incapazes de partir, impossibilitados de mandar mensagens ou solicitar mais forças. Cercos podiam durar meses.

— Podiam ao menos ter trazido algo de útil — murmurou Mattius, olhando para um homem e uma mulher com três crianças magérrimas, que compartilhavam um cobertor perto de uma das fogueiras.

James seguiu seu olhar. Viu uma pequena reunião de potes e panelas empilhados no chão ao lado da família. O homem mantinha a mão protetora sobre a pilha, como se temesse que alguém pudesse roubá-la. James imaginou-os em alguma olaria no meio dos pastos, ouvindo as batidas distantes dos cascos ou vendo os fogos de advertência, agarrando os potes e as panelas de uma prateleira e correndo para a porta. Através dos campos, a mãe carregando o mais jovem nos braços, o pai olhando para trás.

— Depois da Batalha de Mansurá, quando as forças egípcias arrasaram o acampamento de Luís, o irmão do rei foi salvo por cozinheiros brandindo caçarolas. Quase qualquer coisa pode ser usada como arma — disse James.

Mattius fez um muxoxo e olhou para o céu em busca de inspiração.

— Uma pena?

James sorriu. A expressão iluminou os olhos e alisou as rugas entre as sobrancelhas, fazendo-o parecer anos mais jovem.

— Uma pena pode ser usada para escrever. Com uma pena você poderia assinar a sentença de morte de um homem, redigir leis, declarar guerra.

Escalaram um conjunto de degraus estreitos que conduziam às ameias.

— Estava pensando em algo um pouco mais adequado aos nossos atuais apuros — disse Mattius, ao passarem por uma fileira de arqueiros ajoelhados nas seteiras do muro.

— Suponho — respondeu James, apreciando o jogo — que a ponta de uma pena poderia ser suficientemente afiada para cegar um homem.

— Uma flor, então?

James abriu a boca para retorquir quando seu olhar caiu sobre um grupo de jovens parados na ameia mais à frente. Os cinco sargentos templários haviam se juntado à guarnição da fortaleza dois meses antes, acabados de sair do treinamento em Acre. Viu que empertigaram um pouco mais o corpo quando ele e Mattius passaram. A luz da tocha iluminou as faces pálidas e imberbes.

— Deus do Céu, Mattius, são mais jovens do que o meu filho.

Mattius notou a têmpora de James pulsar ao mesmo tempo em que apertava a mandíbula, com todo o humor dissipado.

— E como está seu garoto? — perguntou, num tom jovial. — Se não me engano, na última carta contou que havia feito os votos.

Mattius já sabia a resposta para as perguntas, pois James lera-lhe a carta tão logo ela chegara. James sabia que Mattius tinha conhecimento disso, mas aceitou a tentativa do companheiro de elevar seu ânimo.

— William está bem, irmão, e, sim, ele agora é um cavaleiro. Fiquei preocupado quando recebi notícias dele enquanto estava lotado em Acre. A morte de seu mestre, Owein, foi um golpe doloroso e ele pareceu perdido, insatisfeito em Paris. Mas agora parece ter se assentado e seu mestre, Everard, obviamente ensinou-lhe muito. Sua escrita é melhor do que a minha.

— Sempre o erudito — disse Mattius, com um sorriso.

— Gostaria de ter estado lá para a investidura dele, Mattius. Parece ter se passado toda uma vida desde que o vi pela última vez.

— Você o verá novamente, em breve. Uma vez que a notícia sobre o que está acontecendo chegue ao Ocidente, seu filho virá com um exército para lutar ao seu lado.

James olhou novamente para os sargentos.

— E teremos muito do que falar.

Ficou em silêncio enquanto ambos seguiram ao longo das trincheiras até uma torre de cantoneira.

James, inicialmente, havia ficado radiante quando recebeu a carta de Will, contando sobre a investidura, mas essa alegria logo se viu maculada por sentimentos de arrependimento e inveja. De certa maneira, era incrivelmente grato a Everard por ter cuidado do filho. Depois que Jacques de Lyons havia-o recrutado para a Anima Templi em Londres, impressionado por seus modos diplomáticos e seu conhecimento da língua árabe, James encontrara Everard apenas uma vez antes que o padre lhe tivesse pedido para assumir uma missão no Oriente. A incumbência havia deixado James excitado: era fundamental para os propósitos da Anima Templi, propósitos em que passara a crer com firmeza e nos quais acreditava ter chance de ser bem-sucedido. Concordou com a condição de que Everard ficasse de olho em Will e, caso algo lhe acontecesse, cuidasse para que alguém tomasse conta do filho. Mas, embora estivesse grato porque o sacerdote havia cuidado do garoto após a morte de Owein, invejava o fato de que Everard, e não ele, tivesse criado Will e estivesse presente durante sua investidura.

Cada vez mais naquelas últimas semanas, Will ocupava os pensamentos de James. Talvez porque agora houvesse o medo de jamais ver o garoto novamente, jamais abraçar o filho ou dizer que lamentava ter partido da maneira como havia feito. Parado nas docas do Novo Templo, James havia ansiado por pegar Will nos braços e contar ao garoto confuso que não mais o culpava pela morte de Mary; que tinha de partir porque estava para fazer algo importante, algo que poderia mudar o mundo. Mas a única coisa que conseguiu fazer foi apertar a mão do filho.

Quando se aproximaram da torre do canto, James espiou o homem enorme ao seu lado. Mattius havia sido um bom amigo durante os últimos anos, mas nada sabia do real motivo por que estava na Terra Santa ou sobre o que fazia entre suas obrigações para com o Templo e seus vários postos em guarnições como Safed. Às vezes, James sentia-se tão solitário que tal sofrimento iria sepultá-lo. Sentia saudades das filhas, do cheiro dos cabelos delas e dos risos. Sentia falta da pele morna da esposa junto à sua. Sentia saudades do filho. Nessas horas, tinha de recordar a si próprio que a missão, não a família, ou os amigos, ou o dever para com o Templo, era a coisa mais importante. Estava cumprindo-a, dizia consigo mesmo, para eles.

James abriu o portão na base da torre e, juntos, ele e Mattius subiram a escada em espiral. Um vento frio assobiou de encontro a eles, soprando partículas de poeira em seus olhos. O vento ficou mais forte quando se aproximaram do topo, assim como a luz das tochas. Passaram por um buraco no telhado crenelado da torre circular. O céu estava começando a clarear, as estrelas se apagando no fundo azul-turquesa. Um homem baixo e atarracado, com a face bronzeada e coriácea, virou-se quando eles apareceram. Com ele na torre estavam mais oito templários, dois sargentos e o capitão dos soldados sírios.

— Bom-dia, irmãos.

James inclinou a cabeça.

— Comandante.

— Espero que tenha dormido bem, parece que este será um longo dia.

— Mattius informou-me da possibilidade de um ataque, senhor.

O comandante foi até o parapeito.

— Venha ver por si próprio.

James seguiu-o e olhou para fora. Safed era construída sobre uma colina ampla e alta de rocha íngreme, oferecendo de todos os lados um perfeito ponto de observação das terras circundantes. Um dos vários castelos cruzados perfilados ao longo do vale do Jordão, guardava a estrada que ligava Damasco a Acre, com vista para o lado oposto do vau de Jacó, o ponto de travessia mais setentrional do rio Jordão. À luz do dia, a paisagem era de colinas e pastagens, pontilhadas pelas vilas que se encontravam sob o domínio de Safed. Cinco milhas ao sul, o Jordão corria para o Mar da Galileia e os campos se estendiam até as montanhas róseas e poeirentas. Na escuridão, James não conseguia ver nada além do vasto exército mameluco espalhado sob a fortaleza. Milhares de tochas queimavam, lançando uma claridade infernal sobre o acampamento, com tendas, carroças, cavalos, camelos e estandartes tremulantes. Homens vestindo mantos coloridos e turbantes moviam-se sob os focos de luz entre as armações esqueléticas das máquinas de sítio que se erguiam da planície como monstros.

— Parece ainda maior do que ontem — murmurou James. — Receberam reforços?

— Não reforços — respondeu o comandante. — Na noite passada, depois que você se retirou, mandaram arautos nos informarem que haviam capturado mais duzentos cristãos das vilas mais afastadas. Nós os vimos serem trazidos em jaulas.

— Bom Deus.

— Deveriam ter fugido enquanto tinham chance. Não podemos fazer nada por eles.

James sentiu o dever de protestar. Mas não o fez. Por mais duras que fossem as palavras do comandante, sabia que o homem estava certo.

O comandante apontou para uma área sombreada não muito longe do sopé da colina, onde um caminho íngreme e sinuoso conduzia ao barbacã que guardava o portão da fortaleza.

— Dê uma olhada.

James e Mattius, que havia se juntado a eles, olharam na direção do dedo. Apertando os olhos para enxergar em meio às sombras, James viu vultos de homens movendo-se em torno de um longo contorno retangular só visível por ser mais negro e compacto do que a escuridão que se tornava mais fraca.

— Construíram uma gata.

O comandante fez que sim.

— Isso pode ser problemático. Acabamos de completar os reparos do barbacã após os dois últimos ataques. — Deu um riso amargo. — E os inimigos não estavam nem mesmo dirigindo o ataque contra ele. Se aquela pedra não tivesse se desviado tanto... — Meneou a cabeça. — Agora sabem que é um ponto fraco.

James se deu conta de que não ouvia mais os martelos: os pedreiros haviam se retirado, o trabalho estava feito. Olhou carrancudo, analisando a gata. Uma estrutura robusta montada sobre rodas com um teto de madeira em declive, tinha de ser posicionada diretamente na base da muralha para ser usada. Debaixo desse abrigo, homens podem trabalhar no portão com picaretas ou então utilizam-se de um aríete pendurado no teto por correntes, cuja cabeça é revestida com placas de ferro. A arma poderia, de fato, ser um problema. Mas havia maneiras de lidar com isso.

— Fogo? — sugeriu James.

— Estariam preparados para isso. Suponho que o teto estará protegido com couro verde.

James concordou: couro verde, peles não curtidas embebidas em vinagre, era difícil de incendiar.

— Uma unidade de sapadores, então?

— Já os mandei até lá. Tarde da noite passada percebemos um aumento da atividade no acampamento, que nos deu um alerta inicial de ataque ao alvorecer. Mandamos um grupo de sírios através de um dos túneis. A saída oculta desemboca não muito longe das máquinas de sítio do inimigo. Os sírios não conseguiram chegar perto o bastante para ouvir o que os soldados diziam sem comprometer sua posição, mas viram-nos carregando as máquinas.

O comandante apontou para a extremidade esquerda do acampamento.

James olhou para o local onde 27 catapultas, que os mamelucos chamavam de *mandjaniks*, estavam posicionadas em fileira. Os longos braços encontravam-se naquele momento imóveis. Cada braço era suspenso diagonalmente através de uma armação. A extremidade elevada era propelida por um complexo sistema de cordas e a outra, com uma cavidade em forma de bacia, repousava sobre o solo. Na cavidade, podia-se depositar pedras pesando até cento e trinta quilos. Num ataque, a extremidade elevada do braço era puxada para trás pelas cordas a grande velocidade. A ponta que sustinha a pedra atingia uma trave horizontal acima da armação e catapultava a carga rumo aos muros de Safed.

James desviou o olhar das máquinas enquanto o comandante prosseguia.

— Para o ataque principal o inimigo recorrerá novamente às catapultas, com a intenção de romper as muralhas. Concentraremos nossos arqueiros e nossas máquinas em suas posições. Eles estão fora de alcance no momento, mas terão de se aproximar quando a batalha começar.

— Tem certeza, comandante, de que a fortaleza pode resistir a um ataque prolongado?

James, Mattius e o comandante templário olharam para o local de onde a voz havia partido. Era o capitão dos soldados cristãos sírios quem havia falado. Os olhos castanhos do homem analisavam-nos.

— Não é melhor oferecer termos de rendição, enquanto ainda temos essa chance?

— Rendição? — zombou o comandante. — Neste estágio tão prematuro? Já os derrotamos duas vezes, com poucas baixas do nosso lado.

— Nestes últimos anos, comandante, estive estudando nosso inimigo. Conheço suas táticas. Estava em Acre, três anos atrás, quando o sultão atacou a cidade.

— Também estava em Acre na época — disse James, vendo a expressão do comandante endurecer. — A batalha foi feroz, sim, mas o sultão não tomou a cidade, nem tomou-a no mês passado, quando tentou e falhou novamente.

O capitão sírio contemplou o exército abaixo deles.

— Seus soldados chamam-no de "A Besta" — disse. — Dizem que não descansará até que todo cristão nestas terras esteja morto, mas nasci aqui. Meus homens e eu temos mais direito a estar nesta terra do que ele.

— Mais uma razão para ficar e lutar — disse o comandante, com rispidez. — É pura covardia dobrar-se tão facilmente em face de um inimigo ao qual até o momento resistimos tão bem.

— Não sou covarde, comandante, mas esta fortaleza foi tomada anteriormente por Saladino e esse sultão não tem nem um pouco da honra dele.

O comandante cruzou os braços sobre o peito.

— Nos 27 anos desde que Safed nos foi devolvida, gastamos uma fortuna nesta fortificação. Ela é muito mais forte hoje do que quando as forças de Saladino a sitiaram e podemos manter fora o inimigo durante meses, anos, se tivermos de fazer isso. O sultão não quer uma campanha longa: isso teria um custo muito alto e não lhe darei a satisfação de uma vitória rápida. — Deu um tapa na borda da balaustrada e sorriu com frieza. — Não há apenas argamassa nestes muros, há também a vontade de Deus.

Quando o sino da capela soou para as Matinas, James olhou para o complexo murado. As muralhas planas de Safed se estendiam ao longe, guardadas por torres impessoais e soldados de prontidão. A visão encheu-o de esperança. Mas então olhou novamente para a formidável força de ataque do sultão Baybars, com todas as máquinas capazes de esmagar muros, arqueiros e armamentos. O batedor que havia mandado em segredo não vira sinal de seu contato no acampamento. A esperança parecia inútil.

## 17
## Porta de Saint-Denis, Paris

19 de julho de 1266

— Você confia em mim?
— É claro.
— Então feche os olhos.

Com um suspiro, Will cedeu. Ele se apoiou sobre os cotovelos, grama fazia cócegas no pescoço.

— Não podemos simplesmente comer?

Abriu uma fresta numa das pálpebras e viu Elwen enfiar a mão na sacola que havia trazido. Estava ajoelhada ao lado dele, com o vestido branco, com delicados laços nos lados e nas mangas, espalhado à sua volta. Havia retirado a touca e os cabelos caíam em cachos fulvos pelas costas. Era um dia glorioso. Os campos se estendiam em declive até os muros da cidade, onde as cabeças purpúreas dos cardos, alguns da altura de um homem, curvavam-se com a brisa. Além dos muros da cidade, Paris era uma joia branca cintilando ao sol do meio-dia. Daquela distância, longe da sujeira e do barulho, a cidade era bela. Will deu um sorriso e fechou os olhos quando Elwen se virou novamente para ele.

— Do que você está rindo?
— Das suas ideias estranhas.
— Se não gosta do meu jogo...
— Ah, jogarei — disse, rapidamente, reconhecendo o tom que lhe informava que ela estava irritada. — E vou ganhar.
— Você gostaria de apostar isso?
— O que apostaria? Ao contrário de você, não sou pago pelos meus serviços.

Uma sombra passou por ele, escurecendo a luminosidade avermelhada do sol por trás de suas pálpebras. Will sentiu a manga de Elwen passar levemente pelo rosto.

— Você poderia apostar seu coração.

Sorriu, embora o tom da garota causasse um desconforto que minava seu contentamento. Alguma coisa rija foi pressionada contra seus lábios e ele abriu a boca. Mastigou vagarosamente e uma acidez agradável fez a língua formigar.

— Maçã. Essa foi fácil.

— A próxima será mais difícil.

Will aguardou, escutando os zumbidos das abelhas na grama alta enquanto Elwen saqueava a sacola.

— A rainha não está esperando a sua volta?

— Não — disse, num tom radiante. — Tenho a tarde inteira só para mim.

Will meneou a cabeça, invejoso da liberdade de Elwen. A maioria das mulheres de 19 anos estaria no quinto ou sexto ano de casamento e teria perdido os direitos e as terras como dotes para os maridos. Elwen, solteira e camareira da rainha Margarida, tinha muito mais privilégios e podia até mesmo, caso quisesse, investir em propriedades o dinheiro que recebia. Isso, combinado aos fortes laços que havia formado com a soberana ao longo dos seis anos anteriores, significava que tinha muito mais liberdade do que Will jamais teria, amarrado como estava ao Templo e a Everard.

— Trabalho duro para conseguir pequenos favores — acrescentou Elwen, vendo o olhar dele. — Agora, mantenha os olhos fechados.

Ela introduziu algo farelento e de odor adocicado entre os lábios de Will. O jogo prosseguiu por algum tempo. Will acertou o bolo de amêndoas, o ovo e o queijo e contraiu o rosto com o limão, causando uma crise de risos em Elwen.

— Basta — disse, por fim, cuspindo um bocado de sal. Will abriu os olhos e sentou-se, piscando devido à claridade. — Ganhei, não foi?

— Não! — insistiu Elwen. Ela o empurrou para trás. — Só mais uma coisa.

— Elwen — gemeu.

— Uma só.

— Está bem. — Will lançou-lhe um olhar desconfiado. — Mas nada de limão novamente.

Ela sorriu e ele fechou os olhos.

— Onde você conseguiu toda essa comida, aliás? Estamos comendo a ceia do rei?

Elwen não respondeu. Will sentiu-a inclinar-se sobre ele. Por trás das pálpebras, a escuridão ficou mais densa com a proximidade dela. O coração começou a acelerar quando a mão da garota o roçou. Um momento depois, sentiu algo macio tocar seus lábios. Eles se separaram, ainda que Will soubesse que não era para receber um quitute ou uma fruta que eles se abriam, mas algo muito mais doce. Will estremeceu quando a boca de Elwen cobriu a sua e a língua da garota avançou de encontro à dele. O rapaz sabia que isso iria acontecer, desde que recebera a mensagem dela pedindo-lhe que a encontrasse na Porta de Saint-Denis. A paixão venceu a razão e, estendendo a mão, Will puxou Elwen para si, sentindo o calor da circulação dela sobre seu peito. Os cabelos da garota se derramaram como água sobre suas mãos e seu rosto. Seus dedos se enroscaram nos cachos da garota. Afogava-se nela. E se isso era pecado, tinha sabor de mel e de luz.

Um falcão, descrevendo círculos sobre o campo à procura de uma presa, mergulhou no capim com um guincho. O som arrancou Will do enlevo. Segurou os braços de Elwen e suavemente a afastou.

— Elwen.

— O que há? — perguntou ela, sentando-se com um franzir de sobrancelhas.

Will sentou-se ao lado dela, evitando seus olhos.

— Você sabe o que há. Prometemos não fazer mais isso. Pelo bem da nossa amizade, foi o que concordamos.

— *Você* concordou — Elwen corrigiu-o, ficando de pé. Ela olhou para a cidade. — E acredito que você disse aquilo por causa do seu manto, não da nossa amizade.

Will se levantou.

— Que manto?

Elwen estava acostumada com as rápidas mudanças de humor dele, mas isso ainda a alarmava, como um trovão num céu azul. Will agarrou um punhado da túnica preta.

— Isto parece um manto de cavaleiro para você?

Elwen suspirou.

— Will — murmurou, meneando a cabeça. — Desculpe-me, não queria dizer isso.

Mas Will não permitiu que ela o aplacasse. Estendeu as palmas para ela.
— Estas parecem mãos que manejam uma espada?
As pontas dos dedos estavam pretas. Ele as havia esfregado de manhã e à noite durante os seis anos anteriores, tentando toda infusão de ervas concebível, fazendo Elwen comprar-lhe sabões malcheirosos dos curandeiros nos mercados. Mas, por mais que as brunisse, nada fazia com que a tinta se apagasse. Elwen uma vez havia lhe dito que as manchas faziam com que ele se parecesse com um dos professores universitários. Para ele, os dedos eram um rótulo, um constante lembrete das ambições frustradas.
— Parecem?
Elwen mordeu o canto do lábio.
— Talvez não, mas isso não importa.
— Não importa? Você sabe o quanto é difícil para mim esperar e assistir enquanto meus amigos fazem seus votos e saem da sala capitular como cavaleiros. Como homens. Menti para meu pai, Elwen. Escrevi contando que havia sido sagrado cavaleiro porque não pude suportar a ideia de revelar minha desgraça para ele. — Will deu as costas para a amiga. — Ele já pensa suficientemente mal de mim.
Elwen aproximou-se dele, sentindo o capim seco pinicar os pés descalços.
— Não importa se você veste preto ou branco, ou se você maneja uma espada ou uma pena. É o que está dentro de você, seu coração, seu espírito, que conta.
Will deu um bufo de desprezo, mas deixou que ela pegasse sua mão. Observou-a estender os dedos crispados e beijar as pontas manchadas de tinta. Sentiu um pouco da raiva se dissolver.
— Perdoe-me — disse. — Sei que concordamos em não nos encontrar mais assim, mas é muito difícil para mim voltar a ser como era antes.
— Não há nada a perdoar — Will retirou a mão cuidadosamente da dela. — É difícil para mim também, mas é melhor assim. — Fez uma pausa. — Para nós dois.
— Sim — concordou Elwen, evitando seu olhar. — É melhor.
— Temos de ir.
Will apertou o cinto, ao qual estava presa a espada, ao redor da cintura. Sargentos geralmente usavam armas apenas para deveres específicos, mas Will havia começado a usar o alfanje vários meses antes. Ao fazer isso, sentia que estava dizendo a Everard que não seria servo de um padre para

sempre. A mudança havia se demonstrado ineficaz: Everard nem parecera notar. Mas, além de algumas cartas que haviam chegado do Oriente, em que James falava quase todo o tempo de um camarada, Mattius, a espada era a única tênue ligação que havia restado entre Will e o pai. Continuava a usá-la mesmo quando não estava em serviço.

Will curvou-se para apanhar a sacola, pesada com a comida que não haviam ingerido.

— Tenho de passar no fabricante de pergaminhos — disse. — Se quiser estar de volta à preceptoria para as Vésperas, tenho de me apressar.

— Bem, não vai doer eu ter de voltar mais cedo. — Elwen forçou um sorriso. — O palácio está um pandemônio desde que o rei convidou Pierre de Pont-Evêque a se apresentar para ele na festa de Todos os Santos. Desde que isso foi anunciado, os criados estão muito mais ocupados com mexericos do que com o trabalho. A rainha não está no melhor dos humores.

— Pierre quem?

Elwen arqueou uma das sobrancelhas.

— Sinceramente, Will, sei que você vive num mosteiro, mas não lhe tiraria nenhum pedaço ter algum contato com o mundo exterior de vez em quando. — Suspirou diante da expressão confusa do rapaz. — Pierre é um trovador. E é muito famoso.

— Ah — disse Will, sem entusiasmo; não compartilhava da obsessão de Elwen por romances.

— Já causou um belo alvoroço no sul. Seu espetáculo é um tanto... fora do convencional. — Elwen espanou o capim da saia. — Acho que será uma noite interessante.

Atravessaram o campo em silêncio. À medida que se aproximavam da cidade, a estrada se tornava movimentada com carroças e viajantes a cavalo, rodas e cascos levantando nuvens de poeira. A estrada serpenteava para o norte rumo à Abadia de Saint-Denis, a necrópole real onde os reis, desde os tempos de Dagoberto I, eram enterrados. Will conduziu Elwen para a beira quando uma carroça puxada por bois subiu ruidosamente a colina em direção a eles. Os dois prosseguiram, passando por várias plantações, vinhedos de aroma doce, uma grande propriedade rural, duas pequenas capelas e um hospital.

Os muros da cidade haviam sido construídos mais de setenta anos antes, durante o reinado de Felipe Augusto, mas Paris havia desde então extrapolado os limites demarcados por eles e se expandido pelos campos circundantes. Fora da Porta de Saint-Denis, um grupo de vagabundos havia se reunido. Os guardas dos portões mantinham os olhos atentos sobre aquelas figuras esfarrapadas que se esquivavam das carroças e cavalos e empurravam as tigelas de esmola sobre as pessoas que se enfileiravam para entrar e sair da barreira. Will e Elwen entraram na fila.

— Malditos mendigos.

Will virou o rosto e viu um homem corpulento, com uma capa de veludo, fulminando o grupo maltrapilho com o olhar. O homem falava a *langue d'oil*, a língua do norte. Will havia aprendido o suficiente desse dialeto durante sua estada em Paris para entender o que era dito e, enquanto o homem prosseguia, desejar não tê-la aprendido.

— Não se pode andar um centímetro hoje em dia sem ser perturbado por foras da lei e vadios — disse o homem gordo, agitando as papadas. — Malditos sejam todos!

Várias pessoas na fila voltaram o rosto para olhar. Incentivado pela atenção que cativara, o homem se lançou numa diatribe contra ladrões, putas e vadios e a ruína que impunham à sua um dia orgulhosa e reluzente cidade.

Will desviou o olhar. Se fosse um cavaleiro, não teria de esperar, poderia ir em frente e atravessar direto, sem ser detido, sem ser questionado. Mordeu os lábios e mergulhou em seus pensamentos. Nos últimos tempos, tudo parecia servir como lembrete de sua baixa posição.

O 18º aniversário de Will, o dia em que atingiu a maioridade, havia passado como um exasperante marco, informando-o de que ainda tinha um longo caminho a seguir. No mês de janeiro seguinte, um ano e um dia depois, havia pensado que a espera terminara. Agora, seis meses à frente, ainda era escriba de um velho padre. Havia cumprido a punição por profanar o Sacramento todos aqueles anos atrás e realizado, cada vez com menos reclamações, cada tarefa vil, árdua ou tediosa que Everard lhe havia designado. Mas pedir para Everard explicar-lhe por que ele não havia sido promovido a cavaleiro era como tentar arrancar uma resposta de uma pedra e, por fim, desistira de tentar. A frustração de Will afligia-o mais profundamente a cada dia: quando ia para a cama com os outros sargentos, enquanto os companheiros haviam se retirado para os alojamentos dos cavaleiros; quando se ajoelhava no chão da capela e os amigos sentavam-se separados dele, nos bancos. E quando ia fazer as refeições, sabendo que eram as sobras deles que estava comendo.

Depois de atravessar o portão, avançaram com a multidão pela Rue Saint-Denis. Estava cheia de comerciantes e artistas de rua, competindo pela atenção dos passantes. Era dia de feira de gado e o cheiro do esterco que secava no piso era nauseante. Residindo fora dos muros, no relativo isolamento propiciado pela preceptoria, Will tendia a esquecer o quanto a cidade fedia. A recordação era sempre uma agressão aos sentidos: suor; mau cheiro de um curtume; excrementos e restos espalhados pelos jardins do mercado como estrume; conteúdos de penicos atirados das janelas.

— Você vai esperar uma carruagem? — perguntou para Elwen.

A garota olhou para o céu, protegendo os olhos do sol.

— Está um dia bonito demais para ficar apertada dentro de uma carruagem lotada. Prefiro caminhar.

Enfiou os cabelos dentro da touca. Vários cachos rebeldes esvoaçaram ao redor do rosto. Will fez menção de afastá-los com os dedos, depois parou. O gesto, um dia tão natural, parecia agora inapropriado. A mão ficou suspensa por um momento, para em seguida ele deixá-la cair ao seu lado.

— É melhor eu ir.

— Podemos ir juntos — disse Elwen, fingindo não notar o desconforto dele. — Você disse que ia até o fabricante de pergaminhos? Posso caminhar com você até a Cité.

— Não vou até o Quartier Latin hoje — disse rapidamente Will. — O suprimento habitual de Everard acabou, irei àquele que fica perto da Porta do Templo.

— Ah. — Elwen arrumou a touca para disfarçar o desapontamento. — Quando nos encontraremos novamente?

— Da próxima vez que eu escapar do dragão.

— Everard não pode ser tão mau.

— Você não tem de trabalhar para ele.

— Ele não pode ignorar para sempre seu direito ao manto.

— Ah, acho que provavelmente pode — murmurou Will, enquanto Elwen se enfiava no meio da multidão e desaparecia.

Depois de um momento, ele se dirigiu a uma das ruas que corriam paralelamente à via principal. Everard dera-lhe dinheiro para pegar a carruagem, mas a rota era tão obstruída por pessoas e animais que ele sabia que seria mais rápido caminhar até o Quartier Latin. Sentiu-se culpado por ter mentido a Elwen e mais do que um tanto estúpido por estar caminhando na mesma direção que ela, ainda que a uma rua de distância. Mas não podia ficar perto dela depois daquele beijo; era tormentoso demais. Margeando a multidão concentrada em torno da feira de animais, caminhou até o Sena, com pensamentos tão intensos quanto o calor da tarde.

Houve poucas mudanças nas rotinas diárias dele e de Elwen desde que haviam chegado a Paris. Elwen se acostumara facilmente à sua posição no palácio e ele havia se submetido, de maneira muito menos tranquila, ao aprendizado com Everard. Fisicamente, ambos haviam se alterado: Will ficara mais alto, a barba preta curta suavizara os ângulos agudos dos maxilares e da mandíbula; e Elwen havia se transformado numa jovem atraente e esbelta. Mas era entre ambos que as mudanças mais dramáticas haviam acontecido.

A alteração no relacionamento deles havia sido gradual, quase imperceptível. Mas, à medida que os meses se tornavam anos, havia começado a ficar claro para Will que o que se iniciara como amizade, nascida da perda comum que se seguiu à morte de Owein, havia se tornado algo mais. Algo emocionante. Aterrorizante. De sua parte, mantivera os sentimentos ocultos, lançando olhares furtivos para Elwen quando ela não estava vendo, fingindo estar interessado no que ela dizia, enquanto o tempo todo sorvia sua presença como um néctar. Elwen era mais direta. Ela lhe mostrara, certa vez, um livro que tinha encontrado no palácio. Will havia pensado tratar-se de um daqueles romances dos quais ela era entusiasta, até abrir a capa de couro vincado. As páginas estavam cheias de ilustrações de homens e mulheres em vários estados de nudez e licencioso abandono. Haviam rido com o livro, mas Will notou como as bochechas de Elwen haviam corado enquanto ela olhava das figuras para ele e soube, naquele momento, que ela compartilhava dos seus sentimentos. Depois disso, haviam começado a se encontrar em locais secretos, aproveitando-se dos momentos de privacidade para beijos fugazes que deixavam Will trôpego.

Passando pelas grandes casas dos mercadores da Lombardia e de comerciantes judeus, as quais tinham vista para o rio, ele se esforçava para recordar como era olhar para Elwen sem que um estremecimento percorresse todo o seu corpo. Isso parecia impossível; era como tentar esquecer o próprio nome. Mas não podia se permitir esse tipo de sentimento. Caso se entregasse a esse pecado, fora do casamento, arriscava sua ordenação como cavaleiro e se eles se casassem, como ela havia sugerido uma vez, ele jamais ganharia o manto branco, mas permaneceria para sempre trajando o tecido preto do pecado humano.

Banindo de sua mente com esforço os pensamentos sobre Elwen, atravessou a larga ponte até a Île de la Cité, a sede do poder real. Nas ruas ao redor da Notre-Dame, pegadas poeirentas assinalavam a passagem dos pedreiros que haviam deixado o trabalho na catedral para buscar abrigo contra o sol do meio-dia. Will seguiu as pegadas por algum tempo, antes de atravessar outra ponte menor até a margem esquerda.

O Quartier Latin, que abrigava as muitas faculdades da universidade, estava alvoroçado como de costume. As faculdades, estabelecidas graças a piedosos donativos, haviam proliferado no último século e meio e homens vinham dos Reinos da França, da Inglaterra, da Germânia e dos Países Baixos para estudar medicina, direito, artes e teologia com alguns dos mestres mais eminentes do Ocidente. Serpenteando pela massa de professores, padres e estudantes, Will dobrou na Rue Saint-Jacques, que conduzia ao colégio dominicano, próximo ao fabricante de pergaminhos. À frente, dois homens estavam bloqueando o caminho, um dos quais, descalço, vestido com uma batina preta esfarrapada e usando uma cruz de madeira em volta do pescoço, podia ser reconhecido como um dominicano. O jovem corpulento que estava com o frade falava com rabugice. Will passou em volta deles.

— Não estava sendo rude, senhor — dizia o homem corpulento. — Quero chegar até a preceptoria. O Templo, o...

Fez um gesto com a mão, frustrado, e disse algo em latim macarrônico.

O dominicano deu uma resposta polida que o jovem obviamente não entendeu, depois partiu rua abaixo.

— Fogo do inferno! — murmurou o jovem, lançando um olhar de raiva para o frade. — Nunca se consegue uma resposta direta de um padre!

Ao passar, Will notou que o jovem vestia a túnica de um sargento templário. Ele se aproximou, pensando em prestar informações, então parou perplexo. O jovem era mais alto do que ele recordava, embora ainda baixo em comparação consigo próprio. O rosto era cheio e largo, assim como a barba, e o peito lembrava ainda mais a forma de um barril. Entretanto, os olhos castanhos chispantes e os cabelos duros desbotados eram os mesmos.

— Simon!

Simon virou-se para ele. Depois de alguns instantes, o reconhecimento transpareceu no rosto.

— Meu Deus! Will?

Will começou a rir e abraçou-o, ignorando os resmungos de um estudante que passava por ali e teve de desviar deles.

— O que você está fazendo aqui? — perguntou, recuando e olhando o velho amigo de cima a baixo.

Simon ergueu a sacola que carregava para o alto do ombro.

— Acabei de chegar com uma companhia de cavaleiros de Londres. Eu os estava acompanhando até a preceptoria, mas parei para olhar uma loja e quando saí haviam partido.

— Você está definitivamente perdido, então. Você chega até a preceptoria pela margem direita. Esta é a esquerda.

Simon coçou a cabeça, desgrenhando ainda mais a cabeleira.

— Estava pedindo informações, mas ninguém me entendia.

Will sorriu.

— Podia ter dado certo se você não tivesse acabado de perguntar para um dos inquisidores o caminho para o estábulo da esposa dele.

— Era um inquisidor? — Simon inflou as bochechas e contemplou a rua. — Imagine só. — Ele se voltou novamente para Will, meneando a cabeça em feliz assombro. — É tão bom ver você, Will. Embora esteja surpreso por você não estar brandindo a espada contra os sarracenos. — Apontou para a túnica de Will, preta como a sua. — Brocart me contou que você não havia sido sagrado cavaleiro, quando voltou de Paris no ano passado, mas não me disse o porquê.

Uma parte da alegria de Will ao ver o velho camarada se apagou. Havia propositalmente evitado Brocart, a quem conhecera como sargento no Novo Templo, quando o jovem visitou a preceptoria.

— É uma longa história.

— Você terá um ouvido atento se me mostrar o caminho da preceptoria.

— Tenho uma ideia melhor — disse subitamente Will, enfiando a mão na bolsa que pendia do cinto ao lado do alfanje. Tirou as moedas que Everard lhe tinha dado para a carruagem. — Vamos encontrar uma taverna.

— Mostre o caminho — disse Simon, sorrindo.

Will esquadrinhou as tabuletas sobre as portas dos prédios. Em questão de momentos, encontrou o que estava procurando. Os dois jovens penetraram um umbral sombrio que cheirava a suor e carne de carneiro e Will experimentou uma satisfatória sensação de rebeldia.

Depois de pedir ao proprietário mal-humorado uma garrafa do vinho mais barato e uma tábua de pão, eles se sentaram num banco ao lado da janela de postigos entreabertos. Moscas vagavam pelas superfícies grudentas das mesas de cavalete ao redor das quais grupos desordenados de padres acalentavam jarras de cerveja e discutiam em tons pastosos sobre a correta administração da eucaristia e a envergadura das asas dos anjos. Alguns desses estabelecimentos, Will soubera, eram fachadas para uma forma mais sombria de indulgência, locais onde o preço de uma mulher era menor do que o de uma caneca de cerveja.

— Você primeiro, então — disse Simon, partindo o naco de pão ao meio. — O que aconteceu desde que veio para Paris?

— Pouca coisa. — Will tomou um gole do vinho, cujo gosto fez com que se contraísse. — Não fiz quase nada nos últimos seis anos que não envolvesse uma pena e um padre temperamental.

— Brocart disse que você estava trabalhando para um padre. Fiquei triste ao saber de Sir Owein — acrescentou Simon, de um modo solene. — Era um homem digno.

— Sim — concordou calmamente Will. — Sim, era.

Ao longo do tempo, o sentimento de perda havia diminuído, mas a lembrança do antigo mestre ainda o assombrava. Talvez mais do que o faria não fosse o novo mestre tão desagradável.

Simon entregou-lhe um pouco de pão.

— Eu me recordo do rei Henrique chegando à preceptoria logo depois que os cavaleiros voltaram da escolta às joias. Estava lívido. Nem bem saltou do cavalo e já estava berrando com mestre Humbert, vermelho como uma raposa, dizendo que antes de mais nada ele não deveria ter apanhado as joias e que nós havíamos posto a elas e à sua esposa em perigo.

Simon deu um assobio entre dentes.

— Todos começamos a apostar quem daria o primeiro soco, mestre Humbert ou o rei. Ele foi investigado, você sabe.

Will fez que sim.

— Ninguém conseguiu encontrar qualquer prova de que Henrique estivesse envolvido.

— Não tiveram grandes chances. Quando começou a guerra civil tudo aquilo foi interrompido. — Simon meneou a cabeça. — Foram anos estranhos. Estávamos bem seguros na preceptoria; ninguém nos perturbou muito, de fato. Mas Londres tem sido uma bagunça e o reino...? Metade desse tempo não sabíamos quem estava no poder. Um dia era o rei, no dia seguinte, Simon de Montfort e os barões. Não demorou para que os barões se rebelassem abertamente, dizendo que queriam dar mais poder para o povo. Tomaram Gloucester, Cinque Ports e parte de Kent, depois encontraram o rei e a vanguarda do seu exército em Lewes.

— Soubemos da batalha.

— Não me surpreendo. As pessoas falaram sobre isso por meses na Inglaterra. Diziam que o príncipe Edward lutou como uma lenda viva, dando carga contra as fileiras rebeldes à frente dos seus homens.

— Pensei que tivesse sido isso o que os fez perder a batalha — disse Will, mordendo o pão duro. — A impulsividade de Edward nesse ataque.

Simon deu de ombros.

— Só estou contando o que ouvi. Mas, de todo modo, depois de ser capturado em Lewes, Edward escapou à custódia de Montfort e combateu os rebeldes em Evesham. Matou Montfort em pessoa e em seguida libertou o pai. Depois disso, a maior parte dos rebeldes fugiu ou rendeu-se.

— A guerra acabou, então?

— Adeptos de Montfort ainda resistem em Kenilworth, mas o exército do rei Henrique está em cima deles há meses. Calculo que cairão logo.

Simon secou o vinho e serviu-se de outra taça. Os dois caíram num silêncio desconfortável, desacostumados que estavam à companhia um do outro.

— Então — disse Simon, endireitando-se no assento. — A sobrinha de Sir Owein está aqui? — Deu uma risadinha. — Ouvimos falar dela.

Will engasgou-se com um gole de vinho.

— Ouviram o quê?

— Que entrou como clandestina no navio.

— Ah — disse Will, balançando a cabeça e pigarreando.

— Ela ainda está em Paris?

— Sim. — Will sentiu um rubor se espalhar lentamente pela face. Ele se recostou no banco, passando as mãos pelos cabelos no que acreditava ser condizente com um gesto de indiferença. — Elwen está trabalhando como camareira da rainha Margarida. Eu a vejo às vezes, quando nossos deveres permitem. Mas você ainda não me contou por que está aqui.

— Fui promovido. O marechal da preceptoria de Paris me requisitou. — Simon pareceu embaraçado. — Ele esteve em Londres alguns meses atrás e seu cavalo ficou doente. Consegui salvar o animal. — Encolheu os ombros.

— Não foi difícil; só precisei dar-lhe as ervas corretas para abaixar a febre e mantê-lo de pé por uma noite. Mas acho que devo ter impressionado o homem, pois ele escreveu a mestre Humbert e disse que me queria como cavalariço-chefe em Paris.

— Um viva para você.

Will teve de forçar o sorriso: Simon, filho de curtidor de Cheapside, estava agora numa posição mais respeitada do que a sua.

— Obrigado — disse Simon, com modéstia.

Will terminou o vinho e ficou de pé, com a cabeça rodando um pouco.

— Agora devo ensiná-lo como chegar à preceptoria.

— Você não vem comigo?

— Tenho uma tarefa a cumprir. Vou demorar um pouco e você precisa se apresentar ao marechal. Disse que veio com uma companhia de cavaleiros? Suponho que já se reportaram a ele.

— Sim, o... — Simon parou. — Não lhe contei, não é? Alguém mais que você conhece estava no navio que veio de Londres. Garin de Lyons.

— Garin?

— Sim — disse Simon, levantando-se e agarrando a mesa de cavalete para se apoiar. — Mãe de Deus, estou bêbado. Claro, ele é orgulhoso demais em seu manto para esperar gente como eu. Acho que ficaria andando por este lugar durante dias se não tivesse encontrado você.

— Garin é um cavaleiro? — perguntou Will, já sabendo a resposta.

Simon fez que sim.

— Bem. — Deu um tapinha no ombro de Will. — Amanhã poderemos acalentar nossas dores de cabeça e você poderá me contar por que ainda é um sargento. Não que eu esteja desapontado — acrescentou de forma jovial. — Quem quer ser um cavaleiro?

— É, quem?

Depois de dar a Simon as instruções para chegar à preceptoria, Will avançou penosamente pela Rue Saint-Jacques, com o estômago estragado pelo vinho e o humor, pelas notícias de Simon. Por mais alegre que estivesse por ver o velho amigo, o fato de que dois dos antigos camaradas estivessem em Paris e estabelecidos nas posições adequadas e recomendáveis para homens da sua idade e condição social era apenas mais uma coisa para elevar sua frustração. Tentou imaginar Garin como cavaleiro, mas conseguiu visualizar apenas um garoto magro de cabelos dourados com esfoladuras no rosto. As palavras de Elwen lhe vieram de novo à mente. *Ele não pode ignorar para sempre seu direito ao manto.* Cerca de um mês antes, depois que Everard havia se recusado pela última vez a falar de sua iniciação, Will fizera uma promessa para si próprio: a de que antes que o ano acabasse iria para a Terra Santa. Sabia que o pai estava em Safed. Se ao menos pudesse ser iniciado dentro dos próximos meses, seria possível solicitar uma transferência. Will tocou o botão em forma de disco no cabo do alfanje. Havia ficado calmo por tempo demais.

Perto do colégio dos dominicanos, Will entrou no beco estreito que levava à oficina do fabricante de pergaminhos. Um homem grande saiu cambaleando de uma estalagem e ambos se esbarraram, virando a jarra de cerveja do estranho, cujo conteúdo derramou e espirrou na frente dele.

— Maldição! — exclamou o homem.

— Desculpe-me — disse Will, dando um passo para trás e vendo, pela cruz branca na túnica preta do homem, que era um cavaleiro de São João: um hospitalário. — Não o vi.

— Não me viu? — intimou o cavaleiro, esfregando inutilmente a cerveja que encharcava a túnica. — Você é cego?

— Como disse, lamento.

Como Will fez menção de se retirar, o hospitalário agarrou seu braço.

— Isso não basta! — Os olhos do homem percorreram lentamente as vestes de Will e ele deu um riso zombeteiro. — Um templário, hein?

Pelo hálito causticante e pelas pálpebras caídas, Will supôs que aquela cerveja não era a primeira do dia para o cavaleiro.

— O que você vai fazer a respeito disto? — Agitou a jarra.

Will puxou o braço, liberando-o do aperto do cavaleiro.

— Pedi desculpas — disse. — Não vejo necessidade de fazer mais.

— O que há, Rasequin?

Will virou-se ao ouvir a voz e viu quatro cavaleiros saindo da estalagem, carregando jarras e aparentando estar em condições quase tão precárias quando a do companheiro. O hospitalário cambaleou uma meia-volta para ficar de frente para os outros e apontou para Will.

— Esta escória do Templo está derramando minha cerveja e achando que vai sair sem pagar.

— Peça desculpas para o nosso homem! — exigiu um dos cavaleiros, um jovem com espinhas no rosto, que parecia apenas cerca de um ano mais velho do que Will.

— Já fiz isso — disse Will, rilhando os dentes. — E se seu camarada não fosse teimoso como uma mula, já as teria aceitado.

— Seu verme! — gorgolejou Rasequin, atirando a jarra para o lado e levando a mão à espada.

Os companheiros se adiantaram quando ele tentou sacar a espada com os dedos tateantes.

— Deixe o garoto em paz, Rasequin — disse um deles, que parecia mais velho do que os demais. — É apenas um sargento.

Will corou e pôs a mão no cabo da espada.

— Vamos, Rasequin — insistiu placidamente o mais velho. — Eu lhe comprarei outra.

— Depois — disse Rasequin, com a espada finalmente brandida e fazendo com que balançasse alguns passos para trás. — Tenho de ensinar uma lição a este tampinha!

Will desembainhou o alfanje quando Rasequin cambaleou em sua direção.

— Baixe a guarda — disse o cavaleiro mais velho para Will. — Resolverei isso. — Segurou o ombro de Rasequin. — Chega, irmão!

O cavaleiro com espinhas no rosto apontou para a espada de Will.

— Olhe essa lâmina! — escarneceu. — Deve ser uma velharia!

O riso do cavaleiro cessou abruptamente quando Will levantou a espada e deu uma estocada para diante. Três dos hospitalários recuaram. A espada de Will estava apontada para a garganta de seu camarada. Will estava alheio a tudo, exceto à face do homem à sua frente. A liberação da raiva o intoxicou: era muito mais prazeroso desafogá-la do que represá-la.

— Vamos — disse ele, provocando Rasequin, com os lábios repuxados numa expressão que era metade sorriso e metade rosnado. — Lute comigo!

Rasequin, bêbado demais para ter cautela diante da ferocidade do olhar de Will, levantou a espada.

— Baixe a arma! — repetiu o cavaleiro mais velho. — Pare, maldito seja! — disse ele a Will, que deu mais um passo adiante e puxou o alfanje para trás, como se fosse golpear.

Will foi detido por um forte aperto no pulso. Virou-se para confrontar o atacante, mas foi silenciado ao ver que era um templário que o havia segurado.

— Daqui a um instante, sargento — disse calmamente o cavaleiro —, vou soltá-lo e você vai embainhar a espada.

Will, trêmulo com a antecipação da batalha, hesitou. Depois fez que sim. O templário soltou sua mão e observou Will deslizar o alfanje pela alça do seu cinto. Depois olhou para os cinco hospitalários.

— Qual é a causa deste distúrbio?

Rasequin havia abaixado a espada com o aparecimento do templário, embora seu olhar belicoso ainda estivesse fixo em Will. O cavaleiro mais velho inclinou a cabeça com polidez.

— Foi um mal-entendido. O rapaz aqui — apontou para Will — derramou a cerveja do nosso camarada.

O templário olhou novamente para Will. Os olhos eram de um azul frio e lúcido e pareciam ainda mais pálidos em comparação com os longos cabelos e a barba pretos. Parecia estar na metade da casa dos 40 anos. O rosto era forte e belo e havia um tom moreno na pele que sugeria que tivesse passado algum tempo em climas mais quentes.

— Bem? — perguntou.

Will enfrentou o olhar. Já havia visto aquele cavaleiro na preceptoria, mas nunca tinham sido apresentados e por isso não sabia o nome do homem.

— Foi um acidente, senhor.

— Um pedido de desculpas não seria mais condizente do que um duelo?

Will abriu a boca para se defender, mas então pensou melhor.

— Sim, senhor.

O templário pôs a mão numa algibeira de couro pendurada no cinto e tirou uma moeda de ouro. Foi até Rasequin e entregou-a a ele.

— Creio que isso o compensará pelo inconveniente causado.

Rasequin grunhiu algo inaudível, mas aceitou a moeda.

— Isso é mais do que suficiente, irmão — disse o cavaleiro mais velho. Fez outro cumprimento de cabeça e acenou para os camaradas. — Vamos.

Os cinco se retiraram pelo beco, com Rasequin cambaleando entre eles.

Will, observando-os partir, ficou perplexo com a facilidade com que a situação havia sido resolvida. Os hospitalários poderiam ter feito uma queixa formal contra ele ou exigido um duelo oficial para resolver o assunto. Não teria se surpreendido se o fizessem. Os hospitalários não eram conhecidos pela clemência quando se tratava dos templários. Sempre que tinham uma chance, obstruíam os interesses dos templários ou argumentavam contra a Ordem: reclamando aos oficiais da cidade que um moinho de água pertencente ao Templo havia inundado um de seus campos; afirmando que templários estavam ocupando mais espaço do que eles no mercado com suas barracas de lã; alegando que o Templo havia subornado oficiais do clero e tomado posse de uma igreja abandonada com a qual coletar almas que os hospitalários já haviam assegurado. E no entanto, apesar de todas as queixas, ainda adotavam muitas das práticas do Templo. A Ordem de São João, estabelecida antes da Primeira Cruzada, mais de 20 anos antes de o Templo ser fundado, fora criada com o único propósito de providenciar cuidados para os peregrinos enfermos no Oriente. Mas logo depois da instituição do Templo, os hospitalários começaram a emular a Ordem em funções militares, construção de castelos e atividade econômica. As iniciações eram baseadas em princípios templários e até mesmo os mantos, com a cruz pátea branca, eram, segundo os templários, apenas mais uma imitação.

— O que achou que estava fazendo, sargento?

Will olhou para o cavaleiro.

— Lamento, senhor, estava errado e fui impulsivo e...

Chutou uma pedra do chão, depois moveu o olhar novamente para o cavaleiro.

— Estou mentindo. Não lamento. Pedi desculpas mas ele não quis aceitá-las. O hospitalário puxou a espada antes que eu o fizesse.

— Então, você desembainhou a sua em defesa própria?

— Não — admitiu Will, depois de uma pausa. — Por raiva. Não ia feri-lo — acrescentou. — Apenas...

A voz sumiu. Havia sido bom sacar a espada. Treinar sozinho não era a mesma coisa que enfrentar alguém numa luta e sentia falta daquela emoção pura e descomplicada. Mas agora que havia acabado, sentia-se apenas tolo.

— Não teria sido uma grande luta — disse o cavaleiro. — Seu oponente mal podia parar de pé.

— Eu sei. Acho que queria humilhá-lo.

— *Aquila non captat muscas.*

— Uma águia não apanha moscas?

— Exatamente. — O cavaleiro estendeu a mão. — Meu nome é Nicolas de Navarre.

— William Campbell — disse Will, apertando a mão do homem, que era encrespada ao longo da palma por calosidades, causadas pelo manejo frequente de uma espada.

Nicolas balançou a cabeça.

— Eu o vi na preceptoria. Você é um sargento a serviço do padre Everard de Troyes?

— Conhece Sir Everard?

— Conheço seu trabalho. Sou colecionador de livros raros, ou era, antes de me juntar ao Templo. Tentei falar com o irmão Everard em várias ocasiões, mas ele parece um tanto...

— Rancoroso? — sugeriu Will.

— Recluso — disse Nicolas, com um sorriso. Olhou na direção do beco.

— O que você estava fazendo ali?

— Conseguindo pergaminhos novos. Estamos trabalhando em algumas novas traduções.

— Algo interessante?

— Apenas se o senhor for fascinado pelas propriedades medicinais das oliveiras.

Nicolas riu.

— Bem, não devo afastá-lo do seu trabalho. Um bom-dia para você. — Fez uma pausa. — Uma palavra de conselho, sargento Campbell. Veja bem para quem saca a espada no futuro. O próximo pode não ser tão facilmente dissuadido de derramar seu sangue.

— Posso perguntar-lhe, senhor — chamou Will, quando o cavaleiro dava as costas para partir —, se planeja falar sobre esse incidente com meu mestre?

— Que incidente?

Nicolas sorriu, depois seguiu pelo beco.

# 18
# Fora dos Muros de Safed, Reino de Jerusalém

19 de julho de 1266

Omar levantou os olhos diante da imponente fortaleza cinzenta. Os soldados sobre as ameias não eram maiores do que formigas vistos daquela distância, embora fossem formigas dotadas de presas e somente em um ataque os mamelucos tivessem perdido mais de cinquenta homens para suas flechas. Omar analisou as indomáveis muralhas perpendiculares. Se algo podia ser dito sobre os francos, era que sabiam como construir um castelo. A arquitetura não era tão bela e elaborada quanto a dos mamelucos, mas, como os próprios francos, era rígida e resistente. Omar deu meia-volta e se dirigiu ao pavilhão no centro do acampamento.

Quando entrou, Baybars olhou em sua direção. Dois dos eunucos do sultão ajudavam-no a vestir a bem polida cota de malha, um terceiro aguardava de pé com o cinto e os sabres. Exceto pelos serviçais, o pavilhão parecia deserto. Atrás de Baybars, erguia-se o trono vazio, com os leões que guarneciam os braços reluzindo à luz das arandelas. Omar ouviu um grunhido partir das sombras. Distinguiu a forma de Khadir encolhida sobre um cobertor. O adivinho murmurou algo em meio ao sono, virou-se para outro lado e começou a roncar.

— Meu senhor sultão — disse Omar, aproximando-se de Baybars e inclinando a cabeça.

Baybars dispensou os auxiliares e fixou a presilha da cota ao seu pescoço.

— Omar — cumprimentou, franzindo as sobrancelhas. — É um prazer vê-lo juntar-se a mim. Finalmente.

Omar curvou novamente a cabeça.

— Estava dormindo, meu senhor. Lamento.

Baybars riu e os olhos azuis cintilaram. Abraçou Omar.

— Ainda é tão fácil fazê-lo engolir a minha isca — disse.

Em seguida, recuou um passo, deixando Omar com o sabor do óleo que perfumava sua pele, e caminhou até o banco onde o manto dourado, bordado com inscrições do Alcorão, jazia pendurado.

Omar viu-o puxar o manto sobre o corpo musculoso. A aparência de Baybars havia mudado pouco nos seis anos desde que fora entronizado como sultão do Egito. Tirando as poucas mechas cinzentas nos cabelos e na barba e as rugas mais profundas na face, parecia o mesmo. Era em seu interior, Omar sabia, que a maior parte das mudanças haviam acontecido.

Omar tivera a esperança de que, uma vez que a ambição de Baybars para governar se concretizasse, o peso da responsabilidade que acompanhava a posição de sultão iria temperá-lo. Porém, como sultão, Baybars havia se tornado mais determinado, violento e imprevisível do que nunca. Nem mesmo o nascimento do filho nada havia feito para acalmá-lo. Baraka Khan, com 5 anos e herdeiro do trono, havia nascido no ano seguinte à ascensão de Baybars. Desde então, o pai o havia praticamente ignorado, dizendo que pertencia à mãe até ter idade suficiente para ser treinado para combater os francos.

Omar sabia que o amigo ainda estava ali, mas era como se Baybars tivesse sido seccionado em dois. Uma das metades ainda era capaz de atos de boa vontade; apreciador da beleza e profundamente religioso, havia restaurado tanto o Cairo quanto o califado, indicando um beduíno como líder do Islã. Mas, cada vez mais, essa metade era eclipsada pela outra, implacável, astuta e impiedosa.

No ano que se seguiu à entronização, Baybars havia executado Aqtai e o restante dos antigos adeptos de Kutuz e extirpado de Alepo o governador que o antecessor havia nomeado, sob o pretexto de que planejava uma rebelião. Continuara tomando Damasco, Kerak e Homs dos respectivos governantes e havia feito uma aliança com um dos generais mongóis, limpando o caminho para a guerra contra os cristãos. Desde então, havia partido do Cairo à frente de seu exército, por três vezes, para cair como um martelo sobre os francos.

Omar não nutria nenhum amor pelos francos. Como todo mundo, queria que eles partissem e na guerra a morte era inevitável. Mas era o prazer que Baybars sentia com o sofrimento das vítimas que o perturbava. Temera, mais de uma vez, pela alma do amigo.

— Você tem o aspecto de um homem oprimido pelas preocupações — disse Baybars, cingindo o cinto da espada à sua cintura.

— Não, *sadeek*. Estou apenas cansado.

— Se tudo correr bem, você deverá dormir melhor esta noite. Eu me reuni com os comandantes. Os regimentos estão em posição. Concentraremos nosso ataque contra o portão que danificamos durante nossa última investida e contra os muros avançados na outra extremidade da fortaleza. Os ataques simultâneos vão tensionar e dividir as forças deles, permitindo que nos aproximemos o suficiente para fazer um terceiro ataque contra a seção central. Se tivermos sucesso em romper o muro, um regimento estará de prontidão para entrar na área murada externa. Os francos farão das tripas coração até que os cavaleiros tenham tempo de recuar até o forte. Também tenho outra surpresa reservada para eles. Ela não os matará, mas servirá para minar-lhes o espírito. — Baybars fez uma pausa e estudou a expressão de Omar. — Alguma dúvida?

Omar evitou os olhos de Baybars.

— Já nos repeliram duas vezes. Podemos realizar esse plano sem perder muitos mais dos nossos homens? Eu me pergunto se não deveríamos nos concentrar num alvo menos pavoroso. Então, quando as forças do emir Kalawun vierem da Cilícia para se juntar novamente a nós, poderemos retornar a plena força e...

— A campanha de Kalawun contra os cristãos armênios tomará tempo demais para que a esperemos. Nosso objetivo quando nos pusemos em marcha foi destruir as bases de poder franco em Acre. Falhamos nisso e os homens precisam de uma vitória. Escolhi atacar especificamente Safed por ela ser tão pavorosa. Nossos triunfos contra os francos nestes últimos anos têm sido respondidos com desafio e arrogância. Nossos inimigos estão preocupados, mas ainda não nos temem verdadeiramente.

— Não? — questionou Omar, lembrando o terror na face de cada cristão que havia ajudado a massacrar.

— Você se recorda, Omar, de quando concordei com uma troca de prisioneiros com os barões do Ocidente? Os templários e aqueles que chamam de hospitalários recusaram, dizendo que os muçulmanos que mantinham cativos eram valiosos demais como escravos para ser libertados. — Baybars andou de um lado a outro do pavilhão, com a beligerância aumentando. — Ainda não me levaram a sério. Mas irão. Quando saqueamos suas cidades e vilas, foi um golpe para eles, sim, mas a queda de uma de suas maiores fortalezas vai abalá-los. — Fechou o punho no ar. — Provarei a eles que nenhuma fortaleza e nenhum cavaleiro é intocável.

Omar caminhou até ele e pousou uma das mãos em seu ombro.

— Sei que provará, meu senhor.

Depois de um momento, Baybars pôs a mão sobre a de Omar e balançou a cabeça.

— Venha — disse. — Já é hora.

Os dois deixaram o pavilhão quando a aurora rompia sobre o vale do Jordão. Juntando-se ao restante do regimento *bahri*, montaram nos cavalos e avançaram até a linha de frente. Os olhos de todos os homens estavam voltados para Baybars, "A Besta", quando se levantou na sela e apontou o sabre para o céu, com o manto dourado esvoaçando na brisa.

*Safed, Reino de Jerusalém, 19 de julho de 1266*

James estava com uma companhia sobre o muro externo quando viu o sultão percorrer a cavalo as linhas de frente.

— Fiquem de prontidão! — gritou para os homens à volta.

Os arqueiros fixaram os olhares simultaneamente sobre as tropas abaixo deles, com os arcos retesados, e os soldados sírios nas catapultas apertaram as cordas que liberariam o braço da arma. Os primeiros raios do sol apareceram no leste e o calor se derramou como uma onda sobre eles. James olhou para o sul e viu as montanhas corarem-se de rosa, depois de vermelho. Esses nasceres do sol geralmente enchiam-no de um imenso sentimento de júbilo: a sensação de que estava de pé sobre a terra de Deus, assistindo a um milagre se desfraldar perante ele. Mas, naquele momento, as montanhas distantes eram um mau presságio. Ali, mais de 70 anos antes, sob as torres de rocha conhecidas como os Cornos de Hattin, as forças muçulmanas haviam destruído um exército cristão. Ainda mais para o sul ficava o local da Batalha de Herbyia e de outra derrota cristã. Em todas as direções havia campos e cidades, rios e vaus onde suas forças haviam sido ceifadas pelos defensores do Islã.

James surpreendeu o olhar de Mattius, que estava parado a alguma distância ao longo da ameia com outra companhia. Mattius levantou a espada. James retribuiu a saudação, depois obrigou sua atenção a se voltar novamente para o exército.

— Que Deus esteja conosco — murmurou.

O bramido trovejante dos mamelucos, quando os guerreiros responderam ao grito de guerra do sultão, abafou as palavras. E a primeira investida desabou como uma tempestade sobre Safed.

Os *mandjaniks* foram impelidos para diante, com as posições cobertas por arqueiros mamelucos, que devolveram saraivadas de flechas contra os soldados que disparavam sobre eles. Os projéteis silvavam através do ar de ambos os lados, atingindo pedras, escudos, capim e carnes. James se encolheu quando uma delas passou por cima do parapeito, indo cair com estrépito na ameia atrás dele. Depois das flechas, vieram as pedras. Os braços dos *mandjaniks* subiram e desceram, descrevendo arcos ascendentes até atingir os travessões, e arremessarem as cargas em direção à fortaleza. Vários projéteis ricochetearam nas muralhas e se despedaçaram ou estilhaçaram-se nas rochas abaixo. Um, porém, atingiu a torre do canto mais afastado a tamanha altura e velocidade que James, a alguma distância, sentiu o muro abaixo dele tremer. A pedra caiu novamente em terra, levando consigo uma pequena parte da torre. James assistiu quando os soldados, que deviam estar na escadaria interna, caíram através da fissura. Rochas e homens esmagaram-se no terreno lá embaixo. James cerrou os punhos ao ver um sargento, pouco mais do que um menino, girar e girar no vazio. Fechou os olhos antes que o garoto se unisse às pedras sobre o solo. Queria gritar às baterias e aos comandantes para que todos parassem. Mas, naquele momento, estava afastada qualquer esperança de negociação. Estavam todos entregues àquilo. Cada homem ali lutava pela vida.

A gata sacolejava pelo caminho até o portão, com os mamelucos puxando as cordas. Uma flecha atingiu um dos puxadores no pescoço. Ele caiu para trás com um guincho e o corpo despencou pela encosta íngreme, mas outro já estava ali para ocupar o lugar. A gata desapareceu do campo de visão de James à medida que vencia a distância entre o caminho e as muralhas. Alguns momentos depois, ouviu um baque profundo ecoar do barbacã. Soou como se um gigante esmurrasse o portão.

— Senhor!

Um dos sírios estava apontando por sobre o parapeito. Seguindo a direção do olhar do homem, James viu sete *mandjaniks* sendo transportados através do terreno rumo à seção central, que estava guarnecendo. A companhia de James era uma das apenas três nas adjacências imediatas. A maior parte de suas forças havia sido desviada para o portão e o canto mais extremo, sobre os quais as vinte máquinas de sítio restantes dos mamelucos estavam se concentrando. Ele praguejou, depois voltou-se para os soldados, que estavam de olhos postos nele à espera de ordens.

— Arqueiros de prontidão — disse, calmamente. Depois fez um sinal de cabeça para os soldados que estavam na catapulta ao seu lado. — Disparem quando eu der a ordem.

Ele se voltou para Mattius a fim de dar um grito de alerta, mas o companheiro já havia visto o perigo e sua companhia já estava a postos. James olhou novamente para as máquinas que se aproximavam e ergueu a mão.

— Esperem — murmurou para os homens, enquanto os *mandjaniks* eram posicionados e os soldados mamelucos deslocavam-se para trás deles. — Esperem. — Os mamelucos pegaram as cordas e James deixou cair a mão. — *Fogo!*

O braço da catapulta ao seu lado subiu quase ao mesmo tempo que os das duas outras ao longo do muro. Flechas zuniram em trajetória descendente, na esteira das três pedras imensas que singraram por cima do parapeito. Alguns dos mamelucos as viram chegar e tentaram correr, mas era tarde demais. Uma das pedras errou o alvo, mas as outras acertaram em cheio. Houve um forte clarão luminoso quando uma bola de fogo explodiu entre os outros *mandjaniks* e os soldados que os manejavam. As armas haviam sido carregadas com potes de cerâmica cheios de fogo grego: uma mistura inflamável de nafta, piche e pó de enxofre negro. O material flamejante aderiu às outras máquinas, incendiando-as e aos homens que as manejavam. Os soldados sírios na muralha com James deram um urro de júbilo quando os mamelucos caíram ao solo gritando, com roupas, cabelos e carne em chamas.

— *Deus vult!* — gritaram em uníssono. — É a vontade de Deus!

— Bom Deus — murmurou James.

Observou os homens de Mattius, todos os quais estavam festejando em triunfo. O amigo vociferava o grito de guerra, com os dentes expostos numa feia careta. James entendeu como eles se sentiam; era impossível não se sentir triunfante quando sua vida havia sido poupada, ainda que comprada ao preço da morte de outrem, mas por mais aliviado que estivesse em estar vivo, James não podia se dar ao luxo de celebrar. Mattius estava sorrindo para ele, abrindo a boca para gritar. James viu a expressão do amigo mudar. O sorriso de Mattius se apagou. A boca e os olhos se abriram ao máximo. Ao mesmo tempo, James ouviu um leve assobio se aproximando. O som recordou-lhe, no segundo necessário para que se voltasse, das rajadas repentinas de vento que se derramavam pelas charnecas perto de seu lar na Escócia. Os olhos se fixaram na grande forma escura que voava em sua direção. Não haviam destruído todos os *mandjaniks*; um deles, carregado com uma pedra imensa, ainda estava em ação. James gritou para os soldados em volta dele, que estavam dando vivas e socando o ar com os punhos, ao mesmo tempo que dava meia-volta para correr. Os pés moveram-se com uma lentidão de pesadelo, havia percorrido apenas alguns metros quando o choque ocorreu. Não teve tempo nem mesmo de gritar quando uma onda de pedras e sangue atingiu-lhe as costas, fazendo-o voar. Ele se estatelou sobre o estômago com um ofegar sufocado. Depois do trovão das pedras em queda, uma chuva macabra tamborilou sobre ele. Membros arrancados com farrapos de roupas ainda presos a eles, a mão de alguém, estilhaços de ossos e cartilagem; foi tudo o que restou dos soldados sírios. James virou a cabeça para um dos lados, com as pedras arranhando a face. Tentou levantar-se sobre as mãos, depois desmaiou.

    Não soube quanto tempo ficou ali caído. Mais tarde disseram-lhe que foi por poucos instantes, mas pareceu uma vida inteira até que mãos fortes seguraram seus braços e o levantaram até ficar de pé.

    — Estou morto? — perguntou ao homem cujo rosto de barbas brancas girava no seu campo de visão.

    — Não ainda, Deus seja louvado.

    A cabeça de James começou a clarear. Virou-se para ver o homem cujo braço estava fortemente cingido a ele, conduzindo-o, quase arrastando-o, pelas ameias. Engoliu com dificuldade. A boca e a garganta estavam revestidas de poeira.

    — Mattius — gemeu. — O que aconteceu?

    Mattius continuou puxando-o.

    — Não aqui. Temos de levá-lo à enfermaria.

    — Não.

    James parou numa posição cambaleante.

    — Não — disse novamente, com mais firmeza. Retirou o braço de Mattius dos ombros e apoiou-se no parapeito. — Estou bem.

    Abaixo dele, as flechas e pedras ainda voavam do campo para a outra extremidade da fortaleza, mas com seis nos sete *mandjaniks* agora fumegando, os mamelucos eram incapazes de planejar um ataque eficiente contra a seção central.

— Não sou médico — respondeu Mattius, pondo uma das mãos sobre o ombro do amigo — mas "bem" não seria o diagnóstico que daria a um homem encharcado de sangue.

James olhou para baixo e viu que o manto já não era branco, mas rubro e rasgado.

— O sangue não é meu — disse, voltando o rosto para onde estivera com os soldados. Murmurou uma oração quando se deu conta da sorte que tinha por estar vivo.

Havia um buraco escancarado na lateral do parapeito. Em volta dele, as bordas de pedra tinham um aspecto dentado, como se alguma fera imensa tivesse mordido a muralha. Alvenaria e cadáveres estavam espalhados pelas ameias; alguns tinham caído para fora e outros para o complexo murado abaixo. Os mamelucos haviam rompido o muro, mas não em um lugar que pudesse lhes ser útil. James estremeceu quando Mattius soltou seu ombro e ele pôde ver, por um rasgão no manto, que uma lasca de pedra estava incrustada no seu braço.

Mattius seguiu seu olhar.

— Isso parece grave, James. Vamos. Vou levá-lo para a enfermaria.

Um grito se ergueu das muralhas sobre o portão. Mattius se debruçou sobre o parapeito.

— Pegamos a gata!

Espiaram por cima dos muros e viram a companhia de mamelucos correndo pelo caminho. A equipe de arpoadores havia conseguido fixar seus ganchos no aríete. Eles o haviam puxado para cima de modo a torná-lo inutilizável e depois, a julgar pela coluna de fumaça, parecia que haviam fumegado os mamelucos para fora da proteção da gata fazendo descer fardos de estopa embebida em enxofre. Mattius e James assistiram enquanto a maior parte dos soldados mamelucos em fuga caía ao solo, perfurados por flechas francas.

Outro grito se elevou, dessa vez do acampamento mameluco. A linha de frente dos arqueiros começou a bater em retirada.

— Estão recuando — disse Mattius. — Vamos, seus *bastardos*!

— Espere — disse James, tocando o braço do amigo. — Veja.

Os *mandjaniks* no lado mais afastado da fortaleza estavam sendo recarregados. James e Mattius assistiram em silêncio enquanto os mamelucos disparavam a última carga da manhã. Dessa vez não foram pedras a voar por sobre os muros, mas corpos. Uma chuva com trinta cadáveres dos cristãos que haviam capturado nas vilas mais remotas caiu para dentro do complexo murado. Sob os muros, gritos partiram dos camponeses que estavam abrigados na circunvalação externa enquanto os corpos se rompiam à sua volta. Cada um desses havia sido pintado com uma cruz vermelha, num arremedo dos cristãos do lado de dentro.

*Fora dos Muros de Safed, Reino de Jerusalém, 19 de julho de 1266*

Baybars arrancou o cinto da espada ao entrar no pavilhão. O olhar recaiu sobre os eunucos que vinham remover o manto.
— *Fora!* — rugiu.
Os servos fugiram.
— Meu senhor — disse Omar, observando Baybars caminhar a passos largos para cima do pódio e sentar-se no trono, com as mãos crispadas sobre as cabeças de leões. — Nem tudo está perdido. É apenas nosso terceiro ataque.
— Quero isso acabado hoje.
— As defesas deles são densas.
— Se nossas máquinas de sítio não tivessem sido atingidas, Safed teria caído. — Baybars tamborilava os dedos sobre as cabeças de leões. — Os cristãos usaram bem suas forças. — Meneou a cabeça. — Como um javali usa as presas.
— Poderíamos mandar os *nakkabun*? A colina certamente é permeada de túneis. Poderíamos sabotá-los por baixo.
— Não. Levará muito tempo para minar aqueles muros.
Baybars continuou tamborilando as cabeças de leões, porém agora mais devagar.
— Temos de atingir esse javali por trás, em vez de nos arriscarmos a levar uma nova surra. Acharemos o ponto fraco e o golpearemos.
Ele se levantou e saltou do pódio.
— E tenho uma ideia de onde esse ponto fraco pode estar.
Baybars se dirigiu à entrada do pavilhão.
— Convoque os comandantes — gritou para um dos *bahri* que montava guarda do lado de fora. — E traga-me os arautos.

*Safed, Reino de Jerusalém, 19 de julho de 1266*

James se retraiu quando o médico sírio extraiu a lasca de pedra de sua pele. A ferida já havia começado a fechar e o sangue fluiu com fartura do braço quando a fina crosta foi arrancada. O pátio fora da enfermaria estava barulhento por causa dos soldados, a maioria dos quais tinha ferimentos menores: abrasões; queimaduras ocasionais; flechadas de raspão. Os que tinham ferimentos mais sérios estavam na enfermaria propriamente dita. James apertou a atadura sobre o braço para estancar o sangue. Ele se recostou na parede e apanhou a lasca que o médico havia deixado cair.

— Você deveria guardá-la — disse Mattius, entregando-lhe uma jarra de vinho. — Leve-a para casa e mostre-a aos netos.

James sorriu e enfiou a pedra na algibeira presa ao cinto.

— Eu a darei ao meu filho — disse.

Encostou a cabeça na parede e contemplou o céu, que estava assumindo um tom de azul perfeito e profundo. A tarde havia sido dedicada à limpeza dos escombros, ao transporte dos feridos através da circunvalação interna, à avaliação dos danos e à supervisão dos reparos. Teria ficado sobre as muralhas por mais tempo, mas Mattius ameaçou erguê-lo e carregá-lo até a enfermaria caso não o fizesse por conta própria. Os únicos sinais de vida que partiram do acampamento mameluco desde a batalha foram os sons monótonos da cantilena das orações.

O sangue sobre o manto de James estava seco. Ansiava por se retirar para os aposentos, mas os deveres ainda não haviam acabado. Depois das Vésperas, ele e Mattius fariam o primeiro turno de vigilância sobre os muros.

— Você acha que atacarão novamente à noite?

James viu um soldado sírio olhando-o fixamente, com o medo transparecendo em nos olhos.

— Não — disse ao homem. — Levará alguns dias para se reagruparem e planejarem o próximo movimento.

Olhou para cima ao ser saudado e viu o comandante aproximando-se com seis cavaleiros. James se alarmou ao ver a expressão no rosto do comandante.

— Temos problemas — murmurou seu superior, estacando.

— O que há, senhor? — perguntou Mattius, posicionando-se ao lado de James.

O comandante olhou para os soldados sírios que conversavam entre si. Quando falou, sua voz era baixa.

— Baybars enviou um arauto. Ofereceu anistia incondicional a todos os soldados nativos que se renderem. Deu-lhes duas noites para decidirem se nos deixam e partem em liberdade ou se ficam aqui conosco e morrem.

— Jesus e Todos os Santos — murmurou Mattius.

— Dentro de uma hora — continuou o comandante — todos aqui dentro terão ouvido o que prometeu. A não ser que consigamos manter a ordem, poderemos enfrentar uma insurreição de manhã.

# 19
# Templo, Paris

20 de julho de 1266

O solar estava quente e abafado. O pequeno grupo de cavaleiros sentados à volta da sala suava dentro das capas de lã e tentava não se incomodar. Apenas Everard, empoleirado no banco como um abutre encapuzado com a capa preta, parecia imune ao calor. Estava, no entanto, impaciente para saber a razão da convocação à câmara do visitador, chamada que lhe fora entregue quando estava prestes a completar a tradução de uma passagem complexa de um texto grego que o havia deixado encalacrado por várias semanas.

Assuntos genéricos do dia a dia eram discutidos no cabido semanal, com todos os irmãos presentes. Uma reunião privada com poucos cavaleiros escolhidos, convocada sem aviso ou explicação, era, até onde Everard podia lembrar, algo inédito. Havia tentado adivinhar a natureza do encontro com base nos demais presentes, mas os cinco cavaleiros, embora de alta patente, eram, tirando isso, bastante comuns. Se tivesse de apontar para a anomalia do grupo, o dedo se voltaria para si próprio.

Everard e os cavaleiros olharam para a porta quando essa se abriu e um criado transportando uma bandeja com taças e uma jarra de vinho entrou no recinto. Atrás dele vinha o visitador, alto e digno, com a barba em forma de tridente salpicada de fios brancos. Com esse vinha um jovem, que mal havia completado 20 anos, cuja visão fez com que Everard, com a resta franzida, se empertigasse no assento. O jovem tinha um rosto magro e solene e olhos caninos. O hábito preto era encardido e remendado; os pés, descalços e sujos; e do pescoço pendia uma grande cruz de madeira. Parecia um mendicante comum, mas ostentava a autoridade de um lorde. Era um dominicano: um Cão de Deus e um inquisidor.

— Boa tarde, irmãos — cumprimentou o visitador, fechando a porta depois que o servo se retirou. Apontou ao dominicano um banco vazio ao lado da mesa. — Por favor, sente-se, frei Gilles.

O jovem sorriu com soberba.

— Ficarei de pé.

A expressão do visitador não mudou.

— Como quiser — disse. Contornou a grande mesa e sentou-se na cadeira imponente atrás dela, deixando o dominicano postado ereto e à vontade no centro do grupo de cavaleiros reunidos. — Peço desculpas pelo caráter inadvertido deste conselho — disse o visitador, dirigindo-se aos cavaleiros —, mas o frei Gilles não pode se demorar muito. Ele veio para me avisar desse assunto em particular, mas concordou em continuar nossa discussão em presença de vocês, uma vez que seus serviços podem ser necessários. — O visitador olhou para Everard. — Queria que estivesse aqui na condição de conselheiro, irmão Everard, considerando seu campo de experiência.

Everard não disse nada, mas a ruga na testa se aprofundou.

— Se for do seu agrado, frei Gilles — disse o visitador, fazendo um gesto para o dominicano.

Gilles mudou ligeiramente de lugar, de modo que pudesse ser visto por todos os cavaleiros. Ele os varreu com o olhar intenso e Everard fechou a cara. Gilles era obviamente bem versado em oratória, sem dúvida recém-saído, pensou o padre com desprezo, das aulas de teologia da Universidade de Paris. Com a alta retórica e a postura agressiva, os frades dominicanos pareciam mais advogados do que sacerdotes.

— Nos últimos meses — começou Gilles — minha ordem vem investigando um trovador que tem viajado pelo sul do reino, criando fama com um certo *Romance do Graal*, baseado na história de Perceval.

— Refere-se a Pierre de Pont-Evêque?

Foi Nicolas de Navarre quem falou.

— Ouviu falar dele, irmão? — inquiriu o visitador, voltando-se para Nicolas.

— De passagem — respondeu Nicolas. — Os romances são um interesse meu — explicou.

Gilles fixou os olhos caninos no cavaleiro de cabelos negros.

— Então você pode estar interessado em saber que planejamos prendê-lo por heresia.

— Heresia?

— Quando uma de nossas casas no sul soube das profanidades que esse trovador vinha expressando durante suas apresentações, entrou em contato com o líder da nossa ordem aqui em Paris. Enviamos uma petição à Corte de Aquitânia, onde o trovador foi convidado a se apresentar, e conseguimos bani-lo. Alguns dos irmãos esperavam prendê-lo lá, mas deve ter sido alertado, pois jamais chegou. Soubemos recentemente que o rei Luís convidou-o a se apresentar na corte real no outono. — As sobrancelhas de contorno suave de Gilles se enrugaram. — Nada menos do que num dia santo. Fizemos uma petição ao rei para que retirasse o convite, porém ele declinou atender ao nosso alerta. Uma ordem foi expedida a nossos irmãos em todo o reino, para que Pont-Evêque seja detido, mas é uma terra grande e ainda somos poucos para a extensão das nossas atribuições. Se não conseguirmos prender o trovador antecipadamente, nós o faremos quando chegar ao palácio. E será então — Gilles disse aos cavaleiros — que precisaremos solicitar a vossa ajuda. Se o Templo nos apoiar nessa questão, o rei será forçado a ceder às nossas autoridades combinadas.

Everard se agitou.

— Romances do Graal podem ocasionalmente parecer, a ouvidos sensíveis, excessivamente indecorosos, mas o código de conduta impede que os trovadores ultrapassem as fronteiras da decência. Estou francamente surpreso de que isso seja assunto para os inquisidores. Os Cães de Deus não têm nada melhor para fazer do que perseguir um bufão comum?

— Irmão Everard — repreendeu o visitador.

Gilles ergueu a mão.

— Não, o irmão Everard está certo. Normalmente não nos preocuparíamos com um assunto aparentemente tão mesquinho. Mas esse caso incide inteiramente em nossa jurisdição. O espetáculo de Pierre de Pont-Evêque é mais do que indecoroso; como disse, é herético. Nele o trovador fala sobre homens batendo, cuspindo e urinando na cruz e bebendo o sangue uns dos outros no cálice da Comunhão. Há passagens inteiras que descrevem rituais pagãos: bruxaria, idolatria, sacrifícios humanos e animais e outras práticas horrendas, que são excessivamente ímpias para se mencionar. — Os olhos do frade percorreram o recinto. — Vocês devem se lembrar de que julgamos milhares de cátaros culpados de tais depravações quando depuramos a seita deles. Pierre de Pont-Evêque atraiu um bom número de seguidores nas regiões do sul, regiões, devo acrescentar, onde as heresias cátaras floresceram pela primeira vez. Ele não observa o código de conduta e, no entanto, seu desprezo pelas regras não o tornou impopular, pelo contrário, vem se tornando famoso e admirado por todos. Camponeses, a julgar pela nossa experiência, tendem a ser atraídos por assuntos vulgares como as moscas pelo esterco, e é nosso dever, como homens de Deus, garantir a segurança de suas almas, não permitindo que sejam poluídas por tais malfeitorias. Não deveria ter de recordá-los de que antes de que suprimíssemos sua seita, os cátaros haviam começado a rivalizar com a Igreja em popularidade. Se não agíssemos de maneira tão decisiva como agimos, só Deus sabe quantos rebanhos teríamos perdido para o gnosticismo deles.

"Fomos organizados por nosso fundador, Domingos, especialmente para erradicar os cátaros. Depois de sua morte, nosso número e nossas incumbências aumentaram consideravelmente. Nossa ordem ocupa hoje a linha de frente na guerra contra a heresia. Somos os responsáveis por manter a Cristandade livre de práticas e ideias perigosas, por mais inócuas — disse Gilles, com o olhar esvoaçando até Everard — que possam parecer a outrem. É do melhor interesse do Templo que esse homem seja detido.

Outro cavaleiro se manifestou.

— Tenho certeza de que ninguém nesta sala pretende discutir se esse trovador, caso o que você afirmou seja verdade, deve ser detido ou não. Mas por que isso é do melhor interesse do Templo?

— Essa é uma resposta simples — replicou Gilles, olhando para o cavaleiro. — Ele vem baseando seu espetáculo numa ordem cavaleiresca que teria conduzido Perceval através de uma série de iniciações progressivamente iníquas. Esses cavaleiros são descritos trajando mantos bancos adornados com cruzes vermelhas.

Alguns dos templários se remexeram com inquietude. Everard passou uma das mãos na testa. Estava suando.

— Então, vocês planejam prendê-lo quando ele chegar em Paris? — perguntou Nicolas.

— Sim.

— Há alguma prova para acusá-lo?

Gilles arqueou uma das sobrancelhas.

— Além das milhares de pessoas que testemunharam essas profanidades? — Fez uma pausa. — Na verdade, sim. É algo que descobrimos apenas recentemente. Não acreditamos que Pierre de Pont-Evêque tenha escrito esse romance ele próprio. Dez anos atrás, ocupava certa posição na corte, mas não era um artista popular e o rei o dispensou. Nossas fontes dizem ser duvidoso que tenha talento para haver escrito uma... — Gilles rangeu os dentes — peça tão articulada. Sabemos, no entanto, que está de posse de um livro, que lê durante parte do espetáculo. Ele alega que o volume lhe teria sido dado por um anjo, que por sua vez o teria retirado de uma galeria selada sob a Igreja do Santo Sepulcro, em Jerusalém. Blasfêmia, é claro, mas suspeitamos que foi desse livro que extraiu grande parte do roteiro. O livro será a prova com a qual o processaremos. Pode até mesmo ser um vestígio dos cátaros.

— Vocês têm uma descrição desse livro? — perguntou o visitante.

— É bem composto, encadernado em velino. As palavras foram aparentemente escritas em mínio, enquanto o título é gravado em folha de ouro.

— Título? — indagou Everard, em tom preocupado.

Gilles olhou para ele.

— Sim. Chama-se o *Livro do Graal*.

— Ouviu falar dele, irmão? — perguntou o visitante a Everard.

O sacerdote pigarreou.

— Não. Nunca ouvi falar.

— Bem, isso é profundamente preocupante — disse o visitante, recostando-se na cadeira. — O Templo conta com donativos de reis e nobres de muitas terras. Não queremos perder tais recursos por termos nossa reputação maculada de qualquer forma, particularmente com o Leste tão agitado como presentemente está. — Ele se voltou para Gilles. — Nesse caso, frei, vocês têm pleno apoio do Templo.

Duas horas depois, Everard, que havia desistido de qualquer tentativa de trabalhar na tradução e se recolhido para andar dando voltas em seu aposento, suspirou de alívio ao ouvir uma batida na porta. Um instante depois, ela se abriu e um homem vestido de cinza entrou.

— Estava começando a pensar que você não viria — disse Everard, com irritação, dirigindo-se a uma mesinha junto à janela. Apanhou uma taça e esfregou-a rapidamente com a barra do hábito.

— Vim o mais rápido que pude — disse Hassan, fechando a porta. — O que há, irmão? — perguntou, vendo Everard servir uma taça de vinho, derramando um pouco, com a mão desajeitada pela ausência de dedos.

— Parece que você estava certo — disse abruptamente Everard.

Hassan olhou-o com um ar confuso.

— Sobre o trovador. O diabo que o carregue! — Everard largou-se pesadamente sobre o banco junto à janela. — Sente-se, Hassan — disse. — Você me conhece há tempo suficiente para não fazer cerimônia ficando aí de pé.

— Muito tempo mesmo — disse Hassan, com um ligeiro sorriso, enquanto sentava-se ao lado do padre. — Diga-me de que isso se trata.

Everard contou a Hassan sobre a reunião com o dominicano.

— Devia tê-lo mandado atrás do trovador há semanas, quando você veio me falar sobre ele.

— Não havia prova de que o romance dele tivesse algo a ver com o seu códice, então. Havia apenas semelhanças, segundo o que minhas fontes me contaram. Fazia sentido que você quisesse esperar por uma confirmação.

— Mas agora — disse Everard — os inquisidores estão atrás dele.

— Pelo que disse, parece que se concentrarão em apanhar Pont-Evêque quando chegar a Paris, não em tentar encontrá-lo de antemão.

Everard grunhiu, mas pareceu um pouco mais tranquilo.

— Como acha que o trovador se apossou do *Livro do Graal*? — perguntou Hassan.

— Posso apenas presumir que foi ele quem coagiu o escrivão a roubá-lo de nossas galerias.

Hassan pareceu pouco convencido.

— Pensamos na época que a pessoa que o havia roubado deveria conhecer a Anima Templi e nossos planos. Esse era o temor; de que quer quequem o tivesse pegado usasse-o como prova contra nós. Se os inquisidores estão corretos, então o trovador simplesmente adaptou partes do códice para usá-las no *Romance do Graal*. Isso não parece uma ação de alguma pessoa que queira nos expor ou arruinar, especialmente levando em conta que o homem não tentou vinculá-lo ao Templo, afirmando, de acordo com o que nos foi dito, que um anjo o entregou a ele.

— Não entendo isso melhor do que você, Hassan, mas se esse trovador foi responsável pelo roubo do códice e tiver conhecimento de nós, poderia fornecer informações vitais aos dominicanos, caso seja apanhado. Eles têm alguns métodos muito persuasivos para induzir à confissão.

Everard levantou-se e caminhou pelo quarto com agitação.

— Você precisava ter ouvido o tal frei Gilles. — O rosto se contorceu de raiva. — Qualquer coisa com que não concordem, classificam como heresia! Você até chegaria a pensar que foram os dominicanos, e não Deus, que escreveram a Bíblia. Todas aquelas pessoas queimadas na fogueira por terem uma opinião diferente da defendida pela Igreja? Eles é que deveriam ser queimados! — As faces de Everard estavam ruborizadas e a cicatriz assumiu um vermelho febril. A voz se elevava. — Quantos pais e filhos mais deverão ser mandados para o campo de batalha pela arrogância deles? Quantas esposas devem se tornar viúvas, crianças se tornar órfãs, para servir ao nosso Deus? — Meneou a cabeça. — Para servir aos bolsos *deles*.

— Irmão — disse Hassan, tentando acalmá-lo.

Everard deu-lhe as costas.

— Quem mais teria feito o que a Anima Templi fez, Hassan? Ninguém, eu lhe digo. Estão todos muito envolvidos pelos próprios desejos, pelas próprias políticas e opiniões. Até mesmo a nossa Ordem — a voz de Everard se acalmou um pouco. — Se os dominicanos se apoderarem do nosso livro e descobrirem nossos planos, nos destruirão. O que esperamos alcançar vai contra tudo o que a Igreja e, para dizer a verdade, todos na Cristandade acreditam. Eles não entenderiam, Hassan. Você sabe muito bem.

— Temos alguns meses antes que Pont-Evêque seja esperado na cidade. É um bom tempo.

— Esse trovador deve ser encontrado. Por mais força que tenha, é possível que nem mesmo o Templo seja capaz de se opor aos inquisidores com a esperança de sair ileso. O papa pode ser o único poder nesta terra a quem a Ordem responde, mas os dominicanos têm acesso aos ouvidos dele.

Everard foi até um grande baú, do qual tirou uma bolsa com moedas.

— Se esse Pont-Evêque tiver o *Livro do Graal*, tome-o dele.

Entregou a bolsa a Hassan.

— E se for ele o responsável por aquele roubo...

— Entendi, irmão — Hassan o interrompeu. — O trovador não chegará a Paris.

O sarraceno se deteve ao chegar à porta.

— Há algo que estava querendo mencionar — disse. — Agora parece pertinente.

— O que é?

Hassan hesitou.

Everard franziu as sobrancelhas.

— Se tem algo a dizer, Hassan, então diga.

— Seu sargento. Estive pensando que você deveria envolvê-lo. Certamente faríamos bom uso da sua ajuda e agora que estou de volta a Paris, certamente cruzarei o caminho dele. Quando estive aqui pela última vez, ainda me tratava com suspeita.

Everard fez um gesto de recusa com a mão.

— Ele é só curioso — disse. — Estou certo de que não suspeita de nada. Disse ao rapaz o mesmo que disse a todos que me perguntaram. Você é um cristão convertido que me ajuda a encontrar manuscritos árabes para serem traduzidos. E por que alguém deveria questionar isso? É uma ocorrência bastante comum em Acre. A preceptoria de lá emprega secretários árabes.

— Perdoe-me se estou sendo inconveniente, mas Campbell o tem servido fielmente por seis anos, ainda que você impeça sua investidura sem ter motivo.

— A iniciação não é algo para ser alcançado com pressa, ao contrário do que todos os jovens parecem pensar hoje em dia.

— O irmão já me disse que ele se tornou valioso para você.

— O treinamento de Campbell não está concluído — disse brevemente Everard. — E até eu decidir que está pronto, ele não deve tomar parte nisso.

— Ele nunca será posto à prova, a não ser que você lhe dê uma chance. Você o está retendo. Ele poderia ser-lhe útil. Para todos nós. Sei que James ficaria feliz se ele fosse convidado ao nosso círculo. E, irmão — prosseguiu Hassan suavemente —, você já não é tão jovem quanto acredita ser. Quem continuará o trabalho quando partir? Eu não posso. Não no Ocidente. Nosso trabalho, a coleta e disseminação de conhecimento, é importante, mas você deve retornar ao Oriente em breve. Os outros necessitam de seu mestre, especialmente agora que o conflito está se intensificando lá. Outros mais devem ser escolhidos e eleitos.

— Você não precisa me lembrar disso, Hassan — disse Everard, com ar cansado. — Se o livro não tivesse sido roubado, teria voltado para Acre anos atrás. Sei que sou necessário lá e que outros devem ser encontrados para substituir os que perdemos. Mas é para o próprio bem do meu sargento que mantive o silêncio. Uma vez que um homem se torna membro da Irmandade, nunca mais poderá viver completamente neste mundo. Sempre se sentirá à parte.

— Ou será que, por ter conservado nossos segredos por tanto tempo, você teme abrir mão deles? Tome cuidado para não manter nossos ideais tão junto a si a ponto de sufocá-los. — Hassan puxou o capuz sobre a cabeça. — Você foi marcado a fogo pelo grão-mestre Armand. Entendo isso, irmão. Mas é hora de esquecer o passado e olhar para o futuro. Os objetivos da Irmandade só se realizarão se houver homens para defendê-los. Se nenhum novo membro for recrutado, a Anima Templi morrerá nesta geração.

O sol quase havia se posto no momento em que Will encerrou a tradução. Ficara trancado no dormitório o dia inteiro e a mão tinha cãibras, doía. Depois de pousar a pena, reuniu os dois feixes costurados de pergaminho, um com as páginas cobertas por um texto alinhado e fluido, outro abarrotado com as linhas marrom-escuras escritas por sua caligrafia agreste, e deixou o dormitório. Will havia trabalhado no tratado árabe durante semanas e seu labor se prolongava noite adentro à luz de uma só vela, o som rascante da pena fora de compasso com os roncos dos companheiros. Devido à pressa que tivera nesse dia, a tinta nas últimas páginas estava borrada e algumas linhas um pouco tortas. Havia planejado decorá-las com uma das margens intrincadas que eram as favoritas de Everard, mas depois do encontro com Simon no dia anterior, viu-se tomado por uma sensação de urgência. A conclusão do tratado proporcionava um bom argumento com o qual confrontar o padre.

Will saiu do prédio dos sargentos. O céu tinha uma coloração vermelho-sangue e o ar estava úmido, estagnado. Ao se aproximar do pátio principal, avistou um vulto vestido de cinza caminhando em direção ao calabouço. Will diminuiu o passo, com os olhos fixos em Hassan, que caminhava a passos largos pelo corredor que conduzia até a entrada da preceptoria, passando pelo calabouço. Depois de alguns momentos, Hassan sumiu de vista. Carrancudo, Will seguiu seu caminho. Ao chegar ao alojamento dos cavaleiros, fez menção de empurrar a porta, mas ela se abriu antes que a tocasse. Um cavaleiro saiu, quase se chocando com ele. Era Garin de Lyons.

Garin recuou um passo.

— William! — exclamou. Não disse mais nada e os dois se olharam em silêncio.

Garin parecia mais velho do que seus 19 anos, mais velho e mais belo. A barba era de um louro mais escuro do que os cabelos, que se mantinham dourados como sempre. Refletido nos olhos azul-escuros de Garin, Will viu-se a si próprio: túnica preta, manchada e amarrotada; botas gastas; cabelos caindo sobre os olhos. Quando o silêncio se tornou insustentável, forçou-se a sorrir e estender a mão.

— Simon me contou que você tinha vindo. Já faz um bom tempo.
Garin apertou sua mão após um instante.
— Faz mesmo. Você está bem?
— Sim. E você?
— Sim.
Houve outra longa pausa.
— Como está Londres? — perguntou Will, incapaz de pensar em qualquer outra coisa para dizer.
— Suja, fedorenta e cheia de gente. — O canto da boca de Garin se contorceu num sorriso. — Como sempre foi.
— O que você está fazendo aqui?
Will se deu conta de que as palavras haviam saído mais forçadas do que pretendia.
— Pedi transferência. Há poucas oportunidades de promoção em Londres. Tenho mais chances de me tornar um comandante aqui, junto ao visitador. — Os olhos de Garin voltaram-se muito brevemente para a túnica de Will. — Agora que sou um cavaleiro. Ouvi dizer que você está trabalhando como copista.
Will conseguiu evitar que qualquer sinal de vergonha transparecesse no rosto.
— Sim. Meu mestre, Everard, é um dos padres daqui.
— Everard? — Garin franziu as sobrancelhas. Havia uma expressão de reconhecimento e de algo mais, talvez ressentimento, em seu rosto.
— Você o conhece?
Garin fez que não e a expressão desapareceu.
— Não. Estava pensando em outra pessoa. Bem. — Avançou, passando por Will. — Tenho um encontro com o visitador. É melhor eu ir.
— Ouça, Garin — disse rapidamente Will. — Sei que foi anos atrás, mas nunca lhe disse como lamentei por bater em você aquela vez. Naquele dia, no cemitério.
— Isso já está esquecido. — Garin pausou por um momento. — Ambos fizemos coisas naquela época de que nos arrependemos.
Fez um aceno de cabeça para Will, depois se retirou, com a barra do manto branco varrendo o solo.
Will observou Garin se afastar. Movimentou os ombros, surpreso ao perceber como se sentia tenso. Havia sido um choque ver como o amigo de

outrora aparentava estar tão mais velho. Não parecia fazer tanto tempo que subiam em árvores e roubavam frutos no Novo Templo.

Quando chegou ao quarto de Everard, Will bateu três vezes à porta e esperou ser convidado a entrar. Everard havia-lhe designado o próprio modo de bater havia muito tempo. Era, concluiu, apenas mais um dos métodos do padre para mantê-lo em seu lugar.

Depois de algum tempo, uma voz rouca partiu de dentro.

— Entre.

Everard era um dos poucos homens que possuíam seu solar particular e Will jamais conseguiu descobrir por que o sacerdote dispunha desse luxo. Na parede do fundo, sobre uma cama estreita, havia uma pintura com o mapa da Terra Santa, com Jerusalém no centro e, acima dela, as cidades de Acre e Antioquia. Sempre que olhava para o quadro, Will lembrava-se de um dos cavaleiros do Novo Templo descrevendo Antioquia; um dos cinco lugares mais sagrados da Cristandade, onde os primeiros cristãos haviam adorado a Deus nos serviços religiosos secretos ministrados por São Pedro em pessoa. O cavaleiro falara de uma ampla cidade, abarrotada de riquezas e circundada por muros de 30 quilômetros de extensão, com uma cidadela tão elevada sobre o topo de uma montanha que chegava a tocar as nuvens. Will não havia acreditado que algo pudesse ser tão alto a ponto de tocar as nuvens, mas na primeira vez que viu o quadro, com o castelo erguendo-se sobre uma montanha, pensou que poderia ser verdade, afinal.

Everard estava sentado à mesa em que costumava trabalhar nas traduções, curvado sobre um livro, com as mechas de cabelos brancos esvoaçando como teias de aranha rompidas em volta do rosto. Uma vela solitária tremulava à leve brisa que passava pelas bordas da cortina que cobria a janela. O padre levantou o rosto quando Will fechou a porta, fez uma carranca e depois voltou a estudar as páginas.

— O que você quer, sargento?

Will estendeu-lhe os pergaminhos.

— Minha tradução do tratado de Ibn Ismail. Terminei.

Everard continuou lendo por vários momentos mais, depois pôs o livro de lado e acenou para que Will se aproximasse.

— Pode dá-los a mim.

— Por que Hassan está aqui, senhor?

— Está cumprindo uma incumbência para mim. — Everard estalou os dedos. — Vamos, vamos!

Will estava curioso para saber por que Hassan se encontrava em Paris: não via o homem havia mais de um ano, mas sabia que não conseguiria uma resposta de Everard naquela noite. O padre parecia estar num humor mais desagradável do que o normal. Will demorou-se à porta, achando que talvez aquele não fosse o melhor momento de falar com o padre sobre sua iniciação. Mas Everard estava à espera. Will aproximou-se dele e entregou-lhe os pergaminhos.

Everard depositou o original cuidadosamente sobre a mesa, depois passou os olhos bruscamente sobre a tradução de Will e conferiu o original.

— Estava querendo falar-lhe sobre algo, senhor — começou Will.

— Diga-me o que a palavra árabe *asal* significa, sargento.

— O quê?

Everard levantou os olhos para ele.

— Mel — respondeu Will, após uma pausa.

— Então, por que é que em vez de *mel* misturado com azeite de oliva e cravos seu trabalho afirma que azeite de olivas misturado com asas de abutre é um método de cura apropriado para a febre? — Everard levantou uma sobrancelha. — Posso não ser um perito em tais medicamentos, mas me sentiria extremamente cético sobre a diminuição de qualquer febre se fosse tratado com um caldo desses.

— Eu lhe disse que o texto estava quase ilegível.

— Talvez à luz do dia as palavras possam estar mais claras. Não duvido que esteja cravejado de tais erros, sabendo, como sei, que você fez esta tradução às pressas, quando provavelmente já estava escuro demais para que enxergasse além da ponta do nariz.

Everard atirou o pergaminho aos pés de Will.

— Refaça-o.

Naquele momento, Will desejou derrubar de um golpe o sacerdote. Forçou-se, porém, a falar com calma.

— Passei horas nessa trad...

— Esteve numa taverna, ontem, sargento?

— O quê? Não.

— Que estranho. Estava conversando com o visitador quando um jovem, um cavalariço, chegou para relatar sua chegada de Londres. Ouvi-o conversar com o marechal. Parecia extremamente animado por ter encontrado o velho companheiro Will Campbell na cidade e, pode-se facilmente dizer, um tanto bêbado. E ambos sabemos, sargento, como você presa uma libação.

Everard apontou a mão para a porta.

— Agora deixe-me.

— Por que você *nunca* termina uma conversa?

Everard pareceu alarmado pelo grito de Will, depois bateu a mão na pequena mesa, fazendo-a balançar.

— Você parece ter-se esquecido de quem é o mestre e quem é o aprendiz! — Ele se levantou e avançou alguns passos vacilantes em direção a Will. — Eu o chicoteei uma vez, rapaz. Estou bem preparado para fazê-lo novamente.

Will continuou agressivo.

— Você acha que um momento de sofrimento poderia se comparar a seis anos a seu serviço?

Os olhos de Everard se arregalaram, depois deu uma tossida rouca que fez com que sucumbisse a um acesso.

— Bem — vociferou entre os espasmos —, se chibatadas são uma punição por demais... leniente, talvez você devesse... — Tomou fôlego com um chiado rouco — ... ser mandado para alguma unidade esquecida por Deus no meio do deserto, na linha de frente da guerra!

— Você se refere à linha de frente em que meu pai está lutando? Se for, então por favor mande-me para lá. Isso não seria uma punição. Isso seria uma bênção.

Everard agarrou-se à borda da mesa. Gotas de suor brilharam na testa, fazendo com que a pele parecesse sebo derretido.

— Rapaz tolo — sussurrou. — Você não viu a guerra. Jamais se postou num campo de batalha com o braço ardendo ao peso da espada, encharcado com o sangue de companheiros, sem saber quando viria o golpe final que o entregaria ao Reino.

— Tinha 13 anos quando matei um homem — murmurou Will.

— Nada do que viu ou fez em sua curta vida poderia ter sequer a *possibilidade* de prepará-lo.

Everard se deixou cair na cadeira.

— Então, ensine-me — disse Will, aproximando-se do padre. Espalmou as mãos em cima da mesa e a separação entre ambos parecia muito maior do que os 60 centímetros de madeira. — Diga-me como me preparar. Eu *quero* saber.

— Não — murmurou Everard, virando a página do livro com a mão trêmula. Os dedos decepados terminavam em tocos murchos. — Você não está preparado para saber.

— O que foi que fiz para merecer seu desprezo? Fiz-lhe algum mal? Se fiz, por favor, conte-me como posso repará-lo. Tudo o que sempre quis foi estar ao lado de meu pai como cavaleiro do Templo. Por que me priva disso? Não entendo. O que você tem a ganhar com isso?

Everard não respondeu.

— Fiz tudo o que me pediu — continuou Will, num tom áspero. Ficou horrorizado ao sentir as lágrimas ferroando os olhos, mas prosseguiu. — Varri o seu chão e limpei seu quarto, mesmo quando você poderia ter mandado os servos fazerem isso. Mandei mensagens, busquei-as e levei-as para você. Traduzi Deus sabe quantos tratados mal escritos, indecifráveis, enfadonhos...

Will apoderou-se do livro que Everard estava lendo.

— *Entendimento sobre a curiosa natureza da chuva*. Por Cristo!

Atirou o livro sobre a mesa.

— E como — despejou Everard — você cumpriu esses deveres? De boa vontade? Sem reclamar?

— Se reclamei foi porque deveria estar treinando para ser um cavaleiro. Você não me deu outra escolha que não a de ser seu copista. Era isso ou deixar o Templo. Isso não significa que tivesse de gostar!

— Ah! — Everard apontou um dedo para ele. — Então tudo isso se deve à sua posição em relação a mim? E quanto ao seu antigo mestre? Você obedeceu e respeitou Sir Owein? Jamais proferiu qualquer objeção às suas demandas em relação a você?

Will desviou o olhar.

— Eu era jovem na época. Eu mudei. — Olhou novamente para Everard. — Você sabe disso.

— O seu problema — rosnou Everard — é que você se acha melhor do que qualquer outro. Bom demais para varrer o chão, é o que você pensa de si próprio. Soube disso no momento em que pus meus olhos em você. Eis aqui um pequenino senhor arrogante que costuma fazer as coisas do próprio jeito, disse comigo mesmo!

— Isso não é verdade! Sou filho de uma filha de mercador com um cavaleiro cujo pai pagou sua admissão ao Templo e me orgulho disso. Quando vivia com minha família, cumpria de bom grado todas as tarefas domésticas que me eram dadas.

— E ainda se orgulha! — gritou Everard. — É por isso que está zangado por ser privado de sua investidura. Orgulho ferido!

— Não! Isso não é...

— Você vê a cavalaria como fonte de uma condição mais elevada. Você odeia estar abaixo dos amigos.

— É difícil, sim, mas não é o motivo por que quero os votos. Eu lhe disse, meu pai...

— Seu pai! *Seu pai!* — Everard atirou as mãos para o alto. — Ele não está aqui, garoto! Por que você quer ser um cavaleiro? Se não é por seu pai, se não é para estar na mesma posição que seus amigos? Por que *você* quer ser um cavaleiro?

Como não obteve resposta, Everard meneou a cabeça.

— Então por que — disse com tranquilidade — deveria apresentá-lo para a iniciação?

Will ficou parado no mesmo lugar, contemplando a face murcha de Everard, o silêncio soando ensurdecedor aos seus ouvidos. A única coisa que queria era ver o pai, implorar por seu perdão e ser um filho novamente. Desde a morte da irmã se sentia privado — da família, da posição no Templo. Durante os sete anos anteriores, a única coisa que o fazia seguir adiante era a ideia de restabelecer essa conexão; se conseguisse isso, tudo o mais, acreditava, entraria nos eixos. Seria um cavaleiro, como o pai havia desejado, poderia abandonar o passado, começar novamente após passar uma esponja no que havia ocorrido, sem máculas, sem pecados. A única coisa que obstruía o caminho era aquele velho débil, implacável, diante dele.

Lentamente, Will curvou-se para apanhar a tradução. Após se levantar, olhou Everard nos olhos.

— Porque se não me apresentar, procurarei o visitante e farei uma petição a ele para me mandar a Safed.

Will surpreendeu-se com a determinação calculada em sua voz.

— Direi que quero combater os sarracenos, que quero tomar a Cruz, por Deus e pela Cristandade. Homens são sempre necessários lá. Se você se recusa a permitir que vá para lá como cavaleiro, irei como sargento.

— Não seja ridículo! — escarneceu Everard.

Mas Will já estava se retirando. Deixou a câmara e bateu a porta com tanta força que o caixilho rachou.

# 20
# Safed, Reino de Jerusalém

21 de julho de 1266

James observou os soldados enfileirados entrarem no Grande Salão. Quando os olhos se fixaram no capitão sírio à frente da fila, soube que tinham problemas. A expressão do capitão era de quem havia tomado uma grave resolução. Não olhou para nenhum dos trinta cavaleiros sentados numa fileira de bancos sobre o estrado do salão, mas caminhou a passos decididos até os assentos que haviam sido colocados no piso em frente ao local onde James estava acomodado com seus oficiais. Cinquenta sargentos templários e quatro padres preenchiam as fileiras laterais do recinto. Os soldados sírios que haviam sido chamados para a reunião ocuparam os bancos vazios em torno deles. James voltou-se para Mattius, que estava sentado ao seu lado. O grande cavaleiro levantou uma sobrancelha, como se quisesse dizer: isto será interessante. Do outro lado, James ouviu o comandante suspirar.

Como o superior havia previsto, a promessa de Baybars de anistiar os soldados sírios havia causado uma sublevação quase instantânea entre as tropas. O comandante havia convocado um conselho na manhã do dia anterior, depois que a notícia se espalhara, com a intenção de pacificar a situação. Mas o encontro não havia corrido bem e tiveram de adiá-lo quando os ânimos começaram a se exaltar e a discussão se tornou uma disputa para ver quem falava mais alto. James sabia que precisavam de mais tempo. Os soldados ainda estavam muito agitados com o último ataque mameluco para pensar com calma naquilo. Mas às primeiras luzes da manhã seguinte Baybars exigiria uma resposta à sua oferta e os cavaleiros só teriam aquele dia para convencer os sírios a ficar e lutar.

Quando o último homem se sentou, o comandante se levantou. O rosto estava marcado pela exaustão, os olhos fundos, as faces exibindo palidez através da pele bronzeada pelo sol, mas se manteve ereto e o olhar revelava severidade quando se dirigiu ao capitão sírio.

— Capitão, esperamos que o sono tenha servido para amaciar nossas línguas. — Varreu o restante da companhia com os olhos. — Sugiro que conversemos usando nossas cabeças, e não nossos corações.

— Nenhum de nós deseja uma briga, comandante — disse o capitão. — Só quero agir corretamente com meus homens.

— E eu com os meus.

Seguiu-se o silêncio.

O comandante se sentou.

— Talvez você deva começar, capitão, explicando por que acredita que deve aceitar a proposta de Baybars.

— Muito bem — disse o capitão, após uma pausa. Então, levantou-se. — Como disse ontem, aceitar os termos de rendição de Baybars seria nossa melhor chance de sobrevivência. Se Safed cair, enfrentaremos a morte ou o aprisionamento. Tenho seiscentos homens aqui. Não os verei dizimados quando podem ser salvos por esta oportunidade.

O comandante levantou a mão para silenciar os murmúrios dos cavaleiros e os gritos esparsos de aprovação vindos da tropa síria.

— O que o faz pensar que Baybars manterá a palavra? Você mesmo disse que ele não tem nada da honra de Saladino. O que lhe dá tanta certeza de que não os matará a todos assim que deixarem a fortaleza?

— Também lhe disse, comandante, que estive estudando as táticas do sultão. Ele só destrói aqueles que se apresentam como uma ameaça para seus propósitos ou os que o desafiam. Não somos grande ameaça sem uma fortaleza e quando outros se renderam a ele, manteve a palavra. Se não aceitarmos a primeira oferta, ele se enfurecerá por nossa atitude desafiadora. Não creio que teremos uma segunda chance.

— Não foi assim em Arsuf — disse o comandante. — Baybars quebrou a promessa lá. Massacrou duzentos hospitalários, todos os quais acreditavam, como você, que seriam salvos pela rendição.

O capitão olhou para o chão, depois novamente para o comandante.

— Eles eram francos — disse, com calma. — A rixa de Baybars com eles é maior do que conosco.

Um dos cavaleiros sobre o estrado se levantou.

— Agora vemos sua verdadeira face, *capitão!* — disse. — Você e seus homens podem lutar pelo mesmo Deus que nós, mas creio ser justo dizer que quando Ele distribuiu a coragem, encontrou o fundo do barril quando chegou a vez dos sírios!

— Paz, irmão! — ordenou o comandante, enquanto o rosto do capitão se contorceu numa careta e vários de seus oficiais se levantaram de um salto.— Sente-se! — gritou com o cavaleiro, que obedeceu de má vontade, com os olhos fixos no capitão. — Insultos não nos trazem nada além de atraso. Não temos tempo para ficar aqui sentados e brigar feito crianças! — Então se dirigiu ao capitão. — Se ficarmos aqui sem as suas forças, não podemos ter esperanças de resistir a outro ataque. Safed é grande demais para ser guarnecida com eficiência por um punhado de homens, por mais corajosos que sejam. Juntos, somos fortes, mas divididos cairemos. Estamos bem aprovisionados e podemos resistir a esse cerco por muitos meses. Se tivermos fé, Deus cuidará para que sejamos vitoriosos. Seu olhar penetrou o do capitão. — De soldado para soldado, capitão, e como guerreiro de Cristo, imploro que permaneçam conosco e lutem contra o infiel.

O capitão sírio espiou seus homens, cujos olhos refletiam todos o mesmo medo, a mesma dúvida que ele próprio sentia. Eram homens bons, mas não tinham o zelo dos cavaleiros do Ocidente. E tampouco ele o tinha. Os cavaleiros estavam em sua Cruzada obsessiva, deixando em nome da justiça suas pegadas naquelas terras na tentativa de aniquilar o infiel. Como gigantes vieram, pisando em tudo o que estava em seu caminho, sem ao menos notar o que destruíam, pois eles e sua causa eram grandiosos demais para enxergar o que esmagavam sob os pés. Viam aquele território como a terra de Deus. Mas, para ele, era a terra do seu povo, a única terra que possuíam, e cada vila destruída, cada homem, mulher ou criança mortos por aquela causa eram uma perda para todos. Eles não eram campônios retrógrados sem vontade ou inteligência próprias, que necessitavam ser ensinados sobre o melhor caminho para servir a Deus ou a si próprios por aqueles cavaleiros estrangeiros. Sabiam tomar as próprias decisões. O capitão levantou a cabeça.

— Não posso aceitar seu pedido, comandante. Isso é suicídio.

O comandante deixou a cabeça pender, enquanto à sua volta o salão todo entrou em ebulição.

— O coração de vocês não estava com nossa causa desde o início! — gritou um dos cavaleiros para os sírios. — Mesmo antes da oferta de Baybars vocês se acovardavam diante da perspectiva da batalha.

— O capitão tomou sua decisão — respondeu um dos oficiais sírios. — Vocês não têm direito de desafiá-lo! Vocês nos chamaram aqui para debater ou para nos oprimir até nos submetermos à sua vontade?

— Baybars não é invencível, estou lhe dizendo!

— Não temos de ficar para ouvir isso, capitão.

— Vão embora, então — berrou um dos sargentos templários, esquecendo seu lugar. — Não precisamos de bastardos como você!

Alguns dos sírios levantaram-se dos bancos, desembainhando as espadas. Um padre templário tentava se fazer ouvir acima do rumor, mas seu grito era abafado pelos dos sírios e dos sargentos templários, alguns dos quais haviam sacado as armas e avançavam contra os soldados nativos. O comandante gritava para que eles se sentassem, mas ninguém ouvia mais nada. Uma briga começou perto do fundo do salão, quando um sargento virou-se e socou um sírio que tentava escapar dos jovens com as espadas. O soldado se esparramou no chão, com o nariz sangrando. Três de seus camaradas saltaram diante dele e barraram o caminho do sargento que havia dado o golpe, levando-o ao chão.

James se levantou.

— Estamos fazendo exatamente o que Baybars quer! Era isso o que ele pretendia com...!

Ele se calou, suas palavras se afogaram em meio ao clamor.

— *Silêncio!*

O rugido seguiu-se de um estrondo ressoante que ecoou pelo salão. Os gritos e as brigas cessaram, frases e socos interrompidos a meio caminho. Todos os olhos se voltaram para Mattius, que estava parado ao lado de James. O rosto do cavaleiro estava rubro e os olhos ardiam como brasas. O som estrondoso fora produzido por seu punho socando a mesa. Ele se dirigiu a James.

— Por favor, continue, irmão — disse calmamente, em meio à quietude.

James deu um meio sorriso.

— Obrigado, Mattius — disse, e se dirigiu ao capitão sírio. — Baybars mandou essa oferta porque sabe que não pode tomar Safed pela força das armas. Capitão, aprecio sua devoção aos seus homens, mas você será um instrumento de Baybars se aceitar os termos dele. O sultão busca o caminho mais rápido, fácil e barato para a vitória. É a época mais quente do ano e seus homens já estão esgotados. Quanto mais tempo permanecer aqui, mais difícil será para ele manter o seu exército. Se o forçarmos a prolongar o cerco e a esgotar seus recursos, partirá em busca de um alvo mais fácil.

Olhou para o comandante.

— Com a permissão do comandante, proponho que encerremos este conselho.

Como o comandante deu-lhe um cansado aceno de cabeça, James voltou-se novamente para o capitão.

— Sugiro que você e seus oficiais se retirem para discutir esse assunto em particular, capitão. Então, daqui a algumas horas, encontre-se sozinho com o comandante para continuar o debate. Tome sua decisão, mas faça-o quando os ânimos estiverem menos esquentados.

Houve alguns gritos de discordância do lado dos sírios, mas o capitão inclinou a cabeça.

— Eu me encontrarei com o senhor em particular, comandante, como seu homem pede. Mas não creio que o tempo mudará minha opinião.

James sentou-se quando os integrantes da reunião começaram a se dispersar, com os sargentos lançando olhares de raiva às costas dos sírios que se retiravam e murmurando entre eles.

— Espero que não me considere presunçoso, senhor — disse ao comandante.

Esse deu-lhe um breve sorriso.

— Você falou bem, irmão. Talvez ainda tenhamos uma oportunidade de salvar isso. Se me encontrar com o capitão em particular, creio ter uma chance de persuadi-lo a enxergar a razão.

Ele se levantou.

— Quero que aqueles briguentos sejam disciplinados — disse, apontando para os sargentos que haviam combatido os soldados sírios. — Não tolerarei tal comportamento, não importa quais sejam as circunstâncias. Somos homens de Deus — acrescentou, com severidade —, não mercenários comuns.

Foi com alívio e exaustão que James se livrou do manto e da cota de malha e desmoronou sobre o catre naquela noite. Havia se banhado e os cabelos, ainda úmidos, formavam um halo frio em torno da cabeça. Uma coluna alaranjada de luz atravessava obliquamente a fenda da janela, proporcionando ao dormitório predominantemente singelo e cinzento uma certa dose de brilho. Do lado de fora, a cor do céu era laranja-ouro. James pôde ouvir a cantilena de um muezim, tênue e distante, erguer-se do acampamento mameluco. Deitou-se por cima do cobertor, grato pela leve brisa que brincava sobre o peito nu. Geralmente o calor era seco e pesado, mas naquele entardecer havia se tornado úmido, um calor pegajoso capaz de vencer a resistência de um homem, tornando cada movimento motivo de profunda fadiga. James se perguntou se poderia cair uma tempestade. Não via chuva fazia bastante tempo. Fechando os olhos, pensou nos rios torrenciais da Escócia; água límpida borbulhando por cima de pedras castanhas, pântanos de um verde suave e lagos escuros e nevoentos. Viu Isabel atravessando um riacho com as saias erguidas, a água fluindo em torno das pernas nuas, a face sorridente. A luz do sol cintilou nos cabelos da esposa quando ela se virou para ele e chamou-o com um aceno.

— James!

James acordou para encontrar o quarto em semiobscuridade e Mattius inclinado sobre ele. Despertou rapidamente ao ver a face inquieta do cavaleiro, iluminada ao meio pelo luar que havia ocupado o lugar do raio de sol alaranjado.

— O que há? — perguntou, movendo as pernas para fora do catre.

— Eles estão partindo — rosnou Mattius, entregando a James sua camisa.

— Quem? — James enfiou a camisa por sobre a cabeça.

Mattius afastou-se quando James se dirigiu ao cabide para apanhar a cota de malha.

— Os sírios. Estão desertando.

— Mas o capitão não concordou em pedir mais tempo a Baybars? Arautos foram enviados. Concordamos em esperar mais alguns dias para dar a resposta.

— Parece que o capitão só precisou de mais algumas horas. Ele nem mesmo esperou pelo prazo dado por Baybars. Os sírios começaram a partir depois de escurecer, quando a maior parte de nós estávamos em nossos alojamentos ou nos muros externos. Estão saindo por um dos portões do muro sul, com bandeiras brancas levantadas.

— Tentamos conversar com eles? — James fixou o manto sobre os ombros.

— O comandante trocou algumas palavras bem escolhidas com o capitão, mas ele foi inflexível. Sua resolução endureceu quando viu que seus homens estavam sendo bem recebidos pelas forças de Baybars. Os mamelucos desarmaram os sírios quando entraram no acampamento, mas deixaram-nos ir sem nem mesmo um cutucão das espadas. Alguns deles, é o que se diz, chegaram a se converter para o lado sarraceno.

— Quantos perdemos?

— Pela avaliação do comandante, nesse ritmo, teremos mil homens a menos de manhã.

— Bom Deus. E o capitão?

Mattius bufou em desdém.

— Levantou a barra da toga e fugiu com o restante deles. — Indicou a porta com um movimento de cabeça. — Vamos — disse, parecendo subitamente exausto. — O comandante precisa de nós.

Quando alcançaram o muro externo, James e Mattius encontraram o comandante cuspindo xingamentos contra a fileira esparsa de soldados sírios, iluminados pelo luar enquanto desciam com passos hesitantes a encosta íngreme da colina.

— *Desgraçados!* — silvou, girando o corpo quando James apareceu nas ameias.

— Comandante — cumprimentou James com gravidade.

— Olhe para eles! — gritou o comandante, lançando a mão sobre o parapeito. — Covardes infiéis!

Um grande grupo de cavaleiros e sargentos estava com o comandante sobre as ameias, alguns conversando entre si, outros assistindo ao êxodo dos sírios. Os rostos eram austeros à luz azul-prateada da lua. James sentiu o desespero percorrê-lo. Não teriam a menor chance contra as forças de Baybars. Eram tão poucos e a fortaleza tão grande.

— Senhor — disse Mattius, dirigindo-se ao comandante — e quanto aos lavradores e suas famílias? Não é tão difícil treinar um iniciante a preparar uma catapulta.

O comandante, no meio de um palavrão, fulminou-o com o olhar, depois suspirou.

— Não são guerreiros, irmão. Nos dividiríamos ainda mais se tivéssemos de ficar de olho neles durante a batalha. Além disso — murmurou —, um bom punhado deles partiu com os soldados, embora uma evacuação em massa tenha sido detida quando perceberam que as mulheres e crianças estavam sendo tomadas como cativas pelos mamelucos. Baybars não é tão magnânimo quanto todos estavam começando a pensar. Tolos medrosos — acrescentou, com amargura.

— Senhor comandante — disse um jovem de aspecto tímido.

Era um dos sargentos mais jovens e estivera assistindo boquiaberto à explosão do comandante. Olhou para baixo quando o comandante voltou-se para ele, carrancudo.

— O que é, sargento?

— Poderíamos, bem, estava pensando se, talvez, é claro, se o senhor...

— Diga logo, rapaz!

O sargento respirou fundo.

— Não poderíamos nos vestir como os sírios e partir com eles? Quer dizer, se não podemos defender a fortaleza sem eles, senhor?

Alguns dos outros sargentos levantaram as cabeças ao ouvir essas palavras, com um brilho de esperança se espalhando pelos rostos.

— Partir? — berrou o comandante. — Entregar Safed ao nosso inimigo? *Jamais!*

O sargento piscou como uma coruja, depois abaixou a cabeça. O comandante olhou-o fixamente. Com esforço, reprimiu a raiva.

— Os mamelucos perceberiam. Não sabemos falar a língua dos infiéis.

— Alguns de nós sabem — disse um cavaleiro, adiantando-se. — James sabe falar a língua dos sarracenos quase tão bem quanto eles próprios.

— Não irei sancionar nenhuma debandada de nossos postos! — repetiu o comandante, com os olhos chispando contra o cavaleiro.

— Mas um ou dois poderiam escapar sem ser notados — continuou o cavaleiro. — Poderiam procurar asilo em Acre e levar uma mensagem para o grão-mestre Bérard, requisitando reforços.

— Bérard não conseguiria reunir mil homens em questão de semanas — disse o comandante. — E mesmo que pudesse, teriam de abrir caminho lutando contra os sarracenos para chegar até nós.

Todos caíram em silêncio, cada um perdido em seus pensamentos.

— Parece-me — disse James, por fim, com a voz soando alta no ar opressivo da noite — que só temos duas opções.

O comandante, os cavaleiros e os sargentos olharam todos para ele.

— Podemos ficar aqui e lutar uma batalha que não temos esperança de vencer ou podemos negociar nossa rendição.

James olhou para o acampamento mameluco que se estendia sob Safed, iluminado por tochas e fogueiras.

— Não temo a morte, comandante — prosseguiu. — Mas tampouco sinto-me preparado para languescer no Paraíso quando há tanto a ser feito neste mundo.

*Safed, Reino de Jerusalém, 22 de julho de 1266*

Por algum tempo, o comandante recusou-se a ouvir qualquer sugestão de rendição. A traição dos sírios havia-o ferido profundamente e a teimosia em não ceder Safed era a reação o ferimento. Mas a maior parte dos cavaleiros concordava com James e, quando o amanhecer chegou e contaram a perda de mais de 1200 sírios, o comandante condescendeu. James apresentou-se como voluntário para entrar no acampamento a fim de negociar os termos da capitulação dos templários. O comandante não gostou da proposta, mas, incapaz de pensar em um modo melhor de argumentar com os mamelucos, concordou.

Depois das Primas, James seguiu caminho ao longo do amplo corredor que conduzia a um portão que dava para a encosta da colina. O cavalo havia sido selado e era conduzido através do túnel escuro e irregular por um cavalariço. O comandante e dois outros cavaleiros estavam com ele.

— Tem certeza disso, irmão? — perguntou o comandante. — Podem matá-lo à primeira vista.

— Só espero conseguir lembrar a palavra árabe para rendição — respondeu James de maneira bem-humorada, ignorando o fio de apreensão que transparecia na voz.

— Isso não será necessário, irmão.

James e o comandante viraram-se para ver Mattius aproximar-se apressadamente pelo corredor. Com ele vinha um sírio baixo e ossudo, com o nariz recurvo, bigode fino e barba.

— Este é Leo — ofegou Mattius, apontando para o sírio. — Ele irá em seu lugar.

James meneou a cabeça enquanto perscrutava o soldado. Ele se perguntou se Mattius teria pagado o soldado para cumprir aquela missão ou se o homem havia se apresentado como voluntário.

— Tomei minha decisão, Mattius — disse.

— E tomei a minha — respondeu Mattius, num tom resoluto. — Não quero passar os próximos dias vendo sua cabeça espetada num poste. É mais seguro deste modo. Ele pode ser um nativo, mas é leal a nós. Não é, Leo? — perguntou, dando um tapinha nas costas do homem.

— Sim, senhor — declarou o sírio, numa voz grave que pareceu surpreendente vinda de um homem tão pequeno e de aparência tão frágil. — Discordo das ações dos meus companheiros e do meu capitão e sinto-me grato por esta chance de corrigir os erros deles.

James abriu a boca para protestar, mas o comandante o interrompeu.

— Que assim seja — disse. — Não quero perder um de meus melhores homens se isso puder ser evitado.

Com isso estabelecido, Leo montou no cavalo de James e cavalgou para fora de Safed com o pergaminho que o comandante havia lhe dado, detalhando a oferta dos cavaleiros. James, Mattius e o comandante deixaram o corredor para observar o trajeto. Porém, quando chegaram ao alto da muralha, os cavaleiros que faziam a vigília contaram-lhes que Leo havia sido recebido e levado ao pavilhão do sultão. Depois disso, não havia nada a fazer além de esperar.

James observava a encosta deserta enquanto os minutos se arrastavam. O comandante caminhava de um lado para outro pelas ameias e Mattius tamborilava os dedos sobre o parapeito. Quase uma hora havia se passado desde que Leo fora levado ao pavilhão do sultão. James olhou para o complexo murado abaixo dele.

— Você acha que ele concordará em deixá-los ir? — murmurou para Mattius, enquanto o olhar percorria o acampamento engrinaldado de fumaça, com homens, mulheres e crianças na circunvalação externa.

— As mulheres e crianças são os despojos mais valiosos que Safed tem a oferecer. Ficaria verdadeiramente surpreso se concordasse.

— Eu também — admitiu James, com sobriedade.

— Vejam! — gritou um dos cavaleiros.

James e Mattius olharam por cima do parapeito e viram Leo subindo a colina a cavalo rumo à fortaleza.

— Pelo menos ainda está vivo — disse outro cavaleiro. — Isso deve ser um bom sinal, certo?

Pouco tempo depois, Leo chegou aos muros.

— Bem? — perguntou o comandante, enquanto o sírio percorria apressadamente as ameias, flanqueado por dois sargentos templários. James notou que o soldado parecia um tanto pálido e trêmulo.

— Está feito, comandante — disse Leo, curvando-se. — O sultão Baybars concordou com os termos. Se o senhor entregar Safed sem mais resistências, ele os deixará partir em liberdade. Vocês serão autorizados a se retirar desarmados até Acre. Os soldados remanescentes e os camponeses serão autorizados a retornar aos lares. Ele lhes deu o resto do dia para preparar a evacuação. Vocês devem sair esta noite. Os soldados e lavradores devem esperar do lado de dentro, até que as tropas de Baybars lhes entreguem a mensagem de que podem partir.

O comandante franziu o cenho.

— Isso foi mais simples do que pensava.

— Isso é loucura — objetou um dos cavaleiros. — Devemos confiar, tão prontamente, na palavra do nosso inimigo?

— É claro que não — interveio Mattius. — Mas, como disse James, melhor ser prisioneiro do que cadáver. Lá fora teremos uma chance. Se ficarmos aqui, apenas adiaremos o inevitável.

— O sultão quer uma vitória rápida, comandante — sugeriu Leo. — Disse que não se importa com um punhado de selvagens ocidentais. — O sírio encolheu os ombros, como quem pede desculpas. — Só quer que a fortaleza seja evacuada, para que possa ser completamente arrasada, de forma a pôr um fim a sua mácula nestas terras.

A ruga entre as sobrancelhas do comandante se aprofundou.

— Selvagens, de fato. — Passou a mão pelas pedras lisas do parapeito. — Anos para construir e apenas semanas para ser destruída. Não posso acreditar que isto está prestes a cair.

— Quer que retorne ao sultão com a resposta, comandante? — interrogou Leo.

O comandante levantou a cabeça. Lançou um rápido olhar para James e Mattius e respirou fundo.

— Faça-o — disse, de modo áspero. — Comunique minha anuência e acabe com isso.

Os padres caminharam adiante da companhia, murmurando orações e fazendo com que as mãos descrevessem o sinal da cruz. Safed erguia-se acima dos barbacãs, os muros e torres eram de um cor-de-rosa sombrio ao sol do entardecer. A cidade havia sido um testemunho da força de Deus e daqueles que O serviam, mas a maré da guerra havia alcançado suas muralhas e essas não mais podiam conter a torrente. São Jorge havia falhado. Era a fortaleza de Baybars agora, embora os cavaleiros tivessem tomado providências para que o sultão encontrasse pouca serventia dentro dela. Os cadáveres dos cristãos que os mamelucos haviam lançado por sobre os muros foram despejados nas cisternas para envenenar a água. Os depósitos de comida e grãos foram esvaziados ou queimados. Os ferreiros e pedreiros receberam a tarefa de destruir as armas: desmanchando catapultas, malhando espadas até que as lâminas ficassem curvas, quebrando arcos. Só o que restou foram as pedras. E uma temerosa congregação de soldados e lavradores.

James virou-se ao ouvir o som de vozes abafadas atrás de si. Os cinco sargentos mais jovens da guarnição observavam os padres com nervosismo. Adivinhou a causa do alarme.

— Não se preocupem — ele os tranquilizou, com voz calma. — As orações são apenas uma precaução.

— Senhor cavaleiro — sussurrou um deles —, meus companheiros e eu estávamos nos perguntando como chegaremos a Acre sem cavalos ou provisões.

— Fica a apenas 45 quilômetros. — James deu um tapinha no odre que estava atado ao cinto e sorriu. — Temos água. Podemos passar sem qualquer outra coisa.

O sargento balançou a cabeça, relaxando um pouco.

— Amém — disse James com o restante dos homens, quando os padres finalizaram as orações.

O comandante parou diante dos cavaleiros e sargentos.

— Sejam fortes, homens — disse —, e mantenham as cabeças erguidas em presença dos inimigos. Mostrem-lhes que os guerreiros de Cristo não se curvam. Olhem para todos aqueles que almejam destruir nossas propriedades e esperanças diretamente nos olhos, com dignidade e com a certeza de que um dia retornaremos com a plena força de nossa Ordem para vingar nossa perda. Busquem conforto na fé e coragem no treinamento que receberam. — Os olhos dele se detiveram por um momento na fortaleza. — Vamos.

Juntos, os cavaleiros, sargentos e sacerdotes passaram sob a arcada do barbacã e saíram pelo portão, enquanto os guardas sírios giravam as manivelas da ponte levadiça. James e Mattius caminharam atrás do comandante. No sopé da colina, um exército esperava por eles.

Enquanto os cavaleiros caminhavam pelo acampamento inimigo, os olhares dos soldados mamelucos os seguiam. Alguns zombavam, outros permaneciam em silêncio, com os braços cruzados sobre o peito. James sentiu a pele comichar sob a ferocidade dos olhares convergentes, cada um e todos eles cheios de desprezo. Após ser conduzidos entre uma fileira de tendas e carroças, os cavaleiros se detiveram numa área aberta, cercada de soldados vestidos com mantos dourados. James reconheceu-os como os guerreiros *bahri*: a Guarda Real dos mamelucos. No meio deles postava-se um homem alto e robusto, com cabelos castanhos curtos prateados nas têmporas e os mais gélidos olhos azuis que James jamais vira. Um punho frio se fechou em torno de seu coração quando Baybars o encarou. Agachado aos pés do sultão e observando avidamente os cavaleiros havia um velho de vestes esfarrapadas.

Baybars murmurou algo para um soldado que estava ao seu lado. Esse deu um passo adiante.

— Larguem as armas — gritou, em um latim preciso.

O comandante pareceu surpreso, depois fez uma carranca.

— Nossos termos não estipulavam que deveríamos estar desarmados.

O soldado repetiu o comando.

James olhou de lado para o comandante.

— Talvez devêssemos fazer o que pedem. Quanto antes formos libertados, melhor.

O comandante pareceu prestes a contra-argumentar, depois fez que sim.

— Muito bem. — Desembainhou a espada e depositou-a cautelosamente no chão.

Os cavaleiros e sargentos seguiram o exemplo. Vários guardas mamelucos adiantaram-se para recolher as armas. Baybars esperou, depois gesticulou para outro de seus soldados. Dessa vez, quando falou, foi alto o suficiente para que James pudesse ouvir.

— Mande os homens entrarem. Imagino que os cavaleiros tenham destruído tudo o que havia de valor, mas vasculhem o castelo mesmo assim. Depois de ter se assegurado disso, matem os sírios que se recusaram a aceitar minha oferta. Capturem as mulheres e as crianças.

James fitou-o, chocado.

— Você deu sua palavra! — gritou em árabe.

Baybars olhou à sua volta. Os olhos caíram sobre James enquanto os soldados marchavam para cumprir as ordens.

— A língua do meu povo soa imprópria nos seus lábios, cristão — disse, após um momento. — Você não é digno de pronunciá-la.

O comandante olhou de Baybars para James.

— O que ele disse?

— Fomos enganados, senhor — respondeu James.

De trás dos guerreiros *bahri* vieram soldados trazendo correntes e grilhões. Alguns dos rendidos gritaram ao vê-los, tentando instintivamente sacar armas que não estavam mais ali. Um dos sargentos mais jovens tentou correr. James gritou para ele.

— Fique onde está!

Mas o garoto, em seu terror, não deu ouvidos ao alerta. Deu apenas alguns passos antes que os mamelucos o apanhassem. Os gritos continuaram por vários segundos enquanto o derrubavam ao solo com as espadas e o garoto desaparecia no meio deles. Os gritos cessaram. Quando os mamelucos se dispersaram, a mandíbula de James se retesou à visão do corpo ensanguentado. As mãos estavam despedaçadas nos locais com que tentara se proteger dos golpes. O rosto era uma confusão de largos talhos rubros e o corpo estava todo perfurado. James entoou uma oração enquanto os soldados se aproximavam de sua companhia, que havia caído em silêncio.

Os mantos dos cavaleiros foram removidos, assim como as cotas de malha e as camisas. James, forçado a ficar de joelhos ao lado do comandante, assistiu a seu manto branco ser atirado numa fogueira e sua armadura ser levada para ser entregue a um guerreiro mameluco à guisa de troféu. Pesadas correntes foram presas em torno dele, o ferro frio sobre o peito nu.

Depois que os cavaleiros, sargentos e padres foram acorrentados, Baybars se aproximou e olhou para James.

— Posso não ter mantido minha palavra, cristão, mas não sou um homem injusto. — Fez uma pausa, depois balançou a cabeça, satisfeito ao ver na face de James que o cavaleiro o havia entendido. — Eu lhes ofereço uma escolha. Traduza minhas palavras ao seu comandante.

Enquanto Baybars falava, James ouviu, com uma sensação de náusea crescendo dentro de si. Quando o sultão terminou, James deixou a cabeça pender.

— James? — pressionou o comandante, que observava atentamente a permuta. — O que está acontecendo? É o que temia? Seremos levados ao Cairo como escravos?

Por um momento, James não pôde responder. Ele se obrigou a erguer a cabeça e se dirigir ao comandante, mas manteve os olhos postos em Baybars.

— Não, não seremos prisioneiros. O sultão nos deu uma escolha. — A voz de James era clara o suficiente para que toda a companhia ouvisse. — Podemos escolher negar a Cristo e nos converter à fé do Islã ou ser martirizados como cristãos. Teremos uma noite para decidir se salvamos nossas vidas ou enfrentamos a morte por decapitação.

*Fora dos muros de Safed, Reino de Jerusalém, 23 de julho de 1266*

A noite, quente e abafada, sufocava os cavaleiros e sargentos, ajoelhados e unidos. Durante as primeiras horas, haviam permanecido, na maior parte, silenciosos, cada um perdido nos próprios pensamentos. Escutavam os sons do acampamento, os murmúrios dos guardas e os gritos tênues que vinham de Safed, enquanto homens eram massacrados e mulheres e crianças arrebanhadas. Passava da meia-noite quando a voz do comandante rompeu a imobilidade.

— Está na hora.

A companhia se agitou e todos os olhos voltaram-se para ele. A fúria do comandante se fora. A voz agora era calma, ainda que um tanto rouca.

— Devemos fazer nossa escolha. Eu, como indivíduo, estou firme em minha decisão, mas, como irmãos, devemos falar como um só homem.

Ninguém disse nada. Os sargentos mais jovens observaram-no intensamente, mas os mais velhos e os cavaleiros, aqueles que haviam servido ao Templo durante anos, viraram o rosto, sabendo qual seria a decisão.

— Vinte anos atrás, eu me ajoelhei perante o cabido em Paris e fui recebido como cavaleiro do Templo, mas embora os anos que se passaram desde aquele dia tenham testado minha carne, jamais testaram minha fé. Os votos que assumi na época são tão claros para mim hoje quanto sempre foram. Sabia o que estava sendo solicitado a fazer. Todos sabíamos, irmãos, mesmo aqueles entre nós que nunca vestiram o manto.

Alguns dos sargentos mais velhos concordaram balançando as cabeças.

— Fizemos o juramento de que daríamos nossas vidas a serviço da Ordem. — A voz do comandante tremeu de emoção. — Não renegarei esse juramento! Mesmo que o Diabo em pessoa e todas as hordas do inferno exigissem isso de mim, não negaria Cristo!

Fez uma pausa, pois alguns cavaleiros e sargentos murmuraram em aprovação.

— Estamos com o senhor, comandante — disse um dos padres, que dirigiu um olhar bondoso para os jovens sargentos aterrorizados. — Na morte nascemos para uma nova vida. Nosso sacrifício é um preço pequeno a pagar pela recompensa de sermos recebidos no Paraíso.

Um dos sargentos, com os lábios trêmulos, se manifestou.

— Não podemos fingir, senhor?

Olhou em torno em busca de apoio dos companheiros, mas encontrou apenas cabeças baixas.

— Não podemos dizer que nos convertemos à fé dos sarracenos — disse — porém a renegarmos quando estivermos seguros em Acre? Não podemos dizer que negamos Cristo, mas sem pretender isso em nossos corações?

— Negar Cristo, quer verdadeira ou falsamente, seria blasfêmia da mais alta ordem — disse com calma o comandante. — Aqueles que o fizerem encontrarão os portões do Paraíso barrados para eles por toda a eternidade. Não nos desagregaremos perante nosso inimigo. Aceitaremos nosso destino com orgulho e mostraremos ao infiel o poder do único Deus verdadeiro. A carne é transitória, mas o espírito permanece vivo.

O sargento olhou para o chão.

Depois que a escolha fora feita, até mesmo aqueles que se horrorizavam com ela quedaram-se em silêncio diante da resolução dos cavaleiros. A companhia passou o resto da noite conversando tranquilamente sobre as famílias e fazendo orações. James estava desconsolado, ouvindo os homens falarem de esposas e filhos. Contemplou o céu que gradualmente se iluminava.

— Eu me arrependo.

Mattius tocou seu ombro.

— Arrepende-se de quê, irmão?

James se deu conta de que havia falado em voz alta. Pôs a mão sobre a de Mattius.

— Você tem alguma ideia do que é odiar os próprios filhos? Odiei meu filho pelo que aconteceu com minha filha e odiei a mim mesmo por isso. Meu coração estava dividido, uma metade quebrada, a outra batendo dolorosamente. Foi como se perdesse duas de minhas crianças naquele dia. — James apertou a mão de Mattius. — Mas não perdi.

— Não entendo, James. Você me disse que sua filha se afogara.

— Tenho sido tão egoísta... Disse a mim mesmo que vim até aqui pelo dever, que estava fazendo isso por ele e que, no fim, ele me agradeceria. Mas estava enganando a mim mesmo, não estava? Vim até aqui para fugir ao meu dever. Nunca deveria tê-lo deixado.

Uma lágrima verteu do olho de James e ele a enxugou com os nós dos dedos.

— Bom Deus — disse. — Quem tomará conta da minha família?

Mattius pôs um dos braços em volta de seu ombro, vendo que James precisava de conforto, não de respostas.

— O Templo tomará conta deles. — Deu um forte abraço no amigo. — Não tenha medo.

James apoiou-se no corpulento cavaleiro, sentindo-se como uma criança, e caiu numa sonolência espasmódica. Sonhou que o pai pegava sua mão e o conduzia até o lago para pescar. Quando acordou, as faces estavam molhadas.

Pouco antes do alvorecer, o irmão Joseph, o mais idoso entre os padres, caminhou desajeitadamente com os joelhos bamboleando em torno do grupo, parando diante de cada homem sucessivamente. Como não havia óleo disponível, usou as últimas gotas de água de um odre para ungi-los ao ministrar-lhes os últimos sacramentos.

Quando os primeiros raios de sol tocaram os picos das montanhas distantes, Baybars foi ao encontro da companhia. James pensou ter visto surpresa e, possivelmente, um lampejo de respeito nos olhos do sultão quando lhe contou que haviam escolhido a morte. Um a um, os 84 cavaleiros, padres e sargentos foram forçados a ficar de pé e marchar em fila para fora do acampamento, com os soldados encorajando os mais vagarosos com as pontas das espadas. Quando alcançaram uma faixa de terra nua com vista para o outro lado do vale, receberam ordem para ficar de joelhos.

James ajoelhou-se ao lado de Mattius. Escrutinou os homens de manto dourado que estavam parados junto a Baybars. Nunca havia encontrado seu contato frente a frente, mas sabia, pelas roupas dos soldados, que o único homem que seria capaz de salvá-lo não estava entre eles. Mas não havia fracassado. Viera para a Terra Santa a fim de fazer algo em que acreditava e o fizera, e o preço que havia pago era sua família, sua vida. Jamais veria o resultado de seu feito, mas talvez, um dia, outros o vissem. Um dia, o sangue que seria derramado naquela terra nua iria secar. Flores cresceriam ali e gerações iriam se recordar, não esquecer. O mundo que havia tentado construir não se destinava a ele. Pertencia ao futuro. Pertencia ao filho. Uma estranha calma desceu sobre ele quando se deu conta disso. Essa calma foi perturbada por Mattius.

— Por Deus, seu Judas! — berrou o cavaleiro, lutando para ficar de pé.

James olhou para o que causava a fúria do companheiro. Parado com Baybars, assistindo enquanto os mamelucos desembainhavam as espadas, estava Leo, o soldado sírio que haviam enviado com os termos da rendição.

Leo olhou fixamente enquanto três mamelucos empurraram o enorme cavaleiro para o chão.

— Não os traí — disse. — Eu lhes entreguei as palavras do sultão tal como me foram ditas. Não sabia que iria quebrar a promessa.

— Devemos acreditar nisso enquanto você fica livremente ao lado de nossos executores?

— Eu me converti à fé do Islã — admitiu Leo. — Mas a vocês também foi oferecida a chance de viver. Foi decisão de vocês optar pela morte.

Mattius rugiu como um urso enjaulado, incapaz, sob o peso dos soldados que o empurravam para baixo, de fazer nada além de assistir a Leo curvar a cabeça para Baybars e depois se afastar.

— Pare, irmão! — implorou James, mais perturbado pela frustração da amigo do que pelos soldados que se alinhavam atrás deles, com as espadas nas mãos. Ele se inclinou e segurou o pulso de Mattius. — Por favor, Mattius! Você não pode morrer com tamanha raiva dentro de si. Deve preparar a alma para a jornada. Poupe sua força!

A fúria de Mattius cedeu, o corpo relaxou. Os soldados soltaram-no e recuaram, mas mantiveram as espadas apontadas para ele. O cavaleiro sentou-se sobre os joelhos e ergueu as mãos atadas para limpar uma camada de poeira do rosto.

James olhou nos olhos de Mattius quando Baybars deu a ordem para que começassem as execuções.

— Lamento nunca termos ido a Jerusalém como planejamos, irmão — disse.

Mattius deu uma gargalhada.

— O que é a Cidade Sagrada em comparação com o Paraíso?

— Que Deus esteja com você, meu amigo.

— E também com você.

James virou-se e olhou diretamente em frente enquanto as espadas começavam a cair. Abaixo dele, o rio Jordão era uma fita dourada ao longo do chão do vale e as montanhas ao sul estavam rubras à luz suave da manhã. Sorveu aquela visão como um homem que toma a última gota d'água antes de atravessar um deserto. Os baques surdos e os estalos do metal encontrando carne e osso ecoaram acima dos grunhidos de esforço dos executores. O fedor de sangue e urina tornou o ar insalubre. James fechou os olhos enquanto o comandante era decapitado. Pensou em Isabel e nas três filhas na Escócia, tentando gravar as imagens delas na mente, para que pudesse levar uma pequenina parte delas consigo. *Deus as conserve a salvo.* Mais dois cavaleiros caíram, depois Mattius. James pensou no filho em Paris, vestido com o manto branco. Uma rajada de vento que cheirava a hibiscos levantou seus cabelos, refrescando sua pele úmida. Abriu os olhos e sorriu.

— Estou orgulhoso de você, William — murmurou, enquanto a sombra da espada o atravessava.

## 21

## Sete Estrelas, Paris

### 20 de outubro de 1266

Garin observou enquanto a mulher de longos dedos puxava os laços da camisa dele. A luz da vela brincava pelo corpo flexível e nu de Adela, tornando reluzente a pele branca. Manteve os olhos fixos na garota enquanto ela abria a camisa e percorria o peito dele com as mãos frescas. Os sons de conversas em voz alta e de um violino mal tocado subiam pelas frestas do chão. Do quarto contíguo veio o gemido baixo e profundo de um homem, seguido de uma risada de mulher. Um forte cheiro de incenso pairava espesso no aposento, mas o aroma enjoativo não conseguia disfarçar a catinga de cerveja, suor e carne mal passada que impregnava o edifício inteiro. Adela inclinou-se para diante com movimentos vagarosos e lânguidos, beijou-lhe o pescoço e os fartos cabelos negros da mulher se derramaram sobre o ombro dele. A língua percorreu o espaço com a leveza de uma pluma rumo ao ouvido dele.

— Por que você mantém os olhos abertos? — sussurrou ela ao chegar, e seu hálito morno fez com que um ligeiro arrepio percorresse a espinha de Garin.

Havia notado que a garota sempre falava com suavidade quando estava no quarto, talvez para disfarçar a rouquidão quase viril que ouvia em sua voz quando ela a elevava.

Como ele não respondeu, ela relaxou e examinou sua face impassível.

— Você é um dos esquisitos.

— Não a pago para falar — disse Garin, afastando com a mão os cabelos da garota de seu rosto. Achava os olhos dela fascinantes. Eram grandes, brilhantes e de um tom tão escuro de azul acinzentado que quase chegava a ser violeta.

— Você me paga para fazer o quê? — murmurou Adela, inclinando-se sobre ele até que os seios tocassem o peito do jovem cavaleiro.

— Você sabe.

— Sim — respondeu Adela, deslizando sobre a barriga dele e desatando os laços dos calções.

Quando Adela se inclinou para a frente, os cabelos se espalhando por sobre a barriga dele, Garin olhou para o canto do quarto atrás dela, o qual era maior do que os outros cômodos que havia conhecido no prédio. Uma tela de vime ocultava parcialmente uma mesa de cavaletes e um banco de madeira — a área de trabalho de Adela. Nas prateleiras que se alinhavam na parede, distinguiu os perfis globosos de tigelas e jarros, lado a lado com altas vasilhas de barro. Sabia, após tê-los examinado na primeira visita ao quarto dois meses antes, que os recipientes continham ervas. Entre outros talentos, Adela era curandeira. Garin cerrou a mandíbula quando os movimentos dela se aceleraram e agarrou o colchão, que estava rasgado, expondo a palha do miolo.

Adela, com 19 anos e proprietária da outrora respeitável hospedaria do Quartier Latin, foi a primeira mulher com quem Garin esteve e ele com frequência se surpreendia com o modo como tudo era simples quando estava com ela na cama. Encontrava-se em Paris havia três meses e as únicas coisas que conseguira foram um breve encontro com o visitador, durante o qual lhe foi dito que o caminho para o comando passava pela Terra Santa, e, posteriormente, a quebra do voto de castidade. Havia pensado que, escapando de Londres, conseguiria começar uma nova vida, longe das lembranças do tio que lá o perseguiam e dos laços que o atavam.

Depois da morte de Jacques, Garin fora designado a um cavaleiro idoso que dificilmente deixava a preceptoria. Ele havia se entregado aos treinos, ganhando todos os torneios no Novo Templo. Mas isso não havia sido o bastante. A vida da qual se ressentia, a vida que o tio e a mãe desejavam que tivesse em lugar do pai e dos irmãos, havia se infiltrado em seu ser, até que Garin se deu conta de que queria exatamente as mesmas coisas para si. De início, a eclosão da guerra civil havia sido uma bênção: não duvidava de que, se ela não tivesse ocorrido, teria sido forçado a assumir muitas missões mais, além das poucas tarefas simples, na maioria transmissão de mensagens, que Edward havia-lhe ordenado. Mas embora a prisão de Edward tivesse evitado seu domínio sobre Garin, havia também impedido que o príncipe o recompensasse. Edward havia prometido fazer dele um lorde. Apesar do sentimento de culpa que se seguiu à morte de Jacques, Garin havia sonhado com isso. Imaginara-se numa grande propriedade, com servos e estábulos e uma torre inteira para a mãe. Mas o príncipe tinha preocupações mais prementes e Garin descobriu que, se quisesse obter essas coisas, teria de encontrá-las por conta própria.

A mudança para Paris não havia sido a solução que esperava. Depois que o visitador lhe disse que teria de provar seu valor na guerra antes de nutrir a esperança de um comando, passou uma semana refletindo sobre a ideia de partir para a Cruzada. Ouvira histórias de cavaleiros que se tornaram senhores na Palestina, com cidades, escravos e haréns. Mas Outremer parecia longe demais e tinha medo de seguir sozinho para lá.

Sentindo os espasmos do desejo aumentarem com os movimentos hábeis de Adela, segurou a nuca da garota com a mão. Agarrando um punhado de cabelos com perfume de jasmim, ele a puxou para si e beijou rudemente sua boca, provando do próprio sabor nos lábios dela. Às vezes gostava de provocá-la: observar o modo como arqueava as costas para receber seu toque, boca entreaberta, olhos fechados. Gostava de fazer com que ela perdesse o controle enquanto ele conservava o seu, todos os seus movimentos vagarosos, deliberados. Não naquela noite. Garin rolou por cima dela e puxou as pernas de Adela por sobre seus quadris, pressionando-se com impaciência de encontro a ela. Adela se encolheu por causa da força com que ele a penetrou. Quando mergulhou em seu corpo, buscando o esquecimento, todos os medos e todas as preocupações o deixaram. O mundo exterior se dissolveu até um só momento existir; bem-aventurado, despreocupado.

Depois disso, Garin desabou por cima dela, a respiração se tornando errática e a mente se esvaziando por alguns segundos, até que Adela empurrou seus ombros para cima e escapou debaixo dele. Ela se retraiu ao sentar-se.

Garin notou isso e tocou seu ombro.

— Eu a machuquei? — perguntou, sabendo que o havia feito, mas, agora que o prazer se fora, sentia arrependimento e queria que o perdoasse.

Adela olhou para o outro lado.

— Um pouco — respondeu.

— Desculpe-me.

— Está tudo bem.
— Não, não está — disse, franzindo as sobrancelhas. — Perdoe-me.
— Estou bem, Garin. Já tive piores, acredite-me.
Garin segurou o pulso de Adela quando ela ia se levantar.
— Fique comigo — pediu.
— Tenho outros para ver esta noite.
Continuou a segurá-la.
— Só por um instante.
Adela hesitou, depois relaxou. Garin pousou a cabeça no peito dela, sentindo-o subir e descer a cada respiração. O movimento o acalmou. Fora das folhas da janela estava escurecendo. Em breve teria de voltar à preceptoria.
Adela afagou suavemente seus ombros. Aproximou o rosto de seus cabelos. Tinham um cheiro cálido e limpo.
— Gostaria que você não fosse — murmurou Garin.
— Não fosse o quê?
— Ver outros homens.
Adela não respondeu.

*Torre, Londres, 21 de outubro de 1266*

— Você o viu somente uma vez?
— Sim, meu senhor. Em Carcassonne, cerca de oito meses atrás. Havia lá uma multidão tão grande quanto se fosse uma coroação real.
Philippe, um jovem nobre de Provença, observou o príncipe Edward afagar o peito amarelo-tostado do falcão pousado no pulso. O príncipe estava acomodado à beira de uma mesa num amplo leque de luz solar que atravessava obliquamente uma janela estreita. Philippe estava sentado num banco baixo e sentia-se desconfortavelmente diminuído na presença do príncipe alto e ereto. Aos 27 anos, Edward havia atingido a plena altura e imponência e sua constituição, embora esguia, era dotada de músculos por causa dos anos de justas, caçadas e, mais recentemente, batalhas.
— É um belo pássaro — disse nervosamente o nobre, em meio ao silêncio.
Edward olhou para ele.
— Pertencia ao meu tio, Simon de Montfort. Fiquei com ele depois que ele foi morto em Evesham.

O príncipe levantou a mão, que estava protegida por uma luva de couro acolchoado. O falcão guinchou e bateu as asas, puxando a tira de seda amarrada à pata, que Edward segurava. Guinchou novamente, sacudiu a plumagem e depois se acomodou, os olhos ambarinos nem mesmo piscando.

— Ele é um pouco arisco.

O olhar de Philippe se dirigiu rapidamente à porta. O homem que o havia convocado àquele aposento sombrio e ventoso no alto da Torre ainda estava parado ali. Seu rosto feio e com marcas de varíola era desprovido de qualquer coisa que se assemelhasse a emoção.

— Há uma razão particular para que o senhor queira saber sobre as apresentações de Pierre de Pont-Evêque, meu senhor? — Philippe perguntou cautelosamente, olhando novamente para o príncipe.

— Ouvi você conversar sobre elas à mesa de meu pai outra noite. Fiquei interessado.

Philippe fez que sim, relaxando um pouco.

— Parece que a fama do trovador está se espalhando. Desde que estou aqui, várias pessoas me perguntaram sobre ele e sua obra, mas temo que não poderia lhe fazer justiça. Disse-lhes que teriam de ver seus espetáculos com os próprios olhos, embora não sejam para todos os gostos. Tinha esperança de vê-lo novamente quando ele se apresentar para o rei Luís, na corte real em Paris, mas, infelizmente, receio que minha visita prolongada aqui me impedirá.

— Conte-me sobre esse livro — pressionou Edward. — Você mencionou que ele é chamado o *Livro do Graal*?

— Sim — respondeu Philippe. — O homem o lê durante as apresentações. É de onde vem o conteúdo mais irreverente. — O jovem nobre deu de ombros desdenhosamente. — Mas não vejo nenhum perigo real naquilo. O homem não pretende dizer nada do que literalmente diz, estou certo.

— E os templários são mencionados nesse livro?

— Não diretamente. Mas todos sabem a quem está se referindo quando fala de homens vestindo mantos brancos com cruzes vermelhas bordadas sobre o coração. Alguns acham que ele próprio pode ter sido um templário expulso da ordem, porém detentor do conhecimento secreto das iniciações. — Philippe riu. — Não que alguém se importe muito com o modo como os cavaleiros são retratados na leitura. Muita gente acredita que já passou muito da hora de os templários receberem uma lição de humildade.

São muito orgulhosos e se acham melhores do que todo o mundo, embora tenha ouvido vários homens, depois de muito vinho, exclamarem que estão bêbados como um templário. E quanto aos votos de castidade? Dizem os rumores que visitam prostitutas tão bem e com tanta frequência quanto o resto de nós. Chamam-se a si próprios de Pobres Cavaleiros de Cristo, mas todos sabem que guardam as riquezas dos reis enterradas sob suas igrejas.

Edward fez uma careta diante desse último comentário e Philippe se calou, sentindo-se cada vez mais constrangido. Ao chegar a Londres, Philippe havia achado o rei Henrique muito mais velho e fraco do que se recordava de visitas anteriores, abatido por doença e privações enfrentadas com o longo aprisionamento durante a rebelião de Simon de Montfort e pelo ataque contra Kenilworth, recentemente encerrado. As cabeças dos rebeldes derrotados agora decoravam a Ponte de Londres. Philippe havia ouvido pessoas no palácio sussurrarem que Edward, e não Henrique, estava efetivamente governando o país e que sua atuação havia sido essencial para a libertação das mãos dos dissidentes. Agora que estava tão próximo do príncipe, podia entender claramente por que tais rumores tinham se espalhado.

— Você sabe quando, exatamente, o trovador deve se apresentar na corte do rei Luís? — perguntou-lhe Edward.

— Daqui a cerca de duas semanas. Planeja assistir-lhe, senhor meu príncipe?

Edward dirigiu um olhar para Rook, parado ao lado da porta. Sorriu suavemente.

— Tenho um amigo que estará presente.

Olhou novamente para o nobre.

— Pode ir, Philippe. Obrigado pelo seu tempo.

Philippe levantou-se prontamente e fez uma reverência.

— Foi um prazer, meu senhor.

Fez mais uma reverência, depois apressou-se em direção à porta.

— Acha que é o que estamos procurando? — perguntou Rook, quando a porta se fechou. — Esse livro?

— O nome é o mesmo e há, como ele disse, as referências óbvias aos templários. É semelhança demais para se ignorar.

Edward levantou-se da mesa e foi até a janela. Fechou os olhos, sentindo a face banhada pela luz do sol. Os cabelos, que eram louros quando ele era mais jovem, haviam escurecido gradualmente ao longo dos últimos anos. Em alguns lugares, era raiados por mechas pretas.

Seis anos antes, quando soubera, primeiro de Rook, depois de um Garin choroso e aterrorizado, sobre um grupo existente dentro do Templo, havia imediatamente ordenado que Rook investigasse o que existia de verdade naquilo. Pelo que Jacques de Lyons havia contado ao sobrinho, esse grupo, a Anima Templi, tivera um livro roubado, um livro que detalhava planos secretos que poderiam se demonstrar fatais a eles e ao Templo, caso revelados. Rook não pudera descobrir nada sobre as origens do livro ou seu paradeiro, embora tivesse conseguido verificar que havia um homem chamado Everard, nome, segundo Garin, do cabeça do círculo, residindo no Templo de Paris. O príncipe pudera confirmar o envolvimento do tio-avô, Ricardo Coração de Leão, a partir de uma referência obscura em um documento escrito por Ricardo, que havia encontrado ao vasculhar os arquivos de Westminster: *A Alma do Templo, que jurei guardar com minha vida*. Edward havia planejado recrutar mais homens para ajudar Rook a sondar a Anima Templi e suas obras, mas a guerra civil e seu subsequente aprisionamento interromperam seus planos.

— Quando quer que parta para Paris?

Edward afastou-se da janela.

— Nos próximos dias. — Observou Rook com uma expressão de desconfiança. — O que há?

— Com o devido respeito, acho que estamos dando muita importância a um livrinho que pode ou não ter algo a ver com um grupo que pode ou não existir, segundo um pirralho ranhento.

— Confirmamos muito do que Garin nos contou para achar que isso tudo é mentira.

Rook fez menção de falar, mas Edward levantou a mão.

— O que você quer que eu faça? Montar um ataque surpresa à preceptoria de Paris para roubar minhas joias de volta? Os mercenários que mandei falharam em pegá-las quando estavam largadas num cais de porto, que dirá num cofre de ferro a dez metros debaixo do solo.

A voz de Edward estava calma, mas os olhos cinzentos chispavam de raiva.

— Meu pai fica mais fraco à medida que o tempo passa. Não demorará muito para que eu seja coroado. Devo exercer minha autoridade agora sobre aqueles que podem diluí-la quando for rei. Não deixei meu tio, um homem que amei e admirei por muitos anos, tirar esse poder de mim. Antes que o fizesse, tive de matá-lo, separar a cabeça e os membros e atirar o tronco ensanguentado aos cães no campo de batalha de Evesham. O que o faz pensar que deixarei os templários me controlarem? Quero minhas joias de volta, Rook, e se o único meio de fazer isso for tirar algo de precioso deles para fazer uma permuta, então é assim que tudo será feito.

Rook fez que sim.

— Como quer que eu aja?

— Acho que está na hora de você fazer uma visita ao nosso jovem amigo.

— Garin? — perguntou, com azedume. — Foi passar o verão em Paris.

— Então estará em ótima posição para ajudá-lo nessa tarefa. Você vai precisar dele, Rook. Além disso, deixamos aquele passarinho solto por muito tempo. — Edward afagou o peito do falcão. — Não queremos que se esqueça de quem é seu patrão.

*Templo, Paris, 21 de outubro de 1266*

— Você está prendendo o seu pulso novamente.

Simon franziu as sobrancelhas e afrouxou o aperto do punho. Brandiu a espada, tentando girá-la com fluidez conforme Will havia-lhe mostrado. A espada escapou do pulso de Simon e Will mal conseguiu se esquivar quando ela voou em sua direção.

— Santa Mãe de Deus! — Simon levou as mãos à cabeça. — Will! Mil perdões!

— Não aconteceu nada de mau — disse Will, endireitando-se e olhando para o alfanje, cuja ponta havia se cravado num fardo de feno. Deu um suspiro quando se aproximou para recuperá-lo.

— Nao adianta, não consigo fazer isso.

— Você só precisa de um pouco mais de prática.

Simon conseguiu disfarçar o desânimo quando Will entregou-lhe o alfanje.

— Senhor! — chamou um jovem cavalariço, espiando timidamente de dentro de uma baia. — Não consigo encontrar a escova para pelos.

— Está no depósito — disse Simon. — Na segunda prateleira, onde você a deixou da última vez.

— Obrigado, senhor — disse o rapaz, abaixando a cabeça e corando.

— Senhor? — comentou Will, sorrindo para Simon. — Você parece bem ambientado no novo posto.

— Sim — respondeu Simon, fazendo um amplo gesto pelos estábulos com a mão. — Senhor de todo o estrume que tenho de limpar. — Apontou para os fardos de feno empilhados num canto. — Por que não descansamos um pouco? — Fez um gesto como se examinasse o pulso. — Acho que desloquei algo.

Will soltou o riso.

— Você não está gostando nada disso, não é?

Simon sentou pesadamente sobre um dos fardos e pousou a espada de Will no colo.

— Apenas não acho que algum dia me tornarei bom o suficiente para ser sequer a metade do parceiro de que você precisa.

Will sentou-se ao lado de Simon.

— Não posso pedir a Robert ou Hugues para treinar comigo — disse. — Agora que são cavaleiros, não têm tempo e Everard não me deixará comparecer às sessões de treinamento. Não — acrescentou, com irritação — que eu quisesse. Os sargentos nos grupos são todos mais jovens do que eu. Tenho idade suficiente para ser instrutor!

Will fechou as mãos em concha e bafejou dentro delas. Estavam rachadas e doloridas, castigadas pelos ventos gelados recentes.

Durante os últimos meses, todos na preceptoria estiveram ocupados com a colheita e os preparativos para o inverno. Os pombais e celeiros haviam sido limpos para os pombos, as galinhas e as cabras, preparados para os dias mais frios. As árvores do pomar haviam sido despidas dos frutos, que foram então armazenados, prontos para ser transformados em vinhos e geleias. Peixes haviam sido pescados dos açudes, secados e salgados, e mel fora coletado das colmeias. Quando os armazéns já estavam cheios, houve, por curto tempo, um ar de contentamento na pausa para respirar que havia entre o outono e o inverno.

Will estivera ocupado com vários novos tratados que Everard havia comprado para a preceptoria e o padre o havia feito reencadernar uma estante de livros. Will havia sentado no pomar para fazer esse trabalho, equilibrando os livros avariados no joelho, enfiando a agulha cuidadosamente através dos pergaminhos e ao longo da lombada. Com frequência, Simon sentava-se com ele e, ocasionalmente, Robert conseguia reservar um momento entre as orações e reuniões para conversarem. Robert, que percebia a frustração de Will por ser privado da condição de cavaleiro, fazia o amigo rir ao lamentar-se pela reunião do cabido que acabara de assistir, em que o irmão Fulano de Tal argumentara por três horas sobre que tipo de ponto o alfaiate deveria usar para remendar os buracos dos calções dos cavaleiros. Will havia conversado muito pouco com Garin. Havia um desconforto entre eles que fazia com que ficasse pouco à vontade e por isso tendia a evitar o cavaleiro. Não era difícil: Garin frequentemente deixava a preceptoria.

— Não se lamente por seu treinamento — disse-lhe Simon. — Ficarei bom o suficiente se isso não me matar. — Coçou a cabeça. — Ou a você.

Ambos olharam quando um vulto entrou em disparada nos estábulos. Will ergueu-se, chocado, quando Elwen lhe sorriu. Vestia uma capa preta, presa por um alfinete vermelho com a forma de uma rosa. Os cabelos estavam soltos sobre os ombros.

— O que você está fazendo aqui?

Elwen fechou o cenho pelo tom brusco de Will.

— Queria vê-lo.

Simon olhava para ambos com uma expressão de incerteza. Will tocou o braço de Elwen e afastou-a da entrada, mantendo-a longe das vistas de fosse lá quem pudesse estar no pátio.

— Como você conseguiu entrar? — perguntou.

O sorriso dela voltou.

— Entrei pela passagem dos servos. Não se preocupe — acrescentou, vendo o modo como a olhava —, ninguém me viu. — Puxou o capuz, ocultando o cabelo e a maior parte do rosto. — Perguntei a um sargento onde poderia encontrá-lo — disse, adotando uma voz grave e masculina. Rindo, tirou novamente o capuz, olhou para os estábulos e torceu o nariz. — Como você pode aguentar o cheiro deste lugar?

— É assim que todos os cavalos cheiram — disse Simon, com a voz constrangida, desajeitada, levantando-se do fardo de feno.

Elwen sorriu para ele.

— Você é Simon, não é? Eu o vi uma vez em Londres, quando estava hospedada no Novo Templo. Will me contou que você tinha vindo.

— Contou? — disse Simon, olhando para Will.

— Sou Elwen.

Simon olhou novamente para ela.

— Imaginei que você fosse.

Elwen achou o olhar fixo de Simon incômodo. Sentiu-se como se a estivesse avaliando e achando que algo lhe faltava.

— Você não está feliz em me ver, então? — perguntou ela a Will, para quebrar o silêncio e o olhar fixo do tratador de cavalos.

Quando Elwen lhe deu um olhar furtivo e de lado, Will sentiu os músculos do estômago se contraírem. Não conseguia entender por que era só ela olhá-lo de certa maneira para que suas entranhas se liquefizessem.

— É claro que estou feliz — murmurou. — Mas se você for apanhada, serei eu quem levará a culpa, não você.

Olhou para Simon, que apanhou uma vassoura e começou a varrer uma baia.

— Você não pode entrar aqui desse jeito. É muito arriscado.

Elwen suspirou.

— Não teria vindo se você não ficasse me evitando. Você raramente responde minhas mensagens, nem me visita no palácio. — A expressão dela se tornou solene. — Achei que fôssemos amigos, Will.

— Nós somos.

Will apoiou-se numa bancada e cruzou os braços sobre o peito. As sobrancelhas de Elwen se enrugaram diante dessa postura despreocupada do amigo.

— De qualquer forma — comentou —, se alguém me visse eu simplesmente diria que estava aqui para visitar o túmulo de meu tio.

— Nos estábulos?

Elwen revirou os olhos.

— Diria que estava pedindo informações a você sobre como chegar ao cemitério.

— Não posso dar a Everard mais desculpas para me reter, Elwen. Você sabe disso. Não é que não queira vê-la, simplesmente não posso. Não agora. Apenas dê-me tempo para resolver isso.

— Tempo? Você teve anos. Você não me disse que estava planejando conversar com o visitador sobre sua investidura? Foi o que me disse no nosso último encontro. Will, não aguento vê-lo deixar as coisas correrem desse jeito. — Elwen jogou os cabelos para trás com impaciência. — Certamente, fazer algo é melhor do que não fazer nada.

Will traçou com o pé um círculo na areia.

— Ele não aceitaria me ver — disse, num tom desanimado.

Era uma mentira. Depois da discussão com Everard, em que havia dado um ultimato ao sacerdote, Will jamais iria procurar o visitador. O pai pensava que ele fosse um cavaleiro. Como seria se se revelasse um sargento e tivesse de confessar que havia mentido? Como o pai o receberia de braços abertos para perdoá-lo, então?

— Ouça — disse Elwen, aproximando-se dele. — Poupei a maior parte do dinheiro que ganhei trabalhando para a rainha. Quero ir para a Terra Santa também. Sempre quis. No ano que vem, talvez, eu terei o suficiente para comprar passagens para nós dois. Podemos ir juntos se Everard não o iniciar.

Simon ainda estava varrendo a baia, mas parou e olhou para eles ao ouvir isso.

Will fitou-a. Era uma sugestão tocante, mas deixou-o irritado. Não queria ir para a Terra Santa como um camponês num navio de peregrinos. Queria ir para lá como cavaleiro e o único lugar que tinha interesse em ver era o local onde o pai estava.

— Obrigado — respondeu a Elwen —, mas preciso fazer isso do meu jeito. Só tenho de encontrar um meio de convencer Everard a concordar com minha investidura. Ainda não consegui pensar em nenhum. Forçou um sorriso. — Mas pensarei.

*Templo, Paris, 24 de outubro de 1266*

— Isso não nos deixa muito tempo.

— Sei, irmão. Falhei com o senhor. Perdoe-me.

— Não o culpo, Hassan — disse Everard, interrompendo o caminhar pelo quarto e virando-se para ele. — Não era uma tarefa fácil.

— Realizei incumbências mais difíceis do que essa. E em muito menos do que três meses. — Hassan passou uma das mãos pelos cabelos pretos. — O trovador deu o nome verdadeiro em algumas estalagens onde ficou, mas deve ter dado nomes falsos em outras. Creio que se limitou a trilhas e florestas em lugar das estradas. Não entendo. Duvido que soubesse que estava no seu rastro. Fui cuidadoso.

— Tenho certeza de que sim.

— Eu o teria procurado por mais tempo. No entanto, fiquei preocupado com que pudesse chegar aqui antes de mim se me demorasse mais.

— Você agiu bem em retornar nesse momento. Pode ter sido simplesmente por má sorte que você não o encontrou, mas Pierre de Pont-Evêque certamente tem motivos para ser cauteloso.

Everard sentou-se ao lado de Hassan no banco junto à janela.

— Frei Gilles esteve aqui outro dia, certificando-se de que tudo estivesse pronto. Nicolas de Navarre conduzirá o grupo que vai ao palácio. O plano é prender o trovador pouco antes da leitura, para que se tenha certeza de que ele tem o *Livro do Graal* consigo. Temos de pegá-lo antes disso ou o perderemos definitivamente.

Everard meneou a cabeça.

— Perguntei ao visitador se poderia ser autorizado a estudá-lo, mas tanto o livro quanto Pont-Evêque estão sob a jurisdição dos dominicanos. Nossos cavaleiros só estão nisso para dissuadir o rei de qualquer interferência.

— Poderia vigiar os portões ao sul, laçar Pont-Evêque na cidade quando entrar?

— O trovador pode chegar a qualquer momento nos próximos cinco dias e um homem de sua aparência rondando pelas muralhas atrairia as suspeitas dos guardiões. Além disso, os portões são trancados depois do anoitecer. A entrada só lhe será permitida durante a luz do dia e as ruas estarão movimentadas demais para uma emboscada. Não. Precisamos fazer isso rápida e silenciosamente.

— Poderia tentar uma audiência com ele quando estiver no palácio?

— O rei nunca foi afeiçoado a estrangeiros, Hassan. — Everard pausou por um momento. — Mas eu poderia ser recebido de maneira mais afável. Tenho certas obras em que Luís ficaria ansioso em pôr as mãos e incluir em sua coleção. Poderia entrar no palácio sob o pretexto de oferecer ao rei um manuscrito que desejo negociar. Estando lá eu poderia...

— Não.

Everard fechou o cenho.

— Não?

— Não permitirei que o senhor corra riscos quando meu fracasso é a causa da nossa situação.

Everard abriu a boca para falar, mas Hassan o interrompeu.

— Como o senhor irá pegar o livro do trovador? Furtando-o? Um conhecido sacerdote templário esgueirando-se pelos corredores do palácio não passaria despercebido. Pela força? O senhor já não maneja uma espada há mais de vinte anos.

— Ainda há força neste corpo — disparou Everard —, por mais frágil que possa parecer a você, meu jovem soldado *khorezmi*.

Hassan ficou em silêncio por um momento.

— Renunciei a esse título quando o conheci, Everard. Não sou um soldado.

— Não — disse rudemente Everard. — Você é meu cão de caça, e cães devem obedecer aos mestres, não lhes falar de maneira autoritária.

Hassan virou o rosto; os olhos escuros chispavam.

Everard bufou e foi até a mesa, onde havia uma jarra de vinho. Verteu a borra numa taça.

— Minha vida, sua vida, elas não importam — disse. — Um dia ambos morreremos. Mas nossa causa, Hassan, deve sobreviver.

Everard estremeceu quando uma rajada de vento soprou no aposento, espalhando as cinzas de uma tocha que ardia a fogo baixo.

— Devemos fazer o que for possível para salvaguardá-la.

— E quanto ao seu sargento? — sugeriu Hassan em voz baixa. — Talvez se mandarmos Campbell ao palácio em missão ele possa...

— Não conversei com Campbell sobre isso — interrompeu Everard, pousando a taça na mesa.

— O senhor concordou, irmão.

— Não — corrigiu Everard. — Concordei em pensar a respeito. Pensei e não creio que ele esteja pronto ainda.

— Seja lá o que for preciso para isso — murmurou Hassan.

— Preciso de mais vinho.

— Trarei para o senhor.

— Não — disse Everard, dirigindo-se à porta. — Também preciso de ar.

Hassan caminhou calmamente até o armário depois que a porta se fechou e passou os dedos suavemente sobre a madeira, seguindo as volutas dos veios. O recinto parecia mais escuro agora que Everard havia se retirado. Hassan sentiu-se como um invasor. O quarto e tudo o que havia nele eram parte do velho padre; cada códice de pergaminho coberto com sua escrita delicada; cada peça de mobília marcada com as impressões de seus dedos; cada pedra do piso exibindo suas pegadas. Hassan nunca tivera um lar. No ano anterior ao seu nascimento, as forças de Gengis Khan destruíram Khorezm, a terra natal de sua família e o mais poderoso estado muçulmano do Oriente. Khorezm foi engolida pelo império mongol e os sobreviventes se dissiparam. Quando criança, Hassan teve uma existência nômade com os remanescentes do exército *khorezmi*. Nas vastidões do norte da Síria, o pai, um comandante, criou-o como guerreiro e ganhavam seu sustento com dificuldade, vivendo à custa do que a terra dava, oferecendo seus serviços como mercenários, planejando sua vingança. Mas Hassan nunca havia sentido a amargura pela perda de uma terra que jamais conhecera e fora um soldado relutante.

Vinte e dois anos antes, Ayyub, sultão do Egito, pedira ajuda aos *khorezmi* para derrotar os francos na Palestina. Hassan, com 19 anos, fora com a força de dez mil soldados a Jerusalém. No caminho, o pai e os guerreiros estavam inebriados pela ambição. A avidez por recompensas crescia indiscriminadamente e acreditavam que o pagamento pela ajuda seria grande o suficiente para sustentar uma nova campanha, se não contra os mongóis, ao menos contra o próprio Egito. O exército *khorezmi* havia devastado Jerusalém como um vento negro, deixando uma trilha de cadáveres no rastro. Milhares de cristãos haviam evacuado a cidade, dirigindo-se à costa, mas o pai de Hassan ordenou que os estandartes dos cavaleiros francos fossem erguidos no campo de batalha e muitos dos cristãos em fuga retornaram, acreditando ter sido salvos. Hassan assistiu à chegada, como rebanhos de carneiros confusos para o abate. E foram abatidos, até o último homem, mulher e criança. Para celebrar a vitória e a libertação da cidade das mãos cristãs, os *khorezmi* saquearam a Igreja do Santo Sepulcro e massacraram os padres que ali ficaram, todos exceto um, que havia se escondido sob os corpos depois de matar quatro guerreiros.

Hassan havia feito coisas naquele dia das quais acreditava jamais poder expiar-se, por mais que pedisse perdão diariamente a Alá em suas orações, desde então. Deixando a cidade em chamas, os guerreiros triunfantes se dirigiram a Herbyia. Lá se reuniriam ao comandante Baybars e ao restante do exército mameluco para destruir as forças francas que haviam se levantado contra eles. Hassan, escondido entre os baluartes, observou-os partir, com o pai à vanguarda, dando gritos de vitória. Naquela noite, arrastando-se de maneira entorpecida pela cidade devastada, Hassan encontrou Everard. E no padre o desertor encontrou seu propósito.

Quando Everard retornou ao Ocidente, Hassan foi com ele. O sacerdote insuflara-o com a crença de que havia algo que podia fazer nesta vida, que poderia mudar tudo. Na Cristandade, havia passado o tempo na estrada, coletando informações, documentos e segredos. Sempre em movimento, mantendo-se nas sombras, dormindo aqui num estábulo, ali no meio de um campo. Hassan acreditava com todo o seu ser no sonho da Anima Templi, mas nos últimos tempos surpreendia-se imaginando como seria ter um lugar, um simples quarto, preenchido com suas memórias, seu silêncio.

Houve uma mulher, uma vez, na Síria. Às vezes se perguntava que vida abandonara. Como seus filhos teriam se parecido.

A porta se abriu e Everard entrou, segurando uma jarra.

— Os malditos servos tentaram fazer passar esse mijo local como vinho da Gasconha.

Hassan notou que o padre parecia mais iluminado, os movimentos mais vivos.

— O que há?

Everard virou-se para ele, com os lábios retorcidos num sorriso.

— Tive uma ideia.

## 22

# Palácio Real, Paris

### 27 de outubro de 1266

Elwen atravessou a sala e sentou-se na beira do banco que compartilhava com uma das outras camareiras. Olhou à volta do aposento vazio, depois enfiou a mão no bolso do avental e tirou seu achado. Segurando-a entre o polegar e o indicador, observou com atenção a superfície cremosa e reluzente da pérola sob a faixa de luz que se infiltrava obliquamente pela janela. Havia-a encontrado naquela manhã enquanto atendia a rainha. A joia estava alojada numa rachadura no piso do quarto de dormir da monarca, desprendida de um dos vestidos da ama. Enquanto a rainha estava postada diante do seu espelho de prata, examinando as complexas tranças e caracóis que Elwen havia feito em seus cabelos, foi a coisa mais fácil do mundo para a camareira catar a conta, sem ser notada, do chão. Não pensou nisso como um furto. Conhecia o vestido do qual a joia se soltara; devia haver centenas de pérolas costuradas a ele, como olhinhos espiando dentre as dobras do samito. A falta daquela não seria notada.

Debaixo da cama, Elwen puxou uma longa caixa de madeira tingida de preto e decorada com flores prateadas. Vira a caixa no mercado um ano antes e havia economizado seus ganhos durante dois meses para comprá-la, voltando à tenda do mercador sempre que podia, preocupada com que tivesse sido levada por outra pessoa. Foi o único luxo que adquiriu; todos os outros tostões que ganhara haviam sido destinados ao fundo que um dia a levaria à Terra Santa. O desejo de viajar para lá, que havia se formado quando ainda era menina, jamais a deixou. Encantara-se com as histórias sobre o lugar, contadas por visitantes da nobreza, histórias que ocasionalmente entreouvia enquanto costurava uma das vestes da rainha ou punha penas de ganso novas nos travesseiros de seda do solar. Ninguém mais, camareiras ou servas, parecia entender o seu desejo. Se não é para uma peregrinação, perguntavam-lhe, então por que queria ir para lá? Elwen não sabia explicar em palavras. Sentia isso como um impulso, como se alguém tivesse atado um fio às suas vísceras e a puxasse inexoravelmente para o leste. Sempre sentia o impulso se tornar mais forte naquela época do ano, quando a neblina e o frio se fechavam em torno do palácio como uma mortalha, alfinetando-a por dentro.

Ela se acocorou diante da caixa e tirou a corrente que usava em torno do pescoço, da qual pendia uma pequena chave. Ouviu-se um suave estalido quando a fechadura se destravou e Elwen abriu a tampa. Por dentro, a caixa era dividida em fileiras de pequenos compartimentos. O mercador havia dito que se tratava de uma caixa de especiarias, mas Elwen não a usava para esse propósito. Em cada um dos compartimentos havia tesouros: uma fita carmesim de uma camareira que havia partido para se casar; uma pena de pombo branca como a neve, encontrada nos jardins do palácio; uma moeda de ouro amassada, resgatada da margem do rio, onde estava parcialmente enterrada na lama. Dentro de outro compartimento havia uma faixa de linho azul dobrada em forma de quadrado, que continha o botão seco de um jasmim. Delicado e quebradiço, uma lembrança de Will. Elwen nunca pegara nada que fizesse falta, nada de real valor para mais ninguém. A pérola era uma exceção, mas era um achado precioso demais para se abandonar.

Quando criança, em Powys, havia mantido uma coleção semelhante, embora o acervo na época fosse de natureza mais material. Investira aqueles troféus com as próprias e singulares histórias: uma pedra pintalgada de azul era um presente de um cavaleiro para a filha de um sultão; um graveto disforme era parte de um navio naufragado na costa da Arábia. Haviam servido como talismãs contra as longas noites quando os únicos sons audíveis eram a entrecortada fala adormecida da mãe e o vento uivando que atravessava o vale até golpear as paredes da choupana em que ambas moravam. Nos anos que se seguiram à partida de Powys, a vida de Elwen havia mudado, mas a necessidade de coisas para tratar como tesouros persistia.

Depositou a pérola no compartimento com a moeda de ouro, depois fechou a tampa. Após trancar a caixa, empurrou-a para baixo da cama. Estava passando a corrente com a chave por sobre a cabeça quando a porta se abriu e uma das camareiras com quem compartilhava o dormitório entrou às pressas.

— Aí está você! Procurei-a por todo lugar.

As bochechas da moça estava coradas, como se tivesse corrido.

— Qual é o problema, Maria? — perguntou Elwen, enfiando a corrente por dentro do peitilho do vestido.

— Há um sargento no portão dos criados que quer vê-la. — Maria, uma garota baixa de cabelos claros, com cerca de 16 anos, sorriu ao fechar a porta. — Ele veio do Templo, foi o que me disse o mensageiro.

— Do Templo? — Elwen desamarrou o avental. — Tem certeza?

— Sim. — Maria deu uma risadinha ao ver o sorriso reticente de Elwen. Pegando o avental de suas mãos, pousou-o caprichosamente sobre a cama. — Quando você vai me contar quem é ele? Esse homem que você costuma ver.

Elwen alisou o vestido cor de marfim.

— Ainda não — disse.

— Mas somos quase como irmãs! Você não pode esconder essas coisas de mim. — Maria apertou as mãos de Elwen com ansiedade. — Está planejando casar-se? Se estiver, terá de fazer isso antes de ele ser sagrado cavaleiro, não é? Caso contrário ele terá de fazer os votos.

— Não vou dizer — insistiu Elwen.

Maria soltou as mãos dela e fingiu um beicinho.

— Não vou lhe contar meu segredo.

Elwen sorriu, mas permaneceu em silêncio. Maria suspirou e sentou-se na cama.

— Bem, vou contar, ainda que você não mereça saber. — Os olhos da garota brilharam de excitação. — O trovador está aqui.

— Você o viu?

Elwen ficou intrigada. Como toda a casa real — e grande parte da cidade — esperava a chegada do famoso Pierre de Pont-Evêque com grande curiosidade.

— Vi — respondeu Maria, com ar de importância. — E não parece o diabo que alguns disseram que é. Achei-o bem atraente.

— Você acha todos os homens atraentes.

— Sim — admitiu candidamente Maria —, mas, embora meus olhos apreciem a variedade, meu coração deseja um só homem.

Elwen retribuiu o sorriso, sabendo que a camareira falava de Ramon, um auxiliar de cozinha de olhos negros vindo da Galícia, a quem Maria mantinha tão bem guardado no coração que nem mesmo ele sabia.

— Mal posso esperar pela apresentação — disse Maria, recostando-se na cama. — Temos sorte.

Elwen fez que sim. A rainha havia autorizado quatro camareiras, incluindo Elwen e Maria, a comparecer à apresentação, que aconteceria dali a cinco dias. Assistiriam e escutariam de trás de uma pesada cortina que cobria a entrada dos criados na parte lateral do Grande Salão. Elwen arrumou a touca.

— Como estou? — perguntou.

— Bela como uma pombinha.

Elwen torceu o nariz.

— Uma pombinha?

— Desculpe — disse Maria, revirando os olhos. — Esqueci que você odeia todas as coisas delicadas e doces.

— Não odeio coisas doces — corrigiu Elwen. — Apenas preferiria de ser comparada a... — Encolheu os ombros. — Um corvo ou uma coruja, algo mais...

— Masculino — disse Maria, meneando a cabeça.

Elwen dardejou-a com um olhar de reprovação.

— Corajoso — disse.

— Estou brincando — disse Maria, com uma risadinha, e apoiou-se sobre os cotovelos. — Você se parece com uma daquelas mulheres dos romances que lê. Linda e corajosa e nada parecida com uma pombinha.

Elwen sorriu enquanto se dirigia à porta.

— Vejo você depois — disse.

— Dê ao seu amado um beijo por mim — gritou Maria, com voz suave.

Passando por um cozinheiro com uma cesta de legumes e por dois guardas palacianos de libré escarlate, Elwen seguiu diretamente para o portão dos criados e saiu na alameda pavimentada que contornava os muros do palácio. Um sentido levava às ruas principais, o outro à margem do rio. Perguntando-se por que Will viera vê-la sem nenhum aviso, mas esperando que finalmente tivesse ouvido a razão e admitido o que sentia por ela, Elwen seguiu ao longo da passagem, depois atravessou um arco no muro baixo que levava à beira do rio. Uma fileira de carvalhos flanqueava a margem. Folhas, destacadas dos ramos por ventos recentes, cobriam as barrancas lamacentas com um manto sussurrante cor de cobre. Elwen se deteve. Havia apenas um homem vestido de preto parado sob um carvalho e contemplando o rio. Envolvendo-se nos próprios braços, procurou intensamente à volta. Não havia sinal de Will.

— Elwen.

Ela se virou na direção da voz fina e ofegante e viu o velho caminhando em sua direção. Seu coração teve um pequeno choque palpitante quando o reconheceu. Era o mestre de Will, Everard de Troyes.

*Sete Estrelas, Paris, 27 de outubro de 1266*

Adela abriu o herbário e virou com cuidado os pergaminhos carcomidos. Encontrou a página que estava procurando e passou o dedo pela lista de ingredientes. O fogo reluzia mansamente na pequena lareira, mas algo havia bloqueado a chaminé e a maior parte da fumaça voluteava de volta para o quarto numa neblina cinzenta que irritava os olhos. Uma luz turva entrava por uma fresta na estopa que havia sido posta sobre a janela. Da rua lá embaixo vinham os sons de carroças e cavalos, homens chamando uns aos outros, um cão latindo, um bebê chorando. Adela não olhou quando Garin se levantou atrás dela.

— Volte para a cama — murmurou ele, pressionando o corpo contra o dela, passando as mãos pelas frescas curvas dos seios e fazendo-as descer até a barriga.

Adela segurou suas mãos.

— Tenho de terminar estas poções para levá-las ao mercado amanhã ou não terei nada para vender.

Garin olhou o herbário por cima dos ombros dela. Uma das páginas descrevia um método para fazer dentes arruinados caírem, pressionando um sapo sobre eles, e como fazer um bebê que recusa o seio mamar, esfregando mel nos seios da mãe.

— Por que você faz isso? — perguntou, com irritação.

— Faço o quê? — perguntou ela distraidamente, com os olhos nas páginas do herbário.

— Essas drogas. — Conduziu a boca até o pescoço de Adela e roçou-a na pele dela. — Não lhe pago o bastante?

— Na realidade, não — respondeu, deslizando entre ele e a mesa de cavalete e dirigindo-se às prateleiras, de onde tirou duas garrafas de barro. Ela surpreendeu a carranca de Garin. — O que eu e minhas meninas ganhamos mal dá para pagar os nossos custos de vida. Olhe para este lugar. Você está vendo o estado em que ele está. Se não pagar logo por reparos na construção, não terei mais um local para trabalhar nem para morar. Quando abri esta casa ela era a mais popular do Quartier. Agora, casas mais novas estão começando a tirar meus clientes.

Adela pôs os frascos sobre a mesa ao lado do almofariz com um pesado suspiro. Como o pai ficaria desapontado se visse o que ela havia feito do lugar! Quando ele administrava a hospedaria, eram bastante prósperos. O problema era que a maioria dos clientes eram padres e estudiosos visitando a Sorbonne e academias vizinhas. Quando ela assumiu o negócio, a quantidade de hóspedes começou rapidamente a mirrar. Concluiu que isso se devia ao fato de que padres e eruditos julgavam impróprio hospedarem-se no estabelecimento de uma mulher. Quando não pôde mais pagar o imposto aos prebostes, teve de escolher entre vender o lugar ou modificá-lo. Não suportando a ideia de se desfazer de seu lar de infância, decidiu-se pela segunda opção e, como não tinha ofício nem tempo para aprender um, resolveu, com 16 anos, vender a única mercadoria de que dispunha.

— Não tenho escolha além de preparar estas drogas — disse a Garin. — E ainda que tivesse, eu as preferiria de bom grado a isso.

— Isso? Você se refere a mim?

— Não — disse calmamente, aninhando o rosto dele na mão. — A todos menos você.

Garin pôs a mão sobre a dela. Após um momento, Adela delicadamente se desvencilhou e sentou-se no banco. Garin foi até a pilha desordenada de roupas onde estavam seus calções, ao lado do catre. Ao apanhá-los, derrubou a pequena bolsa de veludo que havia depositado sobre eles. Ela tilintou no chão. Garin levantou-a pelo cordão. Estava preocupantemente leve. Em outros tempos, amealhava cada penny que o príncipe Edward lhe concedia. Agora sua fortuna estava quase dissipada; uma moeda atrás da outra depositada na palma da mão de Adela, cada vez que lhe abria a porta. Olhou para ela, que deslizava sementes de papoula para dentro do almofariz. Os olhos dele percorreram a pele branca e macia, o arco flexível das costas, o intervalo entre as coxas, que sempre faziam com que o estômago de Garin se contraísse. Os seios pressionados de encontro à borda da mesa quando se curvou para apanhar o pistilo. Ouviu-se um rangido de pedra contra pedra quando socou e triturou a mistura. Parecia tão estudiosa; olhos violeta atentos; boca com os cantos voltados para baixo; sobrancelhas pregueadas. Garin se deu conta de que era essa a aparência de Adela quando fazia algo de que realmente gostava. Quando estava na cama com ele, ou dando atenção aos clientes no andar de baixo, parecia bastante feliz. Mas observando-a naquele momento, percebeu quanto daquilo era encenação. Surpreendeu-se dando um discreto sorrisinho ao pensar que ele era a única pessoa a quem ela revelava aquela faceta. Perguntou-se se era isso o que os casais casados sentiam. Se o pai alguma noite teria observado a mãe desempenhar alguma tarefa doméstica, contentando-se em observar e não tocar. Não sabia. Porém, por um momento, vislumbrou um possível futuro em que duas pessoas poderiam simplesmente estar juntas, na segurança do silêncio dos anos.

Quando Adela se levantou para apanhar outro vasilhame da prateleira, Garin largou os calções e a bolsa e foi até ela.

— Garin...! — começou ela a dizer quando voltou o rosto para ele, com o punho cheio de botões de lavanda de perfume enjoativo.

— Não consigo deixar de desejá-la. — Garin curvou-se para beijar o pescoço da garota, tocando a pele com a boca quente e faminta. — Não é minha culpa.

— Pare — ofegou.

— Não — murmurou, em seu ouvido.

A porta abriu-se para dentro do quarto com um estrondo.

Garin girou o corpo, nu e alarmado, enquanto um homem entrava com passos firmes no aposento. Rook avaliou a cena com um olhar malicioso e zombeteiro.

— Então é assim que os cavaleiros passam seus dias? Estava me perguntando por que ninguém conseguiu ainda recapturar Jerusalém das mãos dos sarracenos.

Garin foi até Rook e empurrou-o em direção à porta.

— *Saia!* — ordenou.

O sorriso irônico de Rook desapareceu. Golpeou os punhos de Garin para os lados e uma de suas mãos voou para a garganta do jovem cavaleiro, apertando-a com força esmagadora.

— Já o avisei, seu bostinha. *Jamais* banque o arrogante comigo!

— Largue-o.

Rook olhou na direção da voz fria e ríspida e viu Adela o enfrentando. Ainda estava nua, mas não fazia esforço algum para se cobrir.

— Fora, puta — rosnou, indicando a porta com um rápido movimento de cabeça.

Garin estava sufocado pela pressão em volta da traqueia. Agarrou a mão de Rook e tentou livrar-se dela com um movimento de alavanca.

Adela caminhou calmamente na direção de Rook, com os olhos violeta chispando.

— Não irei a lugar algum — disse. — Esta é minha propriedade e você, senhor, a está invadindo.

— Sua propriedade? — zombou Rook.

Adela não respondeu, mas virou a cabeça em direção à porta e olhou para trás dele.

— Fabien! — gritou.

— Deixe-o ficar, Adela — coaxou Garin, mantendo os olhos cravados em Rook.

Depois de um momento, ouviu-se o som de passos ressoando no corredor. A porta se abriu num ímpeto. Rook ficou ligeiramente surpreso ao ver um homem colossal com espessas sobrancelhas negras e expressão severa entrar no quarto. Olhou de Rook para Garin e depois para Adela.

— Tem certeza? — perguntou ela para Garin.

Rook largou vagarosamente a garganta de Garin, com os olhos fixos no criado herculeo.

Garin respirou fundo e balançou a cabeça.

— Você pode nos deixar a sós por um momento? — pediu.

Depois de um instante, ela gesticulou para que o criado saísse. O homem deixou-os sem dizer uma palavra e Adela foi sem pressa até o biombo e apanhou um robe de seda vermelha. Puxou-o sobre os ombros, ignorando o olhar peçonhento de Rook. Vira muitos como ele na profissão; homens ardilosos, brutais, que só sabiam se comunicar com línguas bífidas e com a força dos punhos. Enquanto caminhava até a porta, olhou nos olhos de Garin.

— Estarei por perto — disse.

Quando ela se foi, Rook voltou-se para Garin, que ergueu rapidamente os calções do chão e os vestiu, apertando bem o cordão.

— Aquela cadela é boa de boca. Mas acho que você sabe muito bem disso. — Rook deu um riso de sarcasmo. — Ora, você violou todos os votos que fez para o Templo. Pobreza e obediência já se foram há muito, não é? Suponho que já faz um bom tempo que a sua castidade se foi. Ela é gostosinha, afinal. Quando não está falando. — Olhou para a porta fechada. — Talvez eu mesmo a experimente.

— Você não pode.

Os olhos de Rook se apertaram com a resposta de Garin. Após um momento, começou a rir. Era um som irritante e odioso.

— Está de beiço caído por ela, não é? Você, um elevado e poderoso templário, apaixonado por uma puta? Um guerreiro de Cristo caído por uma piranha barata? Ah, isso vai me fazer rir durante dias!

As palavras de Rook aguilhoaram os ouvidos de Garin.

— Como você me encontrou? — perguntou, entre dentes.

A gargalhada de Rook cessou.

— Precisa tomar mais cuidado. Segui você desde a preceptoria. Suponho que não sabem o que você anda aprontando.

— O que você está fazendo aqui? — disse rapidamente Garin, antes que Rook pudesse começar a rir novamente.

Rook sentou-se no catre e tirou uma das botas salpicadas de lama. Massageou o pé ossudo e de solas escuras. O tempo não havia sido generoso com ele e embora fosse apenas dez anos mais velho do que Garin, parecia muito mais idoso. Inspecionou uma crista de pele dura e amarelada no calcanhar e, depois beliscou-a.

— Temos assuntos a resolver, você e eu. Assuntos do nosso patrão.

Ergueu os olhos para Garin e sorriu. Desde que Garin o vira pela última vez, mais dentes haviam sucumbido à podridão que os infestava. As gengivas castanhas e amareladas estavam deformadas, com um aspecto de carne viva.

— Não achou que havíamos esquecido de você, achou?

Garin não respondeu. Só de olhar para Rook sentia repugnância.

— Lembra daquele livro de que seu mestre falou? O que foi roubado?

Garin decidiu que era melhor demonstrar cooperação do que resistir. Quanto antes respondesse, mais cedo Rook partiria.

— O que tem ele? — perguntou.

— Acreditamos saber onde está — disse Rook, arrancando um torrão de sujeira negra do meio dos artelhos. — Há um trovador que virá se apresentar para o rei. Achamos que tem o livro. Andei fazendo umas perguntinhas por aí e soube que já está na cidade e vai fazer o seu recital no dia de Todos os Santos.

Rook esfregou no catre a terra tirada dos artelhos.

— O que você sabe sobre Everard de Troyes? — perguntou a Garin.

— É um padre da preceptoria. Possivelmente o homem que meu tio disse ser o líder da Irmandade. Também é o mestre de um antigo camarada meu, de Londres, Will Campbell.

Rook franziu as sobrancelhas.

— Acha que esse Campbell sabe sobre a Anima Templi?

Garin encolheu os ombros com irritação.

— Como eu poderia saber?

Rook fechou a cara.

— Use uma linguagem mais educada comigo, rapaz, ou sua puta vai ficar sem os prazeres dela depois que eu os arrancar fora. Soube que os dominicanos estão tentando impedir o recital do trovador. Requisitaram a ajuda do Templo, foi o que minha fonte me disse. Você notou alguma visita incomum na preceptoria nas últimas semanas?

Garin ficou em silêncio por alguns momentos.

— Sim — respondeu, por fim. — Vi um dominicano e um velho companheiro de meu tio, Hassan.

Rook pareceu deliciado.

— Isso bate com as minhas suspeitas. Hassan pode ser associado tanto ao seu tio quanto ao padre. Acreditamos que é uma espécie de mercenário a serviço do grupo secreto deles. — Rook calçou a bota com um gemido e ficou de pé. — Nosso patrão calcula que o padre tentará apanhar o livro do trovador. Deixaremos que ele faça o trabalho pesado, depois o tiraremos dele.

— Como sabem que o padre vai pegá-lo?

— Bem, acho que tudo depende de o que você nos contou ser verdade ou não, certo? — Rook deu alguns passos em direção a Garin. — Se o livro é tão precioso quanto você disse, então não há dúvida de que vão querê-lo de volta. Assim como o quererão quando ele estiver em nossa posse.

— Eu lhes contei o que o meu tio me contou. Se alguém mentiu, foi ele. — Garin fez uma pausa. — O que acontece se o dominicano conseguir o livro?

— Seria melhor se ele o pegasse. Seria mais fácil roubá-lo da faculdade deles do que das galerias do Templo. — Rook grunhiu. — Cuidaremos disso, se acontecer. Até a apresentação, você será nossos ouvidos e olhos na preceptoria. Vigie de perto o padre e seu amigo sarraceno durante os próximos dias. Se pegarem o livro do trovador, você estará à espera para roubá-lo deles.

— O que você fará enquanto resolvo isso tudo? — protestou Garin.

Rook olhou de lado para a porta.

— Estarei aqui, fazendo companhia à sua queridinha — disse, olhando novamente para Garin com um sorriso malicioso — e me certificando de que você faça tudo direito. Aquele seu título de lorde estará à espera se o fizer, foi o que nosso patrão disse. E isto.

Enfiou a mão na capa de burel e tirou uma bolsa. Ergueu-a para que Garin pudesse vê-la.

— Consiga o livro e você vai poder fornicar com aquela piranha durante um ano inteiro.

Guardou a bolsa novamente na capa e caminhou até a porta.

— Vista-se. Vou fazer com que uma daquelas belezinhas no andar de baixo me faça alguma coisa de comer. Conversaremos um pouco mais sobre o nosso plano quando tiver terminado.

Rook saiu pelo corredor, passando por Adela, que estava parada do lado de fora.

Ela entrou depois que ele se foi.

— Quem era ele? — perguntou.

Garin, com as faces inflamadas e a respiração ofegante, não respondeu. Roeu ferozmente uma unha, depois tirou a camisa de cima do biombo. Parou por um momento com as mãos apertando o tecido. Queria rasgá-la, senti-la se romper e imaginar que era o pescoço de Rook. Deu um grito curto de ira frustrada.

— Shh — sussurrou Adela.

Atravessou o quarto e tirou a camisa de suas mãos. Deixou-a cair no chão e enlaçou ambas as mãos em torno do pescoço dele. Ficou nas pontas dos pés para beijá-lo na boca. Garin não correspondeu de início, mas depois, lentamente, enlaçou os braços em torno dela e mergulhou o rosto no pescoço da jovem, aspirando intensamente seus cabelos, que cheiravam a laranja e a uma especiaria que não conseguia identificar. Era um odor cálido e exótico que o fazia lembrar-se da mãe.

Com a morte do marido, depois de ser forçada a se desfazer da propriedade em Lyons, Lady Cecilia havia se tornado muito ciosa dos poucos pertences de valor que conseguira levar consigo para Rochester. Uma dessas posses era uma caixa de temperos que mantinha ao lado da cama. Costumava fazer um jogo com Garin quando ele era carinhoso com ela ou fazia bem as lições da escola. Sentava-o na cama ao lado dela e fazia-o fechar os olhos, depois tirava pequenas pitadas das diferentes especiarias da caixa e segurava-as junto ao nariz dele para que adivinhasse os nomes. Se acertasse, podia provar, não mais do que uma lambida, do resíduo no dedo da sua mãe. Que a maior parte das especiarias tivesse perdido o sabor por ser tirada com tanta frequência do recipiente não o incomodava. O que saboreava era o tom suave e brincalhão da voz da mãe e o toque carinhoso. Aqueles raros momentos íntimos eram as únicas vezes em que de fato sentia o amor materno.

Garin se desvencilhou abruptamente do abraço de Adela.

— Tenho de me vestir — disse.

Foi até a mesa e apanhou a sacola de couro.

— Quem é ele, Garin? — repetiu Adela às suas costas.

Garin não respondeu.

— Conte-me.

— Meta-se com seus próprios negócios, maldição!

Os olhos violeta de Adela chisparam.

— Eu posso, com a maior facilidade, atirar *vocês dois* para fora daqui.

— Desculpe-me. Eu apenas... você pode me deixar só por um momento? — Garin olhou para ela. — Por favor, Adela.

Ela fez que sim após um momento, depois saiu, fechando a porta com cuidado atrás de si.

Garin vestiu a camisa e abriu a sacola. No fundo dela jazia o manto manchado e amarrotado. Tocou o tecido branco com o dedo: símbolo da pureza de um cavaleiro. As palavras de Rook ecoaram em sua mente, queimando-a. *Você, um elevado e poderoso templário, apaixonado por uma puta?* Eram tão próximas aos termos com que na própria mente insultava a si próprio. Mas quando estava ali, no leito de Adela, sua posição não lhe interessava, nada importava exceto o perfume, o sabor e o toque das mãos dela. Às vezes se perguntava se aquela mulher o havia drogado com alguma poção que o fizesse voltar para ela, sempre faminto, nunca saciado. Quando sacudiu o manto, algo caiu dentre as dobras do tecido. Era o tapa-olho do tio. Apanhou-o e passou seu o polegar em círculo pela parte do meio, onde o couro estava rachado pelo tempo e pelo uso. Segurando-o junto ao olho, Garin contemplou-se no poeirento espelho de prata que pendia da parede de Adela.

## 23
# Palácio Real, Paris

1º de novembro de 1266

Elwen levantou a barra da saia e atravessou o lamaçal a passos leves. Havia começado a chover durante a noite e a área ao redor da capela estava encharcada. Na manhã úmida, a estrutura majestosa parecia um tanto cinzenta e desolada, as muitas faces de pedra que espiavam das paredes estavam escurecidas pela chuva. Em frente ao pórtico havia um velho teixo. Inclinou-se sob os galhos baixos e cerdosos e esperou, com os olhos postos nas portas fechadas da capela.

A serviço da rainha, estivera dentro de Sainte-Chapelle em diversas ocasiões. Mas a primeira vez havia sido a mais memorável. Havia descoberto a estrutura de dois andares, oculta por um muro e rodeada de árvores, dois dias após a chegada em Paris. Havia atravessado o pórtico para espiar através das portas e foi ali que o rei Luís a descobriu. Aterrorizada pela perspectiva de uma reprimenda, ficou atônita quando o soberano, sorrindo para ela, gesticulou para que entrasse. Tentou olhar para tudo ao mesmo tempo enquanto o rei a conduzia pelo andar térreo. O olhar saturou-se da magnificência do interior da capela: os vitrais monumentais, as cores vívidas dos murais, as estátuas que pareciam ter vida própria, debruçando-se das paredes. No primeiro andar, a câmara privada do rei, havia diante do altar um pedestal de mármore sobre o qual se depositava uma pequena peça de madeira curva. Ficou surpresa ao descobrir que aquele objeto aparentemente destituído de valor, trazido de Constantinopla, havia levado o rei a construir a capela que o abrigava. Mas quando Luís disse-lhe em tons graves e reverentes que aquilo era um pedaço da coroa de espinhos de Cristo, entendeu por completo. Era como os tesouros que coletava: o graveto não era realmente um graveto, mas a manifestação exterior de tudo o que o rei valorizava — sua fé, seus sonhos. Eles se ajoelharam juntos diante do fragmento antigo de madeira por quase uma hora. Nunca havia se sentido tão segura, tão confortada quanto se sentiu ao ajoelhar-se sobre as pedras geladas ao lado do rei da França. Ela com seu simples avental branco e seu vestido, mal ousando respirar naquela quietude, ele em seu manto cinabre orlado de arminho, com os olhos fechados em oração. Desde aquele dia, o rei raramente reconhecia a presença dela em sua residência, mas, para Elwen, aquele momento único havia sido suficiente.

Envolveu fortemente o corpo com os braços, preocupada que o encanto de Sainte-Chapelle pudesse retardar o trovador ainda por algum tempo. Esperava uma oportunidade de encontrar-se com Pierre de Pont-Evêque havia quatro dias, mas uma persistente comitiva de damas apalermadas e cavalheiros curiosos aglomerava-se continuamente em volta dele. Everard havia-lhe dito para pegar o *Livro do Graal* de Pierre antes da leitura.

O Grande Salão estava agora sendo preparado para a apresentação: mesas postas com jarras e taças; paredes decoradas com estandartes; tochas acesas. Havia um ar adicional de excitação e festividade, pois era Dia de Todos os Santos. Naquela tarde, a corte real e os nobres visitantes se juntariam ao rei e à família para um ofício especial de Vésperas em Sainte-Chapelle, depois da qual haveria o recital e o banquete.

Na cidade, o ânimo que cercava a chegada do trovador era diversificado. Muitas pessoas que esperavam vê-lo ficaram desapontadas ao saber que Pierre se apresentaria apenas para o rei. Outras, na maioria religiosos das faculdades locais, liderados pelos dominicanos, continuavam lutando para que fosse banido. Luís havia gastado muito dinheiro nas celebrações da noite e não estava disposto a deixar que a apresentação fosse arruinada e os convidados ficassem desapontados, mas Elwen havia apurado junto à rainha que ele no íntimo não esperava tamanha repercussão ao convidar Pierre à corte. Confortara, porém, algumas das faculdades locais com a promessa de que se sentisse que o código de conduta havia sido violado, interromperia a leitura imediatamente.

*É só ir até o quarto dele e pegar o livro enquanto o trovador estiver ausente.*

Mas Elwen ficou onde estava. Além do nervosismo imediato que o pensamento provocava, havia outra razão para querer adiar o resgate do livro. Everard não lhe contara tudo e aqueles detalhes faltantes e o óbvio desespero do padre a ponto de procurá-la haviam-na intrigado muito. Em troca da realização dessa tarefa, havia obtido a promessa de que Everard iniciaria Will. O padre tivera pouca escolha além de ceder à demanda; teria recebido uma recusa se não o fizesse. Mas apesar do fato de que teria algo a ganhar dessa perigosa missão, a saber, a gratidão de Will e a realização do sonho dele, havia também uma parte dela que se sentia agitada pelo que estava prestes a fazer. Sentia-se como uma das heroínas das histórias que lia. O trovador, de qualquer maneira, provavelmente superaria a perda, disse a si mesma, batendo os pés num esforço para afugentar o frio que se infiltrava nos ossos.

Pouco tempo depois, as portas da capela se abriram e dois homens saíram por elas. Elwen sentiu um surto de ansiedade. Plenamente ciente da figura ridícula que deveria estar exibindo, ensopada e semioculta pelos galhos do teixo, ela os observou dissimuladamente enquanto atravessavam o pórtico conversando. Pierre de Pont-Evêque era, como Maria havia dito, um homem atraente. Embora baixo e de constituição esguia, o que lhe faltava em altura e corpulência era compensado pela postura — ereta e segura como a de um homem de posição. Tinha finos cabelos castanhos e olhos azuis brilhantes que reluziam com uma intensidade que vinha de dentro. Elwen desviou o rosto quando aqueles olhos viraram-se na direção dela.

— Estou ansioso para entretê-lo esta noite, meu senhor — ouviu Pierre dizer. A voz do trovador era rica e ressoante. — Peço-lhe que apresente meus agradecimentos a Sua Majestade por permitir-me visitar sua capela particular. Ela é, como as pessoas dizem, uma das maravilhas deste mundo.

Seu companheiro deixou o pórtico, praguejando contra a chuva que tamborilava sobre ele. Elwen, contendo a respiração, viu Pierre caminhar em sua direção, com as botas de cano alto chapinhando na lama. Os calções azuis e a túnica de veludo estavam sarapintados de chuva.

— E ali, à beira do lago coroado por uma grinalda de névoas, estava ela. Guinevere sob o seu abrigo de folhagens, à espera de Lord Lancelot. — Pierre sorriu ao separar os ramos do teixo. — Diga-me, minha dama, está ao menos um pouco seco aí? E, se estiver, posso juntar-me a você?

— Não — disse Elwen com um riso, saindo de baixo da árvore. — Não está nem um pouco seco.

Pierre olhou-a de alto a baixo. Era mais baixo do que ela, mas Elwen sentiu-se encolher sob o poderoso olhar.

— Então, por que estava parada sob a árvore, semicongelada, quando um teto de pedra ofereceria melhor abrigo?

Elwen não respondeu.

— Você é uma das camareiras da rainha?

Elwen ficou surpresa. Achou que, se Pierre sabia seu posto, poderia também conhecer seu propósito ao falar com ele. Seria um feiticeiro?

— Sou. — Sentiu a confiança enfraquecer ainda mais. — Como o senhor sabia?

— Perguntei quem era a minha bela sombra, que se demorava atrás de mim nestes últimos dias. Para todo lugar onde ia, lá estava você.

— Ah. — Elwen ficou consternada; pensava ter sido cuidadosa.

— Qual é o seu nome?

— Grace.

— Que apropriado — disse Pierre, com os olhos azuis cintilando. — E você, Grace, quer saber se as histórias a meu respeito são verdadeiras? Se o meu romance foi escrito pelo diabo? Se sou um mago perverso, vindo para tentar o rei a deixar os braços de Deus em consequência do meu logro de feiticeiro?

— Não. — Elwen endireitou-se um pouco mais e obrigou-se a olhá-lo nos olhos. — Procuro respostas de um poeta sobre sua arte.

Pierre aparentou estar ligeiramente surpreso.

— É mesmo? — Sorriu e pareceu pensar. — Bem, tenho algum tempo livre antes de me preparar para minha leitura. Pode me fazer suas perguntas, Lady Grace, mas num lugar mais seco. Podemos ir até meus aposentos? — Fez um gesto para que ela caminhasse à frente. — E falar de poesia?

No caminho através do palácio, Elwen manteve a cabeça baixa, na esperança de que ninguém a cumprimentasse. Os corredores estavam movimentados de servos, secretários e cortesãos, alguns auxiliando os preparativos para a exibição, outros cuidando dos afazeres diários. A cada passo que dava, Elwen ouvia o caminhar do trovador um pouco atrás de si, sentindo o olhar dele às suas costas. Quando chegaram ao quarto onde ele havia sido alojado, numa torre que dava para o rio, o coração dela se debatia tão forte de encontro ao peito que pensou que iria fugir e voar feito um pássaro. Pierre olhou rapidamente de um lado a outro do corredor vazio, depois abriu a porta dos aposentos, acenando para que ela entrasse. Quando ele fechou a porta, Elwen percorreu a pequena câmara com o olhar. Havia alguns baús empilhados junto a uma parede e uma pequena sacola sobre um catre, parcialmente oculta por um cobertor.

— A vista compensa a ausência de conforto.

Elwen voltou-se quando Pierre se aproximou por trás dela.

— Por favor — disse, apontando para o assento junto à janela.

Elwen olhou pela janela ao sentar-se. O Sena fluía bem abaixo dela, tão cinzento quanto o céu. Além das encostas, a cidade estava obscurecida pela neblina. Estremeceu quando Pierre sentou-se ao seu lado.

— Você está com frio — murmurou, pegando umas das mãos da jovem entre as suas e esfregando-a suavemente.

— Fiquei encantada quando soube que o senhor iria se apresentar aqui — disse Elwen, observando as mãos dele descreverem lentos círculos ao redor das suas. — Sempre apreciei romances. Li algumas obras de Chrétien de Troyes e os poemas de Arnaut de Mareuil, mas nunca havia tido a oportunidade de perguntar a um poeta de onde ele extrai sua inspiração.

— E é isso que você pergunta a mim, minha dama? — indagou Pierre, levando a mão dela para perto dos lábios e soprando-a. — De onde extraio minha inspiração?

Ela fez que sim, sentindo o hálito quente do trovador sobre a pele gelada.

— Minha inspiração assume muitas formas. — Pierre largou a mão e pegou a outra. — Uma conversa sussurrada, o perfume da chuva sobre as folhas caídas. — Bafejou novamente sobre a pele da jovem.

— E quanto a obras de outros? — perguntou Elwen, removendo delicadamente a mão das dele e colocando-a no colo. — Soube que muitos poetas buscam inspiração em seus pares.

— Para algumas obras. — Pierre encostou-se na curvatura da janela, com os olhos semicerrados por causa da cabeça inclinada para cima. — Antigos contos, por exemplo, que tratam dos grandes homens e mulheres da história. Tais obras são prenunciadas, é claro, em primeira instância, por outras fontes que não nós próprios. Mas não preciso das palavras de outro homem para me dizer como é o amor. — Sorriu. — Portanto, a maior parte do meu trabalho provém apenas do meu coração e da minha mente.

Pierre observou Elwen atentamente, agora com a cabeça inclinada para um dos lados.

— Já se fartou de perguntas, minha dama?

Elwen provocou-o.

— Só perguntei porque ouvi rumores de que o *Romance* não é de sua autoria.

— O quê? — Os olhos de Pierre concentraram-se nela com agudez. — Onde você ouviu esses rumores?

— De alguém no palácio — disse Elwen, surpresa pela mudança nos modos dele. A postura indolente se fora. Estava alerta como um cervo pressentindo um caçador. — Um criado.

— E o que esse criado disse, exatamente?

— Que você deve ter roubado o livro do qual lê — respondeu, com hesitação, e ofegou quando Pierre segurou seu braço.

— Não sou *ladrão*!

— Não — disse prontamente, sacudindo a cabeça. — Tenho certeza de que não. Foi apenas o que ouvi.

Ele a soltou aos poucos, como se temesse que ela pudesse fugir.

— Não sou ladrão — repetiu. — Nem feiticeiro, nem adorador do Diabo.

Pierre inclinou-se repentinamente para diante, apoiando os braços sobre os joelhos. Pareceu subitamente menor, murcho por algum motivo, como se todo o ar lhe tivesse sido sugado. O fogo abandonou os olhos e o olhar era agora opaco, abatido.

— Quando se consegue alguma posição, aqueles que não a têm procuram destruí-la. A inveja é um veneno dos mais eficazes. Ele se infiltra nos corações dos homens e os transforma em canalhas. Passei metade da minha vida em busca da fama. Agora que a tenho, não sei mais se a quero.

Olhou para Elwen.

— Não, não escrevi o *Livro do Graal* — disse, e seu tom novamente endureceu — mas tampouco o roubei. O rumor que você ouviu é, como todo o resto, falso e lhe peço que não o repita.

— Prometo que não o farei — disse Elwen. A mudança súbita de Pierre a havia deixado nervosa. Não se sentia mais animada. — Desculpe-me — disse, levantando-se. — Foi um erro da minha parte tomar seu tempo. Deixarei que o senhor se prepare para a apresentação.

— Espere! — chamou Pierre quando ela se dirigiu para a porta.

Elwen voltou-se nervosamente.

— Não vá. — Pierre deu-lhe um sorriso triste. — Muitos no palácio têm procurado minha companhia desde que cheguei: damas desejosas de serem imortalizadas pela poesia, lordes procurando atrair-me para suas residências, onde serei uma marca da sua alta posição. Eu me vi incomumente nervoso diante da perspectiva de entreter uma multidão tão predatória num lugar onde fui um dia desprezado e rejeitado. Mas sua presença e seu interesse na minha arte são bem-vindos em iguais medidas. Peço desculpas por ter sido rude com você quando questionou minha autoria do *Romance*, mas desde que iniciei minha viagem venho sendo acossado por rumores e acusações vis e, tenho bastante certeza disso, perseguido.

— Perseguido? — perguntou Elwen, fingindo estar chocada. Everard dissera-lhe que havia mandado alguém atrás do trovador.

— Em diversas estalagens que visitei na minha jornada desde o sul, soube que um homem havia feito perguntas a meu respeito, onde havia ficado, quando havia partido e coisas do gênero. Um estrangeiro, disseram-me.

— Talvez ele só quisesse ver sua apresentação.

— Talvez — disse Pierre, soando pouco convencido. — Eu me hospedei com um amigo durante várias semanas em Blois e devo tê-lo despistado.

Deu um tapinha no banco junto à janela.

— Queira sentar-se, minha dama.

Elwen hesitou, depois voltou ao banco, sentindo-se um pouco mais segura. Uma ideia lhe ocorreu.

— Posso pegar um cobertor emprestado? Estou totalmente molhada.

— É claro — respondeu galantemente Pierre.

Foi até o catre e apanhou o cobertor, que envolveu com cuidado em torno dos ombros dela. Elwen segurou o cobertor junto a si com uma das mãos e tirou a touca molhada. Soltou os cabelos, notando que os olhos de Pierre estavam cravados em seus cachos que se derramavam. Havia notado que os homens com frequência a olhavam dessa forma: mascates nos mercados; guardas nos corredores do palácio; Will antes de se reprimir, todos com aquela mesma fome nos olhos. Gostava disso. Fazia-a sentir-se inconquistável, ainda que, ao mesmo tempo, desejando ser conquistada. Sempre que via aquele olhar, sabia que, num mundo dominado por homens, ela, uma mulher, detinha todo o poder.

Com um sorriso, sentou-se, dessa vez mais perto de Pierre, com o corpo voltado para ele.

— Antes o senhor estava falando sobre onde encontra inspiração para a sua obra. Gostaria de saber mais sobre isso.

— Sim — disse Pierre. — Minha obra.

Os olhos estavam novamente acesos. Foi até o catre e apanhou a sacola que o cobertor havia parcialmente encoberto. Procurando dentro dela, tirou um livro com encadernação de velino e um códice de pergaminhos. Quando retornou ao banco junto à janela, Elwen reconheceu o livro pela descrição que Everard havia feito.

— Esta é minha obra — disse Pierre, colocando o *Livro do Graal* entre eles e entregando-lhe o códice. — Minha verdadeira obra.

Elwen obrigou os olhos a se desviarem do livro e apanhou os pergaminhos. Leu as palavras na primeira página, escritas numa caligrafia delicada. Era um poema profundamente sensual, dedicado a uma mulher chamada Catherine.

— Sua obra é muito... apaixonada — disse, devolvendo-lhe os pergaminhos. As faces estavam quentes.

— É uma paixão sem voz. — Pierre olhou com desapontamento para os pergaminhos. — Numa época anterior à nossa, os poetas cujas obras li escreviam com tanta paixão quanto a que está aqui. Escreviam sobre o lento e sofrido deleite da obtenção de amor por um homem; a angústia da espera; os prazeres do coração e da carne. Mas o amor cortês não é mais assim. Hoje os poetas escrevem sobre o homem que nega esses prazeres e se abstém dos desejos. Ele se tornou o bom moço da história, não o homem que poria de lado qualquer concepção de pecado para alcançar o amor de sua dama. — Meneou a cabeça. — Mas o amor não pode ser enjaulado. Ele desconhece razão ou pecado. É a besta selvagem e voraz que anseia sem limitações.

Elwen não disse nada, mas balançou a cabeça concordando. Pierre apanhou o *Livro do Graal* e começou a manuseá-lo. As palavras folheadas a ouro na capa reluziam com um brilho intenso na claridade baça.

— Este livro era de meu irmão. Peguei-o quando ele morreu de uma doença dois invernos atrás. Usei algumas partes para recriar a história de Perceval: um novo romance para uma nova era. Sabia que se conseguisse ficar famoso com a ajuda dele, conseguiria divulgar meus próprios poemas. Este livro me deu essa fama. Esse poder. — Abriu o livro e folheou as páginas.

— Seu irmão o escreveu?

— Não — disse Pierre, com um riso cansado. — Antoine não sabia nem escrever o próprio nome. O negócio de meu irmão era o vinho.

— Como ele conseguiu o livro?

Pierre olhou-a.

— Devo pedir-lhe discrição.

— O senhor a tem — murmurou Elwen. Como Pierre hesitara, pousou conspiratoriamente a mão no joelho dele. — Prometo.

Pierre sorriu, analisando-a.

— Encontrou-o no degrau de sua porta.

Balançou a cabeça diante da expressão de Elwen e deu uma gargalhada curta.

— Acho que a minha versão de que o anjo o entregou a mim soa menos absurda, não é? Não me pergunte como foi parar lá. Certa manhã, anos atrás, abriu a porta e encontrou-o ali. Mostrou-o a mim uma vez quando o visitei. Dei uma olhada, mas não estava interessado em escrever nada naquela época. Depois que fui expulso desta corte, retornei ao lar de minha família em Pont-Evêque, onde meu pai tentou persuadir-me a seguir o que julgava ser uma carreira mais apropriada. Não entendia de poesia, chamava-a uma ocupação de tolos. Estava tão abatido pela rejeição do rei à minha obra que, confesso, comecei a acreditar nele. Mas quando Antoine morreu, a musa começou a falar novamente em meus ouvidos e quando meu pai e eu viemos a Paris para tratar das posses dele, peguei o livro e usei-o como minha inspiração.

Pierre olhou suas mãos.

— Pareceu-me a melhor oportunidade que jamais tive. Estava certo. Mais certo do que poderia ter imaginado.

— Mas o senhor não está preocupado? Soube que o senhor foi banido da corte da Aquitânia. As faculdades daqui não estavam tentando impedir sua apresentação? Até mesmo excomungando-o?

— Minha apresentação era, admito, um pouco forte para paladares delicados. Eu a diluí desde então.

Pierre levantou-se com vivacidade e reuniu as folhas do pergaminho com o *Livro do Graal*.

— Além disso, os cortesãos daqui estavam esperando meu recital com grande ansiedade, disseram-me. Os dominicanos não conseguirão fazer com que o rei passe para o lado deles.

Elwen, praguejando interiormente, viu-o devolver o livro e os poemas para a sacola. Havia estado bem ao lado dela.

— E não é tão ruim como alguns dizem. Ao menos o Diabo não apareceu. Até agora.

Alguém bateu à porta. Por um momento, Pierre simplesmente fitou a porta; depois, meneando a cabeça, foi até ela e abriu uma fresta.

— Sim? O que é?

— O senhor queria ser informado quando o Grande Salão estivesse pronto — Elwen ouviu uma voz de homem. Supôs que fosse um criado.

Pierre olhou por sobre o ombro para Elwen.

— Perdoe-me, minha dama — disse, e saiu pela porta, puxando-a atrás de si. — O espaço foi liberado como solicitei?

— Sim, o senhor se apresentará diante do trono real.

Elwen, ouvindo as vozes abafadas, deixou o banco junto à janela e avançou passo a passo até o catre, apurando os ouvidos a qualquer rangido na porta.

— E o restante do salão? Foi arranjado como pedi?

— Sim, senhor.

— Porque uma vez me apresentei perto de Cluny, onde alguém dispôs os bancos voltados para o lugar errado. Tive de cantar para as nucas da minha plateia!

— Eles foram dispostos exatamente como pediu, senhor.

— Muito bem. Estarei lá em seguida.

Pierre abriu a porta. Pareceu um tanto alarmado ao ver Elwen de pé à sua frente, depois sorriu.

— Infelizmente, devo me privar da sua companhia, minha dama. Tenho assuntos a resolver.

— Também devo ir — disse Elwen, retribuindo o sorriso. — Se não terminar minhas obrigações, perderei sua apresentação. Mas obrigada por falar comigo. Estou honrada — disse, sentindo-se totalmente perversa — por o senhor ter depositado sua confiança em mim.

— Então, talvez, Grace, você me dê a honra de um segundo encontro depois que meu recital tiver acabado?

— Se meus deveres permitirem.

Pierre apanhou a sacola, atirou-a sobre o ombro e abriu a porta para ela.

— Espero que permitam — disse, e saiu para o corredor. — Ah! Um momento! — Girou o corpo. — Você tem algo que me pertence.

A pele do rosto de Elwen se arrepiou.

— Tenho? — perguntou.

— Meu cobertor — disse Pierre, caminhando até ela. — Creio que sentirei frio nesta tumba que me serve de quarto.

— Ele está ensopado! — disparou. — E é a única coisa a evitar que me transforme numa estátua de gelo. Farei com que um criado lhe traga outro. Dois, na verdade.

Pierre fez uma reverência.

— Então, pode conservá-lo com a minha bênção.

Elwen aguardou um momento, depois partiu na direção oposta à do trovador, surpresa, agora que os nervos haviam começado a se acalmar, pelo sentimento de triunfo que crescia dentro dela. Sob o cobertor, o *Livro do Graal* dava uma configuração diferente ao seu peito.

Quando chegou ao quarto, encontrou uma agitada Maria à sua espera.

— Onde você estava? — gritou a camareira, saltando do catre. — A rainha está muito contrariada. Você deveria vesti-la após o banho!

A expressão de Elwen desabou.

— Pensei que não tivesse nenhuma tarefa.

As mãos de Maria esvoaçavam em exasperação.

— Como você pode ser tão esquecida?

— Ela pretende me punir?

Maria lançou um olhar severo para Elwen.

— Disse a ela que você havia ficado de cama com dor de estômago. Fiz suas tarefas para você. E não se preocupe, você não perderá a apresentação. Disse que seu mal-estar sem dúvida passaria, pois era leve e provavelmente causado por algo que você comera esta manhã.

— Sou uma sortuda por ter uma amiga como você.

— Sim, você é — concordou Maria, e apontou para o cobertor. — O que é essa coisa velha? E onde está a sua touca? — Franziu as sobrancelhas. — Elwen, você está toda ensopada!

— Preciso pedir-lhe algo.

Maria arqueou uma das sobrancelhas.

— Foi encontrar o seu queridinho lá fora na chuva, enquanto eu fazia suas tarefas? — Ela sorriu. — Agora vai ter de me contar quem é.

— Isso é importante, Maria.

O sorriso de Maria se apagou.

— O que há? — murmurou, atravessando o quarto.

— Não queria envolvê-la nisso, mas não tenho muita escolha. Você já me ajudou hoje e prometo que vou retribuí-la por isso, mas preciso que você faça mais uma coisa para mim e não posso contar-lhe meus motivos para pedir isso.

Maria balançou lentamente a cabeça.

— O que é?

— Tenho de mandar uma mensagem para o Templo o mais rápido possível. Preciso que você vá até Ramon. Creio que ele é confiável e acho que conseguiria deixar o palácio sem muito problema. Sei que ele levará essa mensagem se você pedir.

Maria corou em constrangimento.

— Não estaria tão certa disso. Acho que ele nem me nota.

— Mas ele é seu amigo, mesmo assim.

— Talvez. Sim.

— Não quero escrever a mensagem. Ramon deve entregá-la pessoalmente.

— Para quem é a mensagem?

— Um padre. Everard de Troyes.

— Um padre! Não me diga que você está apaixonada por um homem de Deus!

— Não — disse Elwen, apressadamente —, não tem nada a ver com isso.

A camareira suspirou.

— O que devo dizer a ele?

— Faça com que Ramon comunique ao padre que tenho o que ele quer. Deve mandar seu emissário me encontrar meia hora antes das Vésperas. Ele saberá onde.

— Essa é a mensagem?

— Sim.

Maria parou por um momento, observando Elwen com atenção.

— Você está encrencada?

O riso de Elwen foi um pouco agudo.

— Quando não estou? — Assumiu um ar solene novamente. — Você fará isso por mim?

— Sim.

— Então estou em débito com você pela segunda vez.

— Isso você está — disse Maria, meio a sério, ao mesmo tempo preocupada com a amiga e animada pela desculpa para ver Ramon.

Quando Maria se foi, Elwen tirou sua caixa preta de baixo da cama. Só haveria lugar suficiente para o livro se ela o pusesse deitado sobre os compartimentos. Depois de trancar a caixa, empurrou-a novamente para baixo do catre com o pé e foi até o cabide de roupas para apanhar um vestido seco.

Pierre serviu-se de outra taça de vinho e caminhou até a plataforma que se estendia pela extremidade oposta do Grande Salão. Sentou-se sobre as tábuas e apoiou-se sobre os cotovelos, vistoriando a grande câmara. A caminho do salão havia se encontrado com um lorde que insistira em acompanhá-lo para um trago de vinho e uma discussão de suas perspectivas em Paris e, devido ao atraso, tivera pouco tempo para se preparar. Mas o Grande Salão era certamente apropriado para a ocasião.

Sobre a plataforma estavam colocados os tronos do rei e da rainha, cada qual coberto por uma almofada de seda recheada de penas. O estandarte azul do rei Luís pendia da parede atrás do trono, com sua flor de lis dourada reluzindo à claridade de uma centena de velas. Outros estandartes estavam enfileirados pelo salão, decorados com os timbres das casas nobres cujos duques e príncipes estariam presentes. A área diante da plataforma, onde Pierre daria o recital, estava salpicada de perfumadas pétalas de rosas secas. Mesas alinhadas, decoradas com ramos de folhas de outono — âmbar, carmesim, ouro — e bacias cravejadas de joias cheias de vinho estavam postas em intervalos ao longo do centro das pranchas. Seguindo-se à apresentação, o banquete de Todos os Santos seria servido em honra de Pierre. Ou, ao menos, em honra do rei, mas Pierre sentia como fosse para ele mesmo assim.

Pierre terminou o vinho e saltou agilmente para cima. A sacola, contendo o *Livro do Graal* e seu poema, estava largada numa das mesas. Ele se dirigiu aos criados que arrumavam as tábuas extras sobre elas.

— Meus senhores e minhas damas — chamou com um floreio. — Se eu puder ser ousado a ponto de agraciá-los com um verso extraído da *Canção de Rolando*...

Pigarreou, satisfeito com a acústica do salão, e fechou os olhos.

A maior parte dos servos parou o que estava fazendo e ouviu enquanto Pierre recitava, as palavras alçando-se claras e fortes da boca para preencher a câmara cavernosa.

*A claridade se vai, a escuridão sucede o dia. O Imperador adormece, o poderoso Carlos Magno...*

— Pierre de Pont-Evêque.

Pierre abriu os olhos e fez uma careta ao ver a fonte de onde partira a interrupção. Dois homens vestidos com hábitos esfarrapados atravessavam o salão em direção à plataforma. Estavam descalços e usavam grandes cruzes de madeira em volta dos pescoços. Pierre soube quem eram, pois a aparência deles era famosa. Atrás dos dois frades dominicanos vinham mais cinco homens, cujo aspecto era ainda mais lendário. Os olhos de Pierre se fixaram nas espadas nas mãos dos cavaleiros templários e um medo frio cresceu dentro dele. Os criados se afastavam do caminho da comitiva, cochichando.

— Sou Pierre. O que querem comigo, meus bons irmãos?

— Não somos seus irmãos — disse um dos dominicanos, adiantando-se quando a companhia se deteve.

O jovem tinha olhos escuros e solenes e Pierre sentiu que pareciam transpassá-lo. O trovador tentou erguer-se a plena altura, compensando a desvantagem pelo nível da plataforma.

— Seja lá do que se trate, é melhor vocês serem rápidos. Temo não ter muito tempo para conversas.

— Pierre de Pont-Evêque — disse o dominicano, como se o trovador não tivesse falado absolutamente nada. — Por ordem da Casa dos Jacobinos de Paris, discípulos da Santa Ordem Dominicana, autorizada à eliminação da heresia pelo abençoado instrumento de Deus, o papa Gregório IX, você está preso.

— Preso? Sob que acusação?

— De heresia.

— Ouçam — disse rapidamente Pierre. — Não sei o que vocês ouviram, mas posso assegurar-lhes que é falso. Não sou um herege!

— Você entregará imediatamente o livro cuja posse detém, essa... obra do Diabo, e virá conosco.

— Vocês não podem fazer isso! — gritou Pierre, com o medo apossando-se dele. — Sou um convidado de Sua Majestade! Ele me convidou a apresentar-me esta noite!

— Onde está o *Livro do Graal*?

— Deixe isso onde está! — O olhar de Pierre havia sido atraído por um templário alto de cabelos negros, que havia avançado até as mesas e estendia a mão para pegar sua sacola.

O dominicano voltou-se para o templário.

— Sir Navarre! — berrou. — Afaste-se. Cuidarei disso.

Nicolas de Navarre se deteve, com a mão pairando sobre a sacola.

— Fique à vontade, frei Gilles — disse ele após um momento, recuando e apontando para a sacola.

Quando Gilles removeu a cruz de madeira do pescoço e pousou-a sobre a sacola, entoando uma oração, Pierre saltou da plataforma.

— Agarre-o! — ordenou o segundo dominicano.

— Chamem o rei! — Pierre gritou para os criados de expressão confusa.

Foi silenciado por um tapa brutal na nuca, aplicado pela manopla de um dos cavaleiros.

— Isso vai ensiná-lo a não disseminar imundícies sobre nós! — sussurrou o templário em seu ouvido.

Pierre apoiou-se debilmente nos braços que o agarravam, enquanto Gilles concluía a oração e enfiava cuidadosamente a mão na sacola.

— Vocês não podem fazer isso — gemeu o trovador.

— Você pecou contra Deus e profanou a Cristandade — disse o segundo dominicano, em um tom de voz tão inflexível quanto seu olhar. — Mas em nossa casa ser-lhe-á dada a oportunidade de se redimir. Nos empenharemos em salvá-lo das trevas que o compelem a ir contra o Senhor e tentaremos exorcizar o demônio que o habita. Aqueles que se afastam do caminho de Deus devem pagar o preço de suas ações. Se você se alia a Satã...

— Não está aqui.

O dominicano voltou-se para Gilles.

Pierre levantou a cabeça atordoado, enquanto Gilles sacudia a sacola vazia sobre a mesa. Seu poema se espalhou pelas tábuas, mas do *Livro do Graal* não havia vestígios. Nicolas de Navarre começou a examinar aleatoriamente os pergaminhos, enquanto Gilles se aproximava de Pierre.

— Onde está?

— O quê? — perguntou o trovador, desorientado.

Gilles estendeu a mão e segurou o queixo de Pierre. Forçou rudemente a cabeça do trovador para cima.

— Onde está o livro?

Pierre emitiu alguns ruídos sufocados, seu pomo de adão agitando-se freneticamente na garganta.

— Frei Gilles.

O dominicano virou distraidamente o rosto na direção da voz. Nicolas de Navarre havia acabado de revistar os pergaminhos e se aproximara dos templários que seguravam Pierre.

— Talvez eu deva tentar — ofereceu-se o cavaleiro.

Gilles olhou-o como se fosse argumentar algo, depois recuou.

A respiração de Pierre estava acelerada quando Nicolas se adiantou. O cavaleiro tinha uma besta e uma adaga pendendo do cinto, além da espada.

— Está na minha sacola! — Pierre deixou escapar, antes mesmo que Navarre tivesse perguntado.

— Temo que não — disse, com brandura.

Lágrimas começaram a brotar dos olhos de Pierre.

— Por favor! Nem mesmo escrevi aquilo! Juro!

— Acredito em você — disse Nicolas. Abaixou a voz até um sussurro. — Se cooperar com os dominicanos, terá uma chance de escapar com vida, mas deve contar-lhes onde o livro está. Se não o fizer, serão forçados a matá-lo como herege e buscarão o livro sem sua ajuda. Sem dúvida começarão visitando a sua família em Pont-Evêque.

— Minha família? — murmurou Pierre.

Nicolas abaixou a voz ainda mais, até ser pouco mais do que um sopro contra a face de Pierre.

— Se não encontrarem o livro aqui, os dominicanos vão despi-los e amarrá-los a postes em praça pública. Seu pai, Jean; sua mãe, Eleanor; suas irmãs, Aude e Kateline. Cada um deles será embebido em óleo e assado sobre as brasas de uma fogueira, tão vagarosamente que conseguirão ver a carne torrar e se partir e os ossos enegrecerem e se destacarem dos pés, das pernas e das...

— Não! *Meu Deus!* Pus aquilo na minha sacola antes de vir para cá! Estava no meu quarto. Pus na minha sacola. *Eu juro!*

Gilles, que não conseguira ouvir o que Nicolas havia dito, pareceu impressionado diante dessa explosão.

— Então onde está agora? — exigiu, enquanto Nicolas se endireitava.

— Não sei! Não o tirei! Deve estar ali, não entendo por que...

Pierre se calou.

— O que foi? — disse rapidamente Nicolas.

Pierre levantou a cabeça.

— Havia uma garota, uma criada. Ela foi até o meu quarto com a intenção de conversar sobre poesia.

— Ela poderia tê-lo pegado? É isso o que você está dizendo?

— Saí do quarto, não por muito tempo, mas... — Pierre balançou a cabeça. — Sim. Ela poderia tê-lo pegado.

— Quem é ela? — disparou Gilles.

— Grace.

— Um momento, frei — chamou Nicolas, enquanto Gilles se dirigia para a porta. — Como ela é? — perguntou a Pierre.

— Alta. Magra. Longos cabelos dourados. Bonita.

Nicolas foi até onde Gilles estava.

— Deve haver centenas de criadas aqui, frei — disse, calmamente. — Encontrarei o camareiro-chefe e perguntarei a ele onde essa garota está. Sugiro que leve o trovador até os aposentos e os reviste para termos certeza de que não deixou o livro lá por engano ou que não tenha mentido sobre essa garota e escondido o livro. Além disso, creio que a essa altura o rei já tenha sido informado de nossa chegada. Ele vai querer respostas.

Gilles ficou carrancudo diante da fala sem rodeios de Nicolas, mas concordou com um movimento seco de cabeça.

— Muito bem — disse. — Mas você trará a garota aqui se a encontrar. Quero interrogá-la eu mesmo.

— Como quiser.

Nicolas esperou que os outros cavaleiros e os dois dominicanos escoltassem Pierre à força para fora do salão, depois se retirou. Após perguntar a um dos criados que ainda se encontrava no fundo do recinto onde ficavam as dependências do camareiro-chefe, deslocou-se rapidamente pelos amplos corredores, passando por cortesãos e oficiais, ignorando os olhares curiosos que o manto branco atraía. Mas quando chegou ao quarto do camareiro — uma câmara pequena, mas bem equipada, nos pisos inferiores — encontrou-o vazio. Nicolas se deteve no corredor do lado de fora, perguntando-se se deveria esperar ou procurar o homem em outro lugar. Uma brisa atravessava as janelas que flanqueavam a passagem longa e obscura. Trazia o cheiro do rio. Aproximava-se o entardecer e o céu estava cinzento e carregado. As janelas tinham vista para o Sena, que ficava além de uma estreita alameda murada que percorria o complexo do palácio, separando-o do rio numa das extremidades e das ruas da Cité na outra. Havia aberturas em arco atravessando o muro. Uma delas dava para a margem do rio. Nicolas, que tinha uma clara visão das barrancas que ficavam além do muro, avistou um homem de capa cinzenta saindo rapidamente do palácio rumo a uma longa fileira de carvalhos que margeavam a linha d'água. O homem olhou brevemente em volta, depois desapareceu na cobertura das árvores. Até mesmo àquela luz mortiça a pele escura era evidente.

## 24
## Ruas da Ville, Paris

1º de novembro de 1266

Depois de pegar um atalho ao longo das margens do Sena até a ponte, Hassan cruzou o rio e entrou nas ruas sinuosas da Ville. Na escuridão que começava a se formar, ele se deslocava agilmente pela chusma de pessoas que se dirigiam as suas casas depois de um dia de trabalho. Sua capa era arrebatada e inflada pelo vento que se instaurara no decorrer da tarde. O chão estava escorregadio por causa da lama, esburacado por marcas de pés e cascos e sulcado pelos fundos córregos formados pelas trilhas das carroças. Nuvens baixas e encapeladas ameaçavam chuva. Movendo-se compassadamente em direção ao norte junto aos muros da cidade, entrou nos labirínticos becos secundários que formavam um bairro pobre e populoso através do Quarteirão dos Mercadores. O *Livro do Graal* estava colocado rente à espinha, entre os calções e o cinto, escondido pela capa. Vira alguns cavalos templários, batendo os cascos fora dos portões do palácio e decidira evitar as rotas principais.

A maioria das oficinas do quarteirão estava fechada e os proprietários haviam se retirado para as habitações no andar de cima, a fim de se aprontar para a missa em louvor de Todos os Santos, mas alguns trabalhadores labutavam até mais tarde. Ao passar por uma ferraria, uma cordoaria e um curtume, Hassan captou fragmentos das luzes de fogueiras por trás de postigos fechados e ouviu sons de um martelo malhando o ferro, o farfalhar de uma vassoura num piso, o arranhar e sibilar do metal sobre o couro. Parou numa esquina. O caminho mais rápido estendia-se adiante por uma alameda longa e sinuosa que passava por uma igreja, mas a entrada estava parcialmente bloqueada por um amontoado de grandes pedras e um cadafalso havia sido erguido ao lado da igreja. Depois de uma breve pausa, contornou as pedras e entrou na alameda, passando entre os postes, com a poeira de pedras recém-talhadas irritando seus olhos. A elevada treliça de escoras e postes oscilava com as rajadas de vento. À frente, as chamas bruxuleantes das tochas produziam grandes sombras nas paredes do beco. Ouviu vozes, risos e o pio de um pássaro. Saiu dentre os últimos postes do cadafalso e viu um grupo de jovens bloqueando o caminho. Alguns estavam de pé, outros agachados, formando um círculo fechado do lado de fora da porta aberta da oficina de um pedreiro. Todos vestiam aventais brancos. O grasnido vinha de dois galos. Ao se aproximar, viu que as aves eram atiradas no centro do círculo. Os gritos alcançaram uma intensidade febril quando os galos começaram a saltar, bicar e esporear um ao outro numa luta sangrenta. A curta distância depois dos jovens a alameda dava para uma praça e, além dela, abria-se o portão do Templo.

Hassan passou junto à parede e avançou passo a passo pelo meio do grupo, sob os gritos de uma ave em espasmos mortais. Alguns dos jovens gritaram vivas, outros vaiaram enquanto o galo silenciava e moedas eram atiradas num barril. Um deles, que parecia ter cerca de 18 anos, praguejou e atirou-se para trás de encontro à parede. Era esguio e lupino, com uma barba preta falhada e olhos fundos e abatidos.

Hassan sentiu algumas gotas de chuva. Ouviu-se um som sibilante quando a água atingiu a chama das tochas.

— Com licença — murmurou, espremendo-se entre o rapaz magro e moreno e o restante do grupo. Alguns olharam para ele.

— Ei.

Hassan olhou para trás. O jovem junto à parede examinava-o com atenção. O olhar do rapaz estava encoberto, a expressão era desconfiada.

— Você não devia ter vindo por este caminho — disse. — Poderia ter deslocado uma das vigas.

— Passarei por outro caminho da próxima vez.

Houve um momento de silêncio.

— De onde você é? — perguntou o jovem.

Hassan não respondeu, continuou andando, abrindo caminho cuidadosamente entre os últimos pedreiros que coletavam e distribuíam apostas.

— Ei!

Hassan olhou para trás e viu que o jovem se afastara da parede e vinha atrás dele. Outros pedreiros voltaram-se para ele.

— Perguntei de onde você é.

— Lisboa — disse Hassan. Fez um polido cumprimento de cabeça para o rapaz. — Boa noite a vocês.

— Se você vem de Lisboa, venho do Paraíso.

Hassan continuou caminhando. Ouviu um murmúrio incoerente de vozes atrás de si e alguns risos de escárnio.

— Vi gente como você antes, Escurinho. — A voz do jovem agora era mais alta, mais desafiadora do que curiosa. Seus passos produziam sons chapinhantes na lama. — E eles não vinham deste lado do mar.

Pouco antes de Hassan alcançar o fim do beco, olhou brevemente para trás. O jovem ainda o seguia, lenta mas decididamente, com vários dos companheiros, enquanto o grupo que organizava a briga de galos havia mirrado. Acelerou o passo, mas antes que pudesse sair para a praça, três jovens vestindo aventais de pedreiros apareceram em seu caminho. Pareciam estar ligeiramente ofegantes. Hassan reconheceu-os como parte do grupo. Deviam, ele se deu conta, ter passado pela frente da loja e seguido até a praça por uma alameda paralela para cortar-lhe o caminho. A apreensão transformou-se lentamente em medo. Um dos jovens parecia nervoso e estava se deixando ficar atrás, mas as expressões nas faces dos outros estavam iradas.

Hassan se deteve.

— O que querem de mim? — perguntou-lhes, falando calmamente. — Estou com pressa.

— O sotaque também não parece de Lisboa, Gui — disse um dos jovens à sua frente, obviamente dirigindo-se ao homem esguio.

Gui avançou até ele e o restante dos pedreiros encurralou Hassan num círculo. Havia nove deles. Dois seguravam tochas. A chuva estava começando a cair com mais força. Além deles, na praça, uma garotinha estava sentada no degrau de um tugúrio em vias de desabar. Segurava uma boneca de madeira que fazia caminhar sobre os joelhos. Tirando ela, a área estava deserta.

— Conheço pessoas que estiveram na Terra Santa — disse Gui, dirigindo-se a Hassan numa voz baixa cheia de desprezo hostil. — Elas me contaram o que coisas do seu tipo fazem a mulheres e crianças cristãs. E você acha que pode vir aqui e caminhar por nossas ruas, nossos locais de trabalho, nossos lares? O rei faz os judeus usarem uma marca para que todos saibamos quem são. Onde está a sua marca, sarraceno?

— Sou cristão — disse Hassan.

Ainda estava falando com calma, mas podia sentir a ameaça partindo de Gui como um vento frio. Isso o fez estremecer por dentro. Gui cuspiu no solo.

— Você acha que Deus o quer? Uma ovelha negra em Seu rebanho? — Chegou mais perto. — No mês passado, um mensageiro chegou à casa de minha mãe vindo da preceptoria dos hospitalários. O mensageiro contou a ela que seu filho — Gui cutucou o peito de Hassan com o dedo —, *meu* irmão, havia morrido quando a fortaleza deles em Arsuf, no Reino de Jerusalém, caiu sob os sarracenos. Era aprendiz de pedreiro lá. — Os olhos fundos de Gui brilhavam à luz das tochas. — Nunca o vi tão feliz como quando partiu num daqueles navios. Depois que o seu sultão, aquele que os cavaleiros chamam de "A Besta", terminou com os hospitalários, matou o resto dos que estavam lá dentro. A cabeça de meu irmão foi arrancada dos ombros e o corpo foi deixado para apodrecer. Tinha 14 anos. Minha mãe não consegue sequer *falar* de tanto sofrimento. E no entanto aqui está você, um dos assassinos, sentindo-se em casa na nossa cidade.

— Lamento — disse Hassan, num tom calmo. — Lamento de verdade. Também conheço pessoas, boas pessoas, que morreram nessa guerra. Mas, eu lhe juro, Baybars Bundukdari não é meu sultão. Jamais lutei por ele, nem lhe jurei lealdade. Meu lar é aqui há muitos anos.

— Ele está mentindo, Gui — disse uma voz atrás de Hassan.

— Juro — disse rapidamente Hassan, voltando-se para o rapaz de expressão enraivecida que havia falado. — Sou...

As palavras terminaram num grunhido, pois alguém o empurrou bruscamente por trás. Hassan perdeu o equilíbrio e cambaleou, caindo de joelhos. A lama penetrou como gelo nos calções. Ele se levantou, depois desabou sem fôlego quando uma bota chocou-se contra um lado de seu corpo. Ele se dobrou sobre a parte dolorida e sentiu outra dor na cabeça, no outro lado e depois nas costas, que estavam levemente protegidas pelo livro. O nariz foi tomado pelo fedor de lama pútrida e dejetos humanos, o rosto e as mãos estavam cobertos por um lodo negro. Gui pairava acima dele. Hassan avistou rapidamente seu rosto, contorcido de ódio e pesar, quando a bota desceu novamente. Quando ela se chocou contra seu rosto, sentiu o nariz quebrar. Sangue inundou sua garganta. Teve ânsias. Alguém estava gritando.

— Gui, não! Você disse que só queria assustá-lo!

Hassan esquivou-se com um movimento de corpo. Os olhos lacrimejavam. A forma desfocada de Gui assomou sobre ele. Procurou dentro do manto e os dedos se fecharam em torno do cabo da adaga. Ele a sacou, piscando para afastar o sangue do olho, e a brandiu na direção das pernas de Gui.

— Ele tem uma faca! — gritou um dos pedreiros.

Gui se evadiu do golpe no momento exato e saltou para trás. Os outros jovens recuaram. Hassan, com sangue vertendo da testa, do nariz e da boca, levantou-se cambaleando, com a adaga a postos. Meio cego, com o corpo enfraquecido pela dor, deu meia-volta e cambaleou na direção da chusma de jovens que bloqueava a entrada do beco. Eles se separaram, evitando a lâmina. Mas quando Hassan correu para o espaço aberto, os pés derraparam na lama e ele caiu, derrubando a adaga. Um dos pedreiros gritou e o agarrou, erguendo-o pelos braços antes que pudesse alcançá-la.

— Não! — gritou outro, enquanto Gui dava um bote para pegar a lâmina caída.

Hassan sentiu uma dor aguda no lado do corpo quando Gui enfiou-lhe a adaga. Viu os olhos do jovem pedreiro, tomados de ódio, arregalados, depois inundados de medo. Gui deu um passo para trás, deixando a lâmina no corpo de Hassan.

— Cristo, Gui! — gritou um dos jovens. — O que você fez?

— Vamos embora! — gritou outro, puxando Gui pelo braço. — *Venha!*

Hassan afundou no solo quando o jovem que o segurava virou-se e fugiu com o restante do grupo. Tentou se levantar, lutando contra ondas de dor nauseante e esmagadora, mas conseguiu apenas arrastar-se alguns passos praça adentro. Os dedos agarraram-se ao cabo da adaga, mas não tinha forças para removê-la. O sangue escorria quente por sobre as mãos gélidas. O capuz foi novamente puxado para trás pelo vento. A garotinha no degrau do edifício do outro lado da praça olhava fixamente para ele.

— Ajude-me — pediu com uma voz rouca.

A boca da menina abriu-se ampla e escandalizadamente e soltou um grito, depois ela entrou em disparada, agarrando-se à boneca de madeira. Hassan gemeu e afundou na lama quando a porta da casa bateu e se fechou. Pensou em Everard esperando na preceptoria e o *Livro do Graal* pareceu uma pedra nas costas, pressionando-o para baixo. Sentiu a consciência abandoná-lo, escoando dele feito o sangue, feito o fôlego. A chuva embebeu a cabeça descoberta e escorreu pelas faces, misturando-se ao sangue e às lágrimas. Os sinos distantes de Notre-Dame começaram a badalar o chamado para as Vésperas, seguidos logo depois pelos sinos de todas as outras igrejas da cidade, convocando os cidadãos de Paris para o festivo dia de orações.

— Devia estar por aqui em algum lugar, se o relato estava certo.

O falante, um homem musculoso chamado Baudouin, com seus espessos cabelos cor de palha e rosto quadrado, saltou de cima do cavalo e passou as rédeas para um dos dois companheiros montados. A capa escarlate, o uniforme da guarda real, estava completamente ensopado.

— Dê-me isso, Lucas — disse, apontando para a tocha que o camarada segurava.

— Devíamos ter mandado os prebostes verem isso — disse Lucas, o mais jovem dos três, num tom irritado, enquanto entregava a tocha. — Maldita umidade!

— Não é dever dos prebostes investigar assassinatos — respondeu.

Baudouin explorou a área, que, exceto pela errática esfera de luz lançada pelas chamas trêmulas da tocha, estava escura como breu. A praça estava lugubremente silenciosa, exceto pelo vento e a chuva intensa. As janelas das habitações coletivas pobres e em ruínas que a rodeavam estavam às escuras; a maioria dos habitantes ainda estava na igreja para a missa noturna. Baudouin avançou, segurando a tocha no alto e piscando para proteger os olhos da chuva.

— Esse triste dever cabe, desafortunadamente, a nós. — Ele se voltou e sorriu para os companheiros. — Os homens do bom e velho capitão.

— Gostaria de vê-lo aqui — resmungou o terceiro homem. — Em vez de sentando a bunda gorda junto à lareira do palácio.

— Ah, acho que ele já tem coisas suficientes com que se preocupar, Aimery, levando em conta o rebuliço causado por aquele trovador. Esta noite, sem dúvida, ele está fazendo valer o que lhe pagam.

— Sim — Lucas começou a falar com ansiedade. — O que foi aquilo? Vi uma companhia de templários com o rei pouco antes de partirmos. Estavam discutindo.

Baudouin encolheu os ombros, sem muito interesse.

— Algo sobre o trovador ser um herege, foi o que ouvi. Os inquisidores levaram-no para um interrogatório.

Lucas estremeceu.

— De repente, nossa situação não parece tão ruim.

— O que é aquilo?

Baudouin olhou na direção que Aimery apontava, na entrada de um beco. Pôde apenas distinguir a forma de um montículo no chão. Aproximou-se daquilo, as labaredas da tocha bruxuleando intensamente ao vento. Era um corpo. Baudouin agachou-se e sacudiu o ombro do homem. Ele não se moveu.

— Segure isso — disse, passando a tocha para Aimery, que havia desmontado e se aproximava dele.

Quando Aimery pegou a tocha, Baudouin virou o corpo.

— Cristo! — exclamou Aimery, fazendo o sinal da cruz quando a face do homem se revelou. — É um sarraceno!

Baudouin viu o cabo de uma adaga projetando-se do lado do corpo do homem. Os olhos estavam abertos, fitando a chuva. Entre as camadas de lama, o rosto tinha uma cor azul-acinzentada, lívida pelos ferimentos, e a barba estava emaranhada com o sangue coagulado.

— Pobre alma. — Baudouin abriu o manto do homem e fez uma revista superficial, mas não pôde ver nada com ele, tirando uma bainha vazia que parecia corresponder à adaga. — Morto com a própria arma, ao que parece. Devemos perguntar nos arredores. Talvez alguém tenha visto quem fez isso.

— Estão todos na igreja — respondeu Aimery, de má vontade. — A mulher que comunicou o crime disse apenas que ouviu um grito, depois o viu caído no beco. Não viu quem fez. Vamos contar tudo ao capitão e ele decide se devemos investigar mais. Mas duvido que queira perder tempo ou empregar seus homens nisso. — O guarda deu de ombros, olhando para o corpo. — Duvido que alguém vá sentir muita falta dele.

Baudouin suspirou, depois fez que sim.

— Ajude-me com isso, então. Terei de amarrá-lo ao meu cavalo. Vamos levá-lo para enterrá-lo.

— Mas onde? — disse Aimery, sem se aproximar do corpo.

— Não numa igreja, isso é certo — disse Lucas, aproximando-se por trás deles. Havia amarrado os cavalos num poste em frente a um curtume.

Todos pensaram por um momento.

— O cemitério dos leprosos — disse Aimery, por fim.

Lucas sacudiu a cabeça.

— O lazareto não vai querê-lo.

— Diremos que é um leproso. Assim terão de aceitá-lo.

Aimery e Lucas olharam para Baudouin. Incapaz de pensar em qualquer solução melhor para o problema, Baudouin concordou com um gesto de cabeça.

— Tudo bem, então — disse. — Ajudem-me a levantá-lo.

*Templo, Paris, 2 de novembro de 1266*

Quando o ofício das Primas acabou, Will sair da capela, bocejando muito. A missa havia sido particularmente longa, pois aquele era o Dia de Todas as Almas, o dia dos mortos, e, durante cada ofício, orações especiais deveriam ser feitas aos fiéis que se foram. Era uma festividade sombria em comparação ao jubiloso Dia de Todos os Santos, embora o tempo fosse tudo menos isso. Após dias de vento e chuva, a manhã havia nascido formidavelmente luminosa, o céu passando de negro a turquesa e depois a um azul esplêndido e radiante. Mas o preço que pagaram por isso foi a queda brusca da temperatura. Ao alvorecer, os cavalariços tiveram de raspar uma camada de gelo que havia se formado sobre o cocho dos cavalos durante a noite. A geada havia endurecido a lama e polvilhado a grama de um branco prateado.

Os cavaleiros saíam da capela em fila rumo ao Grande Salão. Will, com os outros sargentos, teria de esperar até que tivessem terminado antes de fazer o desjejum, por isso dirigiu-se ao guarda-roupa a fim de apanhar o hábito de Everard, que havia sido mandado para remendar pelo alfaiate da preceptoria.

— Sargento Campbell.

Will olhou na direção da voz e viu um servo de túnica marrom aproximar-se apressadamente. Parecia um tanto furtivo e olhava repetidamente para os cavaleiros.

— Sim?

— Alguém quer vê-lo no portão — murmurou o homem.

— Quem?

O criado não respondeu, mas, depois de uma rápida olhadela para trás, estendeu a mão para Will. Na sua palma havia um retalho amarrotado de linho azul.

Will franziu o cenho ao pegá-lo.

— O que é isto? — perguntou, abrindo o pano. Encontrou o botão seco de um jasmim amassado dentro das dobras do tecido.

— Ela não quis dizer o nome — sussurrou o servo. — Só me disse para entregar-lhe isso. Está esperando junto à estrada.

O homem fez um rápido cumprimento de cabeça e saiu correndo.

Will fechou o punho em volta do pedaço de tecido e sentiu que o coração começava a disparar. Mas a mente não estava tão excitada quanto o corpo e sentiu um tremor de irritação por Elwen não ter dado atenção ao que dissera havia apenas uma semana: que não podia ir até ali daquela forma. Depois de uma pausa, atravessou o pátio e avançou pelo corredor que passava junto ao calabouço até o portão principal. Não havia ido longe quando viu um cavaleiro aproximar-se dele. Era Garin. O restante dos homens estava disperso pelo pátio e o último dos cavaleiros desaparecia salão adentro.

Garin sorriu à guisa de cumprimento. A expressão não chegava até os olhos, porém, e quando falou, seu tom jovial pareceu forçado.

— Esperava encontrá-lo.

— O que há? — perguntou Will, enfiando o retalho de linho no bolso da sua túnica.

— Não tenho certeza, mas pensei ter visto um velho amigo de meu tio aqui, outro dia. Um homem chamado Hassan.

Will fez que sim.

— É verdade, ele está aqui.

— Robert disse-me que ele é um camarada do seu mestre.

— Não sei se camarada é o termo certo. Meu mestre às vezes recorre a Hassan para localizar textos que deseja adquirir. Por que pergunta?

— Não é nada, na verdade.

Garin encolheu os ombros e deu um sorriso desajeitado, embora novamente Will sentisse uma tensão sob o aparente humor.

— Só queria agradecer a ele por ter tentado salvar a vida do meu tio em Honfleur. Não tive oportunidade de fazer isso depois da batalha, mas jamais esqueci como lutou lado a lado conosco.

Parou por um momento.

— Sabe onde ele está?

— Eu o vi brevemente ontem à tarde, mas não sei onde está agora. Acho que está hospedado na cidade. É tudo o que posso lhe dizer.

Will avançou um passo em direção ao corredor que levava à entrada.

— Desculpe-me — disse. — Tenho de ir.

— Vai sair da preceptoria?

— Estou cumprindo uma missão para o meu mestre. Direi a Hassan que você o está procurando, caso o veja.

Depois de passar pela longa sombra do calabouço, Will seguiu até a Rue du Temple, uma rua coberta por um ruidoso dossel de castanheiras agitadas pelo vento. Elwen estava parada sob uma das árvores, num mar ondulante de folhas avermelhadas que chegavam até os tornozelos. Usava um vestido branco e tinha um xale de lã azul envolvendo fortemente os ombros. Will chamou seu nome. O som foi arrebatado dos lábios por uma rajada de vento que fazia matraquear os galhos acima dele. Elwen olhou em sua direção. O rosto estampava tristeza. Correu para ele, depois se deteve indecisa antes de alcançá-lo. Will viu que tinha lágrimas nos olhos e a irritação o deixou como um suspiro.

— O que houve? — perguntou, aproximando-se dela.

A garota pôs o rosto entre as mãos.

— Elwen, o que foi? — Will segurou suavemente seus ombros. — Fale comigo.

Depois de um momento, ela afastou suas mãos. Tinha as faces molhadas.

— Não sei por onde começar. Will, fiz uma coisa terrível. — Agitou a cabeça febrilmente. — Não devia ter acontecido desse jeito. Não achei que alguém fosse se ferir.

— Do que você está falando?

Elwen respirou fundo, depois livrou-se do abraço de Will.

— E o pior de tudo — disse — é que sinto como se tivesse traído você.

Will ficou em silêncio enquanto Elwen contava como Everard a havia procurado no palácio, pedindo-lhe que pegasse um livro do trovador, Pierre de Pont-Evêque, um livro, dissera-lhe o padre, que havia sido roubado da preceptoria seis anos antes. Depois lhe contou que havia feito um acordo com o padre; que em troca do serviço Everard iniciaria Will.

Will continuou calado por algum tempo depois que ela terminou.

— Everard pediu-lhe que roubasse esse livro?

— Lamento ter tratado com seu mestre pelas suas costas, Will, mas sei o quanto você anseia por ser um cavaleiro e achei que o estaria ajudando ao fazer isso. Afinal, o livro não pertencia realmente ao trovador. — Mordeu o lábio e olhou para o chão. — Depois os dominicanos chegaram e fiquei tão assustada, com medo que descobrissem o que havia feito, que só pude pensar em me livrar daquilo. Prenderam o trovador na noite passada, antes da apresentação.

— Prenderam-no por quê?

— Os dominicanos acham que o *Livro do Graal* e a apresentação dele são heréticos.

A mandíbula de Will se retesou.

— Bem, o que importa é que você está a salvo — disse.

— É minha culpa, não é? Pelo que aconteceu com o trovador? Soube que quando os dominicanos não conseguiram encontrar o livro o acusaram de mentir ao dizer que uma criada o teria pegado. Mas estava dizendo a verdade. Dei um nome falso a ele.

— Você agiu bem, Elwen, nada disso é culpa sua. — Will meneou a cabeça. — Não consigo acreditar que ele tenha feito isso — murmurou.

— Pierre não é um homem mau. Ficou com o livro quando o irmão morreu. Só queria se apresentar com sua poesia. Eles vão matá-lo, não é?

— Irmão dele?

Elwen contou o que Pierre dissera sobre Antoine.

— Everard achou que poderia ter sido Pierre quem roubou o livro das galerias, mas não foi. Seu irmão, Antoine, encontrou-o na porta. Nenhum deles sabia que tinha algo a ver com o Templo.

— Onde está o livro agora?

— Encontrei o enviado de Everard na noite de ontem, como havíamos combinado, e entreguei-o a ele.

— Enviado de Everard?

— Hassan — disse, numa voz sumida. — Ele me disse que eu havia agido bem e que Everard ficaria satisfeito. Perguntei de onde ele era, e ele me disse ter vindo da Síria. Mencionei que queria ir para a Terra Santa. Ele me disse que eu deveria ir, pois é um lugar lindo.

— Hassan trouxe o livro para cá, para Everard?

— Deveria ter feito isso. Mas alguns guardas reais encontraram um corpo, não muito tempo depois que Hassan me deixou. Ouvi Baudouin, um dos guardas, relatar isso ao capitão no início da manhã de hoje, quando fui buscar água para o banho da rainha. Perguntei a ele a respeito e o guarda me respondeu que era um sarraceno e que havia sido espancado e esfaqueado num beco até a morte.

Mais lágrimas escorreram por sua face.

— Ele disse que o deixaram no lazareto fora do Portão de Saint-Denis para ser enterrado. Deve ser ele, não é?

— O hospital dos leprosos?

— Porque era um sarraceno.

— Everard me disse que Hassan era um convertido...

A voz de Will sumiu. Passou as mãos pelos cabelos. Tivera suspeitas de Hassan, mas seu mestre havia repudiado asperamente a desconfiança. Se Everard havia escondido tudo aquilo dele e havia procurado a ajuda de Elwen para recuperar aquele livro sem que ele soubesse, perguntava-se agora se o padre havia-lhe mentido sobre outras coisas ao longo dos anos. Enxugou uma lágrima do rosto de Elwen com o polegar.

— Tenho de ir — disse, pegando a mão dela e pondo na palma o jasmim embrulhado no pano. — Volte para o palácio e não diga a ninguém o que me contou.

— Você me odeia?

— É claro que não — murmurou, puxando-a para os braços e abraçando-a com força. — Sinto-me grato por você ter feito isso para me ajudar, Elwen. Só estou zangado por você ter sido posta nessa situação.

Will sentiu o corpo dela relaxar de encontro ao seu. Afagou-lhe os cabelos por um momento, depois afastou-a e beijou-lhe a face.

— Irei vê-la em breve. Prometo.

Garin recuou um passo para dentro do umbral que dava para o calabouço, onde estivera escondido, enquanto Will percorria a passos largos a via que levava à preceptoria. Na tarde anterior, vira Hassan partir e, sabendo que o trovador deveria se apresentar naquela noite, havia suposto que o sarraceno tentaria recuperar o livro. Estava prestes a segui-lo quando foi detido pelo visitador, que o reteve falando sobre um posto que havia ficado vago numa preceptoria em Chipre. Era uma posição elevada, como assistente do marechal, e o visitador queria saber se estaria interessado em assumi-la. Mas a única coisa em que Garin conseguia pensar era em Rook na Sete Estrelas com Adela, à espera do livro, e em Hassan distanciando-se cada vez mais. Concordou apressadamente em assumir a posição e o visitador, satisfeito, disse-lhe que deveria partir para o porto de Marselha o mais breve possível, a fim de embarcar antes que as tempestades do inverno chegassem. Quando o visitador o deixou para escrever uma carta ao mestre de Chipre, Hassan já se fora. Garin pensou em se dirigir imediatamente ao palácio, mas se perdesse o retorno de Hassan, poderia deixar passar a única chance de recuperar o livro e, por fim, decidiu ficar e esperar.

Quando um grupo de cavaleiros, liderados por Nicolas de Navarre, retornou à preceptoria, Garin, que os havia visto partir mais cedo naquela tarde com dois frades dominicanos, conseguiu interpelar um deles fora dos estábulos, um jovem cavaleiro com quem compartilhava o dormitório.

— O que aconteceu no palácio, Etienne? — perguntou calmamente.

— Você não está autorizado a saber sobre isso — murmurou Etienne como resposta, entregando as rédeas a um cavalariço.

— É difícil manter segredos neste lugar.

Depois de dar uma olhada em Nicolas de Navarre, que estava no pátio conversando com o visitador, Etienne chegou mais perto de Garin.

— Pegamos o trovador e os dominicanos o prenderam.

— Ótimo — disse Garin, esboçando um sorriso. — Fico feliz por vocês terem pegado o desgraçado.

Etienne balançou a cabeça, com um sorriso severo de deleite.

— Duvido que escreva qualquer coisa sobre nós novamente.

— E quanto ao livro dele? Aquele que as pessoas dizem que foi escrito pelo Diabo?

— Não o achamos. O trovador tentou nos fazer engolir uma bobagem sobre uma serviçal tê-lo tomado dele, mas o irmão Nicolas não pôde confirmar isso.

— Por que não?

— Ele disse que o nome da garota era Grace, mas o camareiro-chefe disse que não há nenhuma com esse nome trabalhando no palácio e a descrição do trovador, bonita e de cabelos dourados, não nos deu muito com que agir.

— Irmão Etienne.

Etienne olhou na direção do severo chamado de Nicolas de Navarre.

— Tenho de ir — disse.

O resto da noite havia passado insone para Garin, que começara a se preocupar com a hipótese de que talvez Hassan não devesse retornar com o livro, afinal, de que talvez o padre quisesse que o objeto fosse levado para algum lugar completamente diferente.

Depois de falar com Will, Garin o havia seguido ao longo da passagem, intrigado por vê-lo virar para a estrada em vez de continuar em direção à cidade. Passou-se algum tempo antes que reconhecesse a mulher com quem Will havia se encontrado sob as árvores. Garin ficou surpreso com a transformação de Elwen, daquele fiapo de garota de peito achatado cuja vida salvara em Honfleur para uma jovem tão bonita. Não havia chegado perto o bastante para ouvir a conversa deles, mas viu que ela estava contrariada e Will agitado. Observando-os, a descrição que Etienne havia feito da garota voltou-lhe à mente, e Garin sentiu um sobressalto de entusiasmo. Elwen era camareira no palácio. Durante a maior parte da conversa de ambos, as costas de Will estiveram voltadas para ele e os dois estavam certamente distantes o suficiente para que ela tivesse passado algo do tamanho de um livro sem que ele visse. Novamente, Garin sentiu-se ressentido ao especular que talvez Will tivesse ocupado o lugar que o tio pretendia que ele próprio tivesse na facção secreta de Everard.

Quando Will passou por ele, com a face revolta, Garin pressionou-se mais para dentro do umbral. Tinha de conseguir aquele livro. Se não o fizesse, sua vida não valeria a pena ser vivida. Rook e Edward cuidariam disso.

Will não bateu ao chegar ao solar de Everard, mas empurrou a porta e entrou de supetão. Nas mãos apertava o hábito de Everard. Depois de encontrar-se com Elwen, havia continuado até o guarda-roupa, como planejado, para apanhar a vestimenta remendada, a fim de conceder a si próprio algum tempo para pensar e para acalmar-se um pouco antes de confrontar o padre. Não havia funcionado. Cada passo que dava rumo ao solar de Everard reforçava a raiva, até que se tornasse um nó endurecido e enrodilhado no estômago.

Everard levantou os olhos, alarmado, quando a porta bateu contra a parede. Will não o vira nas Matinas ou nas Primas. O padre, que estivera empoleirado no assento junto à janela olhando para fora, estava mortalmente pálido; a única cor no rosto eram os círculos escuros, parecendo carne viva, em volta dos olhos. Aparentava não ter dormido à noite.

Will atirou o manto negro no chão aos pés de Everard.

— Como pode um homem tão egoísta como você vestir esta roupa?

— O que significa isso? — crocitou Everard, fechando a cortina e mergulhando a câmara na penumbra.

— Diga-me você.

— Do que você está fal...?

— Acabei de ver Elwen — Will interrompeu-o. — Sabe o que ela me contou?

— Elwen? — murmurou o padre, levantando-se trêmulo. — Onde ela está?

Will ficou um tanto surpreso pela urgência na voz de Everard, mas continuou pressionando-o.

— Ela me contou o que você a levou a fazer. Que você a procurou e pediu-lhe para roubar um livro daquele trovador de que todos estão falando.

— Ela disse que o pegou? Ou falou algo de Hassan?

— Hassan está morto.

Ao ver a dor que transtornou a expressão do padre, Will instantaneamente arrependeu-se do modo insensível com que dissera tais palavras.

— O quê?

— Hassan está morto — repetiu num tom calmo. — Ou ao menos ela assim acredita. Os guardas reais encontraram um árabe assassinado na cidade, na noite passada.

Everard ficou imóvel por um longo momento, depois cambaleou até o leito e desabou pesadamente sobre ele, com a respiração ofegante.

— Não — sussurrou. — Deus, não.

Will sentiu a raiva abandoná-lo ao ver o horror na face de Everard. Foi até a mesa onde o padre mantinha uma jarra de vinho e serviu-lhe uma taça. Everard dobrou os dois dedos sãos em torno da haste quando Will a entregou a ele. Depois de tomar vários goles, encostou a cabeça na parede e respirou lentamente, cada inspiração acompanhada de um alto assobio. Apontou com um gesto fraco um banco junto à janela.

— Sente-se — disse.

— Prefiro ficar de pé.

O silêncio desceu sobre eles, quebrado apenas pelo vento oscilando através da janela, levantando a cortina, depois recuando como uma onda. Everard olhou para Will.

— E o livro? — perguntou por fim. — Ela o entregou a Hassan?

— O que é esse livro, afinal? — indagou Will, um pouco da raiva retornando ao ouvir falar sobre o assunto. — Que diabo o fez procurar às minhas costas a mulher que eu... — Will se conteve — ... ordenar que Elwen o pegasse para você?

— Não tinha escolha.

— Sim, você tinha. Podia ter pedido a mim. Teria feito isso de boa vontade, em lugar de pô-la em risco. Tudo em prol de um de seus preciosos textos?

— Você não teria conseguido pegá-lo — respondeu Everard, com a face exausta e enrugada mostrando sinais de irritação. — Ela era a única pessoa que poderia chegar perto o bastante de Pont-Evêque sem levantar suspeitas. Preciso ouvir o resto, sargento. Conte-me tudo o que ela lhe disse.

— Deveria procurar o visitador e denunciá-lo. Você não tinha o direito de pedir isso a ela.

Os olhos dele se apertaram.

— Você deve recordar que não me deixo comover por ameaças vãs.

— Não é uma ameaça vã.

— Você não tem ideia do que está em jogo! — gritou o padre, com a voz cansada e áspera.

Will fez menção de falar, depois meneou a cabeça.

— O que estou fazendo aqui? — disse. — Você não vai pedir desculpas ou explicar nada para mim, não é?

Atravessou a porta.

— William.

Will se deteve com a mão no trinco. O rosto de Everard estava sombrio, a testa era uma escarpa íngreme sobre os olhos pálidos, o lábio superior retorcido na careta costumeira no local onde começava a cicatriz. Will perscrutou aquele rosto, mas não encontrou qualquer pista do porquê de Everard, pela primeira vez em todos os seus anos de serviço, tê-lo chamado pelo nome cristão.

— Fique — disse Everard. — Por favor. Vou lhe contar tudo.

25

# Alepo, Síria

2 de novembro de 1266

Baybars parou diante da janela grande e arqueada, com o vento do deserto soprando quente na pele nua. Os cabelos, úmidos do banho, aderiam em cachos escuros ao couro cabeludo. A brisa transportava os cheiros de fumaça, especiarias e o tênue odor de esterco da feira de cavalos. Abaixo dele, estendendo-se a partir dos muros imponentes que cercavam a cidadela, estava a cidade de Alepo, a joia de sua coroa síria. O sol do entardecer dourava as cúpulas alvas das mesquitas e dos madraçais e os pináculos ornados de joias dos minaretes reluziam como faróis. Numa praça poeirenta dentro da cidadela, um jogo de polo estava em andamento. As figuras montadas a cavalo eram minúsculas àquela distância. Baybars adorava o jogo: sua rapidez e ferocidade. Era um dos melhores em campo.

Assistiu à partida por algum tempo, antes de se recolher ao agradável frescor dos aposentos particulares. O ambiente espaçoso era pobre em se tratando de mobília; a grandeza manifestava-se na construção, mais do que no conteúdo. Colunas de mármore vermelhas e pretas erguiam-se de um piso em mosaico até o teto folheado a ouro e painéis de madeira revestiam as paredes, marchetados com madrepérola. Cada uma das arcadas era adornada com baixos-relevos em estuque e tapetes revestiam os ladrilhos.

Baybars foi até um pedestal de mármore sobre o qual descansavam uma taça incrustada de pedras preciosas e um jarro. Serviu-se de um pouco de *kumis* e sentou-se no divã almofadado, mas tão logo secou a taça, estava novamente de pé.

Desde a vitória em Safed, Baybars sentia que a campanha contra os francos avançava com lentidão frustrante. Os cristãos, havia ressaltado Kalawun, sem dúvida não concordariam. Em seguida a Safed, Baybars tomara uma segunda fortaleza templária, que havia caído numa questão de dias. Uma semana depois, destruíra uma vila em que alguns dos nativos cristãos, ele soubera, haviam informado os movimentos de seu exército aos francos em Acre. Depois disso, marchara com suas tropas pela costa numa imponente demonstração de força. Mataram todos os cristãos que encontraram pelo caminho. E isso não era nada quando comparado ao que havia sido conquistado em Cilícia. Enquanto Baybars atacava os templários em Safed, Kalawun, a quem havia tornado comandante das tropas sírias, havia liderado metade do exército para o norte contra os cristãos armênios. Kalawun havia transposto as montanhas, chegando por trás do inimigo, e devastado o reino deles. Deixando as cidades em ruínas fumegantes, havia retornado a Alepo um mês antes, com carroças carregadas de ouro e 40 mil escravos.

Mas desde então, mais nada.

A impaciência de Baybars o consumia. Enquanto os oficiais e soldados descansavam, mantinha conversas com os comandantes dos regimentos e encontros com os aliados e passava horas traçando planos para a próxima campanha contra os francos. Mas os comandantes haviam se empanturrado de tantas vitórias durante o verão que não tinham apetite para mais. Baybars estava absolutamente insatisfeito. E havia convocado um conselho naquela noite para dizer isso a eles.

Olhou para trás ao ouvir passos. Através de uma arcada que trazia a inscrição *"Existe apenas um único Deus, e Maomé é Seu Mensageiro"*, uma multidão de criados entrou. Os eunucos mantinham as cabeças baixas enquanto entravam na câmara, transportando bandejas com pentes, navalhas e óleos. Um deles trazia o manto dourado e o turbante de Baybars.

— Meu senhor sultão, vimos vesti-lo.

— O propósito é evidente.

Baybars ficou de pé, com os olhos fechados, enquanto os criados ocupavam-se dele. Depois de seis anos, ainda não estava acostumado com uma atenção tão íntima. Sempre havia preferido vestir-se sozinho, mas como sultão isso era rebaixar-se. As mãos dos criados eram leves e ágeis como borboletas sobre o corpo e o couro cabeludo enquanto penteavam os cabelos, aparavam a barba e massageavam a pele com óleo. Depois de vesti-lo com uma túnica de seda branca, calções e botas de pelica, puseram-lhe o manto. Duas faixas bordadas nos braços traziam seu nome e título. Um espelho foi posto diante dele. Baybars olhou-se atentamente. Um homem alto e poderoso devolvia seu olhar; face bronzeada pelo sol, rugas marcadas e profundas; olhos que haviam visto a derrota e o triunfo; mãos flexíveis, venosas e sulcadas por calosidades. Debaixo de todo o ouro e todos os ornatos, ainda era um guerreiro. A constatação o tranquilizou.

— Meu senhor.

Baybars voltou-se do espelho quando Omar entrou, vestindo uma capa dourada e com os cabelos e a barba banhados a óleo. Omar fez uma reverência.

— A sala do trono está preparada — anunciou. — Devo convocar os comandantes?

— Não — disse Baybars após uma pausa. Ele se aproximou de Omar e pôs uma das mãos no ombro do companheiro. — Caminhe comigo por um momento.

— Certamente — disse Omar, agradavelmente surpreso.

Baybars conduziu-o ao longo dos amplos corredores, passando pelas dependências de conselheiros e oficiais e atravessando salões de mármore, onde comandantes, soldados e escravos paravam o que estivessem fazendo e se curvavam. Em pouco tempo, chegaram a uma arcada que se abria para um pátio encimado por balcões acortinados. Água corria por canais no piso, proveniente de uma fonte no centro do pátio. Era um refúgio fresco e agradável, com árvores esbeltas, plantas decorativas e flores fragrantes. Acima do rumorejar da água ouvia-se o chilrear de passarinhos de um viveiro. Baybars parou junto a esse, apanhou um punhado de grãos de um comedouro e jogou-os para dentro.

— Esta cidadela é impressionante, não acha, Omar? — disse, observando os pássaros descerem voando dos poleiros.

— Sempre penso isso, meu senhor sultão.

Baybars sorriu.

— Acho que prefiro que você me chame de amigo, ao menos quando estamos a sós. Meu senhor sultão soa formal demais vindo de alguém que me conhece há tanto tempo.

Omar retribuiu o sorriso.

— Sim, *sadeek*.

— Porém — continuou Baybars — não chega nem perto da magnificência daquela que Saladino construiu para si no Cairo. Não era apenas uma sede do seu poder; era um símbolo dele. Também quero construir algo poderoso.

Os olhos de Baybars, notou Omar, tinham um ar distante.

— Algo que perdurará até o fim dos tempos.
— Você já construiu muito. Fortificou o Cairo e criou hospitais, escolas e...
— Nem uma só coisa em pedra — Baybars interrompeu-o. — Não é disso que estou falando.

Ele se afastou do viveiro e subiu um conjunto de degraus que passavam pelos balcões e davam para uma alta passarela com vista para Alepo. Omar o seguiu. Quando chegaram ao topo, Baybars pousou os braços sobre o parapeito.

— Fui até a cidade esta manhã — disse.
— Sozinho? Você deve ter cuidado.
— Sabe o que vi ali? — Baybars voltou-se para o amigo. — Vi soldados bêbados com o vinho do Ocidente, mercadores vendendo lã, sal e livros em latim cheios de ideias. Mulheres ocidentais vendiam-se nos becos para os nossos homens. Saladino era um legislador de suprema habilidade, isso não posso negar. Sabia como vencer batalhas e unificar e liderar seu povo. Mas Saladino falhou. Nossas terras ainda estão infestadas.

— A morte traz um fim aos planos de todos os homens.
— A morte não é a razão pela qual Saladino não nos livrou de nossos inimigos. Era predisposto a debater, a aceitar rendições e a matar apenas quando necessário. É por causa de sua clemência que não estamos livres. Saladino era a espada, Omar, mas eu sou "A Besta". Meu alcance será mais longo. O que quero construir é um futuro livre da influência ocidental.

— Combater os exércitos da Cristandade é por si só uma provação. Mas ir contra a sua influência? Como propõe lutar contra algo tão sutil?

— Isso é bastante simples. Amanhã, darei ordem para fechar todas as tabernas de Alepo. Depois, banirei as marafonas. Que sejam forçadas a se retirar e deixadas à piedade do deserto. Não lhes mostrarei nenhuma.

Baybars desceu novamente os degraus até o balcão que dava para o pátio.

— Mas nossos homens — disse Omar, apressando-se para acompanhar as longas passadas do sultão — já se acostumaram com tais coisas.

— Então faremos com que se desacostumem. Alá não nos permite beber.

— Mas e as mulheres? Os homens precisam dos... alívios que oferecem. Melhor ter as ocidentais como objeto de seus instintos mais básicos do que nossas próprias mulheres.

— Os trabalhadores devem se concentrar no trabalho e nas esposas e os soldados e comandantes têm escravas para tais propósitos.
— Muitas escravas são mulheres ocidentais. Não é a mesma coisa?
Baybars parou.
— Escravas não são livres para andar pelas nossas ruas e apregoar seus serviços entre a nossa gente. Estão sob o nosso comando, nosso controle. Há uma grande diferença.
O tom de Baybars era inflexível.
— E, além disso, nossos soldados terão coisas mais importantes nas quais se concentrar depois do conselho desta noite.
— Ainda planeja contar aos comandantes seu próximo movimento? Eu o aconselho enfaticamente contra isso, *sadeek*. Os homens acabaram de sair de uma campanha. Precisam de tempo para se recuperar, para saborear a vitória. *Você* precisa desse tempo.
— Tempo é uma coisa que não temos, Omar. Os francos irão retaliar por Safed, disso não tenho dúvida. Proponho atacar antes que sejam capazes de reunir uma força eficiente. Eu os quero exauridos e derrotados antes que tenham sequer uma chance de lutar. Quero deixá-los aturdidos.
— Mas o alvo que propõe é... — Omar estendeu as palmas das mãos — ... considerável.
Antes que Baybars pudesse responder, o som de passos correndo invadiu o corredor. Vindo em disparada na direção deles havia uma mulher, com os cabelos negros soltos sobre os ombros. Havia um garotinho ao lado, segurando sua mão e tentando desesperadamente acompanhar o passo dela. Perseguindo ambos vinham dois guerreiros *bahri*. A mulher deteve-se diante de Baybars e Omar. O garoto ofegava intensamente e olhava apavorado por sobre o ombro para os guerreiros, que haviam se detido a uma distância respeitosa de Baybars. O garoto fungou e esfregou o nariz na larga manga da túnica amarelo-ouro que vestia. Baybars olhou fixamente para aquilo. Parecia-se suspeitosamente com o tecido de que a própria capa era feita.
— Mande seus cães embora — vociferou a mulher para ele. — Quero falar com você.
— Perdão, meu senhor — ofegou um dos guardas. — Sabemos que o senhor não quer ser perturbado, mas não conseguimos detê-la.
Baybars dispensou-os com um movimento de cabeça, depois dirigiu-se à esposa.

— O quer comigo, Nizam?

— Quero que você comece a dar mais atenção ao nosso filho.

Baybars deu um passo para trás quando Nizam empurrou o menino para ele. Baraka Khan, seu filho de 6 anos, tinha o nariz vermelho e escorrendo e os olhos juntos, escuros como os da mãe, estavam lacrimejando. Os cabelos castanhos ondulados enrolavam-se em anéis úmidos em torno da testa e o lábio inferior estava projetado num beicinho emburrado. Baybars, disparando um olhar hostil para a esposa, forçou um sorriso e afagou os cabelos do filho. O beicinho de Baraka Khan ficou ainda maior e ele tentou agarrar-se às pernas da mãe. Baybars, rindo benevolamente, apanhou o garoto e balançou-o para cima e para baixo do modo brincalhão com que vira muitos dos soldados tratarem os filhos. As crianças geralmente davam gritos de satisfação e imploravam por mais, mas o filho, viu com desapontamento, simplesmente começou a choramingar. Baybars colocou o garoto de pé e lhe deu um tapinha no traseiro.

— Vá para sua mãe, então — disse.

Ele se endireitou, fixando o olhar em Nizam.

— O que ele está vestindo? — perguntou, apontando para a túnica amarelo-ouro, tão semelhante à sua. Isso fazia com que se sentisse constrangido, mas não sabia exatamente o porquê.

— Fiz com que ele se vestisse como você — respondeu Nizam, repelindo a mão de Baybars para o lado e apanhando o garoto. Ela o balançou nos braços, fazendo chiados com a boca para acalmá-lo, e depois, com os lábios de contornos sensuais comprimidos numa linha fina, olhou para Baybars.

— Como condiz com um herdeiro do trono.

Baybars sentiu seu temperamento se inflamar. Tirando o filho do colo dela, pôs o garoto no chão, ao que a criança começou a chorar vigorosamente. Omar estudava atentamente uma das tapeçarias na parede do corredor. Baybars apertou o braço de Nizam e empurrou-a para uma grande janela que dava para o pátio. Quando a esposa parou numa área sob a luz solar, notou que o vestido branco sem mangas era quase transparente. Podia ver o contorno suave dos quadris, as pernas macias e morenas, as curvas dos seios. Desviou o olhar.

— Quando Baraka Khan tiver idade suficiente, estará ao meu lado como guerreiro e como meu herdeiro. Mas até esse dia chegar, como lhe disse, pertence a você.

— Quero outro filho, Baybars — murmurou Nizam. — Você não é só soldado e sultão, é também marido e pai. Não se esqueça de seus deveres para comigo.

— Tenho lhe concedido o tempo de que disponho. Poderia ter mil jovens escravas, mas não tenho.

— E você as trataria como trata a mim?

— Você tem palácios, lindos vestidos, criados. Não a trato mal, Nizam.

— Qualquer tratamento seria melhor do que nenhum. Um sultão deveria ter mais de um sucessor, Baybars. Cumpra seu dever para comigo e lhe darei outro herdeiro.

Baybars encostou-se à parede do corredor e semicerrou os olhos. Promover guerras era muito mais fácil do que satisfazer uma mulher: elas eram ardilosas como serpentes e complexas como as estrelas. Temia os encontros com a esposa pela inevitável exaustão que lhe trariam. A primeira esposa, que morrera ao dar à luz uma filha, havia sido igualmente exigente, mas não tão astuta quanto essa. A terceira esposa, Fatima, ainda não lhe dera nenhum filho e Nizam tinha plena consciência do poder inerente à sua posição. Mas Baybars, embora lhe fosse grato por ela ter-lhe dado um filho, não podia amá-la, um fato que nunca o incomodava até estar em presença dela.

— Eu a procurarei em breve — murmurou. — Agora, vá. Deixe-me.

Os olhos de Nizam se apertaram. Abriu a boca como se fosse dizer mais alguma coisa, então parou. Respirando fundo, fez que sim.

— Em breve — repetiu, virando-se e se retirando pelo corredor, apertando a mão do filho lamuriento.

Baybars, observando-os sair, deu-se conta de que não eram as vestes de Baraka Khan que o faziam sentir-se embaraçado. Era o próprio garoto.

Os filhos dos comandantes, e até mesmo algumas das filhas desses, corriam de um lado para outro, subiam em árvores e lutavam com espadas. Também sentavam-se disciplinadamente e prestavam atenção nas lições nas madraçais e eram capazes de recitar passagens inteiras do Corão. Seu filho, em contraste, parecia não ter aptidão, nem interesse, por nada atlético; e ainda menos por arte e pelos estudos. Baybars se indagou, com amargura, se isso era culpa sua. Deixara o garoto no harém por tempo demais. Nizam estava certa. Do que ele precisava era da companhia de homens, de guerreiros. Mas Baybars não tinha tempo para ensinar uma criança.

— Omar, quero que você arranje um tutor para Baraka.

## 26
# Templo, Paris
### 2 de novembro de 1266

— Você ouviu falar — começou Everard — de Gérard de Ridefort?

Will suspirou com rudeza e voltou, mas sem fechar a porta do solar.

— Foi um grão-mestre templário, quase um século atrás — respondeu. — O que tem ele?

— Sente-se — ordenou Everard, batendo com os dedos no banco. Fez uma careta quando Will continuou no umbral da porta. — Você quer ouvir isso ou não?

Will fechou a porta e sentou-se.

— Se contar isso para alguém — disse Everard, terminando o vinho e encarando Will com um olhar injetado —, juro por Deus, por Jesus e por tudo o que é sagrado neste mundo, eu o matarei.

Estremeceu e enrolou-se no cobertor.

— Gérard de Ridefort foi admitido como templário após passar alguns anos na Terra Santa como cavaleiro, sob as ordens de Raimundo III, conde de Trípoli. Ouvi falar dele quando me juntei à Ordem, há mais de cinquenta anos. De acordo com aqueles que o conheceram, Ridefort veio para o Templo ressentido com o conde Raimundo, que havia descumprido uma promessa de premiá-lo com terras. Ridefort era, segundo ouvi, um homem agressivo e petulante, com elevado senso da própria importância tanto no Templo quanto no mundo exterior. Foi a arrogância, talvez, e a aparência de autoridade, que com frequência mascara tais temperamentos, que o ajudaram a crescer na Ordem. Seja como for, o cabido geral reunido em Jerusalém, na época ainda em mãos cristãs, decidiu nomeá-lo grão-mestre após a morte do predecessor.

"Um ano depois, o rei de Jerusalém morreu. O sucessor, seu sobrinho, era uma simples criança e, para proteger os interesses do jovem, rei Raimundo III foi designado regente. Pouco tempo depois, o controle do conde sobre o trono foi frustrado quando o rei morreu. A mãe, Sibila, uma princesa casada com um cavaleiro francês, imediatamente reuniu apoio e coroou-se, com o marido, Guy de Lusignan, em Jerusalém, a mais alta sede de poder em todos os quatro Estados cristãos de Outremer. Seu principal adepto foi Gérard de Ridefort, que ficou maravilhado por poder arrancar os dedos de Raimundo de cima da coroa.

"Nessa época, nossas forças estavam em trégua com o soberano muçulmano, Saladino. Mas quando a trégua foi violada num ataque contra uma caravana de comerciantes árabes, movido por um dos adeptos da nova rainha, a paz foi abalada.

Everard tossiu intensamente e cuspiu na mão. Depois ergueu a taça vazia. Will acalmou-o com mais bebida. Depois de molhar a garganta, Everard prosseguiu.

— O conde Raimundo, que, ao contrário de Ridefort, era um homem instruído, versado nos costumes dos árabes, procurou firmar uma trégua com Saladino. Esse, ainda furioso com o ataque contra sua rota de comércio, aceitou negociar com a condição de que o conde permitisse que seu filho e um batalhão de soldados egípcios passassem pelo território que Raimundo possuía na Galileia. Raimundo concordou e mandou ordem para que sua gente não atacasse a companhia muçulmana. Mas uma comitiva que viajava pela região, liderada por Ridefort e pelo grão-mestre dos hospitalários, soube do acordo e, por ordem de Ridefort, partiu para surpreender os egípcios, desafiando a ordem de Raimundo.

"Diz-se que a força egípcia contava quase sete mil homens. Ridefort e o grão-mestre hospitalário somavam cento e cinquenta cavaleiros. Segundo um dos sobreviventes, os hospitalários queriam recuar, mas Ridefort zombou do mestre, acusando-o de covardia, e instigou o ataque, fazendo com que os homens dessem carga às tropas muçulmanas. Ridefort foi um dos apenas três homens que saíram vivos. O grão-mestre dos cavaleiros de São João pereceu. Foi o último prego daqueles dias no caixão de ambas as nossas Ordens."

— Ambas? — perguntou Will, quando Everard fez uma pausa para beber. — Não quero parecer cético, mas os hospitalários não são exatamente nossos aliados mais próximos.

— Então você não conhece nem nossa história nem nossa Regra. A que bandeira você se juntaria em batalha se a nossa estivesse para cair?
— Everard não esperou uma resposta. — À bandeira de São João. Não, sargento, fomos aliados por muitos anos, apesar de nossas diferenças ou, para ser mais exato, nossas semelhanças. E ainda seríamos não fosse por...
— Parou, franzindo o cenho. — Você quer ouvir isso? Então não me interrompa novamente!

Will ficou em silêncio.

— Depois do ataque de Ridefort, a frágil paz entre nossas forças e Saladino foi rompida. O conde Raimundo não teve escolha além de renunciar a qualquer acordo com o líder muçulmano e Saladino partiu para a guerra. Guy, o rei de Jerusalém, promulgou um chamado às armas em toda Outremer e as forças combinadas do império partiram para confrontar o exército de Saladino, que havia se reunido na cidade de Tiberíades. O conde Raimundo, cuja esposa e filhos eram mantidos cativos na cidade por Saladino, aconselhou o rei de Jerusalém a esperar e deixar que o calor do verão dispersasse as forças muçulmanas, ainda que soubesse que a vida de sua família estaria em risco. Ridefort escarneceu do conde, acusou-o de traição e aconselhou o rei a apressar o ataque. O rei Guy, um homem de vontade fraca, fora apoiado pelo grão-mestre em sua pretensão e na de sua esposa ao trono e era facilmente manipulável.

"O exército marchou no dia seguinte através de colinas estéreis desprovidas de nascentes de água. Eram alvos fáceis para os arqueiros muçulmanos, que atacaram suas fileiras com persistência. Quando a vanguarda se aproximou de Tiberíades, já com a tarde avançada, desfalcada pelos arqueiros e crestada pelo calor, começaram a se reunir numa planície elevada entre os Cornos de Hattin, acima do Mar da Galileia. Nas praias daquele lago, Saladino esperava com quarenta mil homens."

Everard terminou de sorver a taça.

— Após uma noite sem uma gota d'água, nossas forças despertaram com o capim da planície em chamas. Em meio à confusão e à fumaça, os homens de Saladino atacaram e continuaram a fazê-lo ao longo do primeiro dia e avançando pelo dia seguinte.

"Por fim, fomos derrotados, muitos pela sede em vez das espadas. O conde Raimundo e seus homens escaparam, mas os restantes foram mortos ou levados como prisioneiros. Incontáveis soldados de ambos os lados encontraram desnecessariamente a morte naquele dia.

— Desnecessariamente? Estávamos defendendo nossas terras, nosso povo. Os sarracenos matam nossos homens, estupram nossas mulheres e escravizam nossas crianças.

— E não fazemos o mesmo? — disparou Everard. — Quem começou essa guerra, rapaz? — desafiou. — Os muçulmanos? Não. Nós a começamos. Desembarcamos nas praias deles e saqueamos suas cidades, expulsando famílias de seus lares e vivendas, chacinando homens, mulheres e crianças até que as ruas ficassem rubras com o sangue de inocentes. Erigimos nossas igrejas em lugar das mesquitas deles porque nos considerávamos mais dignos do que eles de louvar ali, pensando que nosso Deus é o único Deus.

— Assim como os muçulmanos — contrapôs Will — e também os judeus. Todos pensamos em nosso Deus como o único verdadeiro. Qual de nós está certo?

— Talvez todos nós — disse Everard laconicamente. Suspirou. — Não sei. Mas o que sei é que nessa guerra somos todos iguais. Estupramos, saqueamos, assassinamos, profanamos. Não importa em nome de quem fazemos essas coisas, somos todos destruidores. Em Hattin não estávamos defendendo nossas terras ou nossa gente. Estávamos defendendo a cruzada pessoal de Gérard de Ridefort contra o conde Raimundo. Foi isso o que conduziu nossas forças até aquela planície. Elas nunca deveriam ter estado ali! E não estariam, não fosse a belicosidade de nosso grão-mestre. Ele sobreviveu, fortuitamente, como cativo de Saladino, enquanto mais de duzentos homens nossos foram decapitados. Pelo fato de tantos de nossos homens terem perecido naquele dia, Saladino e os muçulmanos conseguiram retomar Jerusalém. Só me rejubilo — disse Everard com veemência — de que Ridefort tenha vivido tempo o bastante para ver a Terra Santa ceifada de suas garras avarentas.

Will ficou chocado ao ouvir o padre falar daquele modo sobre um antigo grão-mestre. Nunca havia conhecido um dos líderes do Templo, mas Thomas Bérard, o grão-mestre em exercício, que estava lotado na cidade de Acre, sempre havia sido uma figura divinizada e distante, de quem se falava, sem exceção, com o mais profundo respeito. Para Will, parecia uma blasfêmia criticar um homem, ainda que morto, que havia ocupado tal posição.

— O poder de Ridefort sobre o Templo — prosseguiu Everard — não nos trouxe nada além de massacres, mas sua morte, quando veio, anunciou o nascimento de algo extraordinário.

"Um homem chamado Robert de Sablé foi escolhido para suceder Ridefort, quatro anos depois da Batalha de Hattin, mais ou menos na época em que nasci. Sablé era amigo do rei inglês, Ricardo Coração de Leão, e compartilhava muitas das qualidades do rei, particularmente um genuíno respeito por Saladino, que, depois de Hattin, reivindicou a posse de Jerusalém com muito menos derramamento de sangue do que nossas forças haviam conseguido quando atravessaram seus portões quase um século antes. A guerra é lucrativa apenas para o vitorioso, mas a paz pode ser lucrativa para todos. Robert de Sablé compreendeu isso. Compreendeu também o peso de sua posição.

"O Templo era então, assim como hoje, a mais poderosa irmandade sobre a Terra. No século e meio desde que nosso fundador, Hugues de Payens, vestiu o manto pela primeira vez, fizemos e depusemos reis, promovemos e vencemos guerras, ajudamos a estabelecer reinos e construímos nós mesmos um império. O Templo responde unicamente ao papa e, como guerreiros de Cristo, ordenados pela Santa Madre Igreja, temos, de fato, imposto o poder de Deus sobre a Terra. Somos a espada do Paraíso e o grão-mestre é a mão que brande essa espada. Essa é uma séria responsabilidade.

"Ridefort usou esse poder para si próprio, para executar sua vingança pessoal contra outro homem, uma vingança que levou milhares à morte e desestabilizou Outremer. Sablé queria garantir que Hattin jamais voltaria a acontecer: que um mestre não pudesse usar o poder do Templo para ganhos pessoais ou políticos. Ele queria nos pôr novamente nas mãos de Deus. E por isso, para proteger a integridade da Ordem, estabeleceu, em segredo, uma companhia de irmãos. Chamou-os de Anima Templi: a Alma do Templo. Sablé selecionou a Irmandade dentre os mais altos escalões da Ordem: oficiais e homens cultos, que seriam capazes de usar suas posições para cumprir os propósitos da Anima Templi sem o conhecimento dos irmãos templários. Eram formados por nove cavaleiros, dois sacerdotes e um sargento: 12, como os discípulos de Cristo, e como a responsabilidade desses era preservar e perpetuar a fé, era dever daqueles homens salvaguardar e guiar a Ordem. Havia uma 13ª posição: a do guardião. A esse, um homem de confiança escolhido fora do Templo, podia-se recorrer para mediar disputas entre os irmãos e para oferecer conselhos, ou ajuda, fosse financeira ou militar. Sablé escolheu seu bom amigo, Ricardo Coração de Leão, para ocupar esse posto. A intenção inicial de Sablé era proteger o Templo daqueles que usariam seu poder para satisfazer os próprios desejos. Mais tarde, começou a Irmandade para promover a paz.

"Como disse, entendeu que a guerra só favorece o vencedor, mas a paz pode favorecer a todos. Ansiava por desenvolver o comércio entre o Oriente e o Ocidente e compartilhar conhecimentos e os árabes, em particular, eram muito mais avançados do que nós em campos como a medicina, a geometria e a matemática. Por isso a Irmandade cultivou amizades com homens influentes de várias culturas e reuniu conhecimento com o qual educar seus membros. O Templo tornou-se o disfarce por trás do qual se ocultaram e seus cofres, seus recursos e sua autoridade se tornaram as ferramentas de que dispunham. Sussurravam nos ouvidos corretos quando tréguas eram violadas, distribuíam dinheiro dos cofres do Templo para recompensar um lado pela má conduta de outro, barganhavam e ofereciam soluções conciliatórias. Sim, batalhas ainda eram travadas, mas muitas outras eram evitadas pelos esforços combinados da Irmandade. Depois de Gérard de Ridefort, eles trouxeram uma certa estabilidade a um reino dividido pela vanglória de nosso grão-mestre. Três anos depois, Sablé morreu, mas seu legado continuou. Depois dele, nenhum outro grão-mestre soube da nossa existência, até Armand de Périgord assumir o controle, 34 anos atrás."

— Por que a Anima Templi age em segredo? — perguntou Will, desejando que o padre continuasse, mas incapaz de refrear a pergunta. — Parece uma boa coisa, então por que escondê-la de todos os outros?

— Sem esse segredo, estaríamos abertos à corrupção de outros dentro do Templo, homens sedentos de poder como Ridefort. Portanto, para conservar nossa soberania e salvaguardar nossa obra de inimigos tanto internos quanto externos, precisamos nos manter ocultos. Quando nossos propósitos começaram a evoluir e se modificar, esse sigilo foi necessário para nos preservar. Sabíamos que muitos dentro de nossa Ordem e no mundo exterior não entenderiam o que estamos tentando alcançar. Para eles, nossos objetivos seriam anátema. Se nosso plano último fosse revelado, seríamos destruídos e muito provavelmente, por causa de nossa ligação com ele, também o Templo. E a Irmandade não pode existir sem o Templo, sem o poder que ele nos dá.

— Anátema? — perguntou Will. — Não entendo. O que o senhor quer dizer? Que planos são esses?

— Tenha paciência — disse Everard, terminando o vinho. — Quando Armand foi eleito para assumir o poder, já era um dos membros da nossa Irmandade e continuou sendo na condição de grão-mestre. Na época, a

Irmandade ficou satisfeita com sua elevação. Com o grão-mestre do nosso lado, trabalhando com ele, acreditava que poderiam alcançar ainda mais. Armand era... — Everard franziu o cenho — ... um líder enérgico. Eu achava seu entusiasmo um tanto intoxicante. — O sacerdote deu um sorriso retorcido. — Embora tivesse duas vezes a idade que você tem agora e devesse ter pensado melhor. Era minha primeira vez em Outremer e estava cativado. Por Deus, mas aquilo era o Paraíso. Acre, para onde fui designado, era uma cidade de maravilhas, com festins para os olhos a cada dobrar de esquina. O azul daquele mar... — Everard meneou a cabeça com emoção. — Quando Deus criou esta Terra, Ele começou com a Palestina e todas as cores da Sua paleta eram quentes e radiantes, não diluídas e opacas como quando chegou a hora de Ele pintar o Ocidente.

Havia ido para Acre em busca de um raro tratado de astrologia escrito por um notável erudito árabe. Durante meus anos de estudo na Universidade de Paris, desenvolvi interesse na compilação de conhecimento numa variedade de áreas e esse interesse tive a sorte de exercer quando fui ordenado e admitido ao Templo. Estava decidido a escrever um livro que daria detalhes de todos os assuntos conhecidos pelo homem em todos os reinos da Terra. Muito mais abrangente do que a tentativa de Celso, é claro."

— Quem? — perguntou Will.

— Exatamente — disse Everard num tom sugestivo. Seu lábio se retorceu. — Ai das ambições de um jovem. Logo descobri a enormidade desesperançada da tarefa e em lugar dela me pus a coletar, preservar e traduzir manuscritos para benefício único da Ordem. Foi por essa época que ouvi falar pela primeira vez da Anima Templi. Apesar dos cuidadosos esforços para manter o segredo, tanto no Templo quando no mundo exterior, a Irmandade não conseguiu disfarçar completamente suas atividades e, ao longo do tempo, rumores haviam começado a se espalhar. Pessoas falavam de um grupo de cavaleiros, ligados ao Templo, que estavam controlando os campos de batalha das Cruzadas. Homens que, com uma palavra, podiam deter uma guerra ou começá-la. Esse grupo de conspiradores, dizia-se, não era leal a ninguém a não ser aos próprios membros, que agiam sob um mandato absoluto e desconhecido. Oficiais templários desmentiam com rigor tais alegações, sustentando que não existia um grupo como esse e que seus cavaleiros eram leais unicamente a Deus e à Ordem. Uma investigação chegou a ser iniciada. Mas não havia provas e, graças principalmente a Armand, o inquérito foi imputado como coisa de lunáticos.

"Armand de Périgord havia se impressionado com minha obra e após seis meses em Outremer, com a morte de um dos membros, ele me introduziu na Anima Templi, da qual era o líder. Havia dispensado a posição de guardião, preferindo manter nossos interesses confinados ao Templo. Havia vários membros, incluindo um padre que era mais velho do que sou hoje, o qual fizera parte dos 12 admitidos originalmente por Sablé. Lembravam-se de Hattin e também de Ridefort. Armand deixava-os pouco à vontade. Confundia a demarcação entre o Templo e a Anima Templi, que, até então, eram duas organizações muito distintas. Para mim, porém, era um homem com ambição e energia suficientes para nos conduzir a uma nova era de esclarecimento. Compartilhava meu interesse pela compilação de conhecimentos e estava interessado em fomentar meu trabalho, concedendo-me liberdades e favores além daqueles desfrutados pelos outros membros. Não percebi isso na época, mas já estava me preparando para uma missão que planejava havia algum tempo.

"Armand tinha uma obsessão, nada incomum em homens de disposição mais extravagante, pelas histórias de Arthur. Sonhava com um reino, criado unicamente para o Templo, onde a Ordem reinaria autônoma. Queria construir Camelot na Palestina, com ele próprio como Arthur e a Anima Templi como uma espécie de Távola Redonda, que preservaria os ideais do Templo por todas as futuras eras da humanidade. Até aquele momento, potenciais membros eram escolhidos a dedo e avaliados pela Irmandade, depois abordados com cautela e convidados a ingressar. Armand, porém, queria uma iniciação formal.

"Alguns anos após minha introdução à Irmandade, ele me encarregou de escrever um códice que firmaria nossos ideais e serviria como guia para as gerações vindouras. Nele também haveria uma iniciação para os novos membros. Essa iniciação deveria ser baseada na história de Perceval e a alegoria, semelhante a tantos romances do Graal, ocultaria os objetivos e as intenções da Anima Templi. Um postulante, quando iniciado, passaria por um ritual de reafirmação desses propósitos: entregar-se cegamente e confiar na fé, como Perceval em sua demanda do Graal. E, como Perceval, estaria sujeito a certas provações, todas relacionadas ao que nós, como grupo, estávamos trabalhando para realizar."

Everard suspirou ante a expressão confusa de Will.

— Ele receberia, por exemplo, o cálice da Comunhão, que lhe diriam estar cheio com o sangue dos irmãos: homens que consideraria iguais perante Deus. Então lhe seria ordenado bebê-lo.

— Ele bebia sangue?

Everard estalou os lábios.

— Era vinho. Como disse, a iniciação no *Livro do Graal* era uma alegoria. Não nos referíamos a essas coisas literalmente. Mas o postulante não sabia disso. Precisava ter fé no que lhe estávamos pedindo para fazer.

Everard meneou a cabeça.

— Não concordei com Armand. Achei aquilo, na melhor das hipóteses, uma bobagem cabalística e, na pior, um risco para o nosso sigilo. Mas não podia recusar o que pedia. E por isso escrevi. — Everard deu um leve sorriso. — O *Livro do Graal* foi minha melhor obra. Alisei o pergaminho com pedra-pomes até que estivesse quase translúcido e cortei cada pele exatamente no mesmo comprimento e na mesma largura. Usei mínio para escrever o texto e gravei cada título em ouro e prata. Todas as páginas eram margeadas com intrincadas iluminuras. Tomou-me quatro anos.

"Durante esse tempo, Armand começou a mudar. Isso foi gradual e poucos de nós notamos, a princípio. Mas depois de algum tempo, não podíamos deixar de ver o que estavam acontecendo. O empenho e a ambição de Armand em preservar nossos mais elevados ideais estavam se transformando num desejo implacável por supremacia sobre a Irmandade, o Templo e até mesmo Outremer. Começou a se concentrar mais na vitória do que na paz, a privilegiar o poder sobre a amizade. Isso culminou num ataque cruel contra nossos antigos aliados, os cavaleiros de São João.

"Uma disputa havia se acirrado dentro da Comuna de Acre, o corpo formado por nobres, senhores e mestres cavaleiros dos vários reinos ocidentais que governavam coletivamente a cidade, com a pretensão do imperador germânico, Frederico II, de se investir de autoridade imperial. Os hospitalários, encabeçados por seu grão-mestre, Guillaume de Châteauneuf, apoiaram a reivindicação de Frederico. O Templo, liderado por Armand, se opôs. A disputa ficou feia e acabou com Armand, numa demonstração de poder, ordenando um cerco ao complexo hospitalário em Acre. Esse sítio durou seis meses, durante os quais impedimos que comida e suprimentos médicos entrassem na fortaleza e que qualquer cavaleiro a deixasse."

Everard franziu o cenho e desviou o olhar.

— Eu me lembro de nossos cavaleiros rindo do modo como os homens do complexo iam até os portões, implorando, chorando por comida, e de que nossas tropas atiravam frutas podres para eles. Muitos morreram de fome ou doenças e ainda assim lhes recusamos ajuda. Nunca nos perdoaram.

Olhou novamente para Will.

— Alguns de nós protestaram contra essa ação, mas outros de nosso círculo a apoiaram. Armand expulsou dois membros por falar contra ele e o resto dos que se opuseram não pôde fazer nada além de assistir. Sem nenhum guardião para mediar, o cisma entre nós se ampliou, mesmo depois que o cerco contra os hospitalários acabou. Até que, em 1244, veio a batalha que quase nos destruiu.

"Ela poderia ter sido evitada se a Irmandade tivesse obtido autorização para negociar com o então governante do Egito, o sultão Ayyub. Mas Armand já havia feito uma aliança com o príncipe de Damasco, um inimigo de Ayyub, em troca da devolução de várias de nossas fortalezas, e por isso proibiu qualquer comunicação nesse sentido. Eu não estava em Acre na época. Se estivesse, creio que teria desobedecido a ordem. Estava em Jerusalém, que havia sido retomada alguns anos antes pelos muçulmanos. Enquanto me encontrava na cidade, o exército *khorezmi*, sob as ordens do sultão Ayyub, atacou. Deus, queria não ter estado lá para ver aquilo."

Os olhos de Everard se voltaram para os tocos dos dedos decepados.

— Foi mais sorte do que habilidade para lutar o que me salvou. Naquela noite conheci Hassan. Ele havia desertado do exército *khorezmi* e concordou em escoltar-me a salvo até Acre.

Um olhar de pesar passou pelo rosto de Everard e passaram-se vários segundos antes que continuasse. Quando o fez, a voz estava rouca.

— Quando cheguei a Acre, descobri que Armand se fora com o restante do exército para Herbiya. As areias nos arredores daquela vila viram a maior força cristã já reunida desde Hattin e assistiram a uma derrota similarmente catastrófica. Mais de cinco mil soldados nossos morreram. Armand jamais voltou. Foi capturado pelo então comandante mameluco, Baybars. Depois de Herbiya, eu mesmo e alguns outros tentamos restaurar a Anima Templi. Mas o abismo causado por Armand foi grande demais para transpor. Foi o nosso fim e nos dispersamos. Ou ao menos foi o que os outros pensaram. Eu, porém, não estava disposto a deixar a causa de Sablé morrer. Sabia que havia cinco dos 12 em quem poderia confiar de maneira irrestrita, pois tinham permanecido fiéis à causa. Um deles você conheceu. Jacques de Lyons.

Will ficou perplexo.

— Jacques? O tio de Garin?

— Esses cinco homens concordaram em me ajudar a prosseguir nossa obra. Fui eleito líder da Irmandade, retornei para cá com Hassan a fim de me concentrar em reunir manuscritos para nossa contínua compilação de conhecimento e fui seguido por Jacques, alguns anos depois. Os outros permaneceram em Acre.

"Hassan manteve-me em contato com eles, enviando e recebendo mensagens. Mas com Jacques morto e eu próprio isolado, somos muito poucos para termos a influência que um dia tivemos. Ao longo destes últimos anos vi as pontes que havíamos conseguido construir desmoronarem lentamente sob as rodas de guerra de Baybars e o egoísmo de nossos próprios líderes, que se recusaram a negociar com ele. Teria retornado a Acre muito tempo atrás, para tentar reconstruir o que se perdeu, recrutar mais membros e designar outro guardião, mas então o *Livro do Graal* foi roubado.

"Não sei por que o mantive. Nunca sequer o usei. Acho que alguma parte insensata de mim sentia que o destruindo, estaria destruindo a Anima Templi. Eu o guardei nas galerias. Presumi que estaria a salvo ali. Mas alguém, não sei quem, forçou um copista a roubá-lo e estava desaparecido desde então, até que o trovador apareceu com ele.

Everard meneou a cabeça. Parecia exausto.

— Na noite passada, o visitador me disse que os dominicanos haviam prendido Pierre de Pont-Evêque. Se ele tiver alguma coisa a ver com o roubo do livro, a Irmandade pode ainda estar em perigo, agora que os dominicanos o têm.

— O irmão dele encontrou o livro por acaso — disse Will.

Everard ergueu os olhos.

— O quê? Irmão de quem?

Will contou a Everard o que Elwen havia lhe dito.

— Esteve largado num armazém de vinho, juntando poeira durante seis anos? — perguntou Everard, com incredulidade. — Pont-Evêque não teve nada a ver com o roubo? E o livro? — perguntou, depois de um momento. — Hassan tinha-o consigo quando morreu? Você sabe onde está agora?

— Elwen entregou-o a Hassan. Se era ele o homem que foi assassinado na noite passada...

— Era ele... — Everard o interrompeu. — Não haveria outro motivo para não ter devolvido o livro a mim.

— Os guardas levaram o corpo para o lazareto fora da Porta de Saint-Denis. Se o livro ainda estiver com ele, então creio que tenha sido enterrado ou o será em breve. — Will encolheu os ombros. — A não ser que os guardas o tenham encontrado.

— Então é melhor nos apressarmos — disse Everard, após uma longa pausa.

Will sentia como se estivesse retendo o fôlego desde que o padre havia começado a falar. Dando-se conta de que não conseguiria digerir apropriadamente o significado daquilo tudo de uma só vez, tentou não pensar nas muitas perguntas que tinha e concentrou-se numa só.

— Se o livro é só uma extensão da Anima Templi, seu código inserido numa alegoria, por que alguém mais iria querê-lo? Por que alguém fez com que o copista o roubasse?

— Como lhe disse, contém os propósitos e ideais da Anima Templi. Poderia, com o testemunho de algum envolvido, servir como prova de nossa existência e do que estamos trabalhando para construir.

— E o que seria isso?

Everard atirou o cobertor para o lado e se levantou da cama. Repeliu a tentativa de Will para ajudá-lo e arrastou os pés pelo quarto até o balde.

— Eu lhe contei o que podia — falou.

Afrouxou os calções e expeliu um gotejar amarelo-escuro de urina para o balde.

— Você vai me ajudar, sargento? — perguntou, secamente.

— Como o senhor pode pedir que me envolva nisso? — perguntou Will, ficando de pé. — Depois de ter usado Elwen como fez, sem ao menos pensar na segurança dela. O senhor me contou tudo e nada. Anátema, isso é o que o senhor disse que o mundo pensaria dos propósitos da Anima Templi. Por que quereria ajudá-lo a salvar algo tão abominável?

Everard voltou-se, amarrando os calções.

— Seu pai o fez.

Will olhou-o assombrado.

— O quê?

— Disse que nunca usei o *Livro do Graal*, o que é verdade. Mas iniciei um novo membro.

Will começou a sacudir a cabeça, mas Everard prosseguiu antes que pudesse falar.

— Por esse motivo James foi para a Terra Santa. Ele foi por mim, pela Anima Templi. E foi por isso que o admiti como aprendiz. Você tem ajudado meu trabalho para a Irmandade nos últimos seis anos. Todas aquelas traduções que você fez eram para nós.

— Não acredito em você — murmurou Will, sentindo as palavras se voltarem contra ele, mergulhando-o num vórtice atordoante.

Queria dizer a Everard que o pai teria lhe contado isso, que James não teria guardado tamanho segredo dele. Mas pensou em como o pai havia sido próximo de Jacques de Lyons no Novo Templo, nas viagens para a França e na súbita partida para a Palestina e teve de se calar.

— Eu o enviei numa missão — prosseguiu Everard, assistindo às emoções se modificarem na face de Will. — Ele foi até lá para ajudar a deter essa guerra. Fez grandes progressos nas negociações com os mamelucos e conquistou um importante contato no círculo de Baybars. Um contato que talvez possa auxiliar a dar um fim à atual crise que ameaça a todos em Outremer. Devemos fazer a paz com os mamelucos ou esse será nosso fim.

— Meu Deus. — Will deixou-se cair pesadamente sobre o banco, a mente tomada pela lembrança da carta que havia encontrado no solar do Novo Templo. Tudo aquilo lhe veio num repente: *a Irmandade, o nosso círculo*. — Era ele? — disse, num sussurro tênue.

— Se não recuperarmos o livro, se não nos certificarmos de que não possa cair nas mãos de mais ninguém, então aquilo que seu pai trabalhou tão arduamente para conquistar será desfeito. Sem a Irmandade, essa guerra irá continuar. Isso, no momento, é tudo o que você precisa saber. Eu lhe contarei o resto no devido tempo, mas até lá, por favor, confie em mim: não devemos deixar que aquele livro se extravie novamente.

Will ergueu subitamente os olhos para ele.

— O senhor contou a ele que não fui sagrado cavaleiro? Escreveu a ele sobre isso?

— Não vi nenhuma necessidade disso. Mantemos um contato mínimo, para limitar o risco de que alguém nos descubra.

Will curvou-se para a frente, com os cotovelos sobre os joelhos, e pôs a cabeça entre as mãos. Sentiu como se tivesse vivido numa imagem de espelho que acabara de ser quebrado para revelar o mundo real que havia por trás. Nada do que pensava era verdade. Tudo havia sido apenas um reflexo da realidade, não a realidade em si. Mas do meio da confusão, do choque e da raiva, brotou um lampejo de esperança. Se aquilo era verdade e James havia partido em missão para a Anima Templi, então o pai não se fora por causa dele. O lampejo se tornou um farol. Se o pai não partira por sua causa, então havia uma chance, uma chance *real*, de que conseguisse uma reparação, de que pudesse ser o filho de James Campbell novamente. Will tirou a cabeça dentre as mãos e olhou para Everard.

— Eu o ajudarei. Mas, em troca, o senhor me iniciará. Depois disso, irei para a Terra Santa para ver meu pai.

— Iremos juntos, William — respondeu Everard. — Você tem minha palavra.

Garin estava no pátio em frente aos alojamentos dos cavaleiros quando viu Will e Everard saírem. Estava esperando ali, com impaciência e desassossego, desde que vira Will entrar. Com o coração acelerado, ele os viu dirigirem-se até os estábulos, o padre apoiando-se em Will. Quando desapareceram lá dentro, ele se levantou e chegou mais perto do longo prédio de madeira. Podia ouvir vozes, a de Will e de outro conhecido seu, Simon. Através de frestas na madeira, viu-os atravessar o estábulo. Garin foi até a porta e entrou com cautela. Simon conduzia Will e Everard até as baias mais afastadas, onde os palafréns ficavam alojados. Estavam de costas para ele. Garin ouviu passos aproximando-se do lado de fora. Enfiou-se numa baia vazia e comprimiu-se de encontro à parede. A área estava em sombras e ocultou-o com eficiência. Ouviu, mas não viu, alguém entrar no estábulo. Em algum lugar nas proximidades, a porta de uma baia rangeu ao se abrir.

Alguns minutos se passaram, depois Garin ouviu um lento bater de cascos e novamente as vozes de Will e Simon. Arriscou uma olhada pela porta da baia. Simon estava conduzindo dois palafréns selados para o pátio. Aquilo tinha de ter algo a ver com o livro, pensou Garin com excitação. Talvez Elwen tivesse-o dado a Will e agora ele e seu mestre o estivessem levando a algum outro lugar. Everard parecia frágil demais para deixar a preceptoria, a não ser por algo importante. Aquela poderia ser sua melhor chance de pegá-lo. Will estava desarmado e o velho não oferecia qualquer ameaça.

Quando Will montou um dos palafréns, Garin saiu da baia vazia, tomando cuidado para manter-se fora de vista, e, apanhando uma sela de um cavalete, abriu a porta de outra baia. Essa continha um *destrier*, um enorme cavalo preto. Garin estalou a língua suavemente ao erguer a sela para o lombo do cavalo. Espiou por cima da porta da baia. Simon havia se abaixado e posto as mãos em cuia para oferecer a Everard um apoio para montar o segundo palafrém. Garin curvou-se para apertar a cilha em torno da barriga do cavalo. Então ouviu um farfalhar de palha atrás de si, seguido de um tênue expirar. Estava se erguendo, prestes a virar-se, quando algo sólido chocou-se contra sua nuca. A visão de Garin escureceu e ele caiu ao solo.

## 27

## Lazareto, Paris

2 de novembro de 1266

Will e Everard pegaram a trilha que seguia a noroeste da preceptoria, com o sol da manhã ofuscando os olhos e o vento açoitando os rostos. Os campos estavam nus e terrosos e as árvores, despidas de folhas, eram silhuetas esqueléticas e oblíquas contra o céu azul. Cavalgaram em silêncio, os cascos dos cavalos ressoando alto no caminho coberto de geada. Os pensamentos de Will estavam povoados pelo pai e pelas revelações de Everard; o padre ia pensativo e sombrio.

Após percorrerem cerca de 800 metros, o som de sinos reverberou pelos campos, partindo da preceptoria atrás deles e da cidade abaixo, convocando para o ofício das Terças. Everard conteve o cavalo, que ia a trote, até que ficasse imóvel. Will puxou as rédeas do seu, enquanto o padre escorregava desajeitadamente para fora da sela.

— Por que você está parando?

— Para orar — disse Everard, fechando o cenho, como se aquela fosse uma pergunta ridícula.

Will, meneando a cabeça ante o melindre de Everard após a anterior insistência para que se apressassem, saltou do cavalo e prendeu as rédeas num espinheiro. Depois recolheu as rédeas do outro palafrém, que Everard havia deixado cair ao solo, e peou o animal, enquanto o padre se ajoelhava à beira do caminho, com as mãos entrelaçadas. Quando fora da preceptoria e incapacitados de assistir a um ofício religioso, cavaleiros, sacerdotes e sargentos ainda assim deveriam rezar. Em vez de ouvir a missa, deveriam então recitar sete Padres-Nossos.

Enquanto se ajoelhava, Will avistou um cavaleiro a alguma distância atrás deles, onde o caminho ascendia antes de mergulhar no vale em que ele e Everard estavam naquele momento. O homem montava um cavalo preto, que Will pensou ser um *destrier*, a julgar pelo tamanho. O cavaleiro diminuiu o trote enquanto Will o observava, depois parou e desmontou, sumindo de vista. Will ajoelhou-se e murmurou os Padres-Nossos com as mãos entrelaçadas, as palavras saindo num fluxo de sons ininteligíveis, que nada significavam à sua mente tumultuada.

— Pronto — disse Everard, quando acabaram, e levantou-se sacudindo o pó da batina. Parecia um pouco mais vívido, como se as orações o tivessem rejuvenescido. — Está quieto, sargento — disse, depois que Will o ajudou a subir na sela.

Will não falou nada ao montar. O comentário o desconcertara. O que, pensou, Everard esperava?

— Você mentiu para mim — disse, de súbito, depois que já estavam a caminho havia alguns minutos. — Todos estes anos você sabia por que meu pai se fora e nunca me contou. Todo esse tempo pensei que havia partido porque...

Will titubeou. Everard, até onde era de seu conhecimento, não sabia sobre sua irmã e, embora não tivesse certeza de mais nada, não queria comunicar aquilo ao padre desnecessariamente.

— Você sabe o quanto senti falta dele — concluiu.

— Se tivesse lhe contado isso — respondeu Everard, bruscamente — teria de contar o resto e você não estava preparado para ouvir.

— E agora? Se Hassan tivesse lhe trazido o livro e Elwen nunca tivesse me contado o que a convenceu a fazer, eu nunca teria descoberto, teria? Você me contou porque precisava de mim. Talvez fosse você quem não estivesse pronto.

Everard olhou-o de lado, mas não respondeu.

— E a minha iniciação? — continuou Will.

Conseguiu manter a voz calma, mas podia sentir a raiva serpentear em meio à confusão, querendo saltar e açoitar o sacerdote por todos os anos de humilhação, críticas e decepção. Uma grande parcela dessa raiva, porém, dirigia-se contra o pai, por fazê-lo acreditar que a partida para a Terra Santa fora por sua causa, mas ainda não estava preparado para confrontar esse sentimento, por isso reprimiu-o e continuou falando.

— Quando você teria me tornado cavaleiro se Elwen não o tivesse feito concordar com aquele trato? Você não está prestes a me iniciar por achar que estou pronto. Vai fazer isso porque é obrigado. — Will olhou para o padre. — Se é que tem qualquer intenção de cumprir sua promessa.

— Não voltarei atrás com minha palavra — disse brevemente Everard. Ele enfrentou o olhar duro de Will. — Vi muitos homens partirem para a guerra tão logo foram sagrados cavaleiros. Vi poucos deles retornarem. Não seja tão ansioso por fazer essa jornada. É muito mais comum esse caminho conduzir à morte. Foi por isso que o privei da iniciação, porque sabia que, tão logo vestisse o manto, você faria essa viagem.

— Claro — resmungou Will. — Porque se preocupa tanto comigo.

— Não, William, não queria perder um secretário tão bom.

Os olhos de Will se apertaram quando encarou o padre, procurando por uma mentira, porém sem encontrar nenhuma.

— Você deve entender — continuou Everard, agora mais calmo — que conservei esses segredos por muitos anos. É difícil soltar algo que mantive trancado. É difícil confiar. Confiei em Armand e quase perdi tudo.

— Isso significa que confia em mim?

Everard sacudiu as rédeas do palafrém.

— Devemos apressar o passo — disse.

Chegaram ao lazareto pouco depois de terem cruzado a Rue Saint-Denis. Era parcialmente coberto por um bosque de grandes carvalhos e os dois quase perderam a pequena trilha que levava aos muros do hospital, sob um dossel arqueado de árvores, através das quais a luz do sol formava desenhos mosqueados no caminho. Três grandes prédios de pedra estavam cercados por um muro baixo, com uma capela à direita, junto a jardins bem cuidados. Parecia uma versão menor e muito menos grandiosa da preceptoria, mas tinha um aspecto despretensioso. Isso surpreendeu Will. Os leprosos mendigavam nos portões da cidade e sempre eram uma visão medonha, vestidos com os trapos e as luvas característicos, com os cabelos soltos e emaranhados, faces frequentemente marcadas por cicatrizes e deformadas de maneira grotesca, e ele nunca os teria imaginado vivendo numa comunidade tão tranquila e aparentemente ordeira.

Quando apearam no portão, Will notou que um homem se dirigia a eles vindo de um dos prédios. As luvas que usava marcaram-no como leproso, mas, até aquele momento, não havia sinais da doença no rosto.

— Posso ajudá-los? — perguntou o homem, um pouco desconfiado, quando se aproximaram. O olhar esvoaçava repetidamente até as cruzes vermelhas nas roupas dos cavaleiros. — Sou o porteiro daqui.

Everard entregou a Will as rédeas do palafrém.

— Procuro por um amigo meu. Ele morreu na noite passada e creio que foi trazido até aqui para ser enterrado. Vim prestar-lhe os meus respeitos.

O olhar do porteiro moveu-se para Will.

— Este é meu escudeiro — acrescentou Everard, apontando casualmente para Will, que mordeu a língua e virou-se para amarrar os cavalos.

— Bem, alguém nos foi trazido tarde da noite passada — respondeu o porteiro. — Embora eu diria que foi a adaga em sua barriga que o matou, e não a doença. Os guardas reais que o trouxeram disseram que ele estava acometido, mas não vi sinais disso.

— Ele estava nos estágios iniciais — respondeu Everard.

— Entre, então. — O porteiro fez uma pequena pausa. — Mas tenham em mente que aqui vocês entram em nossos domínios. Se um caminho for estreito demais para dois passarem, então serão vocês que terão de se afastar para deixar um dos nossos seguir sem tocá-lo. Aqui não estamos sujeitos às mesmas leis que nos governam além desses portões.

— Muito bem — disse Everard, sem se incomodar.

Will resistiu ao impulso de cobrir a boca com a mão quando entraram. A lepra, dizia-se, era causada pela indulgência para com o pecado, principalmente o da luxúria, mas também se achava que era possível contraí-la pelo contato físico, por compartilhar comida ou água com um leproso e até mesmo pelo ar. Por esses motivos, os leprosos eram proibidos de tocar em outras pessoas, congregar-se em locais populosos, como igrejas, e deviam cobrir a boca em público. Mas como o porteiro não demonstrava nenhuma intenção de fazer isso, Will respirava superficialmente pelas narinas, tomando cuidado de ficar a favor do vento em relação ao homem enquanto eram conduzidos através do pátio, passando pelas dependências do hospital.

Havia algumas pessoas no jardim, cuidando de uma esmerada fileira de jovens macieiras ao lado do que pareciam canteiros de hortaliças recém-colhidas. Muitos deles usavam faixas de linho sobre as áreas expostas do corpo e do rosto e todos usavam luvas. Alguns, notou Will, estavam muito pouco afetados, apenas com feridas ocasionais ou leves deformidades nas mãos. Outros estavam nos estágios avançados da doença, após muitos anos de infecção. Era difícil olhar para esses homens. As bandagens cobriam a maior parte das feridas abertas que haviam feito bolhas na pele, mas não era possível disfarçar as formas aberrantes. Narizes, cujos ossos haviam apodrecido totalmente, eram achatados e distorcidos; dentes haviam caído, tornando as bocas frouxas e disformes; as mãos eram crispadas como garras. Alguns homens tinham dedos faltando, enquanto outros, a julgar pelos passos claudicantes, obviamente careciam de artelhos e, sob o aroma ácido das maçãs ainda verdes, Will podia sentir o nauseante fedor adocicado da carne em decomposição.

Quando diagnosticado com a doença, um leproso era forçado a postar-se de pé numa sepultura aberta enquanto a Missa do Réquiem era rezada acima dele. Will agora via, nos rostos desses homens, provas daquela morte em vida. Não havia mulheres entre eles; às doentes do sexo feminino era negada a hospitalização e só lhes restava mendigar nas estradas fora das cidades.

— Tínhamos uma sepultura aberta como que por sorte — disse o porteiro, conduzindo-os à capela. — Bertrand, nós sabemos, passará em breve. Porém ainda resistia na noite passada, portanto usamos a sepultura dele para o seu amigo. Vinha de Gênova, então?

Everard olhou para o homem.

— Gênova?

— Seu amigo — disse o porteiro, passando por um intervalo no baixo muro de cascalho que contornava a capela e o cemitério. — Ele era de Gênova, foi o que o guarda disse.

Will não achou que o padre fosse responder. Depois de um silêncio constrangedor, Everard respondeu.

— Sim — resmungou. — Gênova.

Sob um azevinho no canto mais afastado do cemitério, que se situava sob a sombra gélida lançada pela capela, havia uma tumba recém-fechada.

— Foi ali que o enterramos — disse o porteiro, quando se aproximaram. — Não foi uma grande cerimônia. Um dos coveiros e eu o pusemos ali e dissemos uma rápida oração. Estava escuro e chovendo — acrescentou, vendo a expressão de Everard.

— Eu mesmo direi minhas preces — murmurou Everard, agachando-se. Ele se voltou para o porteiro. — Posso ter um momento de privacidade?

— Fique quanto quiser — disse o porteiro. — Você consegue encontrar a saída?

Everard fez que sim. Esperou até que o porteiro tivesse desaparecido atrás de um dos lados da capela, depois voltou-se novamente para a sepultura. Arrancou a pequena cruz de madeira da cabeceira do monte de terra e atirou-a para o lado, para então se levantar.

— Estou vendo uma pá logo ali, sargento.

Will desviou os olhos da cruz, que havia caído num canteiro de urtigas, e dirigiu-se para onde Everard apontava. Um momento depois, retornou com uma pá, que fora deixada junto a uma lápide esfarelada e musgosa e tinha uma espessa camada de lama. Everard deu um passo para trás, montando guarda, enquanto Will começou a cavar, revirando a terra úmida e pesada. O trabalho o fez suar, apesar do frio, e as costas doíam à medida que o monte de terra ao lado da sepultura ficava mais alto. Finalmente, a pá golpeou algo macio. Will abaixou-se e raspou a terra solta em torno do corpo que se revelara, embrulhado numa mortalha de linho. Sentou-se sobre os calcanhares quando acabou, sentindo o forte cheiro de terra.

Everard hesitou por alguns momentos, depois adiantou-se e ficou de joelhos. Lentamente, estendeu as mãos e, com cuidado, desenrolou ternamente a mortalha da cabeça de Hassan. Will virou o rosto quando a face do sarraceno apareceu, negra de sangue coagulado e feridas, contorcida e rígida, congelada na agonia que deve ter sentido no momento da morte. Everard não desviou o olhar, mas inclinou-se para diante, pousou a mão na testa de Hassan e começou a sussurrar.

— *Ashadu an la ilaha illa-lah. Wa ashhadu anna Muhammadan rasul-Ullah.*

Will tornou a olhar, ouvindo a cantilena sonora que partia dos lábios do sacerdote. Era árabe. Sabia o que significava porque havia se deparado com aquilo em várias traduções em que trabalhara ao longo dos anos.

*Exite apenas um único Deus, e Maomé é Seu Mensageiro.*

Era a *Shahada* — a profissão de fé que deveria ser dita no ouvido de um muçulmano no momento da morte, assim como a extrema-unção era dita a um cristão. Isso confirmou a suspeita de Will de que Everard havia mentido sobre a conversão de Hassan. Mas, com a face massacrada e ensanguentada de Hassan o encarando, não se sentiu chocado ou enraivecido; em vez disso, sentiu-se envergonhado por ser um conterrâneo dos que haviam feito aquilo ao homem que um dia salvara sua vida.

— Quem você acha que fez isso a ele?

— Alguém sem alma — disse Everard em resposta, ainda segurando a testa de Hassan. — Alguém consumido pelo ódio e pelo medo, que enxerga apenas o inimigo exterior, não o inimigo que tem dentro de si.

— Parece tão sem sentido... — murmurou Will.

Everard olhou para ele. Os olhos pálidos e injetados estavam úmidos.

— Hassan morreu a serviço de algo em que acreditava. Quantos homens podem dizer o mesmo?

Will não argumentou. O ar esperançoso nos olhos de Everard imploravam por confirmação, por consolação.

— Não muitos — concordou.

Por fim, Everard enxugou os olhos.

— Ajude-me — disse, afastando o restante da mortalha.

Will curvou-se sobre o outro lado da sepultura. A mortalha enroscou em algo que se projetava do corpo. Após desembaraçá-la, Will constatou que era o cabo de uma adaga, ainda cravada do lado do corpo de Hassan. Enojado, fez menção de removê-la, mas Everard pôs sua mão sobre a dele.

— Deixe isso. Não o incomoda onde ele está agora.

Abriram a capa cinzenta de Hassan e Everard o apalpou. Começou a parecer preocupado, mas então deslizou a mão sob as costas do árabe morto e um ar de triunfo perpassou seu rosto.

— Está aqui.

Will esforçou-se para virar Hassan enquanto o padre enfiava a mão por baixo dele e tirava um livro sujo com encadernação de velino. O pergaminho estava encharcado, a capa manchada de lama, mas algumas das palavras gravadas a ouro ainda eram visíveis e reluziram contra a luz. Everard fechou os olhos ao segurá-lo e sussurrou algo entre dentes. Uma oração, supôs Will, pela expressão de completo alívio em seu rosto.

— Acabou — disse Everard, ao abrir os olhos. — Finalmente, posso retornar a Acre para concluir o trabalho de minha vida. — Lançou um olhar triste e afetuoso para Hassan. — Antes de me juntar a ele.

— Dê-me o livro, Everard — pronunciou uma voz glacial atrás deles. — Ou se juntará a ele antes do que pensava.

Ambos viraram-se, alarmados. Nicolas de Navarre estava parado ali. Segurava uma besta armada, apontada para Everard. Usava uma capa preta sobre o manto branco e os cabelos longos e escuros estavam amarrados para trás, num rabo de cavalo.

— Irmão Nicolas? — pronunciou Everard, apertando o livro. Olhou para trás do cavaleiro, esperando ver Gilles e os dominicanos, mas o cemitério não tinha mais ninguém.

— Sabia que você mandaria seu cão de caça apanhar o livro do trovador. Mas tenho de dizer que não esperava que usasse uma serviçal para executar o roubo. Você devia estar verdadeiramente desesperado. — Nicolas olhou para o corpo de Hassan atrás do sacerdote. — Soube que o sarraceno fora encontrado morto na noite passada e, como não retornou à preceptoria, supus que o livro estaria com ele. É uma pena. Queria usá-lo como uma prova adicional de sua corrupção. Ele não é cristão, é, Everard?

— O que significa isso, irmão? — perguntou Everard, tentando parecer exasperado, mas conseguindo apenas soar temeroso.

— Não sou seu irmão. Dê-me o livro — Nicolas apontou a besta para a garganta de Everard. — Não pedirei novamente.

Os olhos de Everard moveram-se vagarosamente para a arma.

— Meu Deus, foi você, não foi? — ofegou. — Você forçou Rulli a roubar o livro das galerias e o matou no beco? É por isso que está sozinho aqui. Você não está aqui em nome do visitador, nem dos dominicanos. Está por conta própria.

Will olhou de relance para a adaga que se projetava do lado do corpo de Hassan. Enquanto os olhos de Nicolas estavam fixos em Everard, aproximou-se um passo da sepultura.

— Poderia ter deixado o copista viver — disse Nicolas —, se Hassan não tivesse interferido. Mas não podia permitir que revelasse minha identidade.

— Como você soube do livro? — inquiriu Everard.

— Conversei com alguns dos que deixaram seu círculo depois do período em que Armand ocupou o poder. Sei tudo sobre vocês, Everard; seus segredos, o que vocês fizeram.

— Você esteve aqui esse tempo todo? Uma serpente no meu convívio.

Everard falava em voz baixa, mas os olhos não se afastaram da besta.

— Esperei por este momento por mais de sete anos. Sete anos desde que deixei meu lar para vir a esta terra; fui forçado a vestir este falso manto, fingir ser um de vocês, seu irmão.

Os olhos de Nicolas estavam injetados de inimizade.

— A justiça tardava a chegar. Mas agora a teremos. O Templo e seus líderes se ocultaram por muito tempo sob a batina do papa. Quando ele vir o que vocês fazem em sua iniciação, quando ler as imundícies que você escreveu como seu código secreto, não terá escolha além de destruí-los. Até o último de vocês.

A pele morena de Nicolas estava corada de triunfo e franca ferocidade.

— Você é um homem de letras, Everard. Conhece, estou certo, a história de Davi e Golias.

Everard não respondeu.

— E assim como, usando nada mais do que uma pequena pedra, Davi abateu a besta que se encontrava diante de si, farei desmoronar o poderoso Templo com nada mais que um livro.

Will deu mais um passo em direção à cova.

— Por que você faria isso? — murmurou Everard. — Quem é você?

— Sou um dos homens que sua Ordem traiu em Acre. Um dos homens que você e os outros, sob o comando daquele desgraçado chamado Armand, embarricaram em nossa fortaleza, recusando-se a deixar que comida e medicamentos entrassem, e impedindo qualquer um, inclusive os doentes e moribundos, de sair. Sou um cavaleiro da Ordem de São João. E o homem que trará seu fim.

Will olhou fixamente para o cavaleiro, recordando como Nicolas havia resolvido com tanta facilidade o incidente em que se encontrara com os hospitalários bêbados, alguns meses antes.

— Eu e outros de meu grupo rogamos para que Armand interrompesse aquela loucura — disse Everard. — Tentamos, acredite-me. O que Armand fez foi indesculpável, sim, mas não foi um feito nosso.

— Vocês tentaram? Enquanto tentavam, Everard, eu assistia a meus amigos e irmãos morrerem de ferimentos ou doenças que poderiam ter sido tratados. Imploramos aos templários que autorizassem que comida e água atravessassem o bloqueio para os enfermos. Recusaram, e quando aqueles mesmos homens morreram, não abriram as fileiras nem mesmo para nos deixar levar os corpos para serem sepultados. Por meses, sufocamos no fedor da carne em decomposição de nossos companheiros. Indesculpável? — O tom de Nicolas era implacável. — Não consigo pensar numa palavra forte o bastante para descrever isso.

— A destruição das vidas de tantos outros mais vai reequilibrar essa balança?

— Será um começo — Nicolas levantou a mão livre.

— Você não pode saber o que isto é realmente! — disse Everard, agarrando desesperadamente o *Livro do Graal*. — Se soubesse, não procuraria destruir a mim e a minha Irmandade. Não somos os que lhe fizeram mal, eu lhe digo! Armand está morto e enterrado. Cumpriu sua pena numa prisão do Cairo.

— Você e os outros líderes do Templo e seu grupo secreto defenderam a traição dele. Todos vocês devem pagar pelo que ele fez. Se as leis de cortes e reinados não servirem para puni-los por seus pecados, então nós o faremos.

— Destruindo o Templo, você nos destrói a todos!

Enquanto o sacerdote gritava essas palavras, Will mergulhou para arrancar a adaga do corpo de Hassan. Ela ficou presa por um segundo infinito, depois saiu com um som de sucção. Apontou a lâmina para Nicolas.

O cavaleiro desviou a besta para apontá-la para Will. Os dois então se encararam. Nos olhos de Nicolas, Will não viu nem um pouco do bom humor ou da afabilidade que vira naquele dia, diante da oficina do fabricante de pergaminhos. Era como se olhasse para outro homem.

— Eu o alertei uma vez sobre desembainhar uma arma com tanta prontidão, Campbell.

Como Will não se moveu, Nicolas dirigiu-se a Everard.

— Diga a seu sargento para largar a arma, Everard. Ou o matarei.

Will sentiu a mão do padre no ombro.

— Faça o que ele diz — murmurou Everard, soando derrotado.

Will hesitou, mas Everard apertou seu ombro com mais força e ele abaixou a arma. Enquanto o fazia, Everard atirou o *Livro do Graal* aos pés de Nicolas.

— Você não sabe o que está fazendo.

Nicolas abaixou-se e apanhou o livro.

— Nunca tive mais clareza — respondeu.

Ele recuou, ainda apontando a besta para Will. Quando alcançou a capela, virou-se e saiu em disparada. Em um momento, sumiu de vista.

Will partiu atrás dele.

— Espere, sargento — disse Everard.

Will olhou para trás.

— Ele vai fugir.

— E nós o deixaremos. Por enquanto.

Everard tirou a adaga da mão de Will e pousou-a sobre o peito de Hassan.

— Lamento, meu amigo — sussurrou, cobrindo o árabe com a mortalha. — Venha — disse para Will. — Vamos retornar à preceptoria. Precisamos de ajuda.

Mas quando Will e Everard chegaram ao portão, descobriram que seus palafréns tinham desaparecido.

*Sete Estrelas, Paris, 2 de novembro de 1266*

Garin subiu dois dos degraus instáveis por vez. A cabeça latejava e um grande galo inchava o couro cabeludo, que estava sensível ao toque. Sentia-se enjoado. Sete portas enfileiravam-se no corredor obscuro no andar de cima, com uma oitava no fim dele. Debaixo de algumas vazava luz, além de ruídos abafados: gritos e gemidos que sugeriam prazer, dor ou ambos. As tábuas do assoalho estavam apodrecidas em alguns pontos e rangiam ameaçadoramente sob as botas de Garin à medida que percorria o corredor, com os olhos na última porta. Fez uma pausa antes de abri-la, temendo o que encontraria atrás dela. Enrijecendo os nervos, entrou. Rook estava sentado na mesa de trabalho de Adela, devorando uma coxa de galinha. A gordura escorria pelo queixo e pequenos fiapos de carne estavam grudados nas faces hirsutas. Estava só.

Garin fechou a porta.

— Onde está Adela? — perguntou com nervosismo, olhando ao redor do recinto.

— No pátio — disse Rook, com a boca cheia de carne. — Você o tem?

Garin não respondeu por um momento. Através da janela ouviu um som raspante, seguido da voz de Adela. Concluiu que estava comprando barris novos para serem consumidos à noite. O som da voz o tranquilizou.

— Não — respondeu a Rook. — Não o tenho.

Rook largou a coxa de galinha no prato.

— Onde está, então? — grunhiu, levantando-se e limpando a boca engordurada com as costas da mão. — Minha fonte me contou que o trovador foi preso na noite passada, mas nenhum livro foi encontrado. Então, se você não o tem, é melhor saber muito bem quem tem.

— Vi Will Campbell, sargento de Everard — respondeu Garin, sem avançar um centímetro. O quarto estava tomado pela fumaça da lareira, que voluteava nas colunas de luz solar que atravessavam as cortinas das janelas. — Estava conversando com Elwen do lado de fora da preceptoria esta manhã.

— Quem?

— Eles se conheciam do Novo Templo. Ela é camareira no palácio. — Garin fez uma pausa. — Não acho que Hassan tenha pegado o livro. Acho que ela o pegou.

Garin contou-lhe o que Etienne havia dito sobre a criada com nome falso que batia com a descrição de Elwen; a criada que Pont-Evêque havia acusado de roubar o *Livro do Graal*.

— Acho que ela pode tê-lo entregue a Will — concluiu.

— E daí? — indagou Rook, com impaciência.

— Vi Will e Everard deixando a preceptoria cerca de duas horas atrás. Ia segui-los, mas... — Garin vacilou, comprimindo os lábios. — Mas fui atingido na cabeça por alguém e... não vi quem foi — concluiu, ante o silêncio enervante de Rook.

— Entendo — Rook contornou a mesa e caminhou até Garin. — Então nossa chance de nos apoderarmos desse livro se foi, não é? Tudo porque você foi estúpido a ponto de se deixar ser visto.

Avançou contra Garin, golpeando o jovem com a porta. Garin gritou, pois a madeira chocou-se fortemente contra seu ferimento.

— Não faça isso, Rook! Minha cabeça!

— Dói, não é? — disse Rook. Agarrou um punhado dos cabelos louros de Garin e comprimiu a cabeça do cavaleiro contra a porta. — *Não é?*

A dor quase cegou Garin, tamanha a intensidade.

— Não acho que eles tenham ido longe! — disse. — Não tinham suprimentos e Will estava desarmado. Onde quer que tenham ido, deve ter sido dentro da cidade! Ainda podemos achá-los!

— Como?

— Sei de um jeito!

— É melhor saber, ou, juro por minha vida, farei você se lamentar. Você e aquela cadela que está lá embaixo.

Garin, lutando contra ondas de náusea provocadas pela dor na cabeça, encarou Rook, com o ódio crescendo nele como bile, amarga e pungente.

Era um cavaleiro do Templo, um nobre de grande linhagem que se estendia, dissera o tio, até a época de Carlos Magno. Rook era um ladrão notório, um bastardo nascido nas ruas do Cheapside, membro de um famoso bando que havia aterrorizado Londres durante anos, até que a própria mãe de um deles os denunciou e foram presos e sentenciados à forca. Rook foi poupado do patíbulo por Edward e tirado da sarjeta. Mas ainda não passava de um cão.

Garin esforçou-se para se concentrar na recompensa que colheria após completar aquela tarefa e, não menos importante, na partida de Rook da cidade.

— Teremos de ter cuidado, o que quer que façamos — disse, tocando o couro cabeludo cautelosamente. Os dedos voltaram salpicados de sangue.

— Não sei quem me atacou nos estábulos. Ou estavam atrás do livro ou me viram espreitando o padre e quiseram me impedir de segui-lo.

Meneou a cabeça.

— Talvez fosse Hassan — continuou. — Não o vejo desde a tarde de ontem.

Uma ideia sobre o que teria de fazer veio à mente de Garin, mas hesitou antes de expressá-la em palavras. Se seguisse por esse caminho, poderia ser difícil regressar.

— Acho que devemos concentrar nossas atenções em Will — disse, por fim, impossibilitado de pensar em outra solução e incapaz de suportar mais dor. — Tenho certeza de que ele sabe do paradeiro do livro.

Garin respirou fundo. Pensou nas sonhadas terras, no título e nas riquezas. Pensou no orgulho e na felicidade da mãe e pensou em Adela, compartilhando o leito apenas com ele, que a teria todas as noites que quisesse. Expirou com decisão.

— Nós o traremos até aqui e você poderá perguntar-lhe onde está o livro.

— Como faremos com que venha até aqui? — perguntou Rook, após um momento.

Garin o encarou.

— Use Elwen.

## 28

## Ville, Paris

2 de novembro de 1266

— Você não vai me dizer mais nada sobre o que é tudo isso? — ofegou Simon, enquanto abria caminho a cotoveladas ao lado de Will, espremendo-se entre os grupos de pessoas que abarrotavam as ruas. Era dia de feira e a Ville era um alvoroço de comerciantes e compradores. — É claro que você não me contou tudo.

— Contei tudo o que podia — disse Will, olhando de lado para o amigo. Sentiu-se culpado por ter arrastado Simon naquilo sem uma explicação adequada, mas Everard havia insistido para que levasse alguém consigo a fim de vigiar a retaguarda e Simon era a única pessoa a quem confiaria tamanha responsabilidade. Ter o cavalariço corpulento ao lado fazia-o sentir-se mais seguro.

— Não enfrente Navarre sozinho — havia-lhe alertado o sacerdote na preceptoria, enquanto Will prendia o alfanje à cintura. Pousara a mão ossuda sobre o ombro do sargento. — Dependo de você. Traga-me o livro e, juro, farei com que seja sagrado cavaleiro.

— Nicolas de Navarre, um traidor? — ofegou Simon, com o rosto enrubescido e suado pelo esforço. — É difícil acreditar nisso. E o que era esse livro que roubou?

— Um texto valioso pertencente a Everard. Achamos que ele planeja vendê-lo, por isso devemos nos apressar.

— E ele nos mandou para recuperar o tal livro? — Simon meneou a cabeça. — Não entendo isso. Por que não mandou cavaleiros armados? — O cavalariço olhou com preocupação para o alfanje na cintura de Will. — Vamos ter encrenca? Porque, Will, você sabe que não consigo lutar.

— Não pediria isso a você. Mas se Nicolas vir nós dois, ficará menos propenso a um confronto.

Will desejou que isso fosse verdade. Sabia que era bom com uma espada, mas não tinha ideia da capacidade de Nicolas e nem tentava imaginar suas chances contra uma besta. Isso se Nicolas tivesse de fato ido até a preceptoria dos hospitalários. Caso contrário, Will não teria a menor ideia de onde poderiam encontrá-lo.

— Seríamos mais rápidos a cavalo — disse Simon.

Will não respondeu. Simon não estava nos estábulos quando ele e Everard retornaram do lazareto sem os dois palafréns que haviam pegado. Everard teve de explicar ao mestre cavalariço que as montarias haviam sido roubadas. O mestre, depois disso, recusou-se a permitir que o sacerdote retirasse qualquer outro cavalo dos estábulos sem que um relatório apropriado fosse feito ao visitador e esse era o motivo por que ele e Simon agora corriam até a preceptoria da Ordem de São João, em vez de cavalgar.

Will odiava ter de pôr o amigo em risco. Mas acima e além da culpa, sentia-se lúcido, determinado. A iniciação começava a despontar e, pela primeira vez em anos, talvez desde sempre, tinha um propósito. A promessa que fizera a si próprio, a de ir para a Terra Santa e ver o pai, já não era uma fantasia. Era real. E o mais importante era que finalmente fazia algo de que sabia que o pai iria se orgulhar. A absolvição já não era apenas alcançável; parecia inevitável. Que melhor maneira de reparar seus pecados do que salvar a Anima Templi e levar paz para Outremer? Acontecesse o que acontecesse, iria recuperar aquele livro. Não deixaria que Nicolas arruinasse isso, por mais compreensível ou justificável que o ódio do homem parecesse. Também estivera esperando por aquele momento por muitos anos.

Apressaram o passo ao deixar a multidão nos arredores da feira de gado. À frente, acima dos telhados, Will podia ver as torres cinzentas da preceptoria se erguendo do recesso murado. Puxando a capa preta para encobrir a cruz vermelha na túnica, seguiu por um beco estreito que se abria para a rua margeada pela preceptoria, com Simon esforçando-se para continuar atrás dele. Além da estreita abertura que estava à sua frente, Will podia ver os portões. Estavam abertos. Diminuiu o passo, ofegando, mas quando alcançou a saída do beco, quatro cavaleiros saíram pelos portões montados em cavalos de batalha. Vestiam simples capas de cavalgada, mas Will, detendo-se na abertura do beco, viu que tinham longas sobrecotas pretas sob elas, nas quais traziam bordada a cruz branca dos hospitalários. Reconheceu dois deles. Um era Rasequin, o homem que havia desafiado em frente à oficina do fabricante de pergaminhos. Não parecia bêbado agora; parecia vigilante. Uma das mãos segurava o cabo da espada quando saiu pelo portão. Os cascos do corcel arrancavam grandes torrões de lama da rua. Ao lado dele cavalgava Nicolas de Navarre. Também usava um uniforme de cavaleiro de São João.

Will gritou quando passaram por ele, mas o trovejar dos cascos foi alto demais para que qualquer um dos cavaleiros o ouvisse enquanto seguiam pela rua a galope, dispersando as pessoas à passagem. Atrás das selas estavam atados sacos e cobertores. Partiam para uma viagem. Will praguejou quando os viu desaparecer numa esquina e a rua voltar a encher-se progressivamente de pessoas. Os portões da preceptoria se fecharam.

Simon curvou-se para diante com as mãos nos joelhos, ofegante.

— Aquele era Nicolas, não era? — perguntou. — Por que estava vestido como um hospitalário?

— Ele foi mandado por sua ordem para pegar o livro — admitiu Will após um momento. Antes que Simon pudesse fazer mais perguntas, indicou uma rua lateral que contornava o muro da preceptoria. — Vamos entrar. Descobrir para onde foram.

— Não estamos indo pelo caminho errado? — disse Simon, enquanto Will o conduzia pela rua lateral. — Os portões ficam ali.

— Não sei quem mais ali tem conhecimento sobre Nicolas. Pode ser que todos estejam envolvidos nisso. — Will se deteve, olhando para o muro de cascalho, além do qual havia uma fila de árvores e o pináculo da capela da preceptoria. — Não podemos simplesmente entrar.

— Não consigo subir aí — disse Simon obstinadamente, enquanto Will começava a escalar o muro, os dedos procurando pontos de apoio entre as pedras irregulares e salientes.

Will alcançou o topo e içou o corpo com a força dos músculos retesados dos braços. Espiou por cima do muro. Além das árvores havia uma grande área de terreno aberto pontilhada de cruzes de pedra — o cemitério dos cavaleiros. Will pôde ver um gramado e vários prédios altos atrás da capela. Havia homens deslocando-se pelo gramado, mas o muro em que havia subido era encoberto pelas árvores e estava protegido de olhares superficiais, de modo que ele e Simon só poderiam ser vistos se alguém olhasse diretamente para eles.

— Venha — Will incitou Simon, que olhava para ele com ansiedade.

— Cristo — murmurou o cavalariço, agarrando-se desajeitadamente muro acima depois de um momento de hesitação. — Você vai acabar comigo — ofegou, choramingando ao esfolar os nós dos dedos nas pedras afiadas. Enfiou o pé numa pequena fenda ao se aproximar do topo, mas era pequena demais para o bico da bota e ele escorregou.

Will agarrou seu pulso e o ergueu. Escarranchado com as coxas de cada lado do muro e arfando com o peso de Simon, levantou o cavalariço pelos últimos centímetros, até que esse conseguisse se firmar no topo. Por vários instantes depois disso, Simon esteve trêmulo demais para fazer algo além de continuar montado sobre o muro. Por fim, depois que Will o persuadiu, ambos se deixaram cair no cemitério e, usando a cobertura das árvores, seguiram caminho ao longo do muro.

— Não sei quem você acha que irá contar-lhe para onde Nicolas foi — murmurou Simon, esfregando as juntas esfoladas. — Se estão todos envolvidos no roubo desse livro, duvido que os hospitalários lhe contem qualquer coisa. — Olhou para as torres do prédio principal. — É mais provável que nos atirem no calabouço.

— Não vou perguntar para um cavaleiro — respondeu Will, dirigindo-se para uma longa edificação de madeira que margeava o gramado, fora da qual estavam empilhados vários fardos de feno: os estábulos. Quando ele e Simon saíram do cemitério, viram um grupo de cavaleiros de pé no pórtico de um prédio em frente à entrada das cavalariças. Will conferiu se as cruzes nas túnicas dele e de Simon estavam bem cobertas, depois atravessou o gramado.

— Aja normalmente — disse entre dentes para Simon, que olhava disfarçadamente para os homens. Os cavaleiros não prestaram a menor atenção aos dois jovens enquanto cruzavam a grama e sumiam dentro do prédio.

Will olhou em volta quando entraram, acostumando os olhos à penumbra. Um garoto de cerca de 12 anos estava parado junto a uma mesa mais adiante, polindo um conjunto de selas.

— Cheque o restante do estábulo — Will murmurou para Simon, enquanto se aproximava do garoto.

— Checá-lo? — perguntou Simon, parecendo desconcertado. — Para quê?

— Para ter certeza de que não tem mais ninguém.

Will sorriu. O rapaz havia parado de polir as selas e olhava para ele.

— Posso ajudá-lo, senhor? — perguntou com a voz aguda, infantil.

— Espero que sim — respondeu Will, ainda sorrindo. — Você selou quatro cavalos de um grupo de cavaleiros ainda agora, não foi?

— Selei, senhor.

— Pode me dizer para onde estavam indo?

O garoto olhou para Simon, que percorria o estábulo, olhando pelas portas das baias.

— Quem são vocês? — perguntou, franzindo as sobrancelhas. — Nunca vi nenhum dos dois antes.

— Somos novos — disse Will. — Esses cavaleiros. Diga-me para onde foram.

O rapaz largou o pano com ar inseguro.

— Acho melhor vocês perguntarem ao marechal. — Ele fez menção de passar por onde Will estava. — Vou buscá-lo para vocês.

Will segurou o braço do menino com força.

— Não há necessidade de incomodá-lo.

— Largue-me! — disse o rapaz, parecendo entrar em pânico. — Você está me machucando!

— Cristo, Will! — silvou Simon, enquanto Will arrastava à força o garoto, que se debatia, mais para dentro do estábulo e imobilizava-o de encontro à porta de uma das baias.

— Não vou machucá-lo — murmurou Will —, mas preciso saber para onde aqueles cavaleiros foram. É muito importante que você me conte isso.

— Por favor, deixe-me ir — disse o menino, numa voz sumida. Os lábios começaram a tremer.

— Will... — começou a dizer Simon, assistindo chocado à negociação.

Will olhou para ele e Simon ficou em silêncio diante da expressão nos olhos verdes do amigo. Aquilo o assustou.

— Conte-me — Will insistiu, puxando a capa levemente para o lado, de forma que o rapaz pudesse ver o alfanje.

— La Rochelle — despejou o rapaz, com o olhar transfixado pela espada. — Estavam indo para La Rochelle. Ouvi-os falar sobre Acre e o grão-mestre.

— Acre?

— É só o que sei — soluçou o garoto. — Juro que é!

Will examinou-lhe o rosto, depois fez que sim.

— Entre — ordenou, destrancando a porta da baia contra a qual havia pressionado o rapaz e abrindo-a.

O garoto fez o que lhe foi dito. Ainda podiam ouvi-lo soluçar quando deixaram o estábulo.

— Não acredito que você fez isso — resmungou Simon, enquanto seguiam o caminho através do cemitério em direção ao muro.

— Ele ficará bem — respondeu Will, distraidamente.

Simon parou.

— Você não precisava assustá-lo daquele jeito!

Will virou-se para ele.

— Simon, vamos. Temos de voltar para a preceptoria. — Aproximou-se de Simon e segurou o ombro dele. — Não queria fazer isso, mas fui obrigado. Ele teria corrido e chamado o marechal, e nesse caso onde estaríamos agora? Nem um pouco mais informados e provavelmente numa cela, como você disse.

Simon não falou nada, porém seguiu-o.

A manhã havia dado lugar ao início da tarde quando atravessaram a Porta do Templo e subiram apressados a Rue du Temple. O vento havia ficado mais forte e imensas nuvens brancas estavam se formando a leste, cruzando rapidamente o céu e lançando sombras sobre as encostas das colinas. Quando se aproximavam da preceptoria, o sino da capela começou a repicar. Não era o lento e sonoro chamado para a oração. Era rápido e intenso: um sinal de alarme. O som encheu Will de maus pressentimentos.

Quando ele e Simon chegaram ao pátio principal, viram uma grande companhia de cavaleiros enfileirados entrando na sala capitular. Outros juntavam-se a eles, atravessando às pressas o gramado. O sino ainda tocava.

— Campbell!

Will virou-se e viu Robert de Paris correndo em sua direção. Robert jogou os belos cabelos louros para trás e apontou a sala capitular com a cabeça.

— Sabe o que está acontecendo? — perguntou.

— Não, estava na cidade.

Então viu um grupo de cavaleiros, incluindo o visitador, Everard e Hugues de Pairaud, vindo em sua direção. Com a companhia havia vários cavaleiros usando mantos encardidos de viagem. Will deu um passo adiante, pensando em chamar Everard, mas algo nas fisionomias dos homens o interrompeu. O grupo passou por ele e se dirigiu à sala capitular, mas Hugues se deteve a um sinal interrogativo de Robert.

— O que está acontecendo? — Will ouviu-o perguntar.

Através das portas abertas da sala capitular vinha o som de vozes chocadas e alteradas. Acima do clamor, Will ouviu Hugues dizer algo a Robert que o fez esquecer totalmente Nicolas de Navarre e o *Livro do Graal*. Aproximou-se apressadamente. O rosto de Robert estava transtornado.

— Will... — começou ele a dizer.

— Vocês disseram algo sobre Safed? — Will interrompeu-o.

— Sim — disse Hugues, respondendo no lugar de Robert. Anos de exercício haviam despojado seu corpo da maior parte da gordura, mas ainda havia algo desafortunadamente porcino nos pequenos olhos azuis e no nariz rombudo. — A cidade caiu.

Will abriu a boca para falar, depois sacudiu a cabeça e olhou para Hugues como se não tivesse escutado o cavaleiro corretamente.

— O irmão Marcel veio de nossa base em La Rochelle — continuou Hugues, apontando para um homem fortemente bronzeado que estava parado dentro do pórtico da sala capitular. — Ele é o capitão de um dos nossos navios de guerra, que chegou ao porto na semana passada. O grão-mestre Thomas Bérard mandou-o de Acre tão logo se soube da notícia. Safed foi tomada em julho pelo sultão mameluco, Baybars. Não houve sobreviventes.

— Como vocês sabem que ela caiu, então? — perguntou Simon.

— Baybars mandou uma mensagem para o grão-mestre Bérard, detalhando o destino dos nossos irmãos. Ele decapitou a guarnição inteira e colocou as cabeças em estacas ao redor da fortaleza. — Hugues fez uma careta amarga. — Aparentemente para alertar-nos para o que nos espera. O capitão Marcel trouxe apenas uma pequena tripulação de Acre. O restante de nossas forças em Outremer foi enviado para reforçar nossas guarnições e cidades por todo o Reino de Jerusalém. Todos os homens de que pudermos dispor serão mandados para o Oriente.

— Hugues — murmurou Robert, tocando seu ombro.

Hugues dirigiu um olhar para ele, mas continuou falando com gravidade para Will e Simon.

— Baybars e seu exército se retiraram para sua base em Alepo, mas atacarão novamente, é certo. Baybars declarou a *Jihad* contra nós. Estamos em guerra.

— Hugues — disse Robert, agora com firmeza.

— O quê? — perguntou Hugues.

— Cale-se.

Eles viram Will subitamente afastar-se cambaleando e vomitar na lama.

# 29

## Alepo, Síria

2 de novembro de 1266

Baybars sentou-se, subjugado e silencioso, observando os homens moverem-se pela sala do trono. Os comandantes acomodavam-se em almofadas ou deslocavam-se de grupo em grupo, fazendo pausas para apanhar licores de frutas das bandejas estendidas pelos servos. Acima dos sons de risos e conversas pairavam as melodias queixosas dos músicos. Garotas em trajes vaporosos dançavam no centro do salão, com os corpos convulsos. Os homens, hipnotizados, observavam as formas espiraladas. As dançarinas subitamente se dispersaram quando uma figura arqueada, usando um robe cinzento em farrapos, disparou pelo meio delas. Alguns dos oficiais mais jovens riram quando Khadir, arremedando os gritos agudos das garotas, perseguiu-as em volta dos pilares. Os restos do festim da noite jaziam espalhados pelas tábuas da mesa: farelos de bolos de mel; nacos de carne de carneiro com a gordura coagulada; tocos lenhosos de aspargo; amêndoas açucaradas.

Perto dali, Omar conversava com Kalawun e vários outros comandantes. Baybars atraiu seu olhar e chamou-o com um gesto. Omar deixou o grupo e subiu os degraus até o trono.

— Meu senhor? — perguntou.

— Vamos dispensar os festejos.

— Podemos esperar um pouco mais? — sugeriu Omar. — Deixar que os homens tenham um pouco de...

— Agora, Omar.

— Sim, meu senhor.

Os comandantes e líderes dos regimentos ficaram em silêncio quando um dos serviçais tocou um sino de ouro, indicando o início do encontro.

Os músicos cessaram as melodias e as dançarinas esvoaçaram para fora do salão. Todos os olhos se voltaram para Baybars, que se levantou do trono.

— Espero que tenham apreciado o festim.

Suas palavras foram respondidas com uma educada salva de aplausos.

— Deveremos ter mais no ano que se aproxima.

Houve mais aplausos.

— Pois teremos vitórias ainda maiores a celebrar do que aquelas que tivemos até aqui.

Apontou Kalawun com um movimento de cabeça.

— Estive conversando com alguns de vocês ao longo das últimas semanas, a respeito dos próximos estágios da nossa campanha. Desde então, tomei decisões quanto ao nosso objetivo principal. — Fez uma pausa, percorrendo as faces dos presentes. — Tomaremos a cidade de Antioquia.

Houve alguns murmúrios de surpresa, outros mais de preocupação.

— Meu senhor sultão — disse um dos comandantes, um homem ambicioso que era sempre o primeiro a falar. — Isso iria requerer um ataque em massa. Antioquia é a cidade mais fortificada de toda a Síria.

— A extensão daquelas fortificações, por si só — respondeu Baybars —, também faz dela a mais difícil de defender. Estudei os planos que traçamos para a cidade. Creio que uma pequena força poderia tomá-la em menos de uma semana. Três regimentos, no máximo.

— Quando propõe que esse ataque seja executado, meu senhor? — perguntou outro comandante.

— A safra está armazenada. As tropas poderiam partir, plenamente supridas, no fim da semana. As predições de Khadir para essa época são favoráveis.

Alguns comandantes olharam com incredulidade para o adivinho, que estava sentado sob a mesa roendo um osso.

Baybars, vendo as expressões impassíveis, ficou irritado.

— Não lhes prometi vitórias? — perguntou.

— E nenhum de nós duvida de sua habilidade em prover-nos delas, meu senhor sultão — disse Kalawun, elevando a voz acima dos murmúrios. — Mas muitos de nossos homens acabaram de retornar de Cilícia. Talvez, durante o restante do inverno, fosse melhor nos concentrarmos em fortalezas militares menores, antes de atacarmos um alvo como Antioquia.

Baybars, dardejando Kalawun com um olhar sombrio, sentou-se no trono e varreu o restante do grupo com o olhar. A maioria deles escolheu não encará-lo.

— Vocês não entendem o que estou propondo? — A voz era dura. — Então, deixem-me explicar. Se capturarmos Antioquia, não será apenas uma cidade que os cristãos vão perder: será a sede de todo o seu principado.

Ficou em silêncio por um momento, deixando que digerissem suas palavras.

— Sem Antioquia, os poucos assentamentos dispersos e as fortalezas que os francos deixaram na região se tornariam ilhas num mar governado por nós. Duvido que sequer lutassem.

— Isso é verdade — concordou um dos generais, depois de um momento. — Seria um golpe pesado contra os francos. O Principado de Antioquia foi o primeiro Estado que estabeleceram no nosso território.

— E também — disse outro — é sua cidade mais rica, depois de Acre, ao menos.

— É também uma cidade santa — lembrou-lhes Baybars. — Com Edessa perdida, e se tomarmos Antioquia, os francos governarão apenas dois estados, o Condado de Trípoli e o Reino de Jerusalém, e nesses poucas de suas antigas cidades e fortalezas permanecem em suas mãos. Em pouco tempo, nós os expulsaremos de volta ao mar de onde vieram.

Alguns dos comandantes ficaram excitados à menção do butim, mas ainda assim não houve o entusiasmo que Baybars queria. No fim do conselho, porém, aceitou a anuência de má vontade deles e escolheu três comandantes para liderar o ataque. Depois que o encontro acabou, deixou a sala do trono, evitando os secretários, que tinham várias coisas para ele assinar, e Omar, que tentava atrair seu olhar.

Vestindo um robe preto e turbante, Baybars deixou a cidadela por uma pequena saída secundária e caminhou até a cidade, sentindo a tensão em seu corpo se desenrolar como molas enquanto avançava. O ar era fragrante. Depois de algum tempo, chegou a uma rua poeirenta, perfilada de casas de tijolos. No fim dessa rua, havia uma residência caiada, maior e mais imponente do que as outras. A luz de uma lanterna atravessava as janelas e ouvia-se o riso de uma criança. Baybars se desviou junto à entrada e caminhou contornando os fundos da casa, um vulto indistinto avançando pelas sombras. Atrás da casa havia um velho celeiro em ruínas por falta de conservação, pois ninguém havia reclamado sua posse ou qualquer responsabilidade sobre ele. Metade do telhado estava faltando e vigas soltas se espalhavam pelo chão no lado de dentro. Baybars com frequência se perguntava por que ninguém o havia usado como combustível. A cada vez que passava por ali esperava encontrá-lo destruído. Colheu uma flor de hibisco do arbusto que crescia ao lado da porta e entrou no lugar de que ninguém, nem esposas, comandantes, Omar ou Kalawun, sabia. Na escuridão, ajoelhou-se e levou a flor aos lábios, aspirando o aroma vívido, recordando como havia aspirado aquele perfume nos cabelos dela. A luz das estrelas e da casa em frente se infiltrava na escuridão, iluminando o chão sob os joelhos de Baybars. Estava coberto de pétalas rosadas e secas de hibiscos mortos.

# 30
# Templo, Paris

2 de novembro de 1266

Will assistiu à aranha aumentar a teia que havia construído numa rachadura na pedra. De tempos em tempos, uma brisa fria atravessava a janela, fazendo com que a aranha estremecesse. Cada vez que o vento vinha, ela subia correndo pelo filamento e rastejava até a segurança da rachadura, para depois sair e começar novamente. Will ficou absorvido pela industriosa atividade da aranha. Para cima e para baixo, voltas e mais voltas. Parecia tão simples. Ao contrário da carta começada e ainda pela metade no batente da janela ao seu lado.

Quando escrevera as primeiras linhas da carta para a mãe, Will sentia-se entorpecido e por isso havia sido fácil. Mas, à medida que continuava, imagens dos pais começaram a se formar em sua mente. Lembranças aparentemente tão insignificantes que havia esquecido brotavam à superfície e transbordavam, inundando-o. A maioria era anterior à morte de Mary. Uma era particularmente clara: a imagem da mãe sentada à beira da mesa na cozinha da propriedade, com os lábios apertados. Estivera no jardim apanhando ervas para o jantar e havia pisado numa vespa. O pai havia sentado num banquinho e colocado o pezinho branco da esposa suavemente nas mãos. Will, sentado à mesa, assistira ao pai, com os olhos espremidos de concentração, remover o ferrão. James, então, juntou a boca à minúscula perfuração para sugar todo veneno que pudesse ter permanecido ali. Quando acabou, Isabel envolveu o pescoço dele com os braços, os cabelos ruivos e encaracolados derramando-se sobre o ombro dele.

— O que faria sem você? — Will ouviu-a murmurar.

Essa lembrança foi abruptamente substituída pela imagem da cabeça decepada do pai, cravada numa estaca, com os olhos perfurados pelos pássaros, a boca cheia de vermes. E a pena se quebrou na mão de Will. Não se deu ao trabalho de apanhar outra e a carta ficou inacabada, tremulando de tempos em tempos com a brisa.

Depois de sair correndo do pátio, Will havia ido direto para o dormitório deserto e ali sentou-se no beiral da janela, com os joelhos apertados junto ao peito. Algum tempo depois, deixou o beiral para buscar pena e pergaminho no baú ao lado do catre e então retomar o assento, o mesmo lugar onde se sentara seis anos antes, no dia do funeral de Owein.

A aranha deslizou pelo fio e começou a tecer outra linha. Will levou a mão à garganta. Por uma hora ou mais, fora afetado por uma sensação sutil, porém persistente, de ardor sempre que engolia. Encostou a cabeça numa pedra e olhou pela janela. As nuvens que se encastelavam ao longo da tarde haviam tornado o céu esbranquiçado, estriado de amplas faixas cinzentas. Will podia ouvir os gritos distantes das gaivotas junto aos baixios do rio. Estariam voando em círculos sobre os pescadores que jogavam redes e armadilhas para enguias. Todos os dias as ouvia. Mas naquele momento, o som familiar estava carregado de um novo significado. Will pressionou as mãos sobre os olhos.

*Estava sentado sobre as rochas quentes ao lado do pai, com as pernas balançando acima da água. O pai mantinha a linha submersa e dava-lhe puxões de vez em quando para verificar o peso. A luz do sol, refletida pela água, brincava sob as rochas e cintilava nos olhos de James. Ao seu lado havia um balde com três peixes prateados. As gaivotas que voavam em círculos acima deles gritavam e davam mergulhos rasantes de quando em quando e suas sombras passavam pelas pedras.*

*As bochechas de James estavam morenas pelo sol e havia um risco de areia amarela pouco acima da barba. Will pensou em limpá-lo, mas não queria perturbar o pai, que observava a linha de pesca placidamente, com um sorriso distante.*

*— Deveríamos construir um bote — disse James, após um instante.*
*— Um bote?*

*James olhou para o amplo lago verde, com aquele sorriso ainda brincando nos lábios.*

— Você acha, William, que os peixes seriam maiores quanto mais no fundo estivéssemos?
Will pensou com empenho, depois fez que sim.
— Com mais um bebê a caminho, vamos querer peixes maiores, não vamos?
— Mamãe vai ter um bebê?
— Uma menina, ela acha.
— Como vocês irão chamá-la? — perguntou Will, tentando parecer indiferente, mas sentindo que a alegria era maculada pela notícia. Outra irmã? Três era mais do que suficiente.
— Ysenda.
James observou Will por um momento.
— Você teria de me ajudar, William, acho que não consigo construí-lo sozinho.
— É claro, papai!
Will sentou-se ereto, o desapontamento substituído por um pesado sentimento de responsabilidade. Franziu o cenho em reflexão. Como iria construir um bote ainda não tinha certeza, mas sabia que seria o melhor bote que o pai já vira.

Depois que Mary morreu, Will voltou ao lago apenas uma vez antes de deixar a Escócia. O barco estava onde o havia deixado, no terreno elevado, acima da linha d'água. Nunca chegou a fazer os remos ou calafetá-lo com estopa. Capim havia começado a brotar entre as frestas das tábuas. Will havia pensado em empurrá-lo para dentro do lago naquela última visita, mas mesmo nessa ocasião teve esperança de retornar ali com o pai para navegá-lo. A mãe estava quase no fim da gestação e por isso tinha certeza, por mais que o pai o odiasse, de que ainda precisariam encontrar aqueles peixes maiores.

Quando pensou no bote em anos posteriores foi como uma carcaça apodrecida tomada por ervas daninhas e bernardos-eremitas, mas perguntava-se, naquele momento, se alguém poderia tê-lo encontrado e recuperado. Sabia, pelas poucas cartas que havia recebido da mãe, que as irmãs mais velhas, Alycie e Ede, haviam deixado o convento alguns anos atrás para viver com os maridos em Edimburgo, onde haviam formado as próprias famílias. Mas talvez Ysenda, que teria 8 anos, pudesse um dia voltar à propriedade onde nascera e encontrar o barco. Talvez não fosse capaz de navegá-lo, mas Will se perguntava se poderia usá-lo como local para brincar e pensar no irmão e no pai que nunca conhecera.

Will tirou as mãos dos olhos, ouvindo sons de cascos no pátio fora dos estábulos. Tirando isso, e os distantes gritos das gaivotas, tudo estava imóvel e silencioso. A maioria dos cavaleiros, padres e sargentos, estava na capela para onde haviam sido chamados após as notícias de Safed. Haviam passado a primeira parte da tarde em lamentações.

Em breve, o silêncio acabaria. Em breve, o chamado às armas iria soar.

Will não olhou para trás quando a porta se abriu. Ouviu alguém arrastando os pés pelo quarto em sua direção. Quando olhou, viu os olhos injetados de Everard olhando para ele, depois o convidativo embotamento fechou-se em torno dele e novamente desviou o olhar.

— Estive à sua procura, sargento.

Will não disse nada.

— Por quanto tempo planejava ficar escondido aqui?

— Tenho de terminar minha carta.

Everard franziu as sobrancelhas. Os olhos caíram sobre o pergaminho.

— Isso? — perguntou, apanhando a carta. Leu-a, com os olhos espremidos na penumbra. — Isso pode esperar — disse em tom calmo, pondo-a de lado. — Há assuntos que precisamos discutir.

— Tenho de escrever para minha mãe, senhor, e contar a ela que o marido e pai de seus filhos está morto.

— O Templo cuidará de sua mãe e suas irmãs — disse Everard, bruscamente. — Não sentirão falta de nada. Eu lhe prometo.

Suspirou quando Will não respondeu.

— Entendo que você esteja triste — completou.

— Entende? — Will olhou para ele. — Entende? Então, talvez possa explicar isso para mim e para minha mãe. Talvez *você* deva escrever e contar a ela por que ele morreu. Foi você quem o mandou para lá, afinal.

— Isso é injusto — disse brevemente Everard. — James não morreu a serviço da Anima Templi. Morreu a serviço do Templo, fazendo algo que não havia escolhido.

Sua expressão se suavizou.

— Quando seu pai foi para a Terra Santa, ele o fez por livre vontade. Foi porque acreditava, porque queria fazer alguma diferença nesta vida. Um mundo diferente, ele me disse uma vez, em nome dos filhos. Por você, William.

Will olhou-o de lado, mas continuou em silêncio.

— Preciso ouvir o que aconteceu na preceptoria dos hospitalários — disse Everard, calma porém insistentemente.

— Nicolas se foi para La Rochelle com três dos irmãos — disse Will, por fim. — Um rapaz do estábulo disse que falavam sobre Acre e o grão-mestre.

— Acre? — disse Everard, com preocupação. — Então Hugues de Revel está por trás disso?

— Revel? — perguntou Will, com indiferença.

— O grão-mestre do Hospital. Nunca o encontrei, mas conheci o predecessor, Guillaume de Châteauneuf, o homem que estava encarregado da ordem deles quando Armand assentou o cerco à fortaleza. — Everard esfregou o queixo. — Suponho que os planos de Nicolas sejam levar o livro diretamente a ele. Se o grão-mestre considerar o livro prova suficiente da existência da Anima Templi e, como Nicolas erroneamente imagina, de sua corrupção, sem dúvida envolverá o papa, em Roma. — O padre respirou fundo. — Não podemos permitir que deixem estas fronteiras com o livro. Cavalgaremos para La Rochelle ao alvorecer.

Will olhou para ele.

— Nós? — perguntou.

— Não posso fazer isso sozinho.

— E não posso fazer isso de modo algum — respondeu Will, impulsionando as pernas sobre o batente e saltando para encarar o padre. — Ainda que tivesse forças, não posso. Sou apenas um sargento. Não tenho autoridade sobre nenhum cavaleiro, seja do Templo, do Hospital, Teutônico ou a própria armada real!

— Bem, isso está prestes a mudar — disse Everard, após uma pausa. — Falei com o visitador e ele concordou na sua investidura.

— O quê?

— Ele julgou condizente que, uma vez que perdemos o pai, ganhemos o filho. Um símbolo — murmurou Everard — de que prevaleceremos e não nos curvaremos ao nosso inimigo. O visitador quer fazer isso logo, antes do conselho que convocou para decidir o que deve ser feito. Temo que sua investidura terá lugar em meio a toda essa movimentação de guerra, mas isso não pode ser evitado.

— Isso é algum tipo de piada? O senhor escolheu o pior dia possível para fazer isso!

A face cheia de cicatrizes de Everard se abrandou.

— O luto é uma das emoções mais puras de que somos capazes. Quando experimentamos a verdadeira dor todo o... — Agitou a mão com impaciência, procurando uma palavra. — Todo o *ruído* dentro de nós se desfaz. É nesse silêncio que encontramos a nós próprios. São esses momentos que nos moldam. Então, pelo contrário, creio que hoje é o melhor dia para fazer isso.

Will apoiou as palmas no peitoril da janela e pendeu a cabeça.

— Não tenho mais certeza de que quero ser um cavaleiro — disse.

— Pensei que fosse o desejo de seu pai — disse Everard, num tom sugestivamente indagativo.

— Meu pai está morto.

— Então tudo o que fez e desejou em vida cessa de ter significado? Fazer aquilo em que acreditava, o que trabalhou e sangrou para conquistar se torna sem importância? — Everard meneou a cabeça. — James Campbell começou algo. Cabe a nós concluí-lo. Somente se ignorarmos isso sua vida, sua *morte*, se torna sem sentido.

Will levantou a cabeça e olhou pela janela, sentindo as lágrimas frias sobre as faces. O mundo exterior era plano e cinzento. Durante anos, havia corrido para um único lugar: um lugar ao lado do pai. Agora que ele havia cessado de existir, para onde iria? Por mais ciente que estivesse dos perigos com que se defrontavam os homens que lutavam em Outremer, nunca havia entrado em sua cabeça que poderia não ver o pai novamente.

— Não tenho mais propósito — sussurrou, sem se dar conta de que estava falando em voz alta.

— Você tem um propósito para mim. — Everard estendeu a mão desfigurada e pousou-a no ombro de Will. — Um grande propósito.

Os braseiros de ferro com carvão incandescente haviam ardido na sala capitular durante toda a manhã, para atenuar o frio de novembro. Mas ninguém pensou em reabastecê-los para a cerimônia e a maior parte das brasas estava reduzida a cinzas. Pesadas tapeçarias cobriam as janelas, bloqueando a tarde cor de chumbo.

A pele de Will ficou arrepiada quando removeu a túnica preta e entregou-a ao clérigo que aguardava ao seu lado. Tirou as botas, depois desamarrou o cinto que sustentava a espada. Ao puxar a camisa por sobre a cabeça, deu-se conta, intensamente, do grande grupo de homens sentados atrás dele. A câmara abobadada era mal iluminada, mas sentiu que todos podiam ver com clareza as finas linhas brancas que se entrecruzavam em suas costas, onde Everard um dia o açoitara. Will olhou para seu mestre de pé na plataforma, mas o homem curvado e de face descarnada que dispunha os vasos santos sobre o tabernáculo não exibia nem um pouco da acre aspereza que manifestara naquele dia, seis anos antes. Atrás de Everard, numa cadeira que lembrava um trono de mármore pálido, sentava-se o visitador. Parecia fatigado. Havia outros dois cavaleiros na plataforma.

Quando Will entregou a camisa ao clérigo e postou-se no espaço vazio entre os cavaleiros sentados e o altar elevado, vestindo nada além dos calções e iluminado no pequeno círculo de luz de uma tocha, sentiu-se mais solitário do que jamais se sentira.

Quando o clérigo se retirou com as vestes antigas, Will olhou em volta, procurando uma face amigável na multidão. Viu Robert. O cavaleiro, que estava sentado ao lado de Hugues num dos bancos frontais, olhou-o nos olhos e sorriu. Will voltou-se novamente para o altar, sentindo o isolamento dissipar-se aos poucos enquanto Everard acendia o incenso no turíbulo e pedia silêncio. O murmúrio baixo de conversas que partia do grupo de cavaleiros, que pareciam impacientes para que se iniciasse o conselho de guerra, cessou. Everard, envolto em fumaça, ordenou que Will se ajoelhasse. O rapaz obedeceu, ciente de que não havia aprendido, como outros iniciados teriam feito durante a vigília noturna, o que deveria dizer ou fazer. Não havia tempo para se preocupar com isso, porém, agora que o visitador levantava-se e se dirigia a ele.

— Você passou algum tempo em vigília, no qual pôde refletir sobre o sagrado ofício que lhe foi oferecido. — A voz profunda do visitador preenchia toda a câmara. — William Campbell, filho de James, você deseja aceitar o manto, sabendo que ao fazer isso deverá se desfazer de todos os deveres mundanos e tornar-se um verdadeiro e humilde servo de Deus Todo-Poderoso?

— Sim, eu desejo — respondeu Will.

E, com isso, os votos começaram.

Will falou quando deveria fazê-lo, incitado ocasionalmente por Everard e recordando, com surpreendente clareza, as palavras do postulante que vira ser iniciado quando ele e Simon se esconderam no armazém de cereais no Novo Templo. Disse que acreditava na fé católica e que fora concebido por um casamento legítimo. Negou ter oferecido alguma dádiva a qualquer pessoa para que pudesse juntar-se ao Templo, assim como deter qualquer débito ou pertencer a qualquer outra ordem religiosa. E embora a garganta começasse a arder e o peito parecesse teso como um tambor, confirmou estar fisicamente apto.

Um dos dois cavaleiros desceu até ele e estendeu-lhe uma cópia da Regra, aberta na primeira página.

— Leia estas palavras. Se não souber, fale, e elas lhe serão traduzidas.

Will mal podia enxergar na obscuridade o texto em latim, mas, depois de forçar a vista sobre a tinta desbotada, conseguiu recitar o que dizia.

— Senhor Deus, venho diante de Vós e dos bons irmãos aqui presentes pedir meu ingresso na Ordem e a participação nos bens espirituais e temporais que nela residem. Desejo por toda a minha vida servir como um escravo da Ordem do Templo e pôr minha vontade de lado em benefício da vontade de Deus.

Will jurou observar as leis do Templo; preservar a castidade; conservar-se em estado de pobreza; ser obediente. Depois que se prostrou diante do altar para pedir as bênçãos de Deus, da Virgem e de todos os santos, o segundo cavaleiro desceu da plataforma, com a espada desembainhada. A lâmina emitiu um brilho fátuo ao ser estendida, com a ponta para baixo, para Will.

— Beije esta lâmina e aceite a responsabilidade pelo que lhe cabe proteger, a qual lhe é agora imposta. Contra todos os inimigos, cabe a você defender a verdadeira fé e, em necessidade extrema, oferecer a vida nessa defesa.

Will inclinou-se para diante e tocou o gume com os lábios, embaçando a lâmina com o hálito. O voto que fazia parecia-lhe absolutamente real. Quando o cavaleiro embainhou a espada e subiu a plataforma, Everard claudicou até o local onde um dos clérigos aguardava com uma espada e um manto branco dobrado. Nesse intervalo, Will se deu conta de que não entendia por que o pai e os outros homens em Safed haviam escolhido o martírio. Para ele, suas mortes pareciam sem sentido. Cumprir aquele voto significava mais para eles do que suas famílias? Quantos filhos e filhas haviam abandonado para assegurar um lugar no Paraíso? James havia-lhe escrito apenas duas vezes nos seis anos anteriores e, embora as cartas não estivessem cheias de recriminações pela morte de Mary, tampouco traziam qualquer palavra de amor. Por meio delas, Will soubera mais sobre Outremer do que sobre o que se passava no coração do pai. Agora ansiava saber por que o pai havia escolhido a morte; desejava ardentemente gritar para o Céu e *exigir* uma resposta.

E foi então que a raiva que estivera contendo desde aquela manhã finalmente extravasou.

Sentia raiva do Templo, por exigir a vida do pai a seu serviço; de Everard, por enganá-lo; do sarraceno que matara seu pai e do sultão, Baybars, que ordenara que o fizesse. Mas, acima de tudo, sentia raiva do pai por ter partido, por ter mentido para ele, por não o ter perdoado, por ter morrido. Agora o pai se fora e ele jamais conheceria a absolvição, e sua cabeça estava latejando, e Everard aproximava-se dele, e as palavras do pai ressoavam em seus ouvidos.

*Um dia, William, você será admitido como cavaleiro do Templo e quando o for, em nome de Deus, estarei ao seu lado.*

Em nome de Deus o pai havia violado um voto e cumprido outro. Então, havia servido à vontade de Deus ou à própria? Morreu defendendo a Ordem ou a Anima Templi, ou fez isso para punir um filho pela morte de uma filha?

— Com esta espada, que você defenda a Cristandade dos inimigos de Deus.

Will ficou de pé, confusamente, e levantou as mãos quando Everard lhe estendeu a espada. Seus olhos se fixaram na extensão do ferro polido, naquela lâmina sem mossas. Deixou as mãos caírem ao lado do corpo. Everard franziu o cenho, depois pareceu entender. Estalou os dedos para um clérigo que esperava com o manto. Esse olhou em dúvida para o visitante, depois atravessou o piso até Everard, que lhe falou rápida e sigilosamente. Will ouviu alguns murmúrios de curiosidade partirem da multidão diante daquela interrupção da cerimônia, enquanto o clérigo saía apressado por uma pequena porta lateral. Quando retornou, trazia o alfanje de Will. Everard devolveu-lhe a espada nova, depois pegou a lâmina curta e marcada de cicatrizes, com um arame solto no cabo, e entregou-a a Will. O jovem franziu a testa para reprimir as lágrimas que ameaçavam fluir, mais comovido pela demonstração de empatia do padre do que por qualquer outra coisa. Então cingiu o cinto.

Everard entregou-lhe o manto.

— Com estas vestes você renasce.

Will apanhou e desdobrou o tecido. A cruz pátea nas costas e acima do coração era vermelha como o vinho, o sangue e os lábios de Elwen. Jogou o manto sobre os ombros nus e o nariz foi tomado pelo cheiro adstringente do tecido recém-feltrado. Era, notou, um pouco curto. Geralmente, o alfaiate media o aspirante à veste antes da cerimônia, mas, obviamente, não havia tido tempo para isso. Will disse a si mesmo que tal coisa não importava; faria com que o alfaiate o ajustasse. O traje pendia pesadamente dos ombros e coçava.

Everard prendeu o manto ao pescoço com um simples alfinete de prata.

— Eu o absolvo — murmurou o padre, movendo as mãos no sinal da cruz — de todos os pecados. Em nome do Pai, do Filho e do Espírito Santo. Amém.

O visitador levantou-se do trono.

— *Ecce quam bonum et quam jocundum habitare fratres in unum.*

Depois que o visitador terminou de entoar o salmo, Everard pôs as mãos sobre os ombros de Will.

— Nas palavras do abençoado Bernard de Clairvaux, eu lhe digo que um homem do Templo é um cavaleiro destemido, protegido por todos os lados, pois, assim como o corpo é recoberto pelo ferro, assim é a alma pela defesa da fé. Sem qualquer dúvida, fortalecido por ambas as armaduras, não teme nem homem nem demônio. Não teme — disse o padre, olhando intensamente nos olhos de Will — nem mesmo a morte. Nós o contemplamos, Sir William Campbell, cavaleiro do Templo. Que Deus faça de ti um homem valoroso.

O padre ficou nas pontas dos pés para beijar a boca de Will, depois todos os homens na sala capitular levantaram-se e, um a um, adiantaram-se para fazer o mesmo.

*Palácio Real, Paris, 2 de novembro de 1266*

— Como isso pôde ter acontecido?

Luís IX, o rei da França, inclinou-se para a frente no trono, dirigindo-se ao grupo de cavaleiros que estava parado diante dele no Grande Salão. A câmara estava vazia e ecoante, pois as mesas e decorações que haviam sido postas para a apresentação do trovador na noite anterior tinham sido retiradas às pressas. Os servos haviam derrubado algumas pétalas de rosa secas, que estavam espalhadas aos pés dos cavaleiros.

— Como Safed pode ter caído tão rapidamente?

Foi o visitador quem respondeu ao rei.

— Relatos afirmam que Baybars prometeu anistia incondicional às forças nativas que estavam dentro dos muros, caso se rendessem, meu suserano. Nossa fortaleza era forte, sim, mas sem homens suficientes para guarnecer seus muros seria impossível defendê-la.

Will, de pé atrás do grupo de seis cavaleiros que havia escoltado o visitador até o palácio, viu Luís curvar a cabeça leonina, emoldurada por uma juba de cabelos escuros, raiada de branco nas têmporas. A capa escarlate ornada de arminho envolvia seu corpo, que fora musculoso na juventude, mas tendera à gordura na meia-idade. Marcas no rosto eram cicatrizes de doenças a que havia sobrevivido no Oriente e as mãos eram calosas e tinham manchas senis. Apenas 16 anos antes, aquele rei havia liderado a sétima Cruzada à Terra Santa, conduzindo 35 mil homens a uma vitória inicial e então, por fim, à morte no Egito. Depois da Batalha de Mansurá, Luís e suas forças sitiadas remanescentes foram capturados e aprisionados pelos muçulmanos. O resgate pela libertação havia sido pago pela esposa, a rainha Margarida.

A visão de Will se enevoou quando contemplou o rei e por isso sacudiu a cabeça, tentando repelir a sensação letárgica que o havia tomado durante o conselho de guerra que teve lugar após sua investidura. Quando o visitador lhe disse num tom solene que se juntaria à comitiva que iria ter ao palácio, foi um esforço ocultar a relutância. Sentia-se zonzo, entorpecido.

Luís ergueu a cabeça após vários segundos, durante os quais parecia estar rezando.

— Este é um dia negro — disse. — Um dia realmente negro.

— Mandei mensagens às nossas principais preceptorias em todo o Ocidente, informando nossos irmãos do que aconteceu — disse o visitador.

O rei ficou em silêncio por algum tempo.

— Baybars desbasta a nossa presença como um carpinteiro faria com um bloco de madeira. No mês passado, os hospitalários me contaram que Arsuf havia sido tomada por ele, e antes disso Cesareia e Haifa. Seu alcance tornou-se maior do que qualquer um de nós teria imaginado.

— Sim, meu suserano — concordou o visitador, com gravidade. — Se não agirmos logo, temo que nossos territórios encolherão até sumir. As fortificações que o senhor fez durante seu período na Palestina logo sucumbirão, sem homens para defendê-las. Safed era uma de nossas maiores fortalezas e deixamos Baybars tomá-la.

Os olhos do visitador brilhavam de tristeza, mas seu tom era firme.

— Nós — continuou — no Ocidente, não fizemos nada para deter essa guerra contra nossa gente, deixando aos nossos irmãos no Oriente a incumbência de lutar e defender nossos sonhos. Agora pagamos o alto custo da inação.

— O que você propõe?

O visitador ficou em silêncio por alguns momentos. Quando falou, o tom era resoluto.

— O Templo está preparado e disposto a destinar fundos e homens para se deslocarem ao Oriente a fim de conter a ameaça imposta por Baybars. Mas levará muitos meses para construir navios para a jornada e outros mais para fazê-la. Devemos agir agora e precisaremos do seu apoio, e do apoio de todos os homens de boa vontade, sejam plebeus ou monarcas, deste lado do mar. Uma nova Cruzada liderada pelo senhor até a Palestina, meu suserano. Isso é o que proponho.

Luís entrelaçou as mãos sob o queixo.

— Esta não é uma proposta inesperada — disse. — Estive recentemente em contato com meu irmão, Carlos, conde de Anjou. Ele já havia me falado, exaltando tal empreendimento.

O visitador confrontou o olhar pensativo do rei.

— Fará isso, meu suserano?

Luís acomodou-se no trono, com a capa escarlate moldada ao contorno.

— Sim, mestre visitador, iniciarei uma nova Cruzada. E os sarracenos pagarão caro pelas vidas cristãs que ceifaram. Tão logo me seja possível, tomarei a Cruz.

Quando o rei pronunciou essas últimas palavras, Will sentiu uma onda de vertigem inundá-lo. A visão escureceu e cambaleou, mal conseguindo agarrar-se ao braço do cavaleiro ao seu lado para evitar uma queda.

— O que há? — sussurrou o cavaleiro, olhando para ele. — Você está mais branco do que um lírio.

— Eu... eu preciso de ar — ofegou Will, andando a passos vacilantes até a porta na extremidade oposta da câmara.

— Seu homem está passando mal? — Will ouviu a voz do rei ecoar atrás de si.

— O pai dele foi um dos homens chacinados em Safed, meu suserano — respondeu o visitador, enquanto Will empurrava as portas e oscilava para o corredor além delas.

Tochas, acesas recentemente, queimavam ao longo da passagem. A luz feriu seus olhos. Passando por dois criados que olharam com curiosidade para ele, Will correu para o fim do corredor, onde uma alta janela em arco dava para o Sena. Agarrou o parapeito, lutando contra a sensação vertiginosa que o engolfava em altas ondas, inspirando grandes golfadas de ar cheirando a maresia. Desde aquela manhã, seu mundo virara de cabeça para baixo e agora sentia essa revolução em cada fibra do seu ser. Apenas algumas horas antes, estava exumando o corpo de um homem que havia sido assassinado por seus conterrâneos e enquanto ainda sentia vergonha por um ato tão brutal, o corpo do próprio pai apodrecia na Palestina, massacrado por muçulmanos como Hassan. Mas não queria que Hassan estivesse deitado naquela sepultura; não queria que o pai tivesse morrido sozinho, um homem empenhando-se pela paz numa terra dividida pelo ódio de ambos os lados; não queria que os amigos fossem mandados para aquele lugar, com as espadas nas mãos. O rei e o visitador queriam retaliação, mas Will não conseguia ver como matar mais homens resolveria o problema.

Will puxou o colarinho do manto. Podia sentir o suor escorrendo pelas costas, ainda que o ar estivesse gelado. Era isso o que significava ser um cavaleiro? Lutar e morrer pela causa de outro homem? Porque um rei assim o desejava? Porque Deus o desejava? Will não podia acreditar nisso. Para ele aquelas palavras eram ocas, sem vida. O pai não acreditava nelas; sabia disso ainda que nunca lhe tivesse sido contada a razão por que fora para a Terra Santa. Alto e digno, James havia sido para ele; nobre de espírito; honrado na batalha; generoso de coração. Mas não era o manto que o tornava assim ou os votos que havia feito. Era o homem que havia incorporado essas coisas dentro de si. Outros homens haviam abandonado as famílias pela guerra, por Deus e por terras. O pai havia abandonado a ele, à mãe e às irmãs pela paz. O mundo fora do palácio se embaçou à medida que os olhos de Will se enchiam de lágrimas. A raiva que sentira do pai foi subjugada por um sentimento amoroso que tudo devorava e, com ele, uma absolutamente desoladora sensação de perda.

— Will? — chamou uma voz de mulher.

Will virou-se e se deparou com Elwen. As chamas das tochas salientavam os tons de cobre dos cabelos, que estavam atados com espirais de arame prateado. Os grandes olhos verdes estavam luminosos sob as chamas trêmulas. O vestido simples e o manto eram da cor das asas de um canário e cingidos por uma corrente de prata. Parecia uma rainha.

Os olhos de Elwen fixaram-se chocados no manto de Will.

— Quando isso aconteceu? — perguntou.

— Elwen — começou a dizer, com a voz rouca. Mas não conseguiu mais encontrar palavras e em vez disso foi até ela, abraçando-a com tanta firmeza como se fosse um homem prestes a se afogar e ela a única peça de madeira que restasse após o naufrágio.

— Soube que cavaleiros do Templo tinham vindo para ver o rei — disse, com a voz abafada contra o peito dele. — Mas não imaginava que pudesse ser você. O que está acontecendo? A rainha me disse que o rei foi convocado para um conselho urgente.

— Safed caiu — disse Will entre os cabelos dela. — Meu pai está morto.

Elwen se afastou e olhou para ele.

— Will — sussurrou, aninhando a face úmida na mão. — Meu Deus.

Os olhos dela também se encheram de lágrimas à visão da consternação de Will.

— O rei iniciará uma nova Cruzada.

Elwen passou as pontas dos dedos sobre a cruz no manto de Will.

— Então você será...? — A voz dela ficou mais aguda. — Você irá para a guerra?

— Não — disse Will com determinação. — Não a deixarei.

Olhou para a face tomada pelo medo de Elwen e se deu conta do quanto havia sido tolo. Todo aquele tempo perseguira um fantasma. Perdão não era mais alcançável; jamais poderia ser obtido. Jamais conheceria o amor do pai novamente, exceto em lembranças. Mas Elwen estava ali, tangível e concreta, desejando-o, amando-o, e a havia desprezado pelo manto que agora vestia e que para ele já não significava mais do que a imunda túnica preta que havia vestido durante anos. Hesitou, só por um segundo, antes de dizer as palavras.

— Eu a amo.

Os olhos de Elwen perscrutaram seu rosto.

— E quero me casar com você — concluiu.

— Você não está falando sério — disse, com um riso curto e surpreso.

— Nunca falei tão sério sobre nada mais.

— Mas você não pode, você é um cavaleiro! Você fez os votos. — As lágrimas dela se derramaram. — Agora nós nunca...

As palavras dela se desvaneceram quando ele se curvou para beijá-la. Vagarosamente, ela correspondeu ao beijo. O abraço de Will se apertou mais quando ela abriu a boca para explorar a dele com a língua. Elwen sentiu um fluxo de desejo florescer nas faces. Estendeu o braço, pegou a mão dele na sua e posicionou-a hesitantemente no seio. Sentiu Will ficar tenso, depois relaxar. Ele nem mesmo se deu conta de que estava quebrando seu primeiro voto ao passar a mão pelo corpo dela e ouvir um pequeno suspiro escapar de seus lábios.

Ouviram um riso abafado atrás deles. Separaram-se ao ver um criado passar segurando uma bandeja com taças. Ele ainda estava rindo quando se afastou pelo corredor. Will pegou as mãos de Elwen.

— Podemos nos casar em segredo. Ninguém tem de saber. — As palavras de Everard tomaram sua mente. *James Campbell começou algo. Cabe a nós concluí-lo.* — Mas há algo que preciso fazer primeiro.

## 31
## Sete Estrelas, Paris

2 de novembro de 1266

Adela atou o colar vermelho e dourado ao pescoço e olhou-se no espelho de prata. As contas de vidro eram frias em contato com a pele nua. Tocou o colar, lembrando que Garin havia dito que ficava bonita com a bijuteria. Ele saíra havia quase três horas e Rook ainda estava no andar de baixo, bebendo cerveja sem pagar.

Mais cedo, Garin a havia procurado, pálido e agitado.

— Tenho de ir à preceptoria — disse. — Mas voltarei assim que puder. Se tudo correr bem, Rook irá embora amanhã. Aconteça o que acontecer, fique longe dele até lá.

— Por que você não me conta o que ele está fazendo aqui? — ela lhe perguntou. — Por que ele tem esse poder sobre você? Posso fazer com que Fabien o expulse. É só você me pedir.

— Não! Não o deixe zangado. Deixe-me ajudá-lo a cumprir a missão que o trouxe aqui. Ele partirá quando tiver o que quer.

— Você é um templário, Garin, por que deixa uma serpente como aquela ameaçá-lo desse modo?

Ele não respondeu.

Adela se levantou e foi até a mesa de trabalho para apanhar um frasco de óleo de jasmim e perfumar os cabelos. Um grupo de mercadores de Flandres havia chegado pouco depois das Vésperas e aparentemente seria uma noite atarefada. Os olhos caíram sobre o herbário, que estava aberto numa página que continha uma receita para uma solução contraceptiva. Na margem, havia algumas anotações que fizera sobre o melhor método para abortar um bebê, caso a solução falhasse. Um médico viajante que havia se hospedado por uma noite mostrou-lhe como fazer isso numa das garotas que havia engravidado. Mas Adela não queria abortar bebês: queria fazê-los. Queria uma casinha com terra suficiente para um canteiro de ervas medicinais e crianças felizes e angelicais rindo na cozinha, enquanto faria bolos de alfazema e tinturas para joelhos esfolados e queimaduras de urtiga. Fechou o livro. Garin realmente poderia dar-lhe isso? Às vezes, nos meses em que a visitava, havia pensado que sim, mas então algo o perturbava e ele se tornava pueril e esquivo. Adela nunca havia conhecido um homem que pudesse ser tão egoísta num momento e tão terno no seguinte. Não o teria tolerado se não soubesse que encolhido sob aquele verniz irascível estava um menino fatigado e assustado que não tinha verdadeira noção de si próprio ou de seu lugar na vida. Algumas noites, apenas deitava em seus braços, vertendo lágrimas quentes e silenciosas sobre seus seios. Ela se descobrira desejando amá-lo ao mesmo tempo como mãe e como mulher. Surpreendera-se até mesmo acreditando nas promessas que ele lhe havia feito em sua euforia — que a tiraria daquele lugar, que ela poderia ir morar com ele quando fosse rico e tivesse terras. De tempos em tempos, instruía as garotas sobre a necessidade de distanciamento. Sua fraqueza pelo cavaleiro belo e volátil fazia com que duvidasse de si própria, da vida que levava.

A porta se abriu e Rook entrou. O rosto estava ruborizado pelo álcool e os olhos estavam com as pálpebras caídas.

Adela pegou o roupão e puxou-o sobre si, cobrindo a nudez.

— Garin voltou?

— Não — disse Rook, fechando a cara. Sua expressão mudou quando a viu atar o roupão à cintura e um sorriso malicioso abriu-se em seu rosto.

— Mas não se preocupe, ele logo voltará. Ele sabe o que acontecerá se não voltar.

Adela se encolheu diante da ameaça contida nas palavras dele e do modo como o homem a olhou ao dizê-las. Mas manteve-se firme quando ele entrou no quarto, fechando a porta atrás de si. Retesou-se quando ele caminhou em sua direção.

— O que você está fazendo?

Rook não respondeu, mas passou por ela e foi até o banco em frente ao espelho. Apanhou-o, parecendo testar-lhe o peso nas mãos, depois franziu as sobrancelhas e largou-o descuidadamente no chão. O olhar vagou pelo quarto e pousou sobre a cama, o cenho franzido cedeu lugar a um sorriso sórdido.

— Você tem uma corda?
— Corda?
— Sim, corda — respondeu, com grosseria. — Com sorte, vamos ter um convidado esta noite. — Deu uma risadinha. — E vamos querer que ele fique à vontade, não vamos? Preciso de cordas, ou tiras de tecido, ou... — Rook se calou, notando a faixa no roupão de Adela. — Isso vai servir.

Adela arfou quando ele agarrou toda a extensão do tecido plissado e o empurrou.

— Tire as mãos de mim!

Rook estapeou-a cruelmente no rosto. Ela vacilou para trás e estendeu-se no chão com a força do golpe, com o roupão de seda subindo-lhe até as coxas. Adela gritou quando Rook curvou-se sobre ela e arrancou o cordão dentre os ilhoses do robe.

— Seu lugar é com as pernas abertas, puta — rosnou, ficando novamente de pé. — Não esqueça.

Adela sentou-se, pressionando a mão sobre a face, que ardia tanto quanto se tivesse sido queimada. Sentiu gosto de sangue e percebeu que o tapa havia partido seu lábio.

— Saia — disse. Levantou-se, mantendo o robe fechado com as mãos. — Não me importa quem você pensa que é, ou o que pensa estar fazendo aqui comigo e com Garin. Isso acaba agora.

Rook atirou o cinto na cama e olhou novamente para ela.

— Garin deveria ter-lhe alertado sobre o que aconteceria se você interferisse. Você vai fazer o que eu mandar ou vou machucá-la ainda mais.

— E farei com que Fabien quebre suas pernas, desgraçado! — vociferou, dirigindo-se à porta.

Rook alcançou-a em dois passos. Virando-a com um puxão no braço, ele a segurou de encontro à porta, pressionando-se sobre ela para que não pudesse mover-se. Adela lutou contra ele como uma gata, atirando as mãos de longas unhas contra o rosto e pescoço, mas embora não fosse um homem grande, Rook tinha uma força surpreendente para sua magreza. Forçou o braço sobre a garganta de Adela, empurrando a cabeça dela para trás e comprimindo a traqueia de forma que não pudesse gritar. Com a mão livre, puxou a adaga e segurou-a junto a um dos olhos dela.

Adela parou de se debater imediatamente. A respiração ficou curta e lancinante, pela pressão na garganta e pelo terror que sentia. A ponta da adaga reluzia em sua vista.

— Agora — murmurou Rook, com a voz baixa, quase suave. — Você vai ficar quieta e me arranjar outra corda para o nosso convidado ou vai me fazer arrancar um desses belos olhos?

— Sim — ela respirava rapidamente.

— Sim o quê? — perguntou, encostando a ponta fria da adaga muito levemente no canto do olho de Adela.

Ela não ousou mover-se ou mesmo piscar.

— Eu o ajudarei.

— Ótimo — disse, balançando a cabeça em aprovação — porque se armar confusão novamente, cuidarei para que não sobre o suficiente de você, de suas putas ou deste buraco fedorento para encher uma caneca de cerveja.

Ele a segurou por mais um momento, sentindo-se excitado pelo pequeno arfar que ela produzia e pela sensação do corpo trêmulo junto ao seu, depois soltou o pulso vagarosamente, para o caso de ela tentar fugir.

Não o fez. Mantendo o roupão fechado com a mão trêmula, Adela revirou as roupas. Rook sorriu quando ela lhe passou outra faixa sem dizer uma palavra.

— Não foi tão difícil, foi? — disse, atando com destreza os pedaços de cordão plissado às pernas curtas e atarracadas da cama. Puxou com força cada uma das amarras para verificar se estavam bem seguras, depois endireitou-se.

— Agora só temos de nos manter ocupados até aquele infeliz retornar. — Ele se voltou para Adela. — Para a cama.

— O quê? — disse ela, alarmada pela ausência de emoções no modo como ele pronunciou as palavras.

— Você está aqui para servir homens, não está? — Rook apontou o catre com um gesto de cabeça. — Então, sirva-me.

— Você terá de pagar — disse-lhe, tentando soar confiante, mas sentindo lágrimas lhe brotarem nos olhos.

— Garin cuidará da minha conta. — Rook observou-a virar o rosto e a visão de sua aflição lhe agradou. — Não acho que isso vá levá-la à falência.

Rook foi até ela e forçou-a a estender os braços, de modo que o roupão se abrisse. Deu um passo para trás, apreciando-a até sentir sua excitação crescer novamente, então agarrou-a pelo pulso e levou-a até o catre.

Adela disse a si própria que era apenas outro cliente, que não era muito pior do que alguns dos brutos que havia servido ao longo dos anos. Mas não pôde evitar que as lágrimas caíssem quando Rook subiu na cama por cima dela, com o hálito fétido em sua face.

*Templo, Paris, 2 de novembro de 1266*

— Por quanto tempo você ficará fora? — perguntou Simon, colocando uma segunda sela sobre o cavalete.
— Não sei — respondeu Will. — Algumas semanas, talvez.
Estremeceu e enxugou a testa, que estava fria e pegajosa. A mão voltou úmida.
— Não estou gostando disso — disse Simon, num tom inflexível. — O que você vai fazer se der de cara com Nicolas? Eles são quatro e, não quero parecer rude, Everard dificilmente aguentaria uma briga e você...? — Simon chupou o lábio enquanto olhava para Will. — Você não parece capaz nem de segurar uma espada no momento, que dirá brandir uma.
Ele se aproximou de Will e pôs uma das mãos desajeitadamente no ombro do amigo.
— Você não disse uma palavra sobre seu pai, Will, desde que recebemos a notícia de Safed.
— Não vamos nos confrontar com Nicolas — disse Will, afastando-se e apanhando dois conjuntos de rédeas de um dos ganchos na parede da estrebaria. Passou-os a Simon. — Se ele estiver planejando ir para Acre, terá de esperar por um navio. Everard vai requisitar a ajuda de cavaleiros da nossa base em La Rochelle. Prenderemos e deteremos Nicolas e seus confrades ali.
— Mas por que você tem de ir? Everard não pode fazer com que o visitador mande cavaleiros daqui atrás deles?
— Haveria muitas perguntas que Everard não quer responder por enquanto. Os cavaleiros de La Rochelle não conhecem Nicolas.
— Bem, estou surpreso de que o mestre do estábulo tenha deixado você pegar estes cavalos — disse Simon, irritado com a falta de consideração de Will para com suas preocupações. — Ele me disse que vocês perderam os outros.
— Nós os recobramos — disse Will, apanhando as sacolas cheias de suprimentos que Everard havia lhe dado. Naquela tarde, um cavaleiro vindo de uma das quintas da preceptoria, perto de Saint-Denis, tinha dado com

os dois palafréns desaparecidos andando soltos pelo campo e, vendo que traziam a marca do Templo, levou-os consigo. O mestre do estábulo não teve escolha senão concordar quando Everard foi até a estrebaria uma hora antes, solicitando que duas montarias fossem ferradas e aprontadas para o amanhecer.

— Sir Campbell? — Um sargento apareceu na entrada do estábulo. Fez uma reverência para Will. — Tenho uma mensagem para o senhor. Foi-me entregue algum tempo atrás, mas não consegui encontrá-lo.

— Estive fora. Qual é a mensagem?

— Um garoto entregou-a no portão quando eu estava de serviço. Afirmou que uma mulher chamada Elwen havia-lhe dito para passá-la ao senhor. Falou que ela quer que a encontre numa taverna do Quartier Latin, chamada Sete Estrelas. Fica na rua que leva colina acima até a Abadia de Saint Geneviève — disse.

— Ele falou mais alguma coisa?

— Não, senhor — respondeu o sargento. — Isso foi tudo.

O sargento fez mais uma reverência e depois se retirou.

Com o cenho franzido, Will pendurou as sacolas no cavalete.

— O que você está fazendo? — perguntou Simon, vendo Will apanhar o manto, que havia tirado e colocado sobre um fardo de feno. — Não está indo lá, está?

Will não respondeu.

— Você tem de se aprontar, pegar seus suprimentos — disse Simon. — E o que ela está fazendo numa taverna, afinal?

— Não sei — respondeu Will, atirando fatigadamente o manto sobre os ombros. — Mas esta tarde pedi a Elwen que seja minha esposa. Tenho de ir.

— Você fez o quê? — perguntou Simon, fitando Will enquanto esse abria a porta da baia e retirava um vivaz capão baio. — Como você pôde fazer isso? Você é um cavaleiro! Will, você não pode!

— Não vou demorar — insistiu Will — apenas passe-me uma daquelas selas.

*Sete Estrelas, Paris, 2 de novembro de 1266*

Garin entrou na taverna pela porta dos fundos e, esquivando-se através do salão movimentado no andar de baixo, subiu apressadamente os degraus.

Empurrou a porta do quarto de Adela. Rook estava de pé ao lado do catre, amarrando os calções. Adela estava sentada na cama numa posição curvada, com os joelhos pressionados contra o peito. Havia uma marca rubra em forma de mão impressa na face e o lábio parecia inchado. Estava nua.

Garin olhou para Rook, enquanto Adela, incapaz de enfrentar o olhar dele, virou o rosto e apanhou o roupão.

— O que você fez? — perguntou o cavaleiro.

— Você demorou muito — disse rapidamente Rook. Avaliou a expressão de Garin, saboreou-a, depois sorriu. — Não devia ter levado tanto tempo, devia? — Terminou de amarrar os calções. — Bem? Está feito? Entregou a mensagem a ele?

Garin olhou uma vez mais para Adela, depois deu meia-volta e saiu em disparada pelo corredor, ignorando os gritos de Rook para que parasse. Batendo os pés até o andar de baixo, empurrou a porta da taverna e correu para a escuridão fria, com lágrimas de ódio queimando-lhe os olhos.

## 32

## Sete Estrelas, Paris

2 de novembro de 1266

A porta da taverna estava trancada. Will forçou-a com o ombro, mas ela não se mexeu e por isso bateu na madeira firme com o punho. Os sons de vozes e risos vindos de dentro não se dissiparam. Na praça do lado de fora havia vários cavalos, carroças e alguns homens, possivelmente cocheiros ou escudeiros, parados em volta de uma pequena fogueira, as conversas visíveis pelos brancos vapores dos hálitos. Estava totalmente escuro e uma meia-lua havia nascido, alta e brilhante, prateando os telhados. Will estava prestes a bater novamente, quando um trinco estalou e a porta se abriu. O ruído ficou instantaneamente mais alto e se derramou sobre ele, acompanhado de um ar quente que cheirava a óleos perfumados e cerveja. Uma montanha humana de cabelos negros e espessas sobrancelhas hirsutas foi emoldurada pela porta.

— Sim?

— Venho me encontrar com alguém aqui — disse Will.

O homem não respondeu, mas se pôs de lado.

Will parou logo ao entrar no recinto, enquanto o homem imenso fechava a porta às suas costas. Bastou um olhar à volta do salão para que se desse conta de que, embora nunca houvesse visitado uma, aquela era um tipo de taverna sobre o qual ele e Robert às vezes faziam piadas nebulosas. Havia vinte ou trinta homens em vários estágios de vestimenta e embriaguez: sentados em mesas sobre as quais se espalhavam restos da refeição da noite; dançando ao enérgico dedilhar de um violinista bêbado; parados em torno da sala, conversando e rindo roucamente. Mas foram as outras ocupantes do recinto que prenderam a atenção de Will. Para cada dois homens havia uma mulher, coberta de joias e com os lábios vermelhos. Muitas delas usavam vestidos de seda reveladores, outras apenas longas saias e ainda outras, absolutamente nada. Os olhos de Will recusaram-se a se desviar quando viu uma mulher que estava sentada num banco diante dele, no colo de um homem bem-vestido. O homem, um mercador, pelo talhe das roupas, tinha a mão crispada em torno de um dos seios e sugava avidamente o grande mamilo castanho. A mulher, enquanto isso, conversava animadamente por sobre o ombro com uma morena rechonchuda. Will forçou o olhar a desviar-se para procurar o grandalhão.

— Acho que vim ao lugar errado — disse.

— Não é Elwen que você está procurando? — perguntou o homem, com os olhos no manto branco de Will.

Will não conseguiu responder. A mente, já desnorteada, recusou-se a fazer qualquer conexão entre a cena orgiástica diante dele e a futura esposa.

— Disseram-me para ficar à espera de um templário — explicou o homem diante do silêncio de Will. — Ela está esperando no andar de cima. — O homem apontou para um lance de escadas. — Última porta no fim do corredor.

Ele se afastou, deixando Will parado sozinho ali.

Ao ver uma mulher loura de lábios escarlate, vestindo nada além de um grande colar de ouro, abrir caminho decididamente em meio ao ajuntamento e vir em sua direção, Will se dirigiu à escada. Subiu-a vagarosamente, com as pernas pesadas e a mente tomada de trepidação. Enquanto subia, tentou pensar nas razões pelas quais Elwen poderia tê-lo levado àquele lugar, mas só uma restava quando alcançou o topo e se confrontou com o longo corredor. Lembrou-se de um livro lascivo que ela lhe havia mostrado, da maneira como havia pressionado o corpo contra o seu e o beijado no campo além da Porta de Saint-Denis, de que havia posto as mãos dele sobre o seio no palácio e de todos os encontros tateantes e nervosos. Ele se deteve ao chegar à porta no fim do corredor. Não queria aquilo, não naquela noite, não naquele lugar ordinário, com a cabeça latejando e a garganta em brasa. Mas tampouco queria deixá-la naquele lugar e por isso abriu a porta, na esperança de que ela fosse entender. O quarto estava mal iluminado e fumarento. Parada diante de uma mesa cheia de frascos e jarros, de costas para ele, havia uma mulher. Usava um robe de seda vermelha e uma touca rendada cobrindo-lhe os cabelos.

— Elwen? — chamou Will cautelosamente, em meio à penumbra.

Entrou no quarto. Quando o fez, a porta bateu atrás dele e uma adaga de lâmina curva reluziu rumo à sua garganta. O homem que a segurava estava comprimido junto à parede atrás da porta.

— Tire a espada — disse o homem, avançando por trás dele, ainda segurando a adaga junto ao seu pescoço.

Will hesitou, então sentiu uma dor aguda quando a adaga cortou sua pele.

— Faça isso logo!

Will vagarosamente desatou o cinto da espada. O homem com a adaga tirou-o dele e jogou-o sobre o catre. A mulher parada junto à mesa se virou. Não era Elwen. Sua expressão era de medo e ela parecia ter sido surrada.

— Você pode ir agora — disse o homem.

Will se deu conta, após um instante, de que ele se dirigia à mulher.

— Cuide para que não sejamos perturbados. E se aquele infeliz voltar, diga-lhe para subir até aqui.

Ao passar por Will, ela olhou para ele, com os olhos violeta cheios de remorso.

— Desculpe-me — murmurou.

Depois que ela se foi, o homem fechou a porta com um chute.

— A cama. Vá sentar-se no chão em frente a ela.

Will caminhou lentamente até o grande catre. O homem estava bem atrás dele, seguindo seus passos. Will podia sentir seu hálito rançoso. A adaga ainda estava pressionada contra sua garganta. O coração palpitava no peito, mas o medo havia aguçado a mente, dissipando a confusão em que estivera. Quase havia alcançado a cama. De repente, agarrou o pulso do homem com a mão esquerda, forçando a adaga a se afastar da garganta, e girou o corpo, esquivando-se da lâmina ao mesmo tempo que puxava o braço do homem, fazendo-o abrir-se. Will avistou seu rosto, que estava oculto por um triângulo de tecido preto, de forma que eram visíveis apenas os olhos, escuros e reluzentes, no momento em que golpeou o punho contra o estômago do atacante. O homem dobrou-se com um arfar de sufocação e Will atirou um dos joelhos contra o seu rosto. A exalação ofegante do homem tornou-se um assobio agudo quando inspirou. Ele largou a adaga. Will soltou o pulso do homem e correu para a porta, mas o oponente se chocou contra ele ao passar. Foi um movimento canhestro; ainda lutava para respirar e estava meio curvado, mas esse desajeitamento o ajudou, pois se desequilibrou, chocando-se pesadamente contra Will, que cambaleou para o lado e caiu. Quando o cavaleiro conseguiu se pôr de joelhos, uma onda de vertigem se abateu sobre ele, turvando-lhe a visão. Oscilou para a frente, atirando as mãos diante de si para evitar a queda. A visão clareou em segundos, mas a pausa era só do que o homem precisava para recuperar o equilíbrio.

O homem atirou-se sobre Will, forçando-o novamente para o chão, dando-lhe socos nos rins, dos lados e nas costas, sibilando palavrões e ameaças num fluxo vicioso e contínuo. Will tentou se desvencilhar, mas o homem estava em cima dele, pressionando-o contra o assoalho, e cada golpe arrancava o que lhe restava de fôlego e forças, até que por fim desabou sob a torrente de pancadas, o quarto escurecendo à sua volta. Sentiu o peso do homem o deixar, depois mãos agarrarem seus ombros, pondo-o rudemente deitado de costas. Sentiu confusamente que algo, uma corda ou cordão, era enlaçado em torno de seus pulsos, dolorosamente apertado de forma a imobilizá-lo.

*Templo, Paris, 2 de novembro de 1266*

— Onde está ele, então? — perguntou Everard, com irritação. — Já deveria ter reunido nossos suprimentos a esta hora. Quero repassar os planos da nossa viagem.

Simon continuou escovando os flancos do cavalo com a escova de cavalariço.

— Ele saiu, senhor — murmurou desconfortavelmente, após um momento.

Os olhos de Everard se depararam com as duas sacolas de couro que tinha dado a Will, pousadas sobre um fardo de feno junto à entrada da estrebaria. Estavam vazias.

— Saiu? Para onde?

Simon deu um suspiro fundo e voltou-se para o padre.

— Foi se encontrar com Elwen. A garota mandou-lhe uma mensagem, pedindo que se encontrasse com ela.

Os olhos de Everard se apertaram.

— Encontrá-la onde? Responda-me! — exigiu o padre, vendo que Simon continuava calado.

— Numa taverna na cidade.

A face de Everard estava revolta.

— Você sabe onde fica? Ótimo — disparou, quando Simon fez que sim.
— Então você vai pegar esse cavalo e trazê-lo de volta neste instante!
— Senhor...! — começou a dizer Simon.

Mas Everard não o deixou discutir e uma hora mais tarde Simon estava atravessando a ponte para a Île de la Cité, seguindo para o Quartier Latin.

Numa praça de feira a alguma distância do palácio, um grupo de comerciantes havia montado uma banca de ocasião para as pessoas que voltavam para casa das orações e celebrações do dia festivo. Faltava menos de duas horas para as Completas, mas os pregões atraíam os fregueses e a pequena praça estava abarrotada. O cheiro de fumaça e carne assada fez com que o estômago de Simon roncasse enquanto manobrava o cavalo, fazendo-o passar entre as pessoas que haviam se espalhado para a estrada. Havia barracas vendendo doces, cerveja e especiarias e uma vendendo seda, com algumas amostras do tecido esvoaçavam etereamente como asas de borboleta. Ao lado da barraca de seda havia uma carruagem. Estava coberta com um tecido escarlate, sobre o qual estava bordada uma flor-de-lis. Duas éguas ricamente ajaezadas estavam paradas em frente ao local onde havia um banquinho, sobre o qual se sentava um cocheiro, vestindo uma capa preta e um casquete. Parado junto aos cavalos, batendo os pés e parecendo sentir frio e tédio, postava-se um guarda real. Simon franziu as sobrancelhas ao ver uma mulher aproximar-se da carruagem, com os braços cobertos por um corte de seda. Fez com que o cavalo parasse. Era Elwen.

Após desmontar, Simon atirou as rédeas por cima de um poste onde várias outras montarias estavam amarradas. Elwen olhou em sua direção quando ele correu até ela, passando pela carruagem.

— Simon? — gritou, surpresa.

Antes que pudesse alcançá-la, Simon sentiu uma pesada mão se fechar sobre o ombro, forçando-o a parar.

— O que você está fazendo? — perguntou o guarda real, fechando o cenho para ele.

— Está tudo bem, Baudouin — disse Elwen, aproximando-se. — Eu o conheço.

Baudouin largou o ombro de Simon. Após um momento, voltou até a carruagem, mas manteve um firme olhar sobre o cavalariço.

Simon dirigiu-se a Elwen.

— Onde está Will? Ele já foi embora?

— Do que você está falando? — perguntou, desconcertada pelo tom abrupto de Simon. — Ele voltou para a preceptoria com os outros.

— Outros?

— Os cavaleiros. Depois que terminaram a reunião com o rei.

— Não, não me refiro a isso — disse Simon, categoricamente. Olhou para o guarda e abaixou ligeiramente sua voz. — Sei sobre a Sete Estrelas.

Simon, observando a expressão perplexa de Elwen, entendeu que ela não sabia de que ele estava falando. Sua contrariedade tornou-se confusão, depois preocupação.

— Você não se encontrou com ele lá? — perguntou.

— Não — respondeu ela, começando a ficar aborrecida. — Estive no palácio a tarde inteira, depois vim para cá. A rainha me mandou comprar tecidos para um vestido novo que deseja fazer antes da assembleia de amanhã à noite.

— Assembleia?

— Quando o rei anunciará à corte sua decisão de tomar a Cruz. Simon, de que se trata? Quem lhe disse que iria me encontrar com Will? A última coisa que soube foi que estava de partida para uma viagem de algumas semanas com Everard. — Abaixou a voz. — Algo a ver com o livro.

— Ele lhe contou sobre isso?

— É melhor voltarmos, senhorita — chamou Baudouin. — A rainha talvez queira usar a carruagem.

— Ela não vai a lugar algum a esta hora — disse Elwen, prontamente.

Ela ouviu Baudouin murmurar algo para o cocheiro e o bater de cascos das éguas, que estavam ficando agitadas. Simon olhava-a com um ar indeciso e ela pôde ver que ele queria compartilhar suas preocupações com alguém.

— Por favor, conte-me o que está acontecendo — o encorajou.

Simon sugou o lábio inferior, depois meneou a cabeça.

— Não é nada. Tenho de ir.

— Ir para onde? — inquiriu ela, seguindo-o. — Simon, conte para mim! O que é a Sete Estrelas?

— Sete Estrelas? — perguntou Baudouin, olhando em torno. — O que você quer com aquele lugar?

— Você o conhece? — perguntou Elwen, postando-se entre Simon e o guarda.

— Eu *ouvi falar* — disse Baudouin, parecendo constrangido. — Fica no Quartier Latin, perto da Sorbonne. — Passou as mãos com embaraço pelos cabelos cor de palha. — É um... bem, é um prostíbulo, para ser franco, senhorita.

— Por que você achou que Will estaria se encontrando comigo lá? — perguntou Elwen, encarando Simon. — Ele está lá agora?

Simon balançou a cabeça após um momento.

— Acho que sim.

Elwen dirigiu-se a Baudouin.

— Você sabe onde é?

— Sim, mas...

— Vamos para lá — disse Elwen ao cocheiro, antes mesmo que Baudouin pudesse terminar de falar. O cocheiro pareceu desconcertado, mas fez que sim. — E você irá comigo — disse a Simon. Sua voz era severa, mas ela parecia triste. — Então ambos poderão me explicar o que está acontecendo.

Elwen estava prestes a dar a volta na carruagem quando o guarda se pôs na sua frente. Baudouin era um homem grande, preenchendo o uniforme escarlate até as costuras, e pareceu crescer ainda mais quando falou.

— Lamento, senhorita — disse —, mas não posso permitir que faça isso. Vamos voltar ao palácio. — Lançou um olhar de alerta em direção a Simon. — Sozinhos.

Elwen ia protestar, mas já podia ver que isso não surtiria nenhum efeito. Baudouin podia ser sereno como um asno ou teimoso como uma mula e, naquele momento, era o lado obstinado que estava em evidência. Ficou em silêncio, sentindo-se derrotada, mas então pensou em algo que Maria havia-lhe contado alguns meses antes.

— Se não me deixar ir aonde quero, Baudouin, serei forçada a contar ao capitão da guarda que você tem se encontrado com a filha dele.

Baudouin encarou a expressão desafiadora de Elwen, depois virou-se para o cocheiro:

— Faça o que a dama diz.

Quando Elwen subiu à carruagem com Simon e se acomodou no banco almofadado, disse uma rápida oração para Maria e a incapacidade da camareira de guardar segredos.

*Sete Estrelas, Paris, 2 de novembro de 1266*

Adela inspecionou o salão. Havia homens dançando sobre as mesas e perdeu a conta de quantas jarras de vinho haviam sido derrubadas e espatifadas sobre as pedras do piso. Fabien havia atirado um cliente para fora por bater numa garota e dois estavam inconscientes num canto, mas todos os demais pareciam dispostos a ficar acordados por algum tempo. Era a noite mais movimentada no estabelecimento havia um bom tempo. Um homem perto dela assistia a duas garotas dançarem juntas. Adela sentiu-se enojada pela forma como seu olhar se demorava nelas. Virou o rosto, incapaz de repelir a lembrança das mãos de Rook em cima dela, do hálito pútrido. Queria ter feito Fabien subir até lá, arrastá-lo para fora e espancá-lo até perder os sentidos no pátio do lado de fora. Mas sabia que as ameaças de Rook eram reais.

— Adela.

Ela se virou ao ouvir a voz e viu Garin de pé às suas costas. O rosto do cavaleiro estava ruborizado e apesar do frio da noite havia um lustro de suor na testa.

— Você voltou. — A voz de Adela se perdeu em meio à algazarra do salão.

Garin tocou a face ferida da garota.

— Sei que você não tem culpa pelo que ele fez — disse.

— Não — negou repentinamente, recuando ao toque dele. — Não fui eu quem o trouxe aqui.

— Não diga isso — implorou Garin. — Não é minha culpa. Não pedi que ele viesse. Lamento — repetiu, segurando o ombro de Adela quando ela deu as costas para se retirar. — Ouça-me, Adela — Garin elevou a voz acima de uma explosão de gargalhadas exaltadas que tomou o ambiente quando um dos mercadores caiu da mesa. — Se Rook conseguir o que quer, me pagará e poderemos ficar juntos. Sempre falei a sério sobre isso.

— E quanto ao Templo? — disse ela, num tom acusador. — Eles o deixarão casar-se com uma puta?

— Deixarei o Templo — disse Garin, com displicência. — Foi-me prometido um título de senhoria e, se tudo correr bem hoje à noite, devo recebê-lo. Comprarei uma propriedade na Inglaterra. — Meneou a cabeça. — Ou onde mais você quiser, se vier comigo.

— E se não o deixarem partir?

— Ontem disse ao visitador que iria para Chipre, portanto ele espera que parta o mais brevemente possível. Quando não retornar, pensará que fui para lá. Passará um longo tempo até que alguém sinta minha falta.

— Por que você fugiu? Por que me deixou com ele?

— Estava zangado — Garin franziu o cenho quando tentou tocar o rosto dela e sua mão foi repelida. — Mas voltei por você, não voltei? — Pegou as mãos frias de Adela entre os dedos de unhas roídas. — Não quero compartilhar você com mais ninguém, nem com aquele desgraçado, nem com qualquer outra pessoa! Deixe este lugar. Posso cuidar de você.

— É melhor você subir — disse Adela num tom calmo, retirando delicadamente as mãos das dele. — Rook está com um templário lá em cima e a última coisa de que preciso esta noite é de um assassinato em minhas mãos.

Garin olhou temeroso para os degraus.

— Will está aqui? — Olhou novamente para ela. — Antes, diga apenas que irá comigo. Não conseguirei fazer isso sem saber que você irá.

— Vou pensar.

Depois de uma pausa, Garin concordou com um movimento de cabeça e um sorriso débil, depois dirigiu-se à escada.

Ao chegar diante do quarto de Adela, ouviu a voz de Rook do outro lado, abafada pela madeira, seguida de um grito sufocado de dor. Respirando fundo, bateu à porta. Essa se abriu depois de alguns momentos.

Os olhos de Rook se apertaram ao ver Garin parado ali.

— Fuja daquele jeito novamente e acabo com a sua raça — rugiu de trás da máscara preta, abrindo mais a porta.

Garin pôde apenas distinguir Will. Estava sentado ereto no chão, amarrado às pernas da cama pelos pulsos, com os braços manietados bem abertos, como se os tivesse afastado para receber um abraço. Os tornozelos estavam atados juntos por um cinto. Lembrava um crucifixo quebrado. Garin viu-o tentar virar a cabeça, depois tossir violentamente e cuspir um bocado de sangue no chão. Percebeu, chocado, que Will vestia o manto branco de um cavaleiro.

— O pirralho não está falando. Você vai ter de me ajudar.

— Não posso! — sussurrou Garin entre os dentes. — Ele me conhece!

— E você a ele — disparou Rook. — Você sabe melhor do que eu que cordas tocar.

— Não — disse Garin. — Não quero tomar parte nisso. — Indicou Will com um movimento de cabeça. — Ele foi sagrado cavaleiro, pelo amor de Deus! Se formos descobertos, você será enforcado e eu mandado para Merlan!

— Ajude-me — um gemido sufocado partiu de Will.

— Feche a matraca — rugiu Rook por cima do ombro. Então, segurou Garin pelo braço. — Pare de choramingar e entre.

Garin cambaleou para dentro do quarto quando Rook deu-lhe um puxão para diante.

— Já estou farto dessa merda! — vociferou, batendo a porta. — Faça aquele desgraçado falar ou matarei vocês dois!

Garin contornou vagarosamente a cama. A cabeça de Will estava caída para um lado e os olhos estavam semicerrados. Os lábios e o nariz sangravam e havia uma grande mancha roxa na testa, acima do olho direito. O rosto estava mortalmente pálido e coberto por uma película de suor.

— Não admira que não possa falar — murmurou Garin, olhando para Rook. — O que você fez a ele?

— Garin?

Garin olhou para trás e viu que Will olhava debilmente para ele.

— Garin? — Will repetiu, agora com mais coerência. Tentou sentar-se. — Ele se foi? Tire-me daqui!

Garin não conseguiu enfrentar seu olhar.

— Não posso — respondeu. — Não até que você lhe conte o que ele quer saber.

Will meneou vagarosamente a cabeça.

— Não entendo. O que você...? — Ele se interrompeu quando Rook entrou no seu campo de visão. — O que é isso?

— Ele quer saber onde está o *Livro do Graal*. Você tem de contar-lhe.

Will apenas olhou para o cavaleiro com uma expressão vazia.

— *Conte-me!* — rugiu Rook, adiantando-se e levando o punho para trás.

Will contorceu-se, mas não conseguiu evitar que o punho de Rook se chocasse com seu rosto, esmagando-lhe os lábios de encontro aos dentes. Will balançou para o lado com o golpe e a boca encheu-se novamente de sangue. Rook agarrou-o pelos cabelos e puxou a cabeça para trás. Will chiava desesperadamente a cada respiração.

— Will, conte logo a ele! — incitou Garin. — Faça isso e ele o deixará ir!

Rook se endireitou, esperando que Will recobrasse o fôlego.

— Garin — arfou Will, com os olhos fixando-se no cavaleiro. — Ele disse que está com Elwen. Mas não acredito nele. Diga-me que não é verdade.

Garin olhou para Rook, depois novamente para Will.

— É verdade.

— E você pode imaginar o que farei com ela se não conseguir o que quero? — disse Rook, agachando-se diante de Will e aproximando o rosto dele. — Você está sendo bem tratado diante do que acontecerá à sua queridinha.

Will olhou para Garin.

— Como você pôde fazer isso? — disse-lhe. — Como pôde *deixá-lo* fazer isso?

— Conte! — sibilou Rook na cara de Will. — Ou a trarei aqui e cortarei a garganta dela. Depois de me divertir com aquela coisinha.

Ficou de pé, vendo que Will não falava.

— Vá buscá-la — ordenou a Garin. Virou-se para esse, vendo que ele não se movia. — *Agora!*

— *Não!* — gritou Will, quando Garin se dirigiu à porta. — Espere, contarei! Apenas deixe-a ir em paz!

— Ele deixará — prometeu Garin —, se você lhe contar onde está o livro. — Ele se aproximou de Will. — Juro que não deixarei nada acontecer com ela, Will. *Eu juro*. Se você não acredita em mais nada, acredite nisso.

— Nicolas de Navarre está com ele — disse Will, engolindo em seco. — Ele o tirou de nós e foi para La Rochelle.

— Quem? — inquiriu Rook.

— É um hospitalário. Está levando o livro para seu mestre, em Acre.

— Por que um hospitalário o tem?

— Quer usá-lo para destruir o Templo — tossiu fracamente Will. Então, olhou para Garin. — Deixe-a ir. Eu lhe disse tudo o que sabia.

Rook deu um passo para trás. A máscara ergueu-se nos cantos quando sorriu.

— Ora, não é interessante? — Olhou para Garin. — Vou sair e arranjar uns cavalos para nós. Partiremos esta noite. Vamos tentar alcançar esse cavaleiro na estrada.

Ele se dirigiu à porta, depois deu meia-volta.

— Mate-o — disse.

Garin fitou-o de boca aberta.

— O quê?

Rook abriu a porta.

— Você disse que ele o denunciaria se o visse. O bostinha não poderá fazer isso se estiver morto, não é?

## 33

## Sete Estrelas, Paris

2 de novembro de 1266

Will forçou as amarras, mas estavam apertadas e a única coisa que conseguiu foi extenuar-se ainda mais. Garin havia deixado o quarto vários minutos depois do homem com a adaga, mas Will imaginou que não teria muito tempo. As únicas coisas em que podia pensar eram em libertar-se e encontrar Elwen, onde quer que estivesse. Ainda não se achava capaz de pensar na traição de Garin e nos motivos por trás dela; isso poderia ficar para depois. Tentando ignorar a dor que percorria o corpo, parou de lutar e virou desajeitadamente a cabeça para olhar para a cama atrás de si. O catre era largo e parecia bastante robusto, mas se pudesse reunir força suficiente, talvez conseguisse movê-lo o bastante para alcançar a parede ou mesmo a porta. Se batesse na parede com os pés, alguém num dos outros quartos poderia ouvi-lo. Era um plano desesperado, mas o único em que havia pensado. Tinha de tentar algo. Depois de tomar fôlego, impulsionou os braços e o tronco para diante, engasgando com o esforço. A cama cedeu alguns centímetros e parou, acomodada confortavelmente às suas costas. Will arrastou os pés pelo assoalho, depois puxou novamente, sentindo as cordas ferirem os pulsos. A cama rangeu e deslocou-se mais alguns centímetros atrás dele. Fez isso três vezes, conseguindo arrastar o móvel apenas algumas dezenas de centímetros, antes que a porta se abrisse.

— Você tem de me ajudar — ouviu Garin dizer num tom aflito, seguido por dois conjuntos de passos e pelo bater da porta se fechando.

Will mal conseguiu levantar a cabeça quando Garin apareceu diante dele, conduzindo a mulher que havia pensado ser Elwen.

A mulher levou a mão à boca quando o viu.

— Onde está Rook? — perguntou ela.

— Arranjando cavalos — respondeu Garin, dirigindo-se à mesa. Depois de apanhar uma das jarras, ele a inspecionou.

— Cavalos? — perguntou a mulher. — Aonde vocês vão?

— Elwen — perguntou Will com voz pastosa.

Ambos olharam para ele.

Will esforçou-se para fixar os olhos em Garin.

— Faça o que quiser comigo. Mas deixe-a ir.

— Não estamos com ela — disse-lhe Garin. — Ele estava mentindo.

— Ela não está aqui? — perguntou Will, com um pequeno soluço de alívio.

— Não — disse Garin calmamente. Ia dizer algo mais, porém voltou-se novamente para a mesa e apanhou outra jarra.

— Você está indo embora?

Garin se virou ao ouvir o tom acusador da mulher.

— Não por muito tempo. Prometo a você, Adela — disse, fervorosamente —, ajude-me a fazer essa última coisa e cumprirei tudo o que disse.

— Isso é meimendro — murmurou Adela, quando Garin virou a jarra. — É venenoso.

— Preciso que você faça uma poção para mim.

Adela avançou um passo.

— Largue isso, Garin. Não vou ajudar você a matá-lo.

Will observou-os em silêncio, a mente ficando mais enevoada a cada minuto.

— Não matar — declarou Garin rapidamente. — Não é isso.

Ela apontou para o recipiente nas mãos dele.

— Então, por que...?

— Quero que você prepare um sonífero. Isso está certo, não está? — Mostrou a jarra. — Meimendro? Minha mãe usava.

— Como sedativo? Bem, certas partes da planta. Use a parte errada e você não acorda mais.

— Você consegue prepará-lo? Tentarei manter Rook afastado até partirmos, mas precisamos fazer com que Will pareça estar morto, por via das dúvidas.

— E o que faremos quando acordar e me acusar de sequestrá-lo e drogá-lo? — perguntou Adela, em tom raivoso.

— Ele não fará isso — respondeu Garin, olhando para Will.

— Como você sabe?

— Porque estará ocupado demais indo atrás de mim.

Adela desviou o olhar de Will para Garin. Por fim, pegou a jarra das mãos dele e pousou-a sobre a mesa.

— Não preciso preparar uma poção — disse com calma, indo até as prateleiras e apanhando um frasco alto e escuro. — Isso vai servir.

Entregou o frasco a Garin.

— Quanto? — Garin tirou a rolha do gargalo, cheirando o interior e fazendo uma careta.

— Um quarto o manterá sedado por cerca de dez horas.

— Pelo menos vai atrasá-lo na perseguição.

Garin foi até Will.

— Abra a boca — disse.

— Tem razão — murmurou Will. — Irei atrás de você.

A mandíbula de Garin se retesou.

— Estou salvando sua vida, Will. Apenas lembre-se disso.

Segurou o queixo de Will e fez com que esse inclinasse a cabeça para trás, com firmeza, mas não rudemente.

Will tentou virar o rosto, mas Garin continuou segurando-o com força e pressionou o recipiente contra os lábios dele. Will sentiu um líquido arenoso e espesso preencher a boca. Tentou não engoli-lo, mas Garin passou a apertar o nariz dele, de forma que não podia respirar. Engoliu, meio sufocado por aquela borra de sabor repugnante.

Garin deu um passou para trás depois de ter acabado e pôs o frasco sobre a mesa.

— Quanto tempo? — perguntou a Adela.

Will tossiu, babando um líquido preto pelo queixo e sobre o manto, manchando-o.

— Não muito.

Will observou Garin andar de um lado para outro do quarto, enquanto os minutos passavam.

— Por que você fez isso? Por que está atrás do livro?

— Não estou — disse Garin secamente. — Ele está.

— Quem é ele?

Garin não respondeu.

Depois de algum tempo, Will começou a sentir-se nauseado. Fez menção de falar, mas então uma ânsia violenta revirou seu estômago, ele se dobrou para a frente e vomitou no chão. Quando acabou, afundou para trás de encontro à cama. A língua parecia inchada e dormente. Calafrios percorriam a espinha de cima a baixo. O formigamento da língua espalhou-se pelas bochechas, pelo couro cabeludo e pela nuca. Sentiu uma irresistível vontade de rir. Foi o que fez. O riso foi tão violento quanto o vômito e os olhos lacrimejaram até estar rindo e chorando simultaneamente. O corpo deslizou mais para baixo e a euforia começou a ceder. Os braços e as pernas pareciam pertencer a outra pessoa; alguém que estivesse decidido a não se mover, e sim a deitar-se. Garin falava, mas suas palavras não faziam sentido e ofendiam seus ouvidos. Tentou repeli-las, mas conseguiu apenas abanar inutilmente uma das mãos. O quarto oscilava. O rosto de Garin estava distorcido e a mulher, Adela, tinha um largo rasgão vermelho no lugar da boca. Todas as cores e formas escorriam umas sobre as outras.

— Por quê? — tentou perguntar a Garin.

Ouviu a resposta do cavaleiro como se ela viesse do fundo de um buraco alongado, ecoante.

— Pelo que ele vale, Will. Lamento, mas você não sabe pelo que passei.

Will sentiu-se cair.

Adela se aproximou do corpo prostrado de Will. Após levantar uma das pálpebras, balançou a cabeça em aprovação.

— Está feito.

— Ótimo. Direi a Rook que o envenenamos.

— Ajude-me a desamarrá-lo, antes.

— Por quê?

— Não vou correr o risco de que alguém entre aqui e o veja amarrado e espancado desse jeito. Se estiver na cama, ao menos podem pensar que está bêbado.

Garin ajudou Adela a desamarrar as cordas de Will.

— Ele não contará ao restante da Ordem que você fez isso? — perguntou Adela, esforçando-se para suportar o peso de Will enquanto Garin o erguia até o catre. — Não vão prendê-lo?

Garin sentiu os nervos já em frangalhos cederem ao pensamento de Merlan. Havia lá um poço reservado especialmente aos traidores. Mal tinha tamanho suficiente, lembrou que alguém lhe havia dito, para conter um homem agachado. Seria deixado ali, dobrado ao meio e em total escuridão e solidão, sem comida nem água, até morrer.

— Já lhe disse. Não voltarei para o Templo.

Foi até a mesa, onde a sacola de couro, com os poucos pertences, incluindo a carta do visitante, estava largada, e tirou o manto.

— Quando retornar, iremos a algum lugar onde não possam nos encontrar. Eu a procurarei quando regressar. Você pode vender este lugar ou abandoná-lo. Isso não importa; de qualquer forma, teremos partido.

Garin fez uma pausa enquanto guardava o manto branco na sacola. *Então é assim?* disse uma voz zombeteira em sua mente. Soava como a do tio. *Você vai abandonar tudo, seu lugar no Templo, seu dever como filho de sua mãe, como um De Lyons, por uma puta?* Garin repeliu a voz e enfiou o manto no saco.

— Está feito? — intimou Rook, quando Garin saiu para o pátio nos fundos da taverna pouco tempo depois, com a sacola pendurada ao ombro.

A lua se ocultava atrás de um pontilhado de nuvens e a área estava às escuras. O pátio estava tomado pelas sombras atarracadas dos barris.

— Sim — disse Garin.

Olhou em volta, ouvindo um relincho, e viu dois cavalos amarrados para fora de um dos becos que saíam do pátio entre os prédios.

Rook foi até os animais e atou um saco que estava carregando atrás de uma das selas.

— Onde você os arranjou? — perguntou Garin.

— Por que você levou tanto tempo? — perguntou Rook, virando-se para ele, os olhos cintilando à luz pálida que vazava com o som de cantoria e risos pela porta dos fundos da taverna.

— Eu o envenenei. Tive de esperar para ter certeza de que estava morto.

Rook continuou olhando-o fixamente, depois apanhou outro saco que estava pousado sobre um dos barris e atirou-o para ele.

— Envenenado, você diz?

— Isso mesmo — respondeu Garin, apanhando o saco.

— Negócio arriscado, esse. Às vezes não funciona. É melhor ver por mim mesmo.

— Não precisa! — disse Garin rapidamente.

Mas Rook já estava atravessando a porta.

Adela cruzou os braços ao se deter no meio do salão abarrotado. Não conseguia imaginar como podia algum dia ter-se julgado feliz naquele lugar. Era como se uma venda tivesse sido tirada de seus olhos. Coisas que a teriam apenas aborrecido antes — as rachaduras nas paredes pelas quais a podridão se infiltrava; o chão manchado de sangue e vômito; as lágrimas nos vestidos das garotas — tudo agora parecia muito pior.

— Você pediu para avisá-la quando Dalmau subisse, Adela.

Adela voltou-se na direção da voz e viu uma das garotas, uma ruiva fornida chamada Blanche, olhando-a cheia de expectativa.

— Mande Jaqueline — disse-lhe Adela, soando mais áspera do que pretendia. Suspirou e apontou para os mercadores ruidosos. — Tenho de lidar com esse bando.

Era mentira: Fabien era mais do que capaz de controlar a alegre multidão. Mas Garin ainda não havia partido e ela queria dizer-lhe um último adeus e, além disso, não se acreditava capaz de suportar ser tocada por outro homem naquela noite, especialmente o açougueiro com ombros de touro.

— Jaqueline? — disse Blanche, em tom de dúvida. — Pensei que Dalmau gostasse de mulheres experientes.

— Dalmau sem dúvida estará bêbado demais para notar a diferença — respondeu secamente Adela. — Diga-lhe que posso deixar essa de graça. Pagarei Jaqueline do meu próprio bolso. Em dobro.

— Como quiser.

Adela se afastou, dirigindo-se à abertura no fundo do salão, que dava para um corredor curto que passava pela cozinha até a porta dos fundos. Ela se deteve na abertura quando viu uma pessoa se aproximando por ali.

— Onde está Garin? — perguntou, quando Rook saiu do meio das sombras em sua direção a passos largos.

Blanche ficou nas pontas dos pés para examinar a multidão e viu Jaqueline sentada com um pequeno grupo num canto mais tranquilo. Foi até ela.

— Você vai ver o cliente da patroa esta noite.

Jaqueline, uma garota de 14 anos, com grandes olhos, rosto pálido e uma massa de cachos que se derramavam numa cascata dourada pelas costas, olhou-a com uma expressão temerosa.

— O cliente da patroa?

— Não se preocupe — tranquilizou-a Blanche. — Ele estará bêbado como um gambá. Faça apenas o que lhe ensinei. Não vai demorar nada.

— Ela deu um gritinho quando um dos mercadores a agarrou por trás e a girou. — Ele está esperando no quarto dela! — gritou para Jaqueline, enquanto o homem a afastava girando pelo assoalho.

Respirando fundo, Jaqueline se levantou e dirigiu-se às escadas. Subiu para o meio da escuridão, deixando os guinchos e urros das gargalhadas se apagarem atrás de si.

Depois de passar pela Sorbonne, a célebre faculdade de teologia criada pelo capelão do rei Luís, a carruagem dobrou a esquina da rua onde ficava a Sete Estrelas.

— É ali — Elwen ouviu Baudouin dizer do assento do cocheiro.

Antes mesmo que a carruagem parasse, ela estava na traseira, afastando as cortinas. Pulou agilmente do veículo e contemplou a grande taverna. Tochas brilhavam por trás dos postigos. Podia ouvir os tons agudos das mulheres em meio às vozes mais altas dos homens. Alguns indivíduos do lado de fora da taverna, parados junto a um grupo de cavalos impacientes e duas carruagens, olharam para ela. Um deles fez um gesto lascivo e os outros riram. O coração de Elwen bateu mais rápido, mas ela os ignorou e caminhou até a porta.

— Ei! — gritou Baudouin. Saltou do banco do cocheiro e correu atrás dela. — Não sei aonde você pensa que vai — disse, avançando até bloquear-lhe o caminho.

— Procurar meu futuro marido — respondeu Elwen, passando por ele.

— Vou entrar e ver se ele está aí — disse Baudouin, segurando o braço dela. — Mulheres nesta zona estão aqui apenas para uma coisa. E você pode dizer ao capitão o que quiser sobre mim e a filha dele. O rei em pessoa me enforcaria se a deixasse sair por aí para ser... Bem, perdão, senhorita, mas todos os homens têm desejos.

Olhou para os cocheiros ao lado das carruagens.

— Quando um homem vê uma garota bonita como você — continuou — só há uma coisa em sua mente. É o diabo agindo dentro de nós.

Baudouin voltou-se para Simon, que vinha correndo para juntar-se a eles.

— Não concorda, sargento? — perguntou.

Elwen não deu a Simon a chance de responder. Livrou o braço do aperto de Baudouin com um puxão.

— Então é melhor você vir comigo — disse.

Simon pareceu vagamente impressionado pela resolução de Elwen, mas Baudouin obviamente não estava se divertindo. Incapaz de detê-la pela força, porém, não teve escolha senão segui-la quando ela caminhou até a porta da taverna, com a bainha do manto amarelo ciciando pelo chão gelado. Simon foi atrás deles, deixando a carruagem real estacionada incongruentemente no meio da rua. De perto, a música e a cantoria eram muito mais altas. Elwen parou diante da porta, sentindo-se um pouco intimidada ao pensar que havia tantas pessoas do outro lado, depois a empurrou. Ela não abriu. Bateu nela cautelosamente.

— Assim não vão ouvir — disse Simon, passando à frente para esmurrar a porta com o punho.

Não houve resposta, embora Elwen pensasse ter visto um dos postigos das janelas do andar de baixo se mover. Simon esmurrou a porta novamente e Baudouin bufou alto para mostrar desagrado. Elwen mordeu o lábio ao ver que a porta permanecia fechada.

— Vocês envenenaram o cavaleiro? — perguntou Rook, ao se aproximar de Adela.

— Sim — respondeu, tentando evitar que o medo transparecesse na voz. — Ajudei Garin a fazer isso. — Olhou para a porta dos fundos, atrás dele, mas estava fechada. — Ele está ali? Queria me despedir.

— Você pode fazer isso depois que vir o cavaleiro morto com meus próprios olhos — respondeu Rook. — Saia da minha frente.

Adela hesitou, depois se recobrou.

— Tenho de me livrar do cavaleiro antes que alguém o veja. Está na hora de vocês partirem.

— Não vou repetir.

Enquanto encarava Rook — a face cruel com marcas de varíola e vincos de perversidade e desprezo, a malícia ardilosa dos olhos pretos — o asco e a raiva cresceram dentro dela, subjugando o medo.

— Caia fora logo — disparou com voz rouca. — Ou trarei os guardas reais aqui e mostrarei a eles o que você fez.

— Está me ameaçando? — perguntou, em voz baixa.

— Está acabado. Você conseguiu o que veio buscar. Agora vá e não diga uma palavra sobre isso a ninguém.

A face de Rook era indecifrável. Não disse nada pelo que pareceram, a Adela, vários minutos, mas foram provavelmente apenas alguns segundos. A respiração dela soava alto no corredor obscuro, a música e os risos no salão às suas costas pareciam vir de uma longa distância. Por fim, Rook deu um passo para trás.

— É melhor você andar logo com isso, então. Não seria bom para nenhum de nós se ele fosse encontrado agora, seria?

— Não — disse, depois de um momento, e a surpresa que sentiu diante da submissão dele fez com que sorrisse.

Ela o viu caminhar para a porta dos fundos; depois, trêmula de alívio, virou-se e se dirigiu ao salão principal, ouvindo o arco do violino soar mais alto a cada passo. Havia quase alcançado o fim do corredor quando a mão de Rook pressionou com força sua boca. Deu um grito abafado enquanto era arrastada para longe da luz e do barulho e empurrada de encontro à parede ao lado da cozinha.

— Acha que pode me ameaçar? — sibilou em seu ouvido. — Acha que pode me dizer o que fazer? — Adela se contorcia como uma enguia, mas o pulso dele era muito forte. — Você iria me denunciar, não é? Contar aos guardas o que fiz, sua vaca imprestável?

Com a mão livre, sacou a adaga da bainha.

— Você não vai contar nada para ninguém!

Com a mão ainda apertada sobre a boca, Rook puxou a cabeça da jovem para trás, expondo o longo pescoço branco à lâmina inexorável da arma. Um rápido movimento de pulso fez jorrar um jato de sangue pela parede. O corpo de Adela se debateu convulso contra ele. Lágrimas se derramaram dos olhos violeta enquanto desabava vagarosamente, o roupão vermelho ficando mais escuro, a mancha se espalhando à medida que o sangue continuava a verter.

Após chutar a porta da cozinha e ver que não havia ninguém atrás dela, Rook arrastou o corpo inerte da mulher para dentro. O sangue havia deixado um rastro escuro pelo chão. Enfiou a adaga, ainda úmida, na bainha, fechou a porta e seguiu pelo corredor. Entrou no salão iluminado e começou a se dirigir para a escada quando viu Fabien se aproximando dele pelo meio da multidão.

— Onde está Adela? — perguntou o grandalhão, olhando para Rook com indisfarçada hostilidade.

— Não sei — respondeu Rook. — Eu mesmo estava procurando por ela.

Olhando para baixo, viu que havia sangue na mão. Moveu-a lentamente para trás das costas.

— Há um guarda real e um sargento do Templo lá fora. Ela precisa falar com eles.

— Do Templo? — perguntou Rook, com preocupação.

— Sim — respondeu Fabien, com frieza. — Sem dúvida estão aqui atrás do amigo deles. — Abaixou a voz e se aproximou de Rook. — Minha patroa me disse para dispensar-lhe toda cortesia enquanto você estiver aqui, mas se trouxer problemas para ela, serei forçado a desobedecer.

— Por que não os mantém ocupados — respondeu prontamente Rook — enquanto vou encontrá-la?

Fabien fechou o cenho, analisando Rook atentamente.

— Seja rápido — disse. — Não conseguirei barrar a entrada de um guarda real por muito tempo.

Quando Fabien deu as costas, Rook deslocou-se rapidamente para a abertura no fundo da sala. Passando pela cozinha, apressou-se até a porta dos fundos.

Garin virou-se quando Rook saiu para o pátio em disparada.

— Vamos partir — disse, tomando as rédeas de um dos cavalos.

— Mas, Adela...? — Garin começou a dizer, avaliando se Rook havia sido ludibriado pelo ardil, afinal.

— Isso pode esperar — vociferou Rook. — Agora vamos. — Subiu à sela. — Ou você pode ficar para trás e explicar a um templário e um guarda real por que há um cavaleiro morto no andar de cima.

Garin olhou para a porta dos fundos, melancolicamente, depois montou o cavalo. Saíram pelo beco a meio-galope, com os cascos dos cavalos soando alto na noite.

— É inútil — murmurou Simon, afastando-se um passo da porta e virando a cabeça para olhar para as janelas do andar de cima. — Eles não vão abrir.

— Deixe-me tentar novamente — disse Elwen com determinação. Fechou a mão em punho e bateu na porta até sentir dor. — Deixem-me entrar! — gritou, fazendo com que Baudouin se retraísse e olhasse em torno, preocupado.

Quando se preparava para bater novamente, a porta se abriu. Mal conseguiu segurar-se para não cair sobre o homem enorme que aparecera.

— Sim? — disse, franzindo as sobrancelhas para ela.

Elwen recuperou a postura.

— Estamos procurando por um amigo nosso.

— Terão de esperar por ele do lado de fora. Esta é uma taverna particular.

— Apenas deixe a dama procurar o amigo e então seguiremos nosso caminho — disse Baudouin, subindo até a porta.

— Vocês não estão aqui em missão oficial?

— Não! — Baudouin apressou-se em responder. — Nada oficial.

— Então, como disse, terão de esperar do lado de fora.

— Por favor! — gritou Elwen, quando o homem fez menção de fechar a porta.

Simon afastou-a para o lado, pôs o pé na porta, empurrou-a com o ombro e deu um soco no estômago do homem. Quando esse caiu de joelhos com um gemido, Simon correu para dentro do recinto, com o coração palpitando. Sem fazer caso das mulheres nuas, procurou por Will. Não podia vê-lo em lugar algum, mas seu olhar incidiu sobre uma pequena escadaria que dava para o andar superior e se dirigiu a ela, sem esperar por Elwen e Baudouin, que haviam contornado o homem que gemia no chão e entrado no local. Elwen se deteve chocada com a cena no salão da taverna, mas o guarda conduziu-a aos degraus.

— Venha. Quanto antes formos embora, melhor.

Simon subiu os degraus de dois em dois, usando a parede como apoio. Ao chegar ao alto, deparou-se com um corredor longo e estreito, iluminado por uma única tocha, e com oito portas. Luzes fracas passavam sob várias delas. O primeiro dos casais cujo quarto Simon invadiu sentou-se na cama, ambos assustados. Ignorando os gritos de indignação, Simon avançou para a próxima porta. Ouvindo passos atrás de si, deu meia-volta, então se tranquilizou ao ver Elwen e Baudouin.

— Devemos verificar cada um dos quartos — disse ao guarda real.

Baudouin avançou para ajudar na busca. Elwen observou o guarda real desaparecer dentro de um dos quartos, ouviu alguns gritos alarmados e então pressionou-se novamente contra a parede quando uma garota nua saiu e passou por ela em disparada pelo corredor.

— Fabien! — gritava, ao bater os pés escada abaixo.

Simon estava quase no fim do corredor, abrindo mais uma porta, quando um homem seminu, com ombros largos como os de um touro, saiu correndo. Avançou com tanta velocidade penumbra adentro que os dois se chocaram, atravessando a porta do lado oposto. Do quarto vieram os sons de uma luta feroz.

— Baudouin! — Elwen gritou.

O guarda real apareceu num dos umbrais e avançou a toda pressa quarto adentro para ajudar o cavalariço, enquanto mais pessoas saíam dos cômodos e passavam correndo por Elwen rumo à escada. Ela ouviu grunhidos e sons de coisas se quebrando vindo do aposento onde Simon, o homem com ombros de touro e Baudouin haviam entrado. Ficou parada ali indefesa, sem saber o que fazer. Os olhos se fixaram na última porta, no fim do corredor. Ainda estava fechada. Elwen foi até ela, percorrendo as portas abertas, prevendo que mais pessoas fugiriam por elas a qualquer momento. Empurrou a porta, abriu-a e se deteve no corredor da câmara fumarenta, onde as brasas da lareira já haviam embranquecido. Os olhos caíram primeiramente no espelho de prata na parede oposta, onde viu a si própria refletida: faces coradas; cabelos de cobre soltando-se das presilhas de arame. O olhar esvoaçou rapidamente por sobre um biombo de vime, uma mesa, prateleiras perfiladas de potes, o catre encostado na parede perto dela. Cruzou olhares momentaneamente com a garota de rosto pálido com cachos dourados soltos que estava sobre o catre. Estava sentada com as pernas abertas sobre um homem, com a saia levantada até a cintura. Elwen sentiu seu mundo virar pelo avesso quando se deparou com o homem prostrado sob a garota. O rosto estava voltado para o outro lado, mas reconheceu o corte desigual dos cabelos pretos e o contorno do pescoço e da mandíbula. Sentiu vagamente que mãos agarravam seus ombros e a afastavam para o lado.

Jaqueline, que havia ficado paralisada ao ouvir a comoção no corredor, saiu de cima de Will e se arrastou até a parede, com o rosto transformado numa máscara de medo, quando Simon avançou quarto adentro. Ele também estacou, mas só por um momento. Então foi até o catre, abaixando a camisa de Will para cobrir o que estava à mostra.

Enquanto amarrava os calções de Will, com os dedos trêmulos, Simon ouviu Elwen chorar atrás dele. A pele de Will estava cinzenta, o rosto seriamente ferido. Simon ergueu suavemente uma das pálpebras. O olho estava virado para cima, exibindo a parte branca. Will deu um gemido tênue. Simon pensou ter ouvido um nome. Garin.

— Will! — O grito de Elwen tornou-se um soluço e ela tentou ir até o catre, mas Baudouin, que havia derrubado o atacante de ombros bovinos, a reteve. — O que há com ele? — chorou. — Por que ele não acorda? *Will!*

Simon olhou novamente para Will. Reconheceu aqueles olhos revirados e brancos: havia visto o mesmo em olhos de cavalos quando estavam sedados com opiáceos para cirurgia. Sentiu um surto de fúria.

— O que há com ele, Simon? *Conte-me!*
Simon encontrou os olhos de Elwen. Deu um leve encolher de ombros.
— Deve ter bebido, ou algo assim. Não sei.
— Não! Ele não teria feito isso! Ele *não teria!* — Elwen desabou de encontro ao peito de Baudouin.
O guarda a ergueu nos braços.
— Já chega. Vou levá-la de volta ao palácio.
Elwen estava chorando demais para protestar quando Baudouin a carregou para fora do quarto, deixando Simon ajoelhado ao lado de Will.
Quando se foram, Simon, sentindo-se trêmulo, calçou com cuidado as botas de Will. A garota, que ainda tremia junto à parede, repentinamente correu para fora do quarto. Simon deixou-a ir. Depois de vestir Will, cingiu o cinto da espada em torno da cintura e ergueu o amigo inconsciente por cima do ombro. Perguntou-se por que o homem que havia esmurrado não viera atrás deles e por que podia agora ouvir gritos enquanto descia até o salão da taverna. Parecia muito mais vazio e a música havia cessado. Havia um ajuntamento de pessoas em torno de uma passagem no fundo do salão. Os gritos partiam de várias mulheres. Com toda a atenção dos ocupantes voltada para outro lugar, nenhum deles notou Simon carregando Will pela porta da frente.

## 34
# Templo, Paris
### 3 de novembro de 1266

Will sonhou que navegava numa canoa. Estava com o pai no lago, pescando. O movimento da água era suave. O pai fisgava continuamente peixes enormes e prateados. Mas não os levava consigo.

— Este é uma beleza! — exclamava, tirando o peixe do anzol e atirando-o de volta na água.

Will não pegava nenhum. Podia vê-los nadando em volta da canoa em vastos cardumes cintilantes logo abaixo da superfície, mas nenhum deles mordia sua isca.

— Isca podre — disse o pai, com ar de entendido.

Will começou a sentir-se enjoado. O balanço ficava mais intenso à medida que os cardumes de peixes nadavam cada vez mais rápido, girando a canoa mais e mais com o impulso. O pai ria e tirava-os da água aos punhados.

Will despertou, agarrando-se ao catre para evitar uma queda. Continuou deitado, pensando que iria passar mal e piscando os olhos para o teto até que, gradualmente, a sensação passou. A língua parecia inchada e sentia um gosto pútrido na boca. Não tinha saliva quando tentou engolir e a garganta doeu com a tentativa. Tudo parecia errado: a luz; a forma estranha da mobília à sua volta; a maciez do cobertor em que estava enrolado. Até mesmo o cheiro do próprio suor era incomum. Will sentou-se vagarosamente. A luz do dia que atravessava uma fresta na tapeçaria fez com que os olhos doessem. Os músculos estavam doloridos e, embora estivesse encharcado de suor, sentia muito frio. Com os dentes batendo, ele afastou o cobertor e pôs as pernas para fora do catre. Quando examinou o quarto, percebeu que o conhecia. Estava no solar de Everard.

A porta se abriu.

— Ótimo — disse Everard, vendo Will sentado na cama. — Você está acordado.

O padre fechou a porta e atravessou o quarto até o banco junto à janela, sobre o qual largou duas grandes sacolas de couro. Uma estava vazia e a outra abarrotada. Will podia sentir o cheiro de pão recém-assado. Everard foi até a escrivaninha e apanhou uma jarra. Parou por um momento para puxar um pedaço de tecido branco de cima de um banco usando a mão livre. Quando jogou o tecido no catre, Will pôde ver que era sua sobrecota: a túnica branca sem mangas que ia por baixo do manto.

— Peguei-a no alfaiate esta manhã — disse Everard. — Deve servir. — Entregou a jarra para Will. — Beba isto e vista-se.

Quando Will apanhou o recipiente, que estava cheio de um líquido escuro, a lembrança da noite anterior veio-lhe numa série de imagens confusas.

— O que aconteceu comigo?

— De que você se lembra?

— Garin — disse subitamente Will. Tentou se levantar, mas os membros estavam muito fracos e desabou.

— Simon disse que você mencionou o nome dele várias vezes — disse Everard atentamente. — Ele estava na taverna?

— Fui até lá para ver Elwen — disse Will vagarosamente, tentando tirar sentido da confusão de imagens. Olhou para o padre, mas Everard não fez nenhum comentário. — Ela me mandou uma mensagem. Pelo menos, disseram-me que vinha dela. Mas quando cheguei lá, fui... — Franziu as sobrancelhas. — Fui atacado por alguém... um homem mascarado. Ele sabia sobre o *Livro do Graal*.

Will apalpou o rosto cuidadosamente com as pontas dos dedos. Os lábios pareciam ter duas vezes o tamanho normal e havia uma protuberância na testa logo acima do olho. Ele se contraiu com uma pontada.

— Ele me bateu. Acho que devo ter-lhe contado sobre Nicolas de Navarre, porque não o vi novamente. Então Garin chegou com uma mulher. — Will balançou a cabeça, pois a memória gradualmente se tornava mais clara. — Estavam juntos, Garin e esse homem. — Olhou para Everard. — Como pôde ter descoberto? Jacques teria lhe contado sobre a Anima Templi?

Everard suspirou.

— Não tinha pensado nisso, mas não vejo de que outro modo ele poderia saber. Esse homem. Você se lembra de alguma coisa sobre ele?

— Não. Como disse, usava máscara. — Will fez uma pausa. — Rook — disse, por fim. — Acho que a mulher chamou-o de Rook. Garin me forçou a beber algo. Não lembro de muita coisa depois disso, apenas de uma porta se abrindo e de uma luz. — Will franziu o cenho. — Uma voz de mulher.

A imagem de uma garota de cachos dourados, a face pálida tensa à luz da lareira, veio-lhe à mente. A taça escorregou da mão e caiu no chão com estrépito.

— A mulher — ofegou. — Ela... — Mas sentiu-se mal e não conseguiu terminar.

Everard, porém, pareceu entender. Ele se abaixou e apanhou a taça.

— Eu o absolverei — disse. — Não precisa se preocupar por ter quebrado seu voto de castidade. Não contarei a ninguém.

— Elwen! — disse Will, erguendo a cabeça num estalo. — Ela estava lá! Ouvi sua voz!

— Sim, estava, Simon me contou.

Will se levantou, enjoado. Olhou em volta à procura das roupas e avistou a camisa sobre um banco, sob o qual estavam as botas.

— O que está fazendo? — perguntou Everard, observando-o.

Will enfiou a camisa por cima da cabeça.

— Onde está minha espada? — perguntou.

— William...

— *Onde está a droga da minha espada?*

Everard deu um passo para trás quando Will virou-se para encará-lo, com olhos em brasa.

— Ali — disse o padre, apontando para um dos baús.

Will agarrou-a. Depois de vestir a nova sobrecota, que de fato serviu, cingiu o cinto com a espada em torno da cintura.

— O que vai fazer? William?

— Tenho de ver Elwen. — Os dentes de Will estavam batendo. Apertou a mandíbula para impedi-los. — Tenho de explicar.

— Você não tem tempo. — A voz de Everard estava calma, porém firme. — Nicolas já tem um dia de vantagem sobre nós e, se você estiver certo, parece que Garin e o homem que o torturou também irão atrás dele. Simon o carregou da taverna até aqui. Está com nossos cavalos selados e espera por nós lá fora. Irá conosco. Eu o requisitei como nosso escudeiro.

— O senhor contou a Simon sobre a Anima Templi?

— Não. Mas ele provou seu valor e já sabe sobre Navarre. O visitador acha que vamos a Blois para ver um tratado seminal sobre navegação. Eu lhe disse que Navarre teve de partir com urgência para tratar de assuntos pessoais. A última coisa de que precisamos é de uma investigação sobre o desaparecimento dele.

— Não posso ir.

Will olhou em torno à procura do manto. Encontrou-o embolado aos pés do catre e jogou-o sobre os ombros. Dirigiu-se para a porta.

Everard parou na frente dele.

— Se Elwen sente o mesmo que você, ela o perdoará. Não importa que você explique a ela hoje, amanhã ou na próxima semana.

— Saia do meu caminho, Everard — disse Will, secamente. — Você não me comanda mais.

Everard segurou seu braço.

— Garin o drogou e colocou-o na cama com uma vadia imunda, certamente crivada pela varíola! Você vai deixá-lo sair impune?

Will tentou afastar Everard, mas não tinha forças suficientes. As palavras do sacerdote ecoaram em seus ouvidos e o deixaram enojado até os ossos.

— Pare! — mandou numa voz áspera. — Não diga isso! Não quero ouvir!

— Ele fez com que uma mulher o violasse — sussurrou Everard, com os olhos vermelhos estreitados como fendas cruéis. — Aquele merda imprestável o *violou*!

— Cale-se!

— Ele o levou a quebrar seu voto, o voto que você fez para o Templo com a intenção de honrar seu pai morto! — Agarrou o outro braço de Will e o sacudiu. — O que você vai fazer a respeito?

— *Vou matá-lo!* — Will desmoronou de encontro ao padre, tremendo. Imagens da garota, de Garin, do pai e de Elwen tomaram sua mente em um tumulto.

Everard vacilou, depois segurou-o.

— Nós o encontraremos juntos — murmurou ao ouvido de Will. — Conseguirei meu livro e você verá Garin enforcado. Eu lhe prometo.

*Via de César, do lado de fora de Orléans, 5 de novembro de 1266*

Por dois dias haviam perseguido Garin e Rook, seguindo para o oeste ao longo da Via de César até La Rochelle. No primeiro, haviam progredido e foram recompensados ao passarem a noite em Etampes, uma próspera cidade construída ao redor de várias tecelagens, pois descobriram que as pessoas haviam visto um templário e outro homem passarem por ali naquela tarde. Everard tinha esperança de que, caso impedissem Garin e Rook de perseguir Nicolas de Navarre, ou passassem à frente deles, poderiam continuar sem percalços até La Rochelle e executar o plano de prender os hospitalários.

Em Etampes, Will, Everard e Simon haviam compartilhado um quarto numa estalagem cujo proprietário, ao ver os mantos, convidou-os a jantar um javali com ele e a esposa. A forte refeição caiu mal no estômago de Will e, para grande frustração de Everard, tiveram de reduzir a marcha no dia seguinte. A dor de garganta piorou progressivamente ao longo da manhã, até que mal era capaz de engolir e o nariz e olhos manavam fluidos continuamente, fazendo com que cavalgasse quase às cegas. Ainda que o clima estivesse terrivelmente frio, estava ensopado de suor e, na noite anterior, quando se abrigaram no estábulo de um agricultor, os outros não conseguiram dormir por causa de seus espasmos e gritos durante o sono. Simon observava-o com preocupação. Mas Everard estava concentrado demais em recuperar o livro para prestar muita atenção ao rápido declínio da saúde de Will.

— Ele ficará bom em um dia ou dois — disse o padre com impaciência, quando desmontaram por volta das Nonas e Simon apontou para a coloração febril do amigo.

Fizeram uma parada próxima à estrada, junto a um bosque de árvores raquíticas, ao longo do qual corria um rio, avolumado por chuvas recentes. As margens eram rasas o suficiente para que dessem de beber aos cavalos. Uma leve garoa enevoava o ar e nuvens baixas pairavam no céu. A terra ao redor deles estava pardacenta e desolada por causa do inverno.

Will desceu até a beira d'água para encher os odres. Simon pegou as rédeas de Everard, enquanto o velho sacerdote desembrulhava pão e queijo tirados da sacola e depositava-os num toco de árvore. O cavalariço observou Will mergulhar os odres de couro no rio caudaloso, desesperado para ir até ele, mas impossibilitado de se mover. Tentara falar com Will várias vezes desde que haviam deixado Paris, mas a língua mantinha-se aderida ao céu da boca e nenhuma palavra saía dela. Esforçava-se para tirar da mente a visão da face transtornada de Elwen quando lhe disse que Will devia ter-se embebedado, mas ela sempre retornava. A mentira havia escapado automaticamente. Uma vez que foi pronunciada, era tarde demais para consertá-la. Agora, quando olhava para Will, sua traição era a única coisa em que conseguia pensar.

— Dê de beber aos animais, então — disse Everard em tom rabugento, despertando Simon da inércia.

Enquanto Everard saía para encontrar um arbusto apropriado para fazer suas necessidades, Simon levou os cavalos até um trecho mais baixo da margem, onde os animais inclinaram as cabeças para beber. Deu tapinhas no flanco do animal de carga, uma jovem égua baia que haviam carregado com a maioria dos suprimentos, e olhou para Will pelo canto dos olhos. Então chamou seu nome, alarmado. Will havia removido o manto e a sobrecota e os largado descuidadamente na margem lamacenta. Depois começou a tirar a camisa. Will não se voltou ao chamado de Simon. Deixando os cavalos, Simon correu ao longo da margem, enquanto Will chutava as botas para longe e descia a passos vacilantes o declive barrento para dentro da água castanha e espumante. Chegava apenas à cintura, mas a correnteza era forte e Simon sabia que devia estar gelada.

— Will! Saia daí!

Will não lhe deu atenção. Ao contrário, começou a jogar água nos braços e no peito, esfregando a pele nua.

Simon praguejou, arrancou as botas, depois entrou, com uma torrente de palavrões e grunhidos de aflição, no rio.

O corpo magro de Will era perfeitamente branco em contraste com a água escura, mas havia pontos inflamados nas faces. Ele se virou quando Simon apertou seu ombro. Os olhos verdes estavam arregalados e desfocados.

— Tenho de me limpar — disse.

— Saia daí e lhe arranjo um pano úmido, então — ofegou Simon, sentindo o frio cortá-lo ao meio como uma foice. Quando Will tentou entrar mais para o fundo, Simon o deteve. Apesar da condição debilitada, estava surpreendentemente forte e foi necessária toda a força de Simon para fazê-lo parar.

— Por favor, Will! Vamos acabar morrendo!

— Quando meus olhos se fecham só o que vejo é ela!

— Elwen? — perguntou Simon, agora agarrando-se a Will, não mais conseguindo sentir os pés ou as pernas.

O olhar de Will pareceu voltar ao foco.

— Pensei que fosse ela, Simon — disse. — Pensei que a garota fosse ela. Parecia um sonho. E a queria. Eu... eu toquei... e... — Meneou a cabeça em delírio. — Então, quando vi seu rosto, seu rosto *real*, tentei dizer-lhe para parar. Tentei, Simon, você tem de acreditar em mim. Mas não conseguia falar. Não conseguia me mover! Ainda posso... sentir o cheiro dela em mim. E não suporto isso!

— Vai ficar tudo bem — acalmou-lhe Simon. O rumorejar do rio soava forte em seus ouvidos.

— Elwen me viu.

— Depois que pegarmos o livro e voltarmos para Paris você poderá explicar tudo. Conte-lhe o que acabou de me contar.

— Contar a ela o quê, Simon? Que levei uma puta para a cama pensando que fosse ela? — Will deixou escapar um intenso soluço. — Por que ela entenderia, se eu mesmo não entendo? Deveria ela saber que eu não faria isso? Não compreendo!

— Elwen o perdoará.

Simon hesitou, agitado por um redemoinho de emoções. Queria que fosse verdade: estava desesperado para corrigir seu erro e para aliviar a própria culpa. Mas as palavras ficaram presas na garganta, sufocando-o.

— E se não perdoar, talvez seja para melhor — balbuciou.

— Como poderia ser para melhor? — gritou Will, com a voz soando rouca.

— Às vezes, coisas ruins acontecem por um motivo, não é? Talvez fosse muito cedo para você pedi-la em casamento. Talvez fosse melhor você esperar um pouco para ter certeza de que é isso o que realmente quer.

— Não posso esperar! — Will partiu na direção da margem, mas escorregou e afundou. Simon agarrou-o e puxou-o para cima, sufocando e tossindo. — Você não entende, não é? — Will gritou com ele. — Esperei todos estes anos que meu pai me perdoasse e ele morreu! — Apertou os ombros de Simon. — Não posso esperar por ela!

Quando Will desmoronou, Simon conseguiu a custo segurá-lo.

— Deixe-me ir — sussurrou Will, com a voz sumida.

— De jeito nenhum — disse Simon, conseguindo arrastar Will para a margem, uma vez que havia cessado de resistir.

— O que vocês estão fazendo? — gritou Everard, saindo do meio dos arbustos para encontrar Will e Simon caídos na lama, encharcados e tiritantes.

Enquanto acendiam uma fogueira para aquecer Will, Simon suportou o ímpeto da ira de Everard em silêncio. O padre encolerizou-se com ambos pelo atraso desnecessário, mas Will, delirante, estava alheio à raiva. Enquanto Everard esbravejava e embrulhava os suprimentos, Simon tentava persuadir Will a comer um pouco de pão, porém com pouco sucesso. Will não havia aberto a boca desde que saíra da água, exceto para tossir. Simon imediatamente odiou o som cavernoso e chiado. Seu pai chamava aquilo de tosse de cemitério.

Por fim, Everard pisoteou a fogueirinha pífia e se puseram novamente em marcha, com a esperança de chegar a Orléans ao anoitecer. Como Will estava fraco demais para cavalgar, Simon montou atrás dele, com um dos braços enlaçando com firmeza sua cintura a fim de mantê-lo na sela. Everard conduziu a égua de carga de Simon ao lado de sua montaria, resmungando com seus botões de tempos em tempos. O passo deles era horrivelmente lento, mas de fato chegaram à cidade, conforme esperavam, naquele entardecer.

Entraram em Orléans atrás de uma pequena caravana mercante, depois do que os portões se fecharam às suas costas para a noite, após os guardas fazerem sinais para que seguissem em frente. Everard conduziu-os através das ruas. O céu acima do labirinto de telhados, torres e pináculos era de um cinza-esverdeado à luz mortiça do anoitecer e começou a chover no momento em que o sacerdote os levou, após várias voltas equivocadas, para dentro da preceptoria templária. Era um pequeno conjunto de prédios com vista para o Loire, mas tinha a própria capela e estábulos e era bem equipada. O mestre foi saudá-los pessoalmente quando a chegada foi anunciada. Will foi levado imediatamente à enfermaria com Everard, e Simon, aos alojamentos.

Esperou com ansiedade no quarto minúsculo, espreitando pela vigia, através da qual entrava um vento frio e o odor salobre do rio. Além de um banquinho, havia apenas um catre estreito e um balde para dejetos. Simon se deu conta de que passaria a noite no chão.

Quando Everard entrou pouco tempo depois, Simon se levantou.

— Como está Will, senhor? — perguntou, com hesitação.

— O quê? — perguntou Everard, sentando-se pesadamente no banquinho. — Ah. Nada bem.

— Foi... foi por causa da puta, senhor? — Simon conseguiu perguntar.

— Não, acho que não. Ele está com febre alta. O enfermeiro acha que cederá em alguns dias. A lua está na fase apropriada e começaram a fazer as sangrias.

Simon balançou a cabeça e parte do temor se dissipou.

— Você terá de rastrear o livro sozinho.

A boca de Simon se escancarou.

— Senhor...!

— Temos de tirá-lo dos hospitalários — Everard o interrompeu. — Se Nicolas deixar estas praias com ele, jamais voltarei a vê-lo!

Abriu uma das sacolas de couro que havia levado para o quarto e tirou uma algibeira cheia e uma longa faca de caça.

— Tome isto — disse, pondo a algibeira e a faca nas mãos de Simon.

— Há dinheiro suficiente nessa bolsa para levá-lo a La Rochelle e trazê-lo de volta cinco vezes. Vá diretamente à nossa base lá e diga aos cavaleiros que os hospitalários roubaram um livro importante do Templo em Paris. Diga-lhes que teve de cavalgar à frente de sua comitiva e que devem prender Nicolas e os confrades, e também Garin e aquele homem, se estiverem lá. Will e eu seguiremos tão logo seja possível.

Simon contemplou a bolsa e a faca, depois olhou novamente para o sacerdote. Não sabia falar a língua nativa e seu latim era pavoroso. Mal sabia escrever o próprio nome ou contar até dez e só havia manejado uma arma nos estábulos da preceptoria de Paris quando Will o estava ensinando. Agora, aquele padre queria que pegasse a maior quantidade de ouro que já vira em toda a sua vida e saísse à caça de dois grupos de homens armados. Simon pensou em toda a distância que o separava da costa e, ainda que não soubesse de quantos quilômetros se tratava, Everard podia estar igualmente lhe pedindo que fosse a pé até Jerusalém, tamanho o desespero que sentiu.

— Eu... Eu acho que não consigo fazer isso, senhor — balbuciou. — O senhor poderia ir? Eu poderia ficar com Will e depois cavalgar ao lado dele, quando...

— Não seja ridículo! — vociferou Everard. — Você iria muito mais rápido do que eu. Já estamos atrasados. Você deve chegar a La Rochelle antes de Nicolas partir. Will e eu não estaremos muito atrás.

Sua voz baixou, tornou-se insidiosa.

— Não há mais ninguém além de você, Simon. Se não fizer isso, Garin jamais será punido pela injustiça que cometeu contra Will. E se isso acontecer, Will jamais encontrará a paz.

## 35
## Templo, Orléans
2 de fevereiro de 1267

Will observou a fila de mulheres descendo a colina em direção à catedral. Com as mãos em concha, protegiam as velas que seguravam do vento frio que encrespava as águas escuras do Loire. Era a Festa da Purificação da Virgem e todas aquelas que haviam dado à luz no ano anterior levariam velas até a igreja para pedir à Santa Madre boa saúde para cuidar dos bebês. Padres, monges e clérigos de toda a Cristandade iriam naquela noite purificar as velas que seriam usadas durante as missas do ano vindouro.

Ao se afastar da janela, Will teve um vislumbre de si próprio na bacia d'água que estava posta sobre a mesa ao lado do catre. As faces estavam encovadas, os olhos fundos e as costelas eram cordilheiras íngremes sobre a caverna da barriga. Ao longo dos últimos três meses, havia perdido quase um terço do peso. O que começara como uma febre tornou-se uma doença dos pulmões e quase lhe tirou a vida. Além das cicatrizes nas costas, onde Everard o fustigara, havia uma série de cortes recentes, feitos pela faca do enfermeiro a fim de livrar seu peito dos maus humores. O quartinho fedia ao óleo de arruda e ao louro que haviam sido usados para limpar as feridas. Durante semanas, Will ficara entregue a um estado de estupor suarento, enquanto litros de sangue eram drenados de suas veias. À medida que todo aquele quente fluido vital era extraído de si, igualmente o eram a raiva, a dor e a culpa, tornando-o uma casca de pele cinzenta que não podia nem se alimentar, nem se vestir por conta própria, que dirá sentir algo.

Mas, gradualmente, no decorrer da última quinzena, a tosse havia começado a diminuir. As sangrias foram interrompidas por causa da lua nova e a cor começara a retornar às faces. Com ela vieram as lembranças. E o espicaçar da raiva. Era uma raiva mais fria e intensa do que jamais havia experimentado. Ela o mantivera acordado durante as últimas noites; superando até mesmo as profundas pontadas de tristeza que havia sentido quando começara a pensar em Elwen.

A porta se abriu.

— Viu a procissão?

Will não olhou na direção da voz de Simon.

— Sim — respondeu.

Simon, ignorando o tom indiferente de Will, continuou sorrindo. Trazia uma tigela de caldo fumegante e uma caneca de *lamb's wool*, uma bebida feita de maçãs assadas, cerveja, açúcar e noz moscada.

— Tome — disse, fechando a porta com o pé. — Por que não se senta? Vou ajudá-lo com o jantar.

O único sinal externo da irritação de Will era uma contração na mandíbula.

— Eu me viro — disse.

Estava achando os mimos do cavalariço cada vez mais irritantes e a claustrofobia do quartinho em que havia sido confinado não ajudava em nada. Estava enjoado do próprio cheiro, que havia saturado os cobertores com que dormia e o ar que respirava, enjoado do quadrado de céu cinzento na janela. Depois de pegar a tigela, Will sentou-se no catre e tomou o caldo. O calor correu pelo fundo da garganta e se espalhou pelo peito, aplacando a amargura.

— O irmão Jean acha que no fim do mês você estará bem o suficiente para viajar — disse Simon, após um longo silêncio, que foi preenchido pelos cânticos das mulheres nas ruas.

Will fez que sim. Irmão Jean, o enfermeiro, havia-lhe dito o mesmo naquela manhã. Everard, que viera ouvir o diagnóstico, ficou maravilhado. O padre, disse Simon, parecia um possesso e havia passado as últimas semanas no quarto, andando de um lado para outro como um tigre enjaulado e consultando todos os mapas que pudesse achar que exibissem diferentes rotas para a Terra Santa — por terra e por mar.

Will estava fortemente envolvido pelos braços tenazes da febre quando Simon retornou de La Rochelle, pouco antes do solstício de inverno. A viagem do cavalariço até o porto havia começado bem e ele a havia feito numa boa velocidade, seguindo o curso do Loire até Blois. Mas numa noite avançada, pouco antes de alcançar Tours, o cavalo tropeçou numa pedra.

Levou a montaria manca até a cidade, onde foi forçado a gastar do dinheiro de Everard numa nova. O atraso, combinado com vários dias de mau tempo, fez com que chegasse à La Rochelle muito depois do que o planejado. Não havia visto sinal de Garin, mas teve menos dificuldade em localizar o paradeiro de Nicolas.

Quando Simon informou aos templários que um hospitalário havia roubado um livro valioso da preceptoria de Paris, o marechal enviou dois cavaleiros até o Hospital para exigir que Nicolas fosse entregue. Os hospitalários, que negaram ter qualquer conhecimento do livro, informaram friamente aos templários que quatro cavaleiros haviam chegado recentemente de Paris, mas que não estavam mais ali. Três haviam retornado a Paris e o outro, um homem chamado Nicolas de Acre, partira num dos navios, destinado a Acre, seis dias antes. O marechal templário, não desejando estragar ainda mais a relação com os hospitalários, disse a Simon que não havia nada que pudesse fazer e que caberia ao visitador, em Paris, levar o caso adiante.

Quando Simon retornou a Orléans, Everard quis partir para o porto imediatamente. Mas Will estava doente demais para viajar e Simon informou ao frustrado sacerdote que não haveria mais embarcações zarpando para uma viagem tão a leste até a primavera. Uma delas seria um navio de guerra templário, o *Falcon*; um dos primeiros da frota a partir na esteira do ataque de Baybars a Safed. Everard mandou uma mensagem ao visitador, em Paris, para informá-lo de que viajariam para Acre, ele para uma peregrinação e Will e Simon para ajudar na refortificação da cidade.

Simon observou Will sorver toda a bebida.

— Estive pensando — disse. — Talvez não devêssemos ir a Acre. Ela não está em guerra? Não consigo nem mesmo segurar uma espada direito, você sabe disso.

— Estou decidido — respondeu Will, enxugando a boca com as costas da mão. Olhou para Simon. — Você não precisa ir.

— Sim, preciso. Everard não vai cuidar de você.

— Não preciso que cuidem de mim.

Simon de um forte suspiro.

— Você mal pode andar. Levará semanas para chegar a La Rochelle, depois meses e meses num navio. E se chegarmos à Terra Santa, como encontraremos Nicolas, ou Garin, se é que ele está lá?

Will se levantou e foi até a janela. Pôs as mãos no peitoril e fechou os olhos, respirando o ar gelado. Por vários dias esteve pensando em Outremer: o local de sepultamento do pai. A pele pálida e irritada ansiava pelo calor imaginado daquele sol do Oriente. A mente ansiava por vingança. Os sarracenos o haviam privado do pai e Nicolas de Navarre havia roubado a única oportunidade que teria de se redimir, fazer a única coisa que sabia que o pai teria desejado. Se Nicolas tivesse sucesso em destruir a Anima Templi, e com ela o Templo, a morte do pai não teria significado realmente nada e a guerra continuaria incontrolável. E Garin? Seu velho amigo? O garoto que um dia fez as sombras desaparecerem? Ele o havia privado da única coisa que restava para Will. Elwen. Abriu os olhos.

— Vou encontrá-los — disse, mais para si próprio do que para Simon.

# PARTE TRÊS

## 36
## Hospital da Ordem de São João, Acre

18 de janeiro de 1268

Fazia um dia frio na cidade de Acre, embora quente em comparação com a França ou Inglaterra. Na distância, ao sul da cidade, os contrafortes sob o monte Carmelo estavam coroados por nuvens azuladas, escuras contra os brancos e amarelos desbotados da planície costeira. Faixas etéreas de chuva desciam do céu como véus. Num recinto leve e arejado numa torre do Hospital da Ordem de São João de Jerusalém, Nicolas de Acre observava a chuva derivar gradualmente para o oeste. Pela janela vinha o clamor e o mau cheiro da feira de gado que ficava para fora dos muros do complexo de prédios. Esse, por sua vez, também estava movimentado. Nicolas avistou dois homens, peregrinos, supôs, sendo conduzidos através do pátio até o asilo, um apoiado no outro. Tendo crescido em Acre, lembrava-se que o asilo, fundado, como sua Ordem, para atender os viajantes cristãos, sempre fora atarefado. Agora, a maioria dos leitos estava vazia. Um bênção, por um lado, pensou Nicolas, mas um sinal de que havia menos cristãos ali para serem tratados.

Abandonando a vista, Nicolas dirigiu novamente o olhar para a escrivaninha de mogno sobre a qual se encontrava o produto de dez anos de sua vida. O livro com encadernação de velino havia sido afastado para um lado a fim de acomodar os pergaminhos e o tinteiro do secretário que transcrevia com diligência uma carta que o grão-mestre da Ordem de São João, Hugues de Revel, estava ditando. O grão-mestre, um homem alto e magro de meia-idade, com bigode e barba bem aparados, sentava-se ereto numa cadeira de encosto alto. O secretário estava empoleirado desajeitadamente na beira de um sofá almofadado, como que preocupado em não parecer muito à vontade naquela mobília confortável. Nicolas, ocultando a impaciência por trás de uma expressão fria e controlada, voltou-se novamente para a janela.

Havia esperado por aquele encontro por quase cinco meses, desde a chegada a Acre no verão anterior. Assim que o navio atracou, foi ao Hospital para entregar o *Livro do Graal* ao grão-mestre, que, quando Nicolas assumiu o nome de Navarre e partiu para Paris, era um cavaleiro como ele. Mas algumas semanas após a chegada uma disputa pelo controle do porto da cidade entre mercadores rivais venezianos e genoveses deflagrou uma guerra civil que prosseguiu outono adentro. Hugues, um dos muitos governantes, tanto nomeados como autoproclamados, da Comuna de Acre, estivera até aquele momento muito ocupado com as negociações e parlamentações e os desenrolares para vê-lo.

— E portanto, concluindo, envio-lhe vinte cavaleiros para reforçar a guarnição de nossa preceptoria na nobre cidade de Antioquia. — O grão-mestre fez uma pausa e deu batidinhas com o indicador na barba bem aparada. — Desejaria que Deus me permitisse mandar mais, caro irmão, mas estes últimos anos nos deixaram desguarnecidos.

O secretário levantou a cabeça ao ouvir essas últimas palavras, com a ponta da pena suspensa sobre o pergaminho, depois escreveu, o cálamo arranhando a pele de carneiro.

— Encerre com os meus bons votos e envie-a com a comitiva — concluiu Hugues.

— Sim, meu senhor — disse o secretário.

Reuniu os pergaminhos, a pena e o tinteiro e deixou o recinto, com pés silenciosos sobre os tapetes de seda rosa e jade que revestiam as pedras do piso.

Os olhos de Hugues esvoaçaram até Nicolas. Apontou para o sofá.

— Sente-se, irmão de Acre.

Nicolas obedeceu, não se sentando com a mesma rigidez do secretário, mas tampouco de maneira descontraída. Olhou o grão-mestre nos olhos. Hugues de Revel, embora de constituição franzina, era um homem empertigado, como um salgueiro que tivesse uma haste de ferro dentro do tronco. Nicolas vira o aço nos olhos do homem quando o procurou pela primeira vez naqueles aposentos, cinco meses antes, e via-o novamente naquele momento.

— Não pude deixar de ouvir, senhor — disse Nicolas. — Estamos mandando tropas para Antioquia?

O grão-mestre crispou sobre o colo as mãos de longos dedos. O manto negro, com a cruz branca sobre o peito, caía em toda a sua volta.

— Estamos mandando tropas para todo lugar. Recebi uma mensagem de um de nossos espiões no Cairo. Baybars planeja começar uma nova campanha contra nós este mês. Só que o sultão, ao que parece, isolou-se em seu ninho e não conseguimos obter nenhuma informação confiável sobre o local que pretende atacar primeiro. A julgar pelos últimos anos, Acre tem sido o alvo prioritário, mas toda vez que o repelimos de nossos muros, ele se volta para outro lado e descarrega sua vingança sangrenta sobre nossos assentamentos menos protegidos, embora haja progressivamente menos deles a cada ano que passa. Antioquia, porém, é particularmente preocupante para mim. É um dos alvos mais desejáveis que restam e duvido, com Baybars liderando essa campanha, que o príncipe Boemundo seja capaz de pagar por sua preservação uma segunda vez.

Nicolas concordou. Um cavaleiro de suas relações havia-lhe contado sobre a tentativa dos mamelucos contra Antioquia, 14 meses antes. Quando os comandantes de Baybars apareceram diante das muralhas da cidade, o governante, o príncipe Boemundo, sacrificou dez carroças cheias de ouro, joias e garotas para salvar a cidade. Aplacados pela oferta, os comandantes se retiraram para Alepo, deixando Antioquia intocada. Baybars, dizia-se, ficou possesso.

— Quanto antes a Cruzada do rei Luís chegar, melhor — murmurou o grão-mestre. — No entanto, ainda não há uma informação consistente sobre quando isso acontecerá. Ele tomou a Cruz no ano passado, mas as últimas notícias que recebi do Ocidente dizem que o rei está em conflito com o irmão, Carlos, conde de Anjou, que foi recentemente designado rei da Sicília. Anjou aparentemente vem procurando persuadir Luís de que Túnis deveria ser tomada antes que qualquer avanço sobre o Egito possa ser tentado com bons resultados.

— Túnis? — perguntou Nicolas, com uma ruga de dúvida entre as sobrancelhas. — Luís e seus homens são necessários aqui, na Palestina.

— Não discordo, irmão. Há, na Comuna, aqueles que acreditam que Anjou deseja expandir o reino recém-estabelecido. Suas ambições por um império só seu no Oriente podem afetar os planos de Luís. Talvez nos vejamos sozinhos nisso mesmo com a vinda do rei. Não creio que possamos contar com ele para nos ajudar. No entanto — disse o grão-mestre, inclinando-se para apanhar o *Livro do Graal* —, esses são problemas para se discutir numa outra hora, e não o motivo por que você está aqui.

Abriu o livro e correu os olhos pelas primeiras páginas.

— Eu o li algumas semanas atrás — explicou. Após um momento, devolveu-o à mesa. — Você agiu bem, irmão. Sacrificou muitas coisas ao persegui-lo e ao cumprir essa ação desinteressada em benefício de nossa Ordem.

Nicolas inclinou a cabeça em sinal de agradecimento.

— Foi meu dever, senhor — disse. — Cumpri a missão de bom grado. Admito que, durante algum tempo, temi que minha busca pudesse se provar infrutífera; que o livro não fosse capaz de impingir o dano irreparável ao Templo que o grão-mestre Châteauneuf esperava conseguir quando ouviu falar dele pela primeira vez. Mas, após tê-lo lido, vejo que essa esperança não era infundada.

A expressão de Hugues era séria.

— Sim. É sem dúvida obra de hereges e blasfemos. Fiquei enojado ao lê-lo. O papa ficaria ultrajado se descobrisse que os templários estão envolvidos nisso. Mas não creio que o livro seja suficiente, por si só, para motivá-lo a dissolver a Ordem.

Para Nicolas, essas palavras foram um golpe, do qual, porém, se recuperou rapidamente.

— Se puder explicar, senhor, não é simplesmente a natureza herética que poderia ser usada contra a Ordem. Meus informantes me contaram que o livro também contém os planos da Anima Templi ocultos em meio à alegoria. Planos, eles me asseguraram, que poderiam pôr o Templo em ruínas caso fossem expostos. O grão-mestre Châteauneuf esperava, ao me mandar para recuperá-lo, que pudéssemos usar o livro para fazer exatamente isso.

— Ainda que fosse assim, irmão, qualquer estratégia oculta em meio à narrativa seria clara unicamente para aqueles que já sabem explicitamente como ela é. O próprio Templo deu início a uma investigação sobre esse grupo anos atrás e não descobriu nada. Necessitaremos de mais provas se quisermos fazer acusações consistentes. Você tem alguma ideia da natureza exata dos planos da Anima Templi?

— Tenho suspeitas. — Nicolas inclinou-se para a frente, com um olhar intenso. — Sei que a Anima Templi existe, senhor. Depois que o Templo atacou a nossa Ordem, eles se dissolveram, mas o padre Everard de Troyes está dando continuidade ao propósito que Armand e o resto deles originalmente pretendiam alcançar. Tenho isso por certo.

— Não estou pondo em dúvida o que você diz. Mas teremos apenas uma chance de fazer isso e devemos ter certeza de que nosso golpe será dirigido ao alvo exato. Nossa inimizade com o Templo é bem conhecida. Podemos ser punidos por causar perturbações desnecessárias quando Outremer se encontra tão instável. O papa conta com o Templo, assim como conta conosco, para barrar os sarracenos. Acredito que deveríamos reunir mais informações sobre esse grupo e seus planos antes de tomar qualquer medida. Os testemunhos dos homens originalmente envolvidos, os seus informantes, fortaleceriam grandemente nosso caso.

— O homem que me contou sobre o livro morreu há vários anos. Era o único disposto a testemunhar contra a Anima Templi e apenas quando estivéssemos de posse do livro. Os outros com quem tive contato são muito temerosos das consequências que a traição poderia provocar.

— Você conseguiria persuadi-los?

Nicolas ficou em silêncio por alguns momentos.

— Sim, isso pode ser possível se recorrermos aos meios corretos.

— Ótimo. — Hugues recostou-se na poltrona. — Então isso pode ser de grande valia para nós no futuro.

— No futuro, senhor? — Nicolas franziu o cenho. — Não deveríamos começar isso tão logo nos seja possível? Quanto antes agirmos, mais cedo o Templo cairá.

Hugues ficou sem falar por alguns instantes.

— Quando o grão-mestre Châteauneuf me contou sobre seus planos — disse, por fim — admito que pensei ser essa uma causa sem esperança. Ele estava, acreditei, dando ouvidos a boatos. Depois que ele morreu e você me escreveu contando sobre o desaparecimento do livro, meu interesse na sua infiltração no Templo residia principalmente na possibilidade de descobrir mais sobre os recursos deles, fundos, propriedades, relíquias sagradas. Quando você veio me procurar alguns meses atrás, deu-me uma lista bastante abrangente do que possuem no Reino da França, mas esperava conseguir fazer cálculos razoáveis sobre as finanças deles como um todo.

— E ainda não sei a razão disso, senhor. Posso perguntar por que o senhor quer saber isso?

O grão-mestre comprimiu os lábios, como se estivesse decidindo se respondia ou não.

— Meu interesse nas finanças deles se deve a uma proposta que eu e outros membros de nossa Ordem temos considerado já há algum tempo.
— Uma proposta, senhor?
— Temos discutido se devemos tentar nos aliar ao Templo.
Nicolas encarou o grão-mestre.
— Isso é realmente uma possibilidade, senhor?
— Não tenho apreço pelo Templo, irmão. O que Armand e seus cavaleiros nos fizeram foi imperdoável. Mas a *Jihad* de Baybars nos deixou pouca escolha. Se combinarmos nossos recursos, poderemos ter a possibilidade de resistir ao exército dele por tempo suficiente para reconquistar alguns de nossos territórios. Caso contrário, ambas as nossas ordens, *todos nós*, estamos arriscados a perder tudo.
— Com o devido respeito, o senhor não estava aqui quando Armand e seus cavaleiros sitiaram este complexo. O senhor não faz ideia do que passamos ao longo daqueles meses.
— Mantenha a civilidade em minha presença, irmão.
Nicolas não retrucou. Ter o produto de seus esforços tão bruscamente abandonado por outro homem era inquietante; tê-lo usado para atingir um propósito oposto ao original era nada menos do que devastador.
— Se o Templo cair agora, irmão — disse Hugues —, todos cairemos. Somente aliando-nos a eles podemos ter esperança de continuar nosso sonho de uma Terra Santa cristã. Como disse, você já se sacrificou muito, mas temos agora de fazer um sacrifício ainda maior e cooperar com nosso inimigo para atingir um bem superior ou enfrentar a possibilidade muito real de que possamos não viver para ver mais um inverno nestas terras.
Nicolas fez menção de protestar, mas Hugues continuou antes que pudesse falar qualquer coisa.
— Devo fazer o que estiver nos melhores interesses da Ordem e, no momento, qualquer tentativa de abalar ou destruir o Templo caminharia contra isso. Se sobrevivermos a esta guerra e conseguirmos reclamar territórios suficientes, poderemos nos encontrar numa posição forte o bastante para agir contra os templários sem causar danos a nós próprios. Mas até que tal tempo chegue, não porei nossa Ordem em risco dando prosseguimento ao plano de Châteauneuf, por mais danoso que esse livro possa se provar. Por enquanto, devemos nos concentrar em vencer esta guerra. Depois, quando estivermos numa posição de força, poderemos atacar.
Hugues apanhou o *Livro do Graal* e levantou-se da cadeira.

— Até que esse tempo chegue — disse — você, está afastado desse caso.
Foi até um grande cofre de ferro junto à parede atrás da cadeira. Pegando uma chave, presa a uma corrente que pendia do cinto, destrancou-o e guardou o livro.

— Nos meses que virão, os cidadãos de Outremer dependerão fortemente de nós todos. — Hugues fez um aceno de cabeça para Nicolas. — Está dispensado, irmão.

Nicolas se levantou e fez uma reverência.

— Senhor — cumprimentou.

Girou sobre os calcanhares e se retirou. No corredor do lado de fora, as altas janelas em arco proporcionavam uma visão magnífica da cidade. O olhar de Nicolas deslizou pela paisagem de torres, igrejas e mercados e foi pousar na baía, onde seis navios de guerra templários, circundados por uma escolta de embarcações menores, navegavam placidamente em direção ao porto.

*Falcon, Baía de Acre, 18 de janeiro de 1268*

Os tombadilhos dos 13 navios estavam abarrotados de gente: sargentos, cavaleiros, peregrinos, mercadores, todos tentando avistar pela primeira vez a cidade que lentamente tomava forma no horizonte. Ao norte e ao sul viam-se montanhas e céus escuros e nublados. Em primeiro plano, estendendo-se dos altos muros da cidade até as colinas distantes, havia uma vastidão de espaços vazios branco-amarelados. À medida que os navios chegavam mais perto e os detalhes da terra se tornavam mais claros, as pessoas a bordo começaram a discernir bolsões verdes que marcavam a planície estéril: campos, pomares e colinas irrigadas por rios azuis. Alguns caíram de joelhos ante a visão. Aquela era a Palestina: a Terra Santa, local do nascimento de Cristo.

A bordo do *Falcon*, o mais longo da frota, com 40 metros, Will estava de pé sobre a pavesada, apoiado no parapeito. Abaixo dele, os costados mergulhavam atordoantemente na água e à sua frente o esporão de ponta de ferro projetava-se da proa como um punho. A plataforma de dois andares construída sobre a proa também abrigava o trabuco do navio: uma arma semelhante à catapulta, porém mais precisa e dotada de uma funda para arremessar pedras, em vez de uma trave com extremidade em concha. Agora que se encontravam em águas amigáveis, o trabuco estava descarregado, com a funda pendendo solta. Quando passaram pelo Estreito de Gibraltar, estava carregado e preparado, um conforto quando avistaram os primeiros navios sarracenos ao largo da costa próxima a Granada. Mas, no fim, não havia disparado uma só pedra. Os seis navios de guerra templários, reconhecíveis pelas cruzes vermelhas nas velas principais, haviam sido suficientemente intimidadores.

Quando um sino soou, convocando o resto dos remadores aos bancos, Will deu as costas à faixa de terra emergente para olhar para o navio repleto; seu lar durante os últimos oito meses.

O *Falcon*, com os cinco navios irmãos, havia zarpado de La Rochelle no início de junho do ano anterior. Com os delgados navios de guerra havia quatro *uscieres* — embarcações robustas e de difícil manejo, para o transporte de cavalos, carroças e máquinas de sitio — e um navio mercante templário carregado com fardos de lã e tecidos para vender em Outremer. O mar e o céu haviam ficado progressivamente mais escuros à medida que entravam no Golfo de Biscaia e os navios balançavam como bêbados sobre as grandes ondas verdes, até que, apanhado entre os dentes de duas tempestades, uma das embarcações que transportavam os cavalos soçobrou. Will, atirado de um lado para outro sobre o catre no deque inferior, havia sido acordado por um alto som de madeira rachando. Correu para o tombadilho, com Simon e um grupo de outros homens sonolentos, para descobrir que o mastro principal da *usciere* havia se partido ao meio e atravessado os deques. Agarrados à amurada do navio de guerra bamboleante e rangente, com borrifos de chuva e sal chicoteando os rostos, assistiram, impotentes, enquanto a *usciere* ia a pique pela proa, mergulhando homens e cavalos nas águas encapeladas.

Houve pouco alívio das violentas tempestades até que a frota alcançou o Reino de Portugal e então conduziram a custo até Lisboa quatro navios avariados do total de dez, dois deles seriamente prejudicados. Ali, foram forçados a permanecer por três meses a fim de executar os reparos e a maioria dos cavaleiros e sargentos desceu de bote o rio Tomar até uma cidadezinha de mesmo nome, que era propriedade do Templo.

Para Will, foi a melhor coisa que poderia ter acontecido.

Anteriormente naquele ano, enquanto Will jazia enfermo em Orléans, Robert de Paris havia partido para uma das preceptorias do Templo no Reino de Castela, a serviço do visitador. Quando chegou a notícia de que a frota templária havia atracado em Lisboa para reparos, Robert e vários outros dirigiram uma petição ao mestre para que os autorizasse a se juntar aos navios. Concedida a solicitação, atravessaram o reino a cavalo até Tomar. Robert aquartelou-se no castelo com Will.

Durante as manhãs, treinavam juntos no campo exterior ao castelo templário que dominava a cidade. Will, cujos músculos haviam enlanguescido e cujos pulmões ardiam quando subia alguns degraus, mal conseguia montar um cavalo, que dirá empunhar uma lança. Mas, gradualmente, o exercício e o sol de Portugal haviam-lhe insuflado nova vida e enquanto os músculos se fortaleciam e a pele escurecia, a mente havia começado a se assentar. Certa tarde, quando ele e Robert estavam sentados sobre a muralha do castelo, olhando para além das colinas inundadas de sol, enquanto lagartixas corriam pelo muro, Will contou ao amigo sobre a prostituta. Falou também sobre a participação de Garin naquilo, embora pouco se referisse às razões por trás da traição, mencionando apenas um manuscrito que havia sido roubado de Everard. Robert ouviu-o em silêncio, depois passou para Will um odre de vinho Burgundy que havia confiscado de um sargento.

Depois dessa confissão, as coisas haviam mudado para Will. O desejo de vingança pelo que Garin havia-lhe feito não o deixou, mas conseguiu encerrá-lo num lugar dentro de si onde aquilo não o afligia com tanta persistência.

Reservava outro lugar para Elwen.

Durante o dia, treinando com Robert, pescando no rio ou conversando com Everard e Simon, conseguia manter-se distraído. Mas à noite, sem mais nada para ocupar a mente, Elwen frequentemente se infiltrava nos seus pensamentos. Muitas manhãs acordava com uma imagem desvanecente do rosto dela e um espaço vazio dentro de si. Nesses momentos, considerava voltar para casa, mas o medo de que ela não o perdoasse o detinha, enquanto, impelindo-o para leste, havia um desejo crescente de ver o local de sepultamento do pai.

Quando partiram de Lisboa, duas galés mercantes e um navio de peregrinos zarparam com eles, pois os capitães pagaram uma taxa pela escolta armada até Acre. Os mares mudavam de cor quanto mais ao sul viajavam, do cinza ardósia da costa da França e do profundo azul-marinho dos mares da Espanha às águas esmeralda de Portugal e, por fim, o azul-celeste mediterrâneo.

— Era isso o que você esperava? — perguntou Robert, subindo o brandal até a pavesada. Entregou um odre para Will, depois trepou agilmente no parapeito. — Beba. É o que resta do Burgundy.

— O que eu esperava?

— Acre — disse Robert, apontando para a cidade, que agora estava muito mais perto.

Os remadores haviam começado a diminuir o ritmo à medida que o navio se aproximava de um longo quebra-mar que levava ao maior e mais movimentado porto que Will já havia visto. Ele tomou um gole de vinho, depois devolveu o odre a Robert.

— Parece Paris — disse. — Apenas mais amarelado.

— Acho que aqueles vão se desapontar — disse Robert, secando o vinho e apontando a cabeça para um grupo de sargentos reunido no tombadilho superior que poliam as espadas e olhavam para a cidade com expressões amargas. — Um dos tripulantes acabou de me contar sobre alguns cavaleiros que, poucos anos atrás, se recusaram a deixar o navio porque pensaram ter visto sarracenos à espera deles na praia. Começaram a discutir como poderiam chegar perto o suficiente para disparar o trabuco contra o inimigo sem entrar no alcance desse.

— Eram sarracenos? — perguntou Will, já sorrindo.

— Não. Um grupo de sargentos templários esperando para ajudá-los a descarregar o navio. Ele disse que vê isso todas as vezes que vem para cá. Metade dos homens acha que seus pés pisarão o campo de batalha assim que deixarem os botes.

Uma hora depois, Will, Robert e os outros cavaleiros e oficiais do *Falcon* encontravam-se num dos dois escaleres do navio, para ser levados à terra firme. Simon e Everard estavam no outro. Os navios de guerra, as *uscieres* e o navio mercante haviam sido ancorados além do quebra-mar, com as outras galés grandes demais para entrar no porto interno da cidade, que estava abarrotado de embarcações mercantes de grande porte. Will sentou-se ao lado de Robert na popa do escaler e contemplou enquanto uma das mais antigas cidades da terra vagarosamente se revelava.

Era fim de tarde e a claridade era dourada. Os muros de Acre, duplos e perfilados de uma série de torres, pareciam embebidos pelo brilho do sol. Prédios de madeira, pedra e estuque delineavam o porto e por trás de um mercado repleto sobre as docas, cujo burburinho Will já conseguia ouvir, erguiam-se igrejas abobadadas, torres imponentes e elegantes pináculos.

Ele não podia ver o restante da cidade por causa do nível da terra, mas teve uma impressão de opulência e força.

— O que é aquilo? — perguntou a um dos oficiais do *Falcon*, um velho veterano que havia nascido na cidade.

Apontou para um muro imenso que se estendia à beira-mar para depois sofrer uma guinada abrupta e continuar cidade adentro. Grandes torres se projetavam dele. Uma delas, do lado da cidade, era encimada por quatro torretas, cujos topos pareciam feitos de ouro. Dentro da ampla muralha, podia ver o pináculo de uma igreja e os telhados de muitas estruturas grandiosas de pedra branca.

— Aquilo — disse o veterano, seguindo o olhar de Will — é a nossa preceptoria.

Will ficou em silêncio. A preceptoria deles parecia uma versão em miniatura da própria cidade: imaculada, imperiosa e magnífica.

O escaler alcançou a praia e os remadores saltaram para a água rasa a fim de arrastar o bote até a areia. O mercado que Will vira da baía estava, de fato, repleto e ruidoso. Esse, disse-lhe o veterano, pertencia aos venezianos. Havia outros, geridos por pisanos, genoveses, lombardos e germanos, todos os quais tinham as próprias zonas na cidade, que eram como Estados com leis, igrejas e governos próprios. Era como se, disse o cavaleiro, cada um desses grupos tivesse talhado um pedaço da terra natal para inserir naquela faixa de areia. Havia 27 zonas no total: Montmusart, além dos muros ao norte, que era onde a população em geral vivia e trabalhava; Santo André, onde os nobres francos do local moravam, muitos dos quais haviam fugido para Acre depois da queda de Jerusalém; o quarteirão judeu; o do Patriarca; e assim por diante.

Will tentou escutar tudo o que o veterano dizia enquanto seguiam o caminho pela praia atrás do capitão, mas os olhos lhe contavam as próprias histórias e achou difícil se concentrar.

— Will! — Simon subiu apressadamente pela areia, com as faces inflamadas. Era seguido pelos sargentos e tripulantes do segundo escaler. — Você viu aqueles bichos? Olhe!

Will seguiu a direção apontada pelo dedo de Simon até o mercado e avistou uma fileira das bestas mais esquisitas que já vira. Eram maiores do que cavalos e de coloração bege, com longos pescoços e corcovas de aspecto nodoso nos lombos. Um pequeno ajuntamento estava reunido sobre as docas, pessoas ociosas vindas do mercado para assistir o desembarque dos cavaleiros. Alguns se deixaram ficar ali, observando os cavaleiros com módica curiosidade, depois voltavam para as barracas, mais interessados em mercadorias.

A primeira coisa que cativou Will nessas pessoas foram as roupas. Não apenas eram de corte muito mais elegante do que os trajes ocidentais; vestidos justos e túnicas ricamente bordadas para mulheres; calções bem ajustados e sobrecotas de brocado para homens; os tecidos eram também extraordinariamente luxuosos. Não havia um gorro de lã ou um tamanco de madeira entre eles, apenas seda, damasco, linho macio e samito. Cada um e todos eles, até mesmo as crianças, pareciam reis e rainhas durante a coroação.

Will sentiu-se incapaz de tirar os olhos da multidão à medida que se aproximava dela e mais peculiaridades começavam a se tornar aparentes. Inicialmente, havia pensado que deveriam ser todos estrangeiros, a julgar pelas faces bronzeadas pelo sol, pelo estranho corte das ricas vestes, os turbantes que usavam e as pronúncias pouco familiares. Mas então se deu conta de que alguns deles estavam falando em latim, outros em inglês e francês. Eram ocidentais. Mas misturavam-se livremente e de fato riam e brincavam com homens altos e gráceis de pele de ébano, cujos dentes se exibiam incrivelmente brancos quando sorriam; outros homens de pele morena, olhos amendoados e faces redondas e alguns que se pareciam com Hassan.

— Sarracenos! — Will ouviu um cavaleiro falar entre dentes.

Alguns dos outros levaram as mãos às espadas e olharam para o capitão, mas ele caminhava pelo meio da multidão, sem fazer caso de nada. Will avistou Everard, claudicando um pouco atrás. O padre estava sorrindo.

Os cavaleiros seguiram o capitão assombrados, passando por barracas onde venezianos de olhos negros permutavam madeira e ferro com mercadores muçulmanos e beduínos, envoltos em suas *keffiyahs*, apregoavam barris de leite de égua por punhados de besantes. Havia limões doces e altos montes de tâmaras sobre carroças ao lado de barracas com pilhas de rubis, corantes, espadas, sedas, porcelana e sabão. Um judeu de óculos ria com um mercador grego enquanto pesava uma fartura de safiras. Esterco e suor, especiarias e bálsamo difundiam os odores pelo ar. As multidões se acotovelavam, gritando em tantas línguas e sotaques diferentes que o latim se tornava indistinguível do hebraico e o francês, do árabe. Mesmo depois que os cavaleiros deixaram o mercado para trás e caminharam pelas ruas estreitas e sinuosas até a preceptoria, cada canto proporcionava uma nova visão. O vidro nas janelas redondas de uma igreja capturava o sol da tarde e os ofuscava. Mulheres trajando os mais sumários vestidos postavam-se languidamente em becos escuros e acenavam para eles. Velhos sentados em umbrais de portas, coroados por fumaça de incenso, e outros sentados em mesas, jogando xadrez em tabuleiros feitos de marfim e vidro egípcio.

Quando chegaram à preceptoria, os cavaleiros estavam tão arrebatados que mal notaram os quatro leões de ouro que encimavam as torretas no topo da torre em que se abriam os maciços portões do Templo. Os cavaleiros guardando a entrada os cumprimentaram e os introduziram por uma porta menor aberta nos portões. Caminharam por um movimentado quadrante delimitado por grandes prédios de pedra. Will parou logo ao entrar. Os olhos dardejaram os homens no quadrante, procurando entre os cavaleiros. Mas nenhum dos que viu tinha cabelos dourados.

Robert deu um tapinha em seu ombro.

— Um dos oficiais pediu-me para esboçar uma lista com nossos nomes para entregar ao meirinho. Virei encontrá-lo quando tiver terminado.

Robert foi levado até um prédio onde o estandarte do Templo esvoaçava de um mastro no teto. Atrás de Will, os homens que haviam viajado nos outros navios de guerra vinham pelo portão, a maioria mostrando a mesma expressão desconcertada. Simon veio postar-se ao seu lado, enquanto escrivães saíam do prédio em que Robert havia entrado e começavam a dividir o grupo que se avolumava.

— Meu pai jamais acreditará nisso. Não sei nem mesmo se acredito. Realmente vimos sarracenos no mercado?

Antes que Will pudesse responder, Everard se aproximou.

— William, quero que você descubra se Nicolas de Navarre está no complexo dos hospitalários na cidade.

A voz de Everard estava mais áspera do que nunca. A tosse persistente, que havia piorado após a morte de Hassan, fora exacerbada pela longa viagem e em alguns dias lutava até mesmo para conseguir falar.

— Agora?

Até mesmo Will, que sabia quanto o padre esperara por este momento desde que deixara La Rochelle, foi tomado de surpresa pela obstinação.

Everard olhou na direção de um escrivão que se aproximava deles.

— Há pessoas que devo ver — disse. — Estou confiando em você, William.

— Por aqui, irmãos — disse o escrivão, gesticulando para que o seguissem.

— Conheço o caminho — disse Everard, arrastando os pés à frente do escrivão.

— O que você vai fazer quando encontrar Nicolas? — murmurou Simon, enquanto entravam na fila.

Will meneou a cabeça, distraído pelos muros imponentes sobre os quais cavaleiros patrulhavam as ameias permeadas de portilhas e perfiladas por catapultas e trabucos. Aquela preceptoria não se parecia em nada com as de Londres, Paris ou La Rochelle. Ele percebeu o porquê. Não era uma preceptoria: era uma fortaleza.

— Não sei — respondeu, ao passarem por um arsenal onde homens trabalhavam em bancadas, afiando espadas.

Simon, disparando olhares preocupados por cima do ombro para Will, foi conduzido com os sargentos até uma fileira de edificações que ficava além do quadrante principal. Will foi levado com os cavaleiros, passando por estábulos, oficinas, uma igreja magnífica, que fazia com que a capela de Paris parecesse um celeiro, e uma estrutura palaciana que o secretário lhes disse fazer parte das dependências do grão-mestre Bérard. Chegaram, por fim, a um conjunto de prédios que cercava um pátio com uma cisterna no centro. Will foi levado a um quarto com mais sete cavaleiros. Catres de aspecto confortável enfileiravam-se junto às paredes e cada homem tinha um baú de madeira para os pertences. Havia um cabide para os mantos e suportes para as espadas. Os cobertores sobre os catres eram feitos de lã de carneiro e travesseiros haviam sido postos à cabeceira de cada um dos leitos; não sacos cheios de palha, mas de linho e recheados de penas. O chão de pedra era limpo e revestido por um tapete de lã. Após meses no deque do *Falcon*, aquilo parecia um palácio, mas em vez de aproveitar a oportunidade para descansar nas dependências principescas, Will, depois de depositar a sacola no leito, retirou-se.

Sargentos e servos curvavam respeitosamente as cabeças para ele enquanto percorria a preceptoria. Cavaleiros, mais velhos do que ele e com faces morenas e olhares duros, ignoravam-no. Will achou que deviam conhecer Garin, se ele de fato tivesse seguido Nicolas até ali, mas algo o impediu de perguntar. Agora que o momento chegara, não desejava ver o homem que o havia traído e desonrado. Tampouco tinha qualquer desejo de sair sozinho rumo a uma cidade estranha em busca de Nicolas.

Após algum tempo, Will encontrou-se nas ameias, olhando para a cidade. A visão era impressionante. Fora dos muros principais de Acre havia um populoso assentamento, delimitado por outro muro e um fosso. Além desses havia pomares, jardins e olivais, estendendo-se rumo a uma bruma ambarina.

— Lindo, não é?

Will olhou na direção da voz e viu um cavaleiro de cabelos brancos nas ameias ao seu lado.

— Venho aqui todas as tardes antes das Vésperas. Nunca deixo de me comover. — O cavaleiro sorriu. — Você veio da França, irmão?

Will fez que sim. Achou que o cavaleiro talvez pudesse responder uma de suas perguntas. Olhou para a cidade e a fez.

— Safed fica longe daqui?

O cavaleiro apontou para o leste.

— Cerca de 45 quilômetros através da planície.

— Eu conseguiria encontrá-la com facilidade?

O cavaleiro pareceu surpreso.

— Há uma estrada que leva até lá partindo da cidade, mas homens de Baybars comandam a maioria das rotas atualmente. Você sabe que Safed está em mãos sarracenas?

— Sim. Meu pai morreu lá.

— Lamento. Mas não o aconselharia a visitar a sepultura dele, pois isso o levaria à sua. Os barões de Acre mandaram um emissário até lá para tratar com o sultão no ano passado. Encontraram a fortaleza rodeada por cabeças de cristãos assassinados.

Will pensou no corpo do pai, um dia um pilar de força e dignidade, profanado e insepulto. Quis reunir os ossos nos braços e trazê-los até um local de paz. O pensamento do espírito do pai, soprado e disperso por ventos arenosos, assombrando aquelas planícies estrangeiras, o angustiou. Ali não era a Escócia. Ali não era o lar.

— Tenho de deixá-lo — disse o cavaleiro, polidamente.

— Você conhece um cavaleiro chamado Garin de Lyons?

O cavaleiro de cabelos brancos meneou lentamente a cabeça.

— Acho que não.

— Ele deveria ter chegado no ano passado. Tem minha idade. — Will descreveu Garin.

O cavaleiro estendeu as mãos espalmadas.

— Muitos passam por aqui.
— Ele poderia estar sozinho. Não a bordo de um navio templário.
— Sozinho? Um jovem chegou por conta própria antes da Missa de Natal. Lyons? — O cavaleiro encolheu os ombros num gesto de desculpas. — Talvez o nome dele fosse esse. Não sei com certeza. Chegou por terra vindo de Tiro. O porto estava fechado, por isso o navio em que chegou deve ter sido desviado para lá. As classes mercantes estavam em guerra na época — explicou o cavaleiro.
— Ele não está mais aqui?
— Se me lembro bem, foi designado para uma companhia de cavaleiros que se dirigia a Jaffa.
— Jaffa?
— Uma cidade costeira próxima de Jerusalém, a cerca de 120 quilômetros daqui. — O cavaleiro apontou para as montanhas distantes ao sul. — Temos uma guarnição lá.
— Obrigado.
Deixando o cavaleiro com seu pôr do sol, Will retornou ao quadrante. Viu-se de volta aos portões. Estava prestes a se dirigir ao alojamento quando ouviu alguém gritar seu nome. Viu Simon correndo em sua direção.
— Estive procurando você por toda parte! — ofegou o cavalariço. — Você tem de encontrar Everard.
— Por quê?
— Fomos designados para nossos postos — disse Simon, num tom angustiado. — Nós dois.
— Nossos postos? Não estamos aqui para...
— Um cavaleiro entrou em nosso dormitório com uma lista — Simon interrompeu-o. — Pouco depois que nos acomodamos. Ele me disse que eu estava sendo designado para uma companhia. Descobri que você e Robert estavam nela, também.
— Designados para onde?
— Algum lugar chamado Antioquia — disse Simon, com desespero.

## 37
## Templo, Antioquia
1º de maio de 1268

A cidade de Antioquia, embora destituída da antiga importância como centro de comércio, ainda era considerada uma das maravilhas do mundo. Com 5 quilômetros de extensão e 1,5 quilômetro de largura, quem a via pela primeira vez ficava sem palavras, incapaz de acreditar que o homem, e não Deus, a havia construído. Os muros que a circundavam, erigidos pelo imperador romano Justiniano, percorriam 30 quilômetros e eram providos de 450 torres. Por um lado, margeavam o rio Orontes, conhecido entre os árabes como o Revolto, e pelo outro faziam uma marcha ascendente para abarcar as encostas íngremes do monte Silpio, em cujo topo, elevando-se 300 metros acima da cidade, havia uma colossal cidadela. A cidade dentro desse cinturão de pedra era igualmente impressionante. Havia vilas e palácios onde palmeiras e arcadas romanas em ruínas se erguiam de pátios de tijolos; havia mercados em alvoroço, hortas viçosas, numerosas igrejas e monastérios. Era, de acordo com os nativos cristãos que formavam a maioria da população, uma cidade diferente de qualquer outra.

Will, de pé sobre as ameias da preceptoria do Templo, tinha uma clara visão do precipitoso vale do Orontes, onde o rio fluía por entre fendas calcárias para as férteis planícies. Ao norte corriam os montes Amanus, cujos picos mais altos eram coroados de neve. O Templo possuía duas fortalezas encravadas naquelas alturas rochosas, uma das quais guardava as Portas Sírias — a elevada passagem que conduzia ao Reino da Cilícia. Ao sul, além das planícies, ficavam as montanhas Jabal Bahra. Esses picos ocultavam a fortaleza da Ordem dos Assassinos.

— Viu algo?

Will olhou quando Robert saiu para as ameias.

— Carneiros, pedras, grama, mais carneiros — respondeu.

Robert arqueou uma das sobrancelhas e passou um odre de água para Will.

— Você sabe o que estou querendo dizer — resmungou.

— Obrigado — disse Will, apanhando o odre. Era uma manhã quente, embora não chegasse nem perto do que seria em pleno verão, o calor implacável que Will, Robert e os outros homens que haviam chegado em Outremer desde o começo do ano ainda estavam por experimentar. — Não, não vi nenhum sinal dos batedores.

Bebeu sofregamente, depois devolveu o odre para Robert.

— Mas poderia levar uma semana ou mais até conseguirem reunir alguma informação útil.

Will apoiou-se no parapeito, com o monte Silpio preenchendo sua visão. Pastores conduziam rebanhos desde os pastos agrestes. Dois dias antes, Will, Robert e vários outros cavaleiros haviam cavalgado ao longo das muralhas até aquelas encostas. Suas ordens: certificarem-se de que os túneis de fuga ainda estivessem transitáveis. Haviam encontrado as montanhas crivadas de passagens e cavernas, algumas das quais, os guias armênios lhes disseram, os primeiros cristãos usaram para as missas. Agora, a maior parte parecia ser ocupada por crianças como esconderijo.

— Um cavaleiro que conheci em Londres costumava falar sobre esta cidade — disse Will, com um sorriso. — Todos ríamos às suas costas quando dizia que a cidadela tocava as nuvens. Pensávamos que era louco.

Robert protegeu os olhos da claridade.

— Tudo por aqui parece grande demais, não é? — Encolheu os ombros. — Ainda bem, desde que os mamelucos não sejam gigantes.

— Acho que isso depende das histórias para as quais você der ouvidos. — Will inclinou-se para ajustar a cota de malha, cujos aros estavam enroscados no cinto da espada. A cota lhe havia sido dada em Acre, com um novo manto que lhe servia perfeitamente. — Mas a não ser que você acredite que podem cuspir fogo ou coagular o sangue de um homem só de olhar para ele, então creio que sejam de tamanho normal.

— Ótimo. Imaginei que precisaria subir numa caixa para combatê-los.

— Combater quem?

Ambos se viraram quando Simon apareceu por trás deles, com uma expressão inquieta.

— Ninguém — disse Will.

Simon aproximou-se passo a passo do parapeito, evitando a visão vertiginosa do pátio abaixo deles.

— Aqueles batedores ainda não voltaram, então? — perguntou.

— Não — responderam Will e Robert ao mesmo tempo. Ambos riram. Simon pareceu desapontado.

— Ainda não sabemos de nada — disse Will, tentando tranquilizá-lo. — Apenas rumores. Foi por isso que mandamos os batedores.

— E se for verdade? E se o exército de Baybars estiver vindo para cá?

Will suspirou. O que deveria dizer, perguntou-se? Sabia tanto quanto qualquer outro, o que não era grande coisa. Na semana anterior, haviam chegado a Antioquia relatos de combates ao sul, mas diferiam grandemente nos detalhes. Um mercador de Damasco dissera ter ouvido que o exército de Baybars estava marchando em direção a Acre; um agricultor, que os mamelucos estavam indo para Antioquia; três padres coptas, que haviam sido repelidos pelos francos. Depois de ouvir tais rumores, o condestável da cidade, Simon Mansel, havia convocado um conselho entre os líderes militares. Com o governante, príncipe Boemundo, visitando a cidade de Trípoli, Mansel estava no exercício do poder. Ele ordenou que uma patrulha fosse mandada para verificar as alegações e o mestre da guarnição do Templo ofereceu cinco cavaleiros para realizar a missão. Haviam partido quatro dias antes.

— Se o exército de Baybars vier — disse Will —, lidaremos com ele quando chegar aqui.

— Como você pode estar tão calmo?

— Porque ainda não sei nada. Entendo que é difícil, mas a única coisa que qualquer um de nós pode fazer é esperar e tentar permanecer tranquilo.

Robert fez que sim e Simon olhou para ele.

— Will tem razão — disse.

— Está tudo muito bom e muito bem para vocês dois — resmungou o cavalariço. — Vocês têm espadas e sabem usá-las.

— Os primeiros cruzados levaram sete meses para capturar Antioquia dos turcos. — Tão logo as palavras foram ditas, Will se deu conta de que não era a coisa certa a dizer.

— Mas eles a *capturaram*! — exclamou Simon. — Além disso, ouvi você e Robert conversando depois do conselho. Vocês diziam não saber como a cidade poderia ser defendida a contento com tão poucos homens.

Robert e Will olharam-se.

— Estávamos apenas conversando — disse Will.

— Não tente passar a mão na minha cabeça — disse Simon, com irritação.

Will atirou as mãos para o alto.

— Então não aja como se quisesse que o fizéssemos!

Olhou para Robert, depois pegou Simon, pelo cotovelo e conduziu-o ao longo das ameias.

— O que há? — murmurou.

— O mesmo que há com todos — respondeu Simon. — Tenho medo de levar uma espada nas tripas.

— Não é só isso. Você está com os nervos à flor da pele desde que deixamos Acre.

— O que você esperava, Will? Pensei que iríamos encontrar Nicolas, que você faria o que tivesse de fazer, que Everard pegaria o livro e que todos voltaríamos para casa.

— Everard tentou mudar nossos postos.

— Deveria ter tentado com mais empenho — respondeu Simon obstinadamente.

— Ele fez o que pôde — disse Will, pensando na derrota frustrante de Everard em face do marechal inflexível.

Em Acre, ao saber de sua designação, Will havia ido diretamente ao padre, que requisitou imediatamente que o marechal anulasse a transferência.

— Preciso dele aqui — insistira o sacerdote. — Ele era meu sargento em Paris.

— Agora ele é um cavaleiro — respondera o marechal, olhando para Will. — E em Paris nós não estamos em guerra. É pouco provável que a Cruzada do rei Luís nos alcance em algum tempo que possa ser chamado de breve. Devemos contar apenas conosco para defender o pouco que nos restou das forças de Baybars.

— Vim até aqui especificamente para assegurar uma rara e extremamente importante obra de medicina para meus estudos. Devo localizar esse texto. — Everard se empertigou e fixou o marechal com um olhar severo. — O visitador do Reino da França me mandou com essa incumbência, senhor marechal. William é minha escolta e o cavalariço, nosso escudeiro.

O marechal não se impressionou.

— Quando esta guerra for vencida, irmão, você poderá ter um batalhão para escoltá-lo até achar sua preciosa obra, mas até esse momento usarei cada homem que estiver à minha disposição da forma que achar mais apropriada. Não serão manuscritos que nos salvarão. — O marechal atravessou a câmara até a porta e a abriu. — Somente espadas farão isso. Agora, se vocês me desculpam, tenho assuntos importantes a tratar.

— Apelarei contra essa decisão, senhor marechal — Everard dissera numa voz contida ao deixar a câmara.

— Você pode fazer isso na próxima reunião do cabido.

Everard, ardendo numa raiva impotente, saiu do edifício para o pátio com passos imponentes.

— O que o senhor fará quanto ao livro? — Will perguntou.

— Deixe isso comigo. Pode ser que haja apenas três de nós aqui, mas ainda temos recursos. — Diminuindo o passo, Everard voltou-se para Will. — Tirarei você e Simon de Antioquia tão logo possa.

Até aquele momento, Will não havia recebido nenhuma notícia de Acre.

— Você realmente fez tudo o que podia para convencer Everard?

Will olhou carrancudo para Simon.

— O que você quer dizer com isso?

— É que você não parece incomodado ante a possibilidade de que o exército de Baybars possa estar logo atrás daquela colina. — Uma ruga se formou entre as sobrancelhas de Simon. — É como se você quisesse a vinda deles. Como se quisesse lutar.

Will olhou para o vale a fim de evitar o olhar inquiridor de Simon. Não *queria* que os mamelucos estivessem a caminho, mas tampouco estava desapontado ante essa possibilidade. Não queria ter ido até Antioquia, defender uma cidade estrangeira ou combater os sarracenos. Mas estar ali havia alterado suas perspectivas. Ainda era um templário, um guerreiro. Os ideais da Anima Templi eram-lhe conhecidos havia 18 meses, os do Templo haviam lhe sido instilados durante toda a vida. Havia tentado lembrar das palavras de Everard; de que a paz era benéfica para todos. Mas quando pensava na agonia que o pai devia ter sentido quando aquela espada mameluca seccionou seu pescoço, não havia bandeira branca em sua mente, apenas o pensamento do sangue a ser derramado, apenas o frio do aço em suas mãos.

— Cavaleiros! — gritou Robert.

Deixando Simon, Will foi até onde ele estava.

— Onde?

— Logo ali. — Robert contemplava atentamente o vale. — Estão muito longe para que eu veja quem são.

Will olhou na direção apontada pelo dedo do amigo e viu movimento no vale: cavaleiros avançando rapidamente rumo à Porta de São Jorge, a entrada noroeste da cidade. Uma escarpa rochosa que se erguia à direita projetou uma sombra sobre eles, mas, assim que a saliência ficou para trás e deu lugar aos campos, os homens passaram pela luz solar e os mantos brancos resplandeceram. Will avistou um pequeno lampejo vermelho nas costas de um dos cavaleiros, que por um momento diminuiu o trote e se inclinou para a frente.

— Templários.

— Devem ser os batedores.

Will meneou a cabeça.

— Mandamos apenas cinco. Contei nove.

Garin ficou para trás dos outros cavaleiros, fazendo uma pausa para apertar a tira do estribo, depois esporeou os flancos do cavalo e o instigou a seguir em frente. Pelos últimos quilômetros, Antioquia crescia a distância e quanto mais perto chegava daqueles amplas muralhas perpendiculares, menor se sentia. Antioquia era como a mão de Deus cravada na planície, com a palma erguida, ordenando todos que chegavam a parar. Por um momento, Garin não pôde imaginar como qualquer exército poderia ter esperança de tomá-la. Mas então pensou em Baybars e já não estava tão seguro.

Baybars.

Garin ouvira aquele nome com frequência nos últimos meses, mas poucas pessoas, ele se deu conta, sabiam do que estavam falando quando se tratava do sultão mameluco. Alguns acreditavam que Baybars fosse Satã e Deus o tivesse mandado para punir os cristãos de Outremer pelo apego a roupas finas e haréns e por se esquecerem do caminho de humildade e pobreza glorificado por Cristo. Essas pessoas diziam que o único meio de derrotar Baybars era através da oração e da penitência. Outros consideravam-no um selvagem cuja faculdade residia na força bruta, e não na inteligência ou na bravura, e que só seria aplacado pela pilhagem, por isso procurariam suborná-lo de forma a torná-lo submisso. Garin, porém, tinha visto Baybars lutar e sabia que o sultão não carecia de coragem nem de astúcia. Baybars era uma força da natureza: um poder bruto e feroz, terrível e extraordinário. Havia mudado a vida de Garin.

Garin subira a bordo de um navio genovês em La Rochelle, com a intenção de seguir o hospitalário como ordenara Rook, que havia retornado à Inglaterra para contar a Edward o que tinha acontecido. Mas quase no mesmo momento em que desceu do navio em Tiro, sentiu que estivera preso por uma corrente invisível que havia acabado de se partir ao meio. Pela primeira vez na vida, sentia-se livre. Foi com o coração surpreendentemente leve que, abandonando qualquer tentativa de rastrear o livro, o qual Rook havia exigido que recuperasse sob pena de morte, havia recebido seu posto em Jaffa. Foi ali que teve o primeiro encontro com o sultão de olhos azuis.

Em Jaffa, as únicas coisas exigidas de Garin eram lutar e continuar vivo. Não tinha de mentir, ou se esgueirar, ou viver com o medo de desagradar ou enfurecer Rook. Aquilo era brutal e alentadoramente simples. Foi contra Baybars que Garin provou pela primeira vez o louvor e o orgulho. Contra Baybars, havia se tornado um herói.

Quando os guardas de Antioquia abriram os portões para a companhia, Garin, que sabia muito bem o que vinha atrás de si, não pôde senão sorrir ao pensar que talvez fosse o homem que iria salvar aquela cidade divina.

Will e Robert continuaram nas ameias quando os nove cavaleiros entraram na fortaleza e foi apenas quando foram convocados para um cabido urgente, pouco tempo depois, que viram quem havia chegado.

— Isso não parece bom — murmurou Robert para Will, quando entraram na fila para a casa do cabido com os cinquenta outros cavaleiros da guarnição. Apontou discretamente para um oficial de cara fechada que conversava com um cavaleiro no pórtico do prédio.

— Não — concordou Will. — Mas pelo menos devemos ter alguma notícia.

Foram até um banco no fundo do recinto, pois as fileiras da frente já estavam cheias. Sobre a plataforma, o mestre da guarnição e dois oficiais estavam de pé, formando um círculo fechado com cinco cavaleiros. Terminaram de conversar enquanto Will, Robert e os últimos homens restantes se sentavam. O mestre gesticulou para que as portas fossem fechadas e os cavaleiros atrás dele romperam o círculo. A respiração de Will ficou presa na garganta quando Garin voltou-se para encarar a assembleia. Ia ficar de pé, mas algo o deteve. Olhando para baixo, Will percebeu que Robert havia segurado seu antebraço. O cavaleiro meneou a cabeça. Will, com o corpo todo trêmulo, sentou-se na borda do banco quando o mestre começou a falar.

— Peço desculpas pelo caráter abrupto deste conselho, mas a pressa é essencial. Os batedores que enviamos encontraram-se com quatro de nossos irmãos na estrada, os quais vinham com graves notícias de nossa fortaleza em Beaufort. Convido um deles, sir Garin de Lyons, a falar-lhes.

O mestre se pôs de lado.

Os olhos de Will estavam fixos em Garin, que avançou para a frente da plataforma. Parecia cansado, sujo e queimado de sol. Havia manchas de sangue no manto e os cabelos estavam desgrenhados e mais escuros do que dourados. Parecia pouco à vontade, apertando repetidamente as mãos, como se não soubesse o que fazer com elas.

— Como o mestre disse — começou —, acabamos de chegar de Beaufort, que foi sitiada pelo exército do sultão Baybars.

Alguns murmúrios partiram dos cavaleiros.

— A fortaleza estava sob ataque havia quase oito dias quando partimos. Creio que a esta altura tenha caído. Os mamelucos estão a caminho daqui, eliminando qualquer resistência que possa ameaçar sua retaguarda.

O baixo zumbido das vozes cresceu até se transformar em exclamações e perguntas.

— Como você sabe disso? — perguntou um cavaleiro.

— Quando chegarão aqui? — indagou outro.

O mestre se agitou quando Garin olhou para ele com ar indeciso. Então levantou as mãos pedindo silêncio.

— Por favor. Deixem o irmão de Lyons terminar. Talvez, se você começar do princípio, irmão.

— É claro. — Garin encarou a companhia. E surpreendeu o olhar fixo de Will. A boca continuou aberta, mas nenhuma palavra saiu. Depois de um momento, ele a fechou e desviou o rosto. — Estava em Jaffa em março. Os mamelucos nos atacaram e a cidade foi tomada por eles em um dia.

Garin prosseguiu por entre os murmúrios, evitando o olhar de Will. As mãos apertavam-se em punhos, novamente.

— Tem sido impossível prever os planos do sultão para batalhas isoladas, assim como os da campanha como um todo, por ele ser tão imprevisível. Às vezes promete liberdade às tropas que se rendem, depois volta atrás, como aconteceu em Arsuf e Safed.

Os olhos de Garin dardejaram Will, depois se afastaram novamente.

— Algumas vezes deixa as mulheres e crianças partirem e escraviza os homens e outras vezes faz o contrário. Em Jaffa, matou a maioria dos cidadãos, mas deixou a guarnição partir em liberdade. Enquanto nos retirávamos, vimos escravos demolirem nosso castelo. Há rumores de que o sultão está construindo uma mesquita no Cairo. Dizem que quer construí-la com os despojos de todas as fortalezas francas que restam na Palestina. Nós nos retiramos para Acre.

"Poucas semanas depois, eu estava na companhia enviada para reforçar Beaufort, depois de recebermos informações de que Baybars se dirigia para lá. Os mamelucos chegaram diante de nossos muros em abril. Na sétima noite, estava de vigília quando vi um homem se arrastando por uma vala até um portão no muro abaixo de mim. Desci até o portão pensando em capturá-lo para descobrir o que o haviam mandado fazer. Era um desertor. Quando tentava abandonar o posto, havia sido descoberto e sentenciado à morte. Tinha escapado e fugido para nossa fortaleza, esperando que, em troca de informações, pudéssemos disfarçá-lo como um de nossos servos. Pudemos descobrir por meio dele que o alvo principal de Baybars nesta campanha é Antioquia."

Garin apontou para os três cavaleiros atrás dele.

— O comandante de Beaufort nos ajudou a fugir para que pudéssemos alertá-los. — Olhou para o mestre. — É só isso.

— Obrigado, irmão de Lyons — disse o mestre, adiantando-se. — Seu raciocínio rápido e suas ações abnegadas sem dúvida aumentaram muito nossas chances de sobrevivência.

Muitos cavaleiros manifestaram concordância ou balançaram as cabeças, embora os aplausos fossem emudecidos pela gravidade das notícias. Robert bocejou alto e Will apertou a borda do banco até os nós dos dedos ficarem brancos.

— Posso perguntar, irmão — gritou um cavaleiro —, se o grão-mestre Bérard foi informado disso?

O mestre olhou para Garin, que meneou a cabeça.

— Não houve tempo. Viemos diretamente para cá.

— Então, devemos mandar uma mensagem a Acre agora mesmo.

— Qualquer mensagem que enviássemos agora chegaria tarde demais — disse o mestre. — Baybars estaria adiante de quaisquer reforços que pudessem vir em nosso auxílio. Não podemos procurar ajuda externa, mas podemos reunir tudo o que tivermos aqui em nossa defesa. Uma cidade preparada para um combate é um alvo muito mais resistente do que uma que espera que não haja nenhum. Informarei o condestável Mansel imediatamente. Certamente, ele desejará convocar um conselho.

Alguns cavaleiros se manifestaram, perguntando sobre os preparativos gerais e oferecendo sugestões. Mas tirando isso, e uma oração pelos cavaleiros em Beaufort, o cabido estava encerrado. O mestre reuniu os oficiais à sua volta, enquanto um secretário era trazido para enviar uma mensagem ao condestável de Antioquia.

Will se levantou quando Garin desceu da plataforma. O cavaleiro lançou um breve olhar para ele, depois apressou-se até a porta. Will avançou atrás dele a passos largos.

— Will! — gritou Robert, correndo porta afora atrás dele pelo pátio ensolarado.

Garin, que estava a meio caminho pelo pátio, voltou-se ao ouvir o chamado. Parecia temeroso enquanto Will vinha em sua direção, mas manteve-se firme. Will não interrompeu o passo, mas agarrou Garin e empurrou o cavaleiro contra o muro do arsenal. Garin emitiu uma tosse sufocada ao chocar-se com a pedra nua. As mãos de Will pressionaram seus ombros, imobilizando-o.

— Will!

— Fique fora disso, Robert — vociferou Will, dirigindo-se a ele.

— Tudo bem — disse Robert, erguendo as mãos e interrompendo o passo.

Dois cavaleiros saíram da casa do cabido. Pararam ao ver Will segurando Garin contra o muro. Robert sorriu para eles.

— Irmãos — explicou, inclinando a cabeça na direção de Will e Garin. — Não se veem há um bom tempo. Reunião emotiva.

Os cavaleiros se afastaram após um momento.

— Não tenho o livro, se é disso que você está atrás — disse Garin rapidamente a Will. — Nunca tentei tirá-lo do hospitalário. Não sei onde está.

— O livro? — A voz de Will era baixa, pouco mais do que um sussurro, mas os olhos estavam em chamas. — Você acha que me importo com aquilo?

Garin gritou quando as mãos de Will se afundaram em sua carne.

— O prostíbulo — disse Will, forçando as palavras entre os dentes. — O veneno que você me deu.

— Lamento por aquilo! — exclamou Garin, tentando afastar Will. — Mas tinha de fazer algo. Rook queria matá-lo! Ele o teria feito se eu não o tivesse drogado.

Will agarrou o manto de Garin com ambos os punhos.

— A garota — rosnou na cara do cavaleiro. — E quanto a ela? Você vai me dizer que lamenta ter-me deixado na cama com uma puta?

Garin parou de resistir.

— O quê?

— Nem tente negar isso!

— Não sei do que você está falando!

Quando Will fez menção de pegar a espada, Robert deu um salto adiante e segurou seu braço. Ele o livrou com uma contorção, mas Robert rapidamente o conteve.

— *Vou matá-lo!* — Will gritou para Garin.

Esse se livrou da posição em que se encontrava, entre Will e a parede, e recuou um passo.

— Não o deixei na cama com ninguém — disse. — Juro!

— Espera que eu acredite nisso quando você me fez encontrá-lo num puteiro?

Garin hesitou.

— Adela — disse, por fim. — Foi por isso que fizemos você nos encontrar lá. Eu a encontrava havia alguns meses. Rook só queria tirar você da preceptoria.

— Você estava dormindo com ela?

Garin ficou imóvel.

— Eu a amava.

Will começou a rir. Foi um som áspero que fez Garin encolher-se como se tivesse sido golpeado. O riso se transformou num grito sufocado.

— Não ouse me falar em amor!

Robert teve de usar toda a força para impedir Will de sacar o alfanje.

— Elwen me viu com aquela garota. Eu a perdi por sua causa, seu *desgraçado*!

— Não sei de nenhuma garota, eu lhe juro. — Garin levantou as mãos. Will, nada disso foi minha culpa. Não queria fazer isso. Rook me obrigou. — Falava atropeladamente. — Rook queria o livro, não eu. Não sei como ele soube, mas alguém descobriu que meu tio estava envolvido com Everard. Ele me procurou em Paris e me fez contar tudo o que eu sabia, tudo o que meu tio havia me contado. Disse que iria usá-lo contra o Templo. Will, ele ameaçou estuprar e matar minha mãe se não o obedecesse. — A face de Garin se crispou e os olhos se encheram de lágrimas. — Você não tem ideia do que ele é capaz. Mas agora o deixei. Ele não pode me ameaçar mais. Farei qualquer coisa que você quiser para consertar isso! Diga-me e farei!

Will contemplou Garin: as manchas de sangue no manto; as mãos erguidas; os olhos tomados pelas lágrimas. Contemplou o homem que o havia enchido de tamanho ódio, mas viu apenas o garotinho assustado que costumava mentir sobre as feridas no rosto. Toda a tensão de seu corpo escoou-se, deixando-o fraco e trêmulo.

— Não quero nada de você.

Repelindo as mãos de Robert para o lado, Will se afastou.

## 38
## Muralha de Antioquia
### 14 de maio de 1268

Não conseguiam tirar os olhos daquilo. Durante as últimas duas horas, haviam-nos assistido chegar; uma visão incrível e apavorante, como uma onda se formando em alto-mar, pela qual as pessoas na praia pudessem apenas esperar imóveis, até que rebentasse em terra, inundando casas, submergindo os campos, afogando crianças. A esperança estava às costas, nos castelos e arsenais dos cavaleiros, onde homens vestiam elmos, apertavam cotas de malha, cingiam espadas. A perdição jazia à frente, marchando através do vale numa ampla fileira dourada, formando um novo rio ao lado do Orontes. Para os cidadãos de Antioquia, uma das cinco sés mais sagradas da Cristandade, a aproximação dos mamelucos era de longe a visão mais impressionante.

— Que diabo estão fazendo lá em cima?

Will, ajudando a empurrar uma catapulta, olhou na direção da voz e viu Lambert, o jovem oficial no comando da companhia, apontar para um grupo de pessoas na torre ao lado da deles. Will pôde ver pelos trajes que não eram soldados. Bispos ou nobres, supôs, a julgar pelo corte das roupas de seda.

— Rezando, provavelmente — respondeu, aproximando-se de Lambert enquanto os sargentos colocavam a máquina de sítio em posição.

Lambert voltou-se para Will.

— Vi crianças sobre as muralhas esta manhã, atirando pedras no vale, tentando atingir o inimigo. Vão acabar mortos ou ficar no nosso caminho. Alguém deveria alertá-los, mandando-os para dentro das casas ou para a cidadela.

— Concordo — disse Will —, mas não há soldados suficientes para guarnecer as muralhas, que dirá para manter a ordem.

Olhou para o vale, onde o exército mameluco se aproximava num passo constante, depois novamente para os nobres aglomerados na torre.

— Talvez isso nos favoreça — disse. — Os mamelucos pensarão que dispomos de mais tropas do que temos na realidade.

— Isso só lhes dará mais alvos em que mirar.

Lambert pôs as mãos em concha ao redor da boca.

— Ei! — gritou para os nobres. Alguns deles olharam na sua direção. — Desçam daí, seus tolos!

Praguejou quando viu que o ignoraram.

— Sairão tão logo as flechas comecem a voar — disse Robert, aproximando-se.

— Onde está Simon? — perguntou Will.

— Acalmando os cavalos. Estão ficando nervosos agora que podem ouvir os tambores.

— Sei como se sentem — resmungou Lambert.

Todos sabiam. O som, que havia começado como uma tênue palpitação, como um tremor de terra, e aumentado com a aproximação dos mamelucos até se tornar uma batida ritmada e enlouquecedora, era visceralmente perturbador. O exército mameluco tinha trinta companhias, cada qual comandada por um oficial chamado senhor dos tambores. Os cavaleiros sobre as muralhas quase podiam discernir essas companhias agora: homens diminutos batendo tambores minúsculos que faziam um ruído enorme.

— Como está Simon? — perguntou Will a Robert.

— Não pergunte. Cada vez que tento dizer algo para confortá-lo, corre para urinar. Estive pensando, se fizer isso muitas vezes mais, podemos abrir uma comporta e afogar os bastardos inimigos. — Robert pousou as mãos no parapeito. — Não posso culpá-lo, no entanto.

Os três assistiram enquanto a vanguarda do exército se afunilava através da boca do vale e se avolumava na planície. Nela vinha a pesada cavalaria — homens usando armaduras, assim como seus cavalos, e munidos de lanças e espadas. Cada companhia era caracterizada pelas diferentes cores das sobrecotas: azul, jade, escarlate, púrpura e, na dianteira, o amarelo-ouro dos *bahri*, cujas capas cintilavam ao sol da manhã.

Pelotões de arqueiros a cavalo flanqueavam a cavalaria e atrás deles marchava uma sólida massa de infantaria: homens carregando escudos presos aos ombros; *nakkabun* com as ferramentas de sapa; soldados com barris de mortífera nafta. No meio das fileiras da infantaria, camelos carregados com suprimentos médicos, armas, alimentos e água eram arrebanhados ao lado de máquinas de sítio, que eram alçadas até o vale pelas companhias que iriam armá-las e dispará-las durante a batalha. Os mamelucos, um cavaleiro mais velho dissera a Will e aos outros, davam a essas armas nomes como a Vitoriosa, a Arrasadora, o Touro. Ao ouvir isso, o pelotão de dez cavaleiros e sete sargentos sob as ordens de Lambert havia batizado suas duas máquinas — uma catapulta e uma espringala, que era menor e disparava dardos, em vez de pedras. Uma chamaram de a Imbatível e a outra, de Matadora de Sultão.

— Calculo que assentarão o acampamento principal lá em baixo — disse Lambert, apontando para uma faixa de terra plana para onde os *bahri* vestidos de dourado se deslocavam, como um bando de leões. — Bem longe da linha de tiro — acrescentou.

Will observou quando os nobres na torre oposta começaram a se retirar, percorrendo a passagem que dava para as muralhas que serpenteavam abruptamente em volta do monte Silpio até a cidadela. Durante várias horas, desde que o alarme havia sido dado, pequenos fluxos de pessoas seguiam o caminho sinuoso montanha acima até a fortaleza. Porém, muitos cidadãos, como Lambert havia se queixado, andavam a esmo pela cidade; reunindo-se nos cantos para conversar em vozes temerosas com os vizinhos; subindo as muralhas para ver os soldados que chegavam; ficando em casa para pregar tábuas nas portas e enterrar moedas e títulos de terra em buracos nos jardins. Os únicos que pareciam ter algum senso de finalidade ou urgência eram as companhias de homens que se dirigiam aos postos.

Ao longo dos muros, montados nas torres, estavam pequenos grupos como o deles: hospitalários, cavaleiros teutônicos do Reino da Germânia, soldados sírios e armênios, guardas da cidade sob o comando de Simon Mansel. Mas apenas metade das torres estava ocupada e o perímetro de 30 quilômetros parecia visivelmente vazio. Os muros, na maior parte, estavam em bom estado e todos os trechos mais vulneráveis haviam sido guarnecidos com o máximo de homens possível.

No último conselho de guerra, convocado no dia anterior, os mestres templário e hospitalário, numa rara demonstração de unidade, haviam expressado preocupação quanto a uma área próxima à Torre das Duas Irmãs, onde o muro começava a íngreme marcha acima das encostas da montanha. O condestável Mansel, porém, já havia distribuído todos os seus homens e se recusou a dispor de mais algum para a tarefa.

Mansel estava confiante de que Baybars poderia ser persuadido a ouvir a razão. Afinal, lembrou aos céticos comandantes, os mamelucos haviam se retirado uma vez anteriormente com apenas algumas carroças de tesouros. Enquanto o condestável delineava as bases para negociação, coube ao mestre templário redirecionar a companhia de Lambert da Porta de São Jorge para a área em questão. Will, ao ver o segmento que corria da Torre das Duas Irmãs até o cume do monte Silpio, não conseguia ver como os mamelucos poderiam com alguma facilidade atacar o muro a partir do traiçoeiro terreno abaixo dele. Mas, afinal, nunca estivera envolvido num cerco.

Tinha sido um choque descobrir, quando o exército apareceu, que todos os anos de treinamento aparentemente não haviam contado para nada. Ele e os outros homens de sua companhia estavam fazendo o desjejum numa das câmaras vazias e empoeiradas da torre, sarapintada de dejetos de morcego, quando o alarme soou. Correram pela escada em espiral até as ameias, com a espada na mão. E ali tiveram de parar. Ombro a ombro, cara a cara, sabiam lutar, mas do alto da torre eram capazes apenas de assistir e esperar enquanto os mamelucos avançavam.

Os cavaleiros mais velhos, aqueles que haviam enfrentado campanhas em Outremer durante a maior parte da vida, estavam calmos, preparando-se e às armas. Os mais jovens estavam inquietos; brincando nervosamente num momento, estourando à mais leve perturbação no instante seguinte; espantadiços como os cavalos, que haviam sido estabulados numa olaria junto à torre, requisitada por Lambert.

Will bebeu um gole de água do odre e ajustou o cinto da espada. Sentiu necessidade de ter a arma na mão, para golpear algo tangível. A ansiedade reverberava dentro dele como os tambores mamelucos, deixando-o à flor da pele. Quatro cavaleiros saíram para as ameias, carregando dardos para a espringala. Entre eles estava Garin. Quando trocaram olhares, Garin se deixou ficar por um momento nas ameias, depois atravessou a passagem até a outra torre, onde haviam posicionado a arma.

Robert meneou a cabeça.

— Vinte e sete quilômetros de muros e eles o colocam justamente aqui?

Segurando o cabo do alfanje, Will se dirigiu a Lambert.

— Há alguma coisa que eu possa fazer?

Lambert fez que sim.

— O mesmo que o resto de nós. Esperar.

*Acampamento mameluco, Antioquia, 14 de maio de 1268*

O sol estava se pondo no oeste quando os eunucos terminaram de banhar os pés de Baybars e secaram sua pele com panos de linho limpos. Quando terminaram, ele se levantou e desceu da plataforma do trono que havia sido erigida dentro do pavilhão real. As abas do pavilhão haviam sido presas para ficar abertas e o espaço do lado de fora tinha sido liberado. Os comandantes estavam à espera, descalços, sobre uma faixa de capim, sobre a qual tapetes de oração foram estendidos.

Baybars voltou o rosto para Meca. Os muros de Antioquia ocupavam sua visão, mas quando se postou junto aos homens e começou a entoar as palavras da primeira surata do Corão, a edificação pareceu se dissolver diante de seus olhos para se tornar nada mais do que pedra e areia.

"Em nome de Deus, o Clemente, o Misericordioso. Toda glória para Deus, o Senhor e Provedor de todos os mundos!"

Depois de concluir as orações, os mamelucos se levantaram e prosseguiram com os afazeres: descarregar suprimentos dos camelos; erguer tendas; armar as máquinas de sítio; acender fogueiras; preparar o banquete da noite. O dia seguinte seria o primeiro do Ramadã e durante as quatro semanas seguintes todos jejuariam durante as horas do dia.

— Meu senhor.

Baybars voltou-se enquanto Omar vinha em sua direção, contornando os servos que enrolavam os tapetes de oração.

— Você retransmitiu minhas ordens aos comandantes? — perguntou o sultão.

— Sim, meu senhor. Todos conhecem suas posições. — Omar aguardou uma pausa. — Exceto eu.

— Quero você na retaguarda, com as máquinas.

— Na retaguarda?

— Você me ouviu — disse Baybars, sem fazer caso da expressão ofendida.

Ao longo das últimas campanhas, vinha colocando Omar cada vez mais longe das linhas de frente. Apesar de temer pouco pela própria segurança, vinha, durante os últimos anos, se tornando cada vez mais preocupado com o bem-estar dos amigos. Talvez por ter tão poucos.

— *Sadeek* — protestou Omar em voz baixa —, se insiste em liderar esta batalha, quero estar ao seu lado. Não ouviu o que Khadir falou?

Baybars ergueu uma sobrancelha.

— Pensei que você nunca desse ouvidos a Khadir.

— Eu os dou quando ele diz temer uma ameaça contra a sua vida. Uma ameaça vinda da cidade.

— Khadir não conseguiu ser específico sobre a natureza dessa ameaça, por isso estou inclinado a acreditar que ela não é nada mais do que o desejo geral dos francos de se livrarem de mim. Ele estava, no entanto, certo ao dizer que os sinais para a batalha em si são auspiciosos. Ficarei com a previsão mais confiável. Khadir sempre fica deslocado tão perto de seu lar — acrescentou Baybars, referindo-se à fortaleza de Masyaf, dos Assassinos, nas montanhas Jabal Bahra, o local e a ordem dos quais Khadir havia sido exilado.

— Tem mesmo de liderar a batalha, meu senhor?

As mandíbulas de Baybars se contraíram.

— Quando mandei outros liderarem um ataque contra essa cidade, foram aplacados por uma oferta mesquinha. Não aceitaremos presentes dos francos, Omar.

— Meu senhor sultão.

Baybars olhou na direção da voz e viu Kalawun aproximar-se. Com ele vinha o comandante de um dos regimentos. Kalawun fez uma reverência a Baybars.

— Posso falar-lhe?

— Sim — disse Baybars. — Já acabamos, não é, Omar?

Após uma pausa, Omar inclinou a cabeça.

— Sim, meu senhor.

Baybars esperou até que ele se retirasse, depois voltou-se para os dois homens.

— Vocês estão prontos? — perguntou-lhes.

— Sim, meu senhor — respondeu Kalawun.

— Ótimo. Quero ambos em posição de manhã.

— Então, com sua permissão, iremos agora, meu senhor — disse o comandante.

— Vocês a têm.

Quando começaram a se retirar, Baybars pediu que Kalawun esperasse.

— Que Alá esteja com você — disse, num tom calmo.

A face de ossos salientes de Kalawun abriu-se num sorriso apagado.

— Temo que seja você quem precisará de proteção divina, meu senhor. Minha tarefa, creio, será simples em comparação com a sua.

— Isso dependerá de você encontrar resistência e quanto mais tempo demorar, mais provavelmente a encontrará, seja dos templários em Baghras e La Roche Guillaume, seja de Cilícia.

— Demos um duro golpe nos armênios no ano passado — disse calmamente Kalawun. — Duvido que consigam reunir uma grande força.

— Não duvide de nada, Kalawun. Quando deixamos Trípoli ilesa, o príncipe Boemundo certamente passou a nutrir a preocupação de que viéssemos para cá. Com o que restou do reino, pode ser capaz de mobilizar um exército eficiente no devido tempo, embora não pretenda me demorar o suficiente aqui para propiciar tal oportunidade a eles.

Ouviu-se uma agitação e um pequeno vulto escuro saiu correndo das sombras em direção a eles. Kalawun se postou na frente de Baybars, então viu que se tratava do filho do sultão. Apressado atrás de Baraka Khan, bufando e ofegando, vinha o tutor, um comandante aposentado chamado Sinjar, que Kalawun havia sugerido como um mentor capacitado para o garoto. Havia uma grande mancha vermelha na frente da túnica branca de Sinjar. Por um momento, Baybars achou que ele poderia estar ferido, depois percebeu que era claro demais para ser sangue. Baraka patinou ao parar, com a respiração intensa.

— Por que você não está estudando? — Baybars intimou o menino de 7 anos.

Depois lançou um olhar questionador para Sinjar, que fez uma reverência, tentando recuperar o fôlego.

— Minhas desculpas, meu senhor, estávamos iniciando um simples problema algébrico. Quando Baraka não conseguiu resolvê-lo, ficou com raiva e atirou uma jarra de refresco em mim. — Sinjar apontou para a túnica manchada. — Eu ia puni-lo, mas ele correu de mim.

Baraka olhou de lado para o tutor.

— Sinjar ia me bater, papai.

— E faria muito bem — disse Baybars, sacudindo o filho rudemente pelos braços. — Não quero ouvir nem mais um problema vindo de você, entendeu?

Baraka fez um beicinho.

— Sim, papai — resmungou.

Baybars fez um gesto de cabeça para Sinjar.

— Deixe-o comigo — disse.

— Sim, meu senhor.

— Já que você se recusa a estudar — disse Baybars ao filho, enquanto Sinjar se retirava — então pode me ajudar, em vez disso. — O sultão deu um meio sorriso para Kalawun. — Talvez pudéssemos pô-lo para trabalhar num dos *mandjaniks*?

Kalawun devolveu o sorriso.

— Talvez — disse. Despenteou os cabelos de Baraka. — Embora não esteja certo de que esse é um trabalho condizente com o herdeiro do trono e meu futuro genro.

Baraka fez um beiço ainda maior. Baybars havia-lhe dito que se casaria com a filha de Kalawun em alguns anos, quando tivesse idade suficiente. Baraka tinha esperança de que o pai pusesse *ela* para trabalhar num dos *mandjaniks*. Ela poderia sofrer um acidente e acabar atirada para dentro da cidade por cima da muralha. Sorriu ao pensar nisso enquanto Kalawun fazia uma reverência a Baybars e se dirigia ao outro lado do acampamento, onde um batalhão estava à sua espera.

— Para onde vai o emir Kalawun, papai? — perguntou o menino.

— Para as montanhas — respondeu Baybars, carregando o filho para dentro do pavilhão. Desde que Baraka deixara o harém e a influência das esposas, havia começado a considerar a criança uma distração estranhamente agradável das tensões da liderança.

— Por quê?

Baybars, ignorando os eunucos, guarda-costas e conselheiros no pavilhão, sentou o filho sobre um tapete e apanhou uma baixela de prata com figos.

— Vou mostrar-lhe — disse, agachando-se e pondo um figo na pequena mão de Baraka. Colocou três frutas num triângulo sobre o tapete. — Esta é Antioquia — disse ao filho, apontando para o figo no ponto inferior direito do triângulo. — O figo de cima são as Portas Sírias, para onde Kalawun está indo. — Apontou para o vértice do triângulo. — Kalawun evitará que qualquer ajuda venha dos cristãos no norte. — Então moveu o dedo para a fruta que estava no ângulo inferior esquerdo. — Este é o porto de São Simeão. Mandei um segundo batalhão tomá-lo. Evitarão que qualquer reforço venha da costa.

— O que vai fazer, papai?

Baybars sorriu. Pegando o figo que representava Antioquia, ele o atirou para dentro da boca. Baraka riu.

— Meu senhor sultão!

Baybars se levantou quando um guerreiro *bahri* entrou no pavilhão. O guerreiro se curvou.

— Alguém está vindo da cidade.

— Quem? — perguntou Baybars, olhando para Baraka, que estava esmagando com a mão os figos restantes no tapete.

— Um grupo armado, liderado pelo condestável deles. Saíram pelo portão noroeste.

Baybars e os conselheiros seguiram o guerreiro para fora do pavilhão. Uma pequenina serpente formada pelas luzes das tochas descia desde as muralhas, onde outros fogos agora tremeluziam.

— Vá encontrá-los — disse Baybars ao guerreiro. — Desarme-os e traga-os até mim. Creio que pensam em negociar.

— Vim negociar! — insistiu Simon Mansel, enquanto era forçado por dois guerreiros mamelucos a entrar no pavilhão real, depois que sua escolta havia sido cercada e desarmada. — Vocês me libertarão assim que ouvirem meus termos! — Repetiu essa última exclamação num árabe canhestro.

— Seus termos? — indagou Baybars, e sua voz grave fez com que Mansel ficasse em silêncio e olhasse cautelosamente para o trono. Baybars contemplou o corpulento condestável quando esse foi levado diante do pódio. O homem vestia um suntuoso robe de seda e turbante e estava coberto de joias. — Não creio que você esteja em posição de oferecer qualquer termo — completou o sultão.

Com Mansel olhou-o com uma expressão de incerteza, Baybars gesticulou para um dos membros da comitiva.

— Traduza minhas palavras — disse.

O tradutor adiantou-se e falou.

— Agora, diga-lhe para ficar de joelhos — acrescentou Baybars

Mansel pareceu ultrajado com a exigência, mas não teve escolha senão ceder, pois os dois guerreiros mamelucos que seguravam seus braços empurraram-no para o chão. Pelo canto do olho, notou um garotinho agachado atrás de um biombo num dos lados da tenda. Quando se virou para o menino, esse mostrou-lhe a língua e deu uma risadinha. Ignorando a criança, Mansel olhou para o tradutor.

— Diga ao sultão que providenciei para que carroças de ouro e joias lhe sejam entregues se ele levantar acampamento e retirar o exército dos muros da cidade. Ele tem até amanhã para aceitar esses termos. Será minha única oferta.

A expressão de Baybars não se alterou depois que o tradutor falou.

— Ouro? — disse. — Você pensa em me aplacar com uma oferta tão desprezível?

— Desprezível? — zombou Mansel, quando a pergunta foi retransmitida. — Posso assegurar-lhe que...

— Ouro não significa nada para mim — disse Baybars, sem esperar que as palavras do condestável fossem traduzidas. — Há somente uma coisa que me fará retirar meu exército e assegurar sua vida e as de todos os homens, mulheres e crianças da cidade. Rendição. Diga para seus cavaleiros abrirem os portões da cidade que os francos tomaram para eles 170 anos atrás. Diga-lhes para baixarem as armas e nos deixarem entrar. Depois que tivermos tomado a cidade vocês partirão, todos vocês, e nunca mais voltarão. Antioquia está perdida para vocês; para todos os cristãos.

— Não aceitarei esses termos! — Mansel começou a falar em tom ultrajado. — Há milhares dentro da cidade. Para onde irão? Não posso simplesmente pedir-lhes para partir, deixar seus lares, seus rebanhos! E quanto aos doentes? Os jovens e enfermos? Aceite o que ofereci e se satisfaça com...

Sua voz sumiu quando Baybars se levantou do trono e acenou para um dos *bahri* parados junto à entrada. Mansel não entendeu o que foi dito, mas encolheu-se de medo quanto Baybars desembainhou um dos sabres e desceu os degraus da plataforma em sua direção.

— Se me ferir, você não receberá nada! Nada, diga-lhe! — gritou para o tradutor. — *Diga-lhe!*

Um ruído se ouviu às suas costas. Mansel olhou para trás e viu seus guardas serem forçados a entrar na tenda por sete guerreiros *bahri*.

— Tire meu filho daqui — ordenou Baybars a um de seus eunucos.

Baraka chorou e chutou o serviçal quando esse o pegou no colo e o levou para fora da tenda.

Os seis guardas de Mansel pareciam assustados ao ser alinhados em frente ao pódio, olhando com ar inseguro para o condestável. Os *bahri* forçaram a tropa a ficar de joelhos.

— O que você está fazendo? — perguntou Mansel a Baybars.

O sultão de olhos azuis não respondeu, mas caminhou até o primeiro dos guardas, um jovem de grandes olhos castanhos e rosto sardento. Agarrando um punhado dos cabelos do homem, Baybars puxou sua cabeça para trás e passou o gume do sabre pela garganta do rapaz. O sangue jorrou num arco amplo, salpicando os degraus do pódio.

— Bom Deus! — gritou Mansel, enquanto o jovem desabava para o lado, com o sangue bombeando do pescoço em golfadas.

Ele não teve chance nem mesmo de gritar. Os guardas restantes maldiziam o sultão e os *bahri*. Dois deles, aterrorizados, tentaram correr, mas logo foram forçados pelos soldados, que avançaram com as armas desembainhadas, a voltar.

Baybars dirigiu-se a Mansel, com sangue escorrendo do sabre. Um pouco havia borrifado no manto amarelo-ouro, encobrindo as inscrições do Corão.

— Você cede às minhas exigências? Ou deixará morrer mais de seus homens? Cabe a você decidir. As vidas de seus homens pela sua cidade. É isso o que tenho a lhe oferecer.

Mansel não precisou de um tradutor para saber o que estava sendo dito.

— Seu bastardo sem coração — respondeu, numa voz baixa e amargurada.

O tradutor fez menção de falar, depois olhou para Baybars e reconsiderou. Baybars caminhou até outro dos guardas de Mansel. Esse gritou quando o sultão puxou sua cabeça para trás, expondo sua garganta à lâmina. Ele lutou, tentando livrar-se, mas dois *bahri* se adiantaram para mantê-lo imóvel.

— Seu homem ou sua cidade? — exigiu Baybars, olhando para Mansel. — O que é mais importante para você? Decida!

O tradutor falou rapidamente.

— Não serei ameaçado dessa forma! — insistiu Mansel.

— *Capitão!* — berrou o guarda.

Os olhos de Baybars se apertaram quando o tradutor lhe contou a resposta do condestável. Sua mandíbula se contraiu quando talhou o pescoço do guarda com a espada. Esse levou mais tempo para morrer, debatendo-se no chão ao lado do camarada caído, gorgolejando jatos de sangue e pressionando em vão as mãos na garganta cortada. Mansel evitou o olhar do homem.

— Acabem com isso — disse Baybars num tom grosseiro, apontando para o guarda agonizante.

Um dos *bahri* deu um passo adiante e o apunhalou.

— Eu o verei no inferno por isso! — disse Mansel, com voz rouca, para Baybars.

— Aceita meus termos?

— *Não!* — rugiu o condestável.

A resposta resultou na morte de um terceiro guarda.

— Basta! — vociferou Baybars.

Avançou até Mansel, com o sabre gotejando sangue. O condestável tentou a custo ficar de pé, mas os *bahri* o retiveram em questão de segundos.

— *Não!* — gritou quando Baybars se aproximou, agarrando seus cabelos. — Minha esposa é prima da princesa, esposa do príncipe Boemundo! — berrou, em árabe. — Meu resgate vale mais para você do que minha morte!

— Somente a sua cidade vale alguma coisa para mim. Renda-se agora ou deceparei sua cabeça e a atirarei por sobre os muros de Antioquia para mostrar aos seus cidadãos o preço de uma recusa. — Baybars pressionou a lâmina na garganta do homem, que se contorcia e uivava. — *Renda-se!*

— *Eu aceito!* — guinchou Mansel, quando a lâmina começou a cortá-lo. Um filete quente de sangue escorreu pelo pescoço. — Aceito sua exigência! Entrego a cidade!

— Levem-no até os muros — rosnou Baybars, afastando-se do condestável e se dirigindo aos *bahri*. — Façam com que repita esse comando à sua guarnição. Aprontem os homens. Entraremos esta noite.

Com isso, Simon Mansel, condestável de Antioquia, foi obrigado a marchar até a Porta de São Jorge, onde, numa voz trêmula, ordenou que a guarnição da cidade e todas as ordens militares se rendessem.

Pouco tempo depois, enquanto Baybars lavava as mãos numa bacia, um dos guerreiros *bahri* que havia mandado para escoltar Mansel entrou. Os corpos dos guardas haviam sido removidos e os eunucos estavam de joelhos, limpando o sangue dos degraus do pódio.

— Meu senhor sultão.

Baybars apanhou uma toalha para enxugar as mãos.
— Está feito? — perguntou.
— Mansel deu a ordem, como lhe foi exigido.
— Eles abriram os portões?
— Não, meu senhor — respondeu o guerreiro *bahri*. — A guarnição de Antioquia rejeitou a ordem de Mansel. Eles não entregarão a cidade.

# 39
## Muralha de Antioquia
### 18 de maio de 1268

Simon apanhou uma laranja marrom e enrugada das rações que haviam sido servidas.

— Quanto tempo isso vai durar? — perguntou repentinamente, virando-se para Will.

Will ficou surpreso com o tom abrupto.

— Se Mansel conseguir persuadir os comandantes a se renderem, pode ser que acabe logo — respondeu. Ele se sentou num barril. Havia acabado de finalizar seu turno e estava exausto. Do lado de fora, o dia estava raiando. Uma luz pálida começava a se infiltrar pelo umbral da porta, mas a câmara circular e sem janelas na base da torre continuaria escura pelo resto do dia. — Não creio que consiga, porém — acrescentou, bocejando.

Por duas vezes, o condestável Mansel havia sido levado aos portões e em ambas a guarnição da cidade rejeitou sua demanda por rendição. No dia anterior, os homens sobre as muralhas haviam assistido, com apreensão, enquanto o exército dos mamelucos começava a se espalhar ao redor da cidade, alguns batalhões se deslocando para o norte em direção ao rio, outros para o sul, até as encostas da montanha. Um regimento havia posicionado suas máquinas de sítio de frente para as duas torres ocupadas pela companhia de Lambert.

Simon largou a laranja na mesa.

— Não estou me referindo à batalha — disse, com rudeza. — Estou falando de nós dois.

Will franziu o cenho.

— O que quer dizer?

— Nada — resmungou Simon. — Esqueça o que eu disse.

— Não — falou Will, indo até onde Simon estava. — Se tem algo a dizer, então diga.

Simon abaixou os olhos.

— Não é nada. Mesmo.

— Sim, é — disse Will, num tom áspero. — Você não fala comigo há dias. Cada vez que me aproximo, você arranja alguma desculpa para se retirar. Ainda está me culpando, não está? Por estarmos aqui?

— Não — disse Simon, meneando a cabeça. — Não quero brigar.

— Nunca pedi para você vir, Simon.

— Não, fui designado, lembra-se?

— Não para Antioquia, para Outremer. Em Orléans eu lhe disse para ficar se não quisesse vir, mas que eu estava decidido.

— A encontrar Nicolas — disse Simon, balançando a cabeça vigorosamente — a pegar o livro de Everard. Era a isso que você estava decidido. Você não veio até aqui para lutar numa guerra!

— Bem, estou numa. E você também. — Will apontou o dedo para a muralha, além da qual estava o acampamento mameluco. — Aqueles homens mataram meu pai. Talvez até mesmo o que separou sua cabeça dos ombros esteja ali.

— Você tem andado tão frio — disse Simon, num tom calmo. — Não conversamos nem rimos como costumávamos fazer.

— Não tenho motivos para rir.

— Você faz isso com Robert e com os outros! Eu me sinto como se estivesse sozinho aqui. Você não sabe como é assustador ter ciência do que há lá fora e saber que não consegue lutar. Não imagina como é não ser capaz de defender as pessoas que você... — Simon abaixou a cabeça — ... as pessoas com quem você se importa.

— Por que me evita se está se sentindo tão sozinho?

Simon desviou o olhar, depois virou-se novamente para ele.

— Quero que as coisas voltem a ser como eram. — Dirigiu um sorriso vacilante a Will. — Como na época em que você me ensinava a lutar com espadas em Paris.

— Não posso voltar a ser o que era.

— Por quê?

— Por que não tenho mais o que tinha então.

— O que você tinha então? — ecoou Simon, numa voz sumida.

— Tinha meu pai, ou, pelo menos, a chance de vê-lo novamente. Tinha Elwen. Não tinha ódio dentro de mim, nem contra o homem que foi um dia meu amigo mais próximo nem contra homens que jamais conheci. Não sabia nada sobre a guerra ou sobre... — Will deixou que a voz morresse, afundando sobre o barril. — Não conhecia nada disso — terminou, olhando para Simon. — Tinha esperança.

— Você ainda pode ter esperança — insistiu Simon, aproximando-se dele.

— Esperança em quê? Falhei como irmão e como filho. Não posso voltar a ser o que era antes. Não resta nada para mim do passado.

— Mas o que você fará? Ficar aqui, lutar e morrer?

Will não respondeu. Seguindo-se à pergunta de Simon ouviu-se um longo e lamentoso grito. Outros juntaram-se a ele, fazendo com que crescesse até um som estridente e agitado que feriu o amanhecer e os seus ouvidos.

— O que é isso? — perguntou Simon, empalidecendo.

— Não sei. — Will correu para os degraus quando ouviu passos correndo e gritos vindos de cima. — As trombetas das sentinelas?

Suas palavras foram respondidas por uma série de gritos incoerentes. Depois algo atingiu as muros. A torre inteira estremeceu com o impacto e uma chuva de alvenaria caiu na rua do lado de fora. Will começou a subir os degraus.

— O que faço? — gritou Simon atrás dele.

— Vá cuidar dos cavalos.

— Will.

Will se deteve por um momento na escada e olhou para trás.

— O que foi? — perguntou.

Simon fitou-o, depois engoliu em seco e meneou a cabeça.

— Nada — respondeu.

Ficou parado ali por um momento depois que Will desapareceu, até que outro violento baque atingiu as muralhas e ele saiu apressado para a rua rumo à olaria, enquanto mais poeira e pedras soltas tamborilavam abaixo delas. Will corria degraus acima.

— O que está acontecendo? — inquiriu a um sargento que descia. — Estão atacando nossa seção?

— Todas as seções, senhor — tartamudeou o sargento, passando apressado por ele. — Estão atacando todas as seções!

Will apressou-se até as ameias, onde Robert, parcialmente vestido, ajudava Lambert e dois outros cavaleiros a armar a catapulta com uma das pedras que haviam içado pelo lado da torre por meio de eslingas. Faziam grande esforço por causa do peso da carga. Will correu para ajudar, mas foi detido pela visão de cima das ameias. Os mamelucos, que haviam se deslocado para suas posições de ataque sob a proteção da noite, forravam a planície e as encostas com uma massa fervilhante de turbantes e mantos de cores vivas, cavalos, lanças, escadas, aríetes e catapultas.

Enquanto Will observava, os três *mandjaniks* mais próximos da seção deles foram disparados, os braços zunindo até atingir as traves transversais, arremessando três imensos blocos de rocha rumo ao muro entre as duas torres. Elas se espatifaram contra as pedras, sacudindo as torres até as fundações e fazendo voar estilhaços afiados. Um grito partiu da torre adjacente e Will pôde ver um dos cavaleiros cair, atingido por destroços letais. Garin estava ali, armando a espringala. Will refez-se do susto e correu para ajudar Robert e Lambert, enquanto Garin acionava a máquina, disparando um dardo bem no coração das forças mamelucas. Will não esperou para ver se o projétil havia atingido algo, mas agarrou as cordas de uma das catapultas e soltou o braço da arma.

Por toda a extensão das muralhas, com a exceção das montanhas escarpadas e das margens lodosas do Orontes, onde o terreno era intransitável, o ataque havia começado. Os baques e estampidos das pedras eram tão uniformes e ressoantes quanto as batidas dos tambores, ecoando através do vale, um após o outro, como gigantescos trovejares. Potes de nafta inflamável eram lançados contra as muralhas, pondo homens e máquinas de sítio em chamas. Outras companhias de mamelucos catapultavam barris flamejantes de piche, que saíam voando do solo como cometas, para explodir no alto das torres em florescências de fogo que inflamavam o céu da madrugada. Flechas com pontas ocas cheias de nafta e enxofre negro incendiavam-se ao atravessar o ar. Homens caíam de joelhos, atingidos pelos projéteis, outros se precipitavam aos gritos de cima dos muros, com os cabelos e a carne em chamas, e, numa das seções da muralha, uma companhia inteira de hospitalários foi esmagada por uma pedra.

As forças de Antioquia defenderam-se valentemente: cortando as escadas que os mamelucos colocavam junto ao muro; disparando saraivadas de flechas contra a infantaria, que respondia com pelotes de barro lançados por atiradeiras; arremessando blocos de rocha contra a cavalaria, para destruir cavalos e homens.

Mas os muros de Justiniano, embora titânicos nas proporções, não bastavam para conter uma força militar determinada. Ao longo dos séculos, haviam cedido aos persas, aos árabes, aos bizantinos, aos turcos e aos francos. Que fossem ceder novamente era inevitável. Era simplesmente uma questão de tempo.

— Precisamos de alguns homens lá em cima! — gritou Lambert, apontando para uma seção a dois quilômetros e meio escarpa acima, a qual estava desprovida de soldados.

Os mamelucos estavam concentrando sete *mandjaniks* contra ela e já havia aparecido um rombo de tamanho considerável no centro do muro, embora alto demais para permitir que a infantaria a postos o atravessasse. Mais mamelucos, vendo a oportunidade, avançavam naquela direção, liderados por um grupo de cavalaria que vestia capas amarelo-ouro.

— *Bahri*! — gritou um dos cavaleiros mais velhos na torre adjacente, apontando para os cavaleiros.

— Bom Deus, é ele — murmurou Lambert, indo até o parapeito.

Seu olhar estava concentrado num homem grande trajando um robe dourado e uma armadura reluzente, montando um cavalo preto à frente da Guarda Real.

— Quem? — ofegou Will, içando outra pedra para a cavidade da catapulta e saltando para trás quando dois cavaleiros a dispararam.

— A Besta — respondeu Lambert. — Onde estão nossas malditas tropas? — rugiu por sobre o lado das ameias voltado para a cidade, onde pessoas assistiam temerosas das janelas de suas casas. Lá embaixo, avistou Simon no umbral da olaria. — Encilhe os cavalos! — gritou ao cavalariço.

Simon desapareceu imediatamente.

Will foi até a beira e observou Baybars cavalgar escarpa acima rumo à fenda. Sentiu um estranho calafrio ao ver o sultão mameluco; não soube identificar se era medo ou ansiedade. Alguns cidadãos sobre os baluartes que levavam à cidadela viram o perigo e estavam saltando de um lado para outro, agitando os braços e berrando para a companhia de Lambert. Lambert resmungou entre dentes. Outro buraco apareceu no muro quando uma pedra o atravessou e aterrissou no pasto além dele.

— O que fazemos? — gritou Will, encolhendo-se quando uma saraivadas de flechas passou zunindo sobre sua cabeça.

Lambert olhava ao redor em impotência.

— Merda! — praguejou.

Will segurou-o pelos ombros.

— Lambert! O que fazemos?

— Vamos subir até lá — disse uma voz atrás deles.

Will voltou-se e viu Garin. Os cabelos estavam emplastrados por causa do suor e o rosto e o manto estavam imundos. Tinha a espada na mão.

— Vamos pegar os cavalos — disse Garin a Will e Lambert. — Subir até lá e combatê-los até que cheguem mais homens.

— É tarde demais! — disse Robert. — Veja!

Os três se voltaram para ver o muro desmoronando. Ouviu-se um rugido distante quando ele caiu, levando duas torres consigo numa alta cortina de poeira e cascalho.

— Mãe de Deus — disse Lambert com voz sumida, quando os mamelucos, liderados por Baybars Bundukdari, investiram para o meio das nuvens crescentes.

— Estão atravessando! Estão atravessando! — começou a gritar um dos cavaleiros de cima das ameias.

Uma trombeta foi soada por uma companhia hospitalária que havia visto as torres desabarem. Outros acolheram o som e o retransmitiram pelos muros. Os mamelucos estavam vindo. A cidade havia caído.

Lambert voltou à razão.

— Para baixo! — gritou aos cavaleiros e sargentos. — Aos cavalos!

Deixando as máquinas, a companhia atravessou a torre em disparada, parando para agarrar elmos e escudos de uma das câmaras. Correram para as ruas polvilhadas de escombros, onde Simon conduzia três dos cavalos que havia conseguido encilhar. Estava pálido, mas falava com suavidade às montarias, que agitavam as cabeças e bufavam. Quatro sargentos correram para a grande oficina para ajudar a encilhar os outros. O oleiro estava ali, com a esposa e as três filhas aninhadas atrás dele.

— O que está acontecendo? — perguntou.

Lambert girou o corpo para ele.

— Vá se proteger, seu louco!

— Eles estão vindo! — alertou um dos cavaleiros, apontando para as montanhas.

Olhando para onde o cavaleiro apontara, o grupo de templários, o oleiro e a família viram a cavalaria pesada dos mamelucos se espalhando pelas encostas. Atacariam a cidade em diferentes pontos. Com as capas douradas, escarlate e púrpura, pareciam uma corrente de lava se derramando de um vulcão. Alguns carregavam tochas e arcos, mas a maioria portava as espadas longas e reluzentes, incrustadas de ouro e cobertas de inscrições árabes.

O oleiro puxou a esposa e as filhas aterrorizadas e as fez subir às pressas uma escada através de um alçapão no fundo da olaria, que bateu atrás de si. Outras pessoas, que haviam saído para as ruas, começaram a correr. Gritos de terror se ergueram quando aqueles que se ajuntavam nas janelas das casas viram os mamelucos trovejando cidade adentro, espalhando carneiros e abatendo famílias que avançavam escarpas acima rumo à cidadela.

Will se deu conta de que as mãos tremiam. Dobrou uma delas em torno do cabo do alfanje e os tremores cessaram.

— Vamos! — bradou, tanto para si próprio quanto para os outros.

Correndo para um cavalo, subiu para a sela. Um cavaleiro passou-lhe o escudo. Garin e Lambert seguiram o exemplo, assim como outros dois, pegando as montarias dos sargentos.

— Para onde vamos? — gritou um cavaleiro para Lambert. — Onde está a linha de frente?

O jovem oficial, lívido e de lábios apertados, voltou-se na sela.

— Nós somos a linha de frente! — disse. Levantou a espada quando os primeiros mamelucos alcançaram as ruas à frente. — *Deus vult!* — Esporeou o cavalo e avançou para recebê-los brandindo a espada.

Will ouviu Simon gritar seu nome quando seguiu com Garin e os outros dois cavaleiros. Percebeu que não estava usando elmo, mas era tarde demais para procurar algum. Levantou a espada e as primeiras luzes do sol nascente se refletiram no gume. Era uma lâmina escocesa, nascida para lutar em lagos, pântanos e sob a chuva, longe daquelas montanhas poeirentas e desbotadas pelo sol. Era uma arma de seu clã, brandida pelo pai e pelo avô. Ao impelir o cavalo, surpreendeu-se chorando quando um dos *bahri*, com a capa dourada esvoaçando, veio em disparada para enfrentá-lo.

— *Pelos Campbell! Pelos Campbell!* — gritou.

O impacto foi brutal. Todas aquelas sessões de treino no campo de justas não eram nada comparadas àquilo. Um choque controlado destinado a tirar um adversário da sela jamais seria o mesmo que um produzido com a intenção de matar. Atirado para trás, Will teria sido arrancado da sela se não tivesse apertado os joelhos nos flancos do cavalo com toda a força. Quando se endireitou, desnorteado e esfolado, o mameluco se fora, havia uma rachadura no seu escudo e outro guerreiro *bahri* estava quase em cima dele. Will brandiu a espada, inclinou-se para a frente e golpeou. O alfanje, com a guarda enferrujada e as faixas de arame esfiapadas, atingiu o mameluco na parte superior do braço, entre a couraça e o espaldar. O homem gritou quando o sangue espirrou da ferida e, perdendo o controle do cavalo, foi carregado para o meio da corrente humana que fluía ao redor de Will, Garin e os outros templários e afligia a cidade.

Entre eles havia um homem grande montado num cavalo de guerra preto. Will avistou num lampejo os olhos azuis e os dentes expostos quando Baybars passou a apenas alguns metros à sua esquerda, depois outra lâmina veio volteando em sua direção. Ela resvalou no seu escudo e cortou o pescoço do seu cavalo. Quando o animal recuou, um cavalo mameluco munido de armadura colidiu com ele, jogando-o para o lado e arrancando Will da sela. O estribo prendeu seu pé e ele deu um grito quando o cavalo desabou por cima dele. Em algum lugar acima dele, Lambert também gritou.

Simon estava no umbral da olaria quando viu Lambert e Will caírem. Robert e os outros cavaleiros e sargentos, que não tiveram tempo de encilhar mais cavalos, haviam corrido ao abrigo dos prédios quando o primeiro mameluco chegou a galope pelas ruas. Eles haviam gritado às pessoas que tentavam fugir para que fizessem o mesmo. Alguns ouviram e se amontoaram nas torres ou se pressionaram de encontro às muralhas. Outros, cegos de pânico, continuaram correndo. Foram abatidos pelos primeiros soldados, tendo os crânios e as costas partidos pelas espadas e sendo pisoteados pelos que se seguiram. Robert havia desembainhado a espada e estava parado na frente de Simon. Um cavaleiro mameluco havia arrancado contra eles, mas a maioria ignorava os cavaleiros e cidadãos para arremeter cidade adentro. Brados de *Alahu akbar* se erguiam em meio ao fragor de cascos e gritos de habitantes.

Simon, que assistia emudecido enquanto o caminho diante dele se enchia de mamelucos, gritou quando viu Will ser atirado para fora da sela. Empurrou Robert para o lado e correu pela rua. Robert deu um grito de alerta quando dois homens montados se abateram sobre o cavalariço. Simon deixou-se cair de joelhos e cobriu a cabeça com as mãos, enquanto as espadas dos cavalarianos chicotearam o ar onde ele havia estado, errando sua cabeça por centímetros. Robert saiu em disparada depois que eles passaram e arrastou-o de volta para a entrada da olaria. Simon se debateu contra ele, gritando o nome de Will.

— Você não pode ajudá-lo! — Robert ficou assustado pela violência do cavalariço. Empurrou Simon com força contra a moldura da porta. — Você será cortado ao meio como uma arvorezinha, seu idiota!

— Ele não pode morrer! — gritou Simon, tentando livrar-se de Robert. Os olhos castanhos estavam arregalados e revoltos. Lágrimas escorriam pelas faces. — É minha culpa ele estar aqui! *É minha culpa!*

Os mamelucos ainda ribombavam passando por eles. Gritos, próximos e distantes, elevavam-se ao ar, com as primeiras colunas de fumaça, enquanto os soldados atiravam tochas nos telhados.

— De que diabo você está falando? — gritou Robert a Simon.

— Elwen não teria partido se soubesse sobre a droga. Menti para que ela o deixasse. Menti para que terminassem. Ele teria perdido o manto se casasse com ela! Mas nunca quis que viéssemos para cá! — As palavras de Simon foram sufocadas pelos soluços. — Sabia que ele nunca teria... Mas eu... — Golpeou o peito de Robert com os punhos, mas não tinha mais forças. — Eu o amava há mais tempo do que ela!

Robert fitou Simon, desnorteado, quando de trás deles chegou um grito vindo da rua. Simon esticou a cabeça, reconhecendo a voz. Entre as lágrimas, viu indistintamente um cavaleiro de branco vindo na direção deles. Sua visão clareou e percebeu que havia dois cavaleiros montando o cavalo. Garin, com a espada ensanguentada, vinha na frente e Will estava sentado atrás dele. Robert gritou de surpresa e júbilo. Com eles vinha um dos dois cavaleiros que haviam partido de sua companhia e dez teutônicos vestindo suas túnicas brancas com cruzes pretas, vários dos quais estavam feridos. A rua estava agora vazia de cavaleiros mamelucos, exceto por alguns que jaziam mortos entre os corpos dos cidadãos que haviam tentado fugir.

— Lambert? — perguntou Robert, tomando as rédeas enquanto Garin fazia o cavalo parar.

— Morto — respondeu Garin, volteando as pernas sobre a sela.

Os teutônicos estavam desmontando, alguns ajudando os camaradas feridos. Alguns dos templários da companhia de Lambert, que haviam ficado com Robert, juntaram-se a eles.

— Eles vieram em nosso auxílio — disse Garin, apontando com a cabeça por sobre o ombro para os cavaleiros germânicos.

— Onde estão os mamelucos? — perguntou Robert, contemplando a rua agora fantasmagoricamente calma.

— A cavalaria se foi rumo à sede da cidade — respondeu um dos teutônicos, aproximando-se. — Não temos muito tempo. Logo tomarão os portões e o resto do exército entrará. Não podemos fazer nada.

— O que vocês estão dizendo? — falou Will, deslizando da sela. — Que nos rendemos?

— Não creio que os sarracenos aceitarão nossa rendição. Estávamos na encosta da colina não muito longe daqui. Não é uma batalha; é um massacre. Estão chacinando todos que encontram pela frente.

O teutônico limpou o sangue de um corte na cabeça que pingava para o olho. Sua mão, notou Will, estava trêmula.

— Deveríamos tentar chegar até a preceptoria — sugeriu Robert — ou à cidadela.

— É tarde demais para isso — respondeu o teutônico. Apontou para a rua que dava para os campos que os mamelucos haviam inicialmente cruzado; o único caminho que restava até a cidadela por aquele lado da cidade. Centenas de soldados da infantaria mameluca estavam agora atravessando o buraco no muro e afluindo pela encosta da colina. — Nunca conseguiremos.

— O que fazemos? — perguntou um dos sargentos, aterrorizado.

— Fugimos — respondeu o teutônico.

— Ele está certo — concordou Garin. — Não temos chance alguma se ficarmos. Pegaremos um dos túneis.

— É para lá que estamos indo — respondeu o teutônico. — Há um deles não muito longe daqui. Passa sob a muralha e desemboca numa caverna sob as escarpas do Sílpio. Podemos chegar lá se pegarmos as ameias. Esperaremos dentro do túnel até a noite cair, depois escaparemos pelo vale.

— Ou podemos ir para o norte — disse outro sargento — até Baghras ou...

— Baybars mandou tropas nessa direção — interrompeu-o Robert.

— Vamos! — chamou um dos teutônicos, batendo nos cavalos com o lado da espada.

— Se vierem, venham agora — disse o cavaleiro a Will, Garin e Robert. Juntando-se aos irmãos, disparou rumo aos muros.

— Se partirmos, não seremos de valia alguma para essa gente — disse Will para Robert. — Não podemos fugir.

— Que mais podemos fazer? — respondeu Robert, asperamente. — Acorde — disse, cutucando Simon, que estava parado com uma expressão atônita junto à moldura da porta. — Vamos! — gritou para os outros.

Com as espadas desembainhadas, avançaram pelas ruas atrás dos teutônicos que haviam desaparecido dentro da torre em frente. Um sargento entregou um martelo a Simon, que o pegou numa espécie de entorpecimento.

— Você quer partir, Will? — gritou Robert. Então apontou a espada na direção da turba de soldados mamelucos que rapidamente se aproximava. — É hora de decidir!

O olhar de Will moveu-se de Robert para a espada ensanguentada na mão. Em Safed, o pai e os cavaleiros haviam escolhido a morte. Mas Will sabia que não encontraria repouso numa sepultura. Sentia que sua missão estava inconclusa. Everard, Owein, o pai, o Templo, a Anima Templi — todos moviam-no para uma direção ou outra. Mas estava cansado de deixar que lhe dissessem em nome de que lutar, por que regra viver, quando via que essas regras mudavam de um homem, ou grupo, para outro e constatava que votos e promessas podiam ser quebrados sem consequências. Paz ou guerra, perdão ou vingança, o que quer que escolhesse não significaria nada a não ser que escolhesse por si próprio. E queria escolher. Queria viver.

— Vamos! — gritou Robert para ele.

Will começou a correr.

A cidade, que os primeiros cruzados demoraram sete meses para tomar dos turcos, caiu sob Baybars em apenas quatro dias. Cidadãos embarricaram-se nas casas, escondendo crianças nos porões e debaixo das camas. Outros, vendo as colunas de fumaça subirem quando os prédios começaram a arder, fugiram dos lares para a cidadela. Apenas alguns poucos conseguiram atravessar as linhas das tropas. Alguns lograram alcançar a gruta de São Pedro, uma caverna na encosta da montanha onde os primeiros cristãos haviam louvado seu Deus em segredo e, mais tarde, se escondido das perseguições. Dentro dela, aninharam-se todos juntos: padres, soldados, fazendeiros, mercadores, prostitutas e crianças, hálitos e suores preenchendo a escuridão, enquanto os portões da cidade caíam, um a um, e os mamelucos entravam em enxurradas. Baybars havia-lhes ordenado que fechassem os portões atrás de si para evitar que qualquer um escapasse.

Cavaleiros e guardas da cidade abandonaram os postos quando a esperança e a coragem os deixaram. Alguns tentaram render-se, mas os mamelucos tinham ordens e todos os que foram encontrados do lado de fora acabaram trespassados pela espada. Crianças, órfãs ou esquecidas, choravam nos vãos das portas enquanto a cavalaria troava pelas ruas, com as lâminas pingando. Muçulmanos que haviam vivido lado a lado com vizinhos cristãos por gerações imploravam em árabe para ser poupados, mas os soldados saqueadores eram surdos a quaisquer apelos. Enlouquecidos pela batalha, manchados pelo sangue de amigos e inimigos, com os ouvidos ressoando gritos de guerra, os mamelucos se apossaram de Antioquia. E a destruíram.

Depois da carnificina inicial e de as ruas terem sido desprovidas dos vivos, os soldados arrasaram as igrejas e os palácios, chacinando padres e servos, saqueando quartos em busca de tesouros, urinando nos altares, partindo crucifixos, incendiando as Escrituras. E em meio ao fogo e aos assassinatos houve estupros e torturas. Na Catedral de São Pedro, as tumbas dos patriarcas foram abertas e os corpos atirados para fora. Pesados anéis de ouro e joias tilintaram no chão com os ossos que se desagregavam ou eram esmigalhados até se tornar poeira sob os tacões dos soldados. Um arquidiácono, refugiando-se nas catacumbas, foi derrubado ao chão com um tapa quando os mamelucos passaram por ele para chegar a outra tumba. Ele se agarrou às pernas de um dos guerreiros, implorando para que os ossos do pai fossem poupados da profanação. Os soldados riram ao arrastar o cadáver putrefeito para fora da tumba e espalhá-lo pela câmara. Um dos soldados, então, espancou o arquidiácono até a morte com o crânio apodrecido do pai.

No centro da cidade agonizante, Baybars havia tomado uma grande vila romana como base. Enquanto se curvava sobre uma fonte no pátio salpicado de corpos, que seus homens arrastavam até uma pilha, um dos comandantes foi ter com ele. O braço com que Baybars manejava a espada estava doendo e a coxa sentia ferroadas no local onde um templário o havia arranhado com a ponta de uma espada. O ar estava cheio de fumaça; sua garganta, ressecada.

O comandante esperou que Baybars terminasse de se lavar antes de falar-lhe.

— Os cristãos na cidadela se renderam, meu senhor.

— Digam-lhes que aceitamos. Devem baixar as armas e nos deixar entrar.

O comandante fez uma reverência.

— Devemos deixá-los ir em liberdade, meu senhor?

— Não — disse Baybars, mergulhando as mãos em concha na fonte e bebendo da água. — Todos aqueles que forem encontrados com vida na cidade serão escravizados. Amanhã os homens podem escolher os que quiserem e o resto venderemos.

Olhou para baixo quando seu pé pisou em algo. Era uma pequena boneca de pano. Baybars abaixou-se para apanhá-la, perguntando-se se Baraka poderia gostar dela.

— E o tesouro? — perguntou ao comandante.

— Apanhamos tanto que creio que teremos de distribuí-lo às carradas — respondeu o homem.

Baybars virou a boneca em sua grande mão. Supôs tratar-se de um brinquedo mais para meninas. Ao pensar nisso, avistou o corpo de uma criança no meio da pilha de corpos. Os cabelos pretos da menina estavam salpicados de sangue. Parecia um pouco mais jovem do que seu filho. Baybars viu que o general o olhava fixamente.

— O que foi?

— Eu acabava de dizer, meu senhor — começou cautelosamente o comandante —, que o tesouro será quase demasiado para que possamos carregar, mas tenho certeza de que daremos um jeito.

— Ótimo. — Baybars pareceu sacudir-se. — Nós o distribuiremos entre os homens, com os escravos, amanhã.

Quando o comandante se curvou e partiu, Khadir aproximou-se apressado. O adivinho tinha sangue no robe cinzento.

— Mestre — disse, afundando na poeira e tocando os joelhos de Baybars. — Quero uma escrava.

Baybars pegou o queixo do adivinho e ergueu seu rosto.

— Onde está a ameaça que você previu? — Apontou para a cidade em chamas. — Parece que você estava errado.

Os olhos leitosos de Khadir cintilaram ao sol que se mostrava entre os fiapos de fumaça.

— O futuro revela-se com relutância, mestre — disse, com ar sombrio.

Baybars se calou por um momento, depois atirou-lhe a boneca.

— Tome, então. Aqui tem sua escrava.

Khadir agarrou a boneca como um gato apanharia um rato. Sentou-se, aninhando-a nas mãos, e arrulhou ao erguê-la junto ao rosto para cheirá-la.

Baybars fez um gesto chamando um dos *bahri*, que aguardava fora da entrada principal da vila.

— Traga-me um escriba e Mansel. O condestável pode entregar uma mensagem para nós. Creio que o príncipe Boemundo quererá saber o destino de sua cidade.

O guerreiro desapareceu vila adentro e Baybars gesticulou para os homens junto à pilha de cadáveres.

— Queimem esses corpos — vociferou — antes que venham as moscas.

# 40

## Templo, Acre

15 de junho de 1268

Simon estava no pátio do estábulo, reabastecendo os cochos dos cavalos com água fresca, quando viu Will. O cavalariço largou o balde e enxugou as mãos na túnica. O coração batia dolorosamente rápido e só o que queria fazer era se enfiar nos estábulos até que Will tivesse ido embora. Mas não podia fazer isso naquele dia.

Will olhou para Simon quando esse o chamou. Sorriu e ergueu ligeiramente a mão, mas não antes que Simon tivesse visto uma fugidia expressão de irritação passar por seu rosto. Simon sentiu uma sensação pungente no estômago. A sensação era familiar; ele a experimentava a cada vez que via Will desde que eram garotos no Novo Templo, mas já não era tão prazerosa agora, tingida que estava de medo.

— O que há? — perguntou Will, quando Simon atravessou o pátio até ele.

— Como você está? — Simon manteve o sorriso. — Não o vejo há alguns dias. Desde que voltamos.

— Estou bem. — Will espiou o sol, que já estava baixo no céu. Havia sido outro dia quente e o ar estava abafado. O cheiro de esterco e feno dos estábulos era morno e penetrante. — Quer alguma coisa?

Seu tom não era inamistoso, mas as palavras — tão formais — fizeram com que outra pontada atravessasse Simon.

— Everard passou por aqui mais cedo, procurando por você — disse. — Ele me pediu que lhe dissesse para ir vê-lo.

— Eu irei.

Will deu as costas para partir.

— Ele disse que era importante — disse Simon, desesperadamente, às costas de Will.

— Tenho certeza de que ele pode esperar algumas horas.

Simon mordeu o lábio.

— Por quê? Para onde você está indo? São quase as Vésperas.

— Tenho coisas a fazer.

— Algo em que possa ajudar?

— Não.

Simon observou Will se retirar. As coisas não estavam bem entre eles havia algum tempo, mas tinham piorado desde Antioquia. Temia o possível motivo, mas Robert havia-lhe assegurado o contrário. Todos haviam sido afetados pela batalha e pela jornada que se seguiu, mas enquanto a maioria dos homens que fugiram de Antioquia sentira o espírito mais animado à medida que se aproximava de Acre, Will se tornava cada vez mais calado. O grupo esfarrapado em que estavam havia vagado para o sul através das planícies rochosas, com o céu ainda tingido pela fumaça às suas costas durante o dia e a escuridão rastejando espessa à sua volta após anoitecer. Durante várias noites, entre os lamentos dos feridos e os murmúrios de homens tentando confortar os camaradas, Simon ouvira Will falar dormindo. Elwen, podia jurar ter ouvido o amigo chamar com a suavidade de um suspiro.

Elwen.

Aquele nome era uma pedra amarrada ao pescoço de Simon, carregado de culpa, medo e ciúmes. Ia apanhar o balde mas endireitou-se.

— Você sabe o que tem de fazer — murmurou consigo mesmo. — Então faça e acabe com isso!

Depois de pedir que um dos colegas sargentos terminasse suas obrigações por ele, Simon foi ver Robert, depois de parar no prédio dos oficiais. Robert estava nos aposentos, lavando as mãos para as Vésperas. Franziu as sobrancelhas quando abriu a porta e viu Simon segurando uma pena e um pergaminho.

— O que há? — perguntou, quando o cavalariço passou por ele e entrou na câmara.

— Você falou com Will? — perguntou Simon, olhando em volta para verificar se o quarto estava vazio.

— Eu o vi mais cedo — disse Robert, fechando a porta.

— Não — disse Simon, virando-se para olhá-lo nos olhos. — Eu me refiro a... — Baixou a cabeça, depois forçou-se a levantá-la. Não havia razão para fingir agora; a coisa que havia escondido durante todos aqueles anos já fugira da gaiola. Só tinha de esperar que aquela confissão à beira da morte para Robert não se voltasse contra ele. — Ao que contei em Antioquia.

— Ah! — disse Robert, parecendo constrangido. — Eu lhe dei minha palavra de que não faria isso.

— Ele tem sido tão lacônico em relação a mim.

— Isso era de se esperar. Will perdeu muitas coisas ao longo dos últimos anos. O pai, Elwen, depois a traição de Garin. Ele precisa de tempo para se reconciliar com isso.

— Creio que ele precisa de mais do que isso. — Simon hesitou, depois estendeu o pergaminho e a pena para Robert. — É por isso que preciso que você faça algo para mim.

*Igreja de Santa Maria, Acre, 15 de junho de 1268*

Will se dirigiu ao Quarteirão Pisano, seguindo pela Rua dos Três Magos. Pássaros agitavam-se pelo rosado, saindo em revoada do pináculo da Igreja de Santo André, cujos sinos haviam começado a repicar as Vésperas. Outras igrejas rapidamente adotaram o chamado até que a cidade inteira ecoava com os ocos ribombares, que, Will ouvira dizer, podiam ser ouvidos a quilômetros mar adentro. As edificações que delineavam as ruas estreitas reluziam à luz da tarde e todos os vidros nas janelas tinham um fulgor dourado, brilhante demais para se olhar. Will continuou caminhando enquanto o som dos sinos ficava para trás. O mercado estava vazio, o chão, era coberto de estrume e cascas de frutas e um xale de seda tremulava de maneira indecisa ao vento quente e salgado do porto.

Aproximava-se o solstício. Em Paris, a feira de verão logo começaria. As listas para as justas já estariam preparadas nos campos de torneio. As garotas usariam fitas nos cabelos.

Will atravessou uma praça aberta, sombreada por um toldo de pano azul e vermelho, e entrou no Quarteirão Veneziano. Como templário, não encontrava problemas para atravessar os portões que separavam cada um dos subúrbios murados. Quando os guardas, acenando as cabeças com indiferença, gesticularam para que passasse, seguiu seu caminho rapidamente até a Igreja de Santa Maria. Quando chegou, o serviço religioso estava quase no fim e a eucaristia começava a ser administrada. Ele se enfiou igreja adentro, recitou o Padre-Nosso com a congregação, depois esperou que todos saíssem em fila. Algumas pessoas ficaram por ali, ajoelhadas em oração, enquanto o padre começava a remover do tabernáculo o cálice da comunhão e um prato com migalhas do que havia sido a hóstia. O olhar de Will pousou sobre uma cabeça inclinada num dos bancos da frente. Percorreu a coxia, passando por um altar dedicado à Santa Madre, que era circundado por dúzias de velas. Essas oferendas votivas haviam sido acesas em toda Outremer, desde que o príncipe Boemundo enviara a notícia da queda de Antioquia. Os relatos haviam alcançado Acre pouco antes de Will e os outros cavaleiros e eles entraram numa cidade já enlutada. Will pegou uma vela nova da pilha que havia no chão e acendeu-a na chama de outra. Depois de colocá-la diante da estátua de mármore da Madona, que olhava com ternura para ele, foi até o banco da frente e sentou-se ao lado da figura de cabeça baixa.

— Para quem você rezou? — perguntou Garin, levantando a cabeça.

Will ignorou a pergunta.

— Está tudo pronto?

Garin aguardou um momento, depois fez que sim.

— Está no vestíbulo. O padre nos deixará passar.

— Podemos confiar nele?

— Eu o conheci nesta tarde. Foi meu informante quem queria recorrer a ele. — Garin abaixou a voz e observou o sacerdote atravessar uma porta no fim do corredor do coro. — Mas ele parece bastante disposto a ajudar. O Templo apoiou Veneza durante a guerra civil com os genoveses, que eram ajudados pelo Hospital. Aparentemente salvamos um irmão dele durante uma batalha de rua.

— Você realmente acha que isso pode funcionar?

Garin franziu as sobrancelhas.

— Você não está voltando atrás, está?

— Não. Perdi demais por causa desse maldito livro. Quero acabar com isso. Só pretendia ter certeza de que você sabe o que está fazendo. E quanto a esse servo? Como sabe que não vai nos levar a uma armadilha?

— Ele ofereceu sua ajuda espontaneamente. Disse-me que pediu para se tornar sargento no Hospital, mas foi expulso e contou-me o quanto ficou zangado, pois trabalhou para o grão-mestre por vinte anos. Estava velho, amargurado e pobre. Simplesmente ofereci a ele um modo de extravasar suas frustrações. — Garin encolheu os ombros. — Isso e um pouco de ouro.

Todos têm desejos, Will. Você só precisa saber que música tocar para que as pessoas os cantem.

— Esse foi um truque que você aprendeu enquanto trabalhava para Rook?

Garin deu um forte suspiro.

— O que você está se perguntando de fato é se realmente pode confiar em mim, não é?

— Não, Garin — respondeu-lhe Will, olhando tranquilamente em seus olhos. — Jamais confiarei em você. Mas quero ter certeza de que isso correrá de um modo tranquilo. Se o servo tiver razão e o livro estiver prestes a ser removido para um lugar mais seguro, só teremos esta chance de pegá-lo.

Garin olhou para suas mãos.

— Você não acredita que mudei?

Will se recostou com um suspiro de impaciência. Garin chegou mais perto.

— Lembre-se, fui quem ofereceu isso a você.

— Everard tem o próprio plano para recuperar o livro.

— Bem, pelo que você disse, o primeiro plano dele não funcionou lá muito bem.

Will não disse nada. Quando retornara de Antioquia, descobriu que, na sua ausência, a Anima Templi havia mandado dois mercenários para o complexo do Hospital a fim de recuperar o *Livro do Graal*. Os mercenários não regressaram e, uma semana depois, durante um encontro da Comuna, Hugues de Revel alertou os outros líderes que ladrões haviam tentado arrombar seu cofre. Esses homens, contou aos líderes reunidos, haviam sido presos para interrogatório, mas tentaram fugir e foram mortos. Desesperado para recobrar o livro, mas sabendo que não poderia mandar mais homens ao interior do Hospital tão pouco tempo depois da tentativa frustrada, Everard foi forçado a esperar.

— Meu plano ao menos tem alguma chance de dar certo — acrescentou Garin. Depois olhou de lado para Will. — E, de qualquer forma, se estivesse tentando pegar o livro para mim, você acha que lhe contaria tudo isso? Teria feito sozinho, não é?

— E quanto a Rook? Ele não vai ficar enfurecido quando descobrir que você me ajudou a resgatar o livro para Everard, e não para ele?

Garin evitou o olhar acusatório de Will.

— Eu lhe disse que não tinha escolha além de trabalhar para ele.

— Se ele o estava ameaçando, você poderia ter falado com alguém na Ordem. Eles teriam posto fim nisso.

— Não antes que ele matasse minha mãe! — Garin abaixou a voz. — Ouça, Will, eu lhe disse que não me importo mais com ele. Não sei mais o que posso dizer.

— Você poderia começar me contando a verdade. Não creio que você não saiba nada sobre ele. Como descobriu sobre o livro, para começar?

— Não sei! — insistiu Garin. Então, enfiou a mão numa algibeira pendurada no cinto. — Veja — disse, mostrando um pequeno disco de latão. — Lembra-se disto?

Will pegou de má vontade o objeto quando Garin o entregou a ele. Olhou-o com certa surpresa. Era o selo da Ordem; um emblema de latão exibindo dois cavaleiros montados num só cavalo.

— Você me deu isso depois do torneio. Você venceu e eu perdi, mas você deu o prêmio para mim. — Garin olhou nervosamente para Will, esperando que ele não notasse que era outro emblema. Havia atirado o que Will lhe dera no Tâmisa, anos antes. — Queria dá-lo novamente a você. Como prova de que mudei.

Will ficou calado por um momento, depois devolveu o emblema.

— Você salvou minha vida em Antioquia e lhe sou grato — disse —, mas nunca voltaremos a ser amigos, Garin, e não posso perdoá-lo pelo que... — A mandíbula se contraiu e ele desviou o olhar. — Pelo que aconteceu em Paris...

Garin apertou os lábios, depois enfiou o emblema novamente na algibeira.

— Entendo — disse, em tom calmo, e então a porta do vestíbulo se abriu e o padre os chamou com um gesto.

Dentro da câmara, que estava enevoada pela fumaça do incenso, o padre mostrou-lhes um grande baú.

— Aqui está — disse, chamando-os mais para perto. Seu sotaque era forte. — O homem veio esta manhã e deixou isso comigo. Ele disse que tudo o que vocês vão precisar está aqui.

— Obrigado — agradeceu Garin.

O padre aceitou o agradecimento com um gesto de cabeça.

— Deixarei vocês se trocarem — disse. — Podem deixar os trajes aqui. Manterei a sala destrancada esta noite. Sigam a rua até o muro. Dali vocês entrarão no Quarteirão Judeu e depois disso passarão pelos banhos públicos. Aí avistarão o muro do Hospital.

O padre saiu da câmara e Garin abriu o baú. Tirou duas sobrecotas pretas cuidadosamente dobradas, com cruzes brancas no peito e nas costas. Entregando uma delas a Will e pegou a outra para si. Will tirou o manto branco e Garin apanhou um pedaço de pergaminho enrolado do fundo do baú. Quando esticou a pele de carneiro, um pequeno objeto deslizou para fora e tilintou no chão. Garin curvou-se para apanhá-lo. Era uma chave. Depois de pô-la na algibeira, passou os olhos sobre a planta mal desenhada, porém inteligível, do Hospital, com a sala do grão-mestre Hugues e o cofre claramente assinalados.

Depois de guardar os mantos no baú, Will e Garin saíram para as ruas escuras. As informações do padre foram fáceis de seguir e não levou muito tempo para que chegassem ao complexo do Hospital. Will prendeu o fôlego quando foram interpelados no portão, mas os guardas, erguendo as lanternas, deixaram-nos atravessar quando viram as sobrecotas.

A ceia havia acabado de ser servida e o complexo estava movimentado. Will e Garin atravessaram resolutamente o aglomeramento de servos, meninos de recados e sargentos. Cumprimentavam com polidos movimentos de cabeça os cavaleiros por quem passavam, os quais lhes devolviam o cumprimento. O Hospital, assim como o Templo, era uma base militar importante e com tantas pessoas indo e vindo o tempo todo, os homens nem sempre conseguiam conhecer todos os companheiros.

Ao entrar no prédio principal, tiveram de parar sub-repticiamente num corredor iluminado para consultar o pergaminho, mas não foi muito difícil descobrir qual era a escada que levava à torre mais alta, em cujo topo estava o gabinete do grão-mestre. No caminho da igreja até ali, haviam decidido que se encontrassem o recinto ocupado, diriam ter ido ali para marcar um encontro com o grão-mestre a fim de discutir uma questão pessoal. Subiram os degraus sem hesitar, para não levantar suspeitas em ninguém que pudessem encontrar. Até ali, o plano parecia estar funcionando notavelmente bem. A única coisa que preocupava Will era o que fariam se encontrassem Nicolas de Navarre.

No alto da escada, deram numa passagem abobadada que corria para a esquerda ou para a direita, com um conjunto de portas duplas em cada uma das extremidades. Depois de consultar o pergaminho, foram para a direita. Na parede curva, havia altas janelas em arco que proporcionavam uma deslumbrante vista da cidade, iluminada pelos fogos de tochas e por uma pálida lua crescente.

Por baixo das portas fechadas vinha uma tênue luz de velas. Garin fez um sinal de cabeça para Will, que bateu com os nós dos dedos na madeira escura. Aguardaram. Depois de alguns momentos, Will bateu novamente. Ainda não houve resposta. Empurrou com cuidado uma das portas, que se abriu. O recinto estava iluminado por algumas velas numa grande mesa no centro, atrás da qual Will imediatamente viu o cofre. Para dar sustentação ao teto do gabinete, havia nos cantos pilares de mármore e, depois desses, janelas arqueadas como as do corredor. A área que ficava fora da luz das velas estava na penumbra.

Will entrou e Garin o seguiu, mas parou quando Will estacou.

— O que há? — perguntou.

Will apontou para a mesa. Estava um caos de papéis e penas de escrever, alguns dos quais estavam espalhados pelo chão.

— Talvez seja sempre assim — murmurou Garin por sobre o ombro. — São hospitalários. Vamos.

Passando por Will, avançou rapidamente até o cofre, tirando a chave da algibeira. Will franziu a testa enquanto os olhos se acostumavam com a obscuridade. Havia alguns baús e um armário. Todos haviam sido abertos e os conteúdos, revolvidos. Havia um odor de umidade e suor rançoso na sala.

— Garin — alertou Will.

Garin apalpou o cofre, com a chave na mão, depois parou, com a chave suspensa sobre a fechadura.

— Está aberto — disse, franzindo o cenho. Depois de colocar a chave na algibeira, abriu a porta, que rangeu nas dobradiças. — Maldição! — Olhou novamente para Will. — Não está aqui.

À sua direita, uma sombra saltou de trás de um dos pilares. Garin gritou de terror quando uma figura encapuzada deu um bote sobre ele, com a capa de burel esvoaçando, os dentes podres expostos num esgar, a adaga desembainhada.

Antes que Garin pudesse sequer se mover, Rook já o havia agarrado, girado seu corpo e pressionado a adaga contra sua garganta.

— É porque já o peguei, seu merdinha estúpido! — disse.

Will entreviu o livro com encadernação de velino, com o título gravado em folha de ouro, enfiado no cinto do homem que o havia torturado no prostíbulo. Sabia que era Rook pelos olhos e pela voz. Fez menção de sacar a espada.

— Pode largar isso — disse Rook, olhando para Will. — A não ser que queira que eu corte a garganta dele.

Will hesitou, mas Garin deu um grito quando Rook feriu sua pele com a arma, fazendo-o sangrar.

— Você sabe que farei isso.

— Está bem — disse Will, e começou a pôr a espada no chão.

— Não aí — rosnou Rook. — Sobre aqueles baús. Não quero que você tente pegá-la.

Will obedeceu.

— Volte para onde estava.

Will foi até seu lugar, mantendo os olhos em Rook. Viu quando esse tirou a espada de Garin e jogou-a no tapete atrás de si.

— Ora, aí está um belo quadro — disse Rook para Garin. — Sabia que você havia me traído.

— Não o traí! — Garin, ofegando de medo, olhou para Will. — Estava usando Will para conseguir o livro, depois iria levá-lo de volta a Londres como havíamos combinado.

Os olhos de Will se apertaram. Ele deu um passo adiante.

— Fique aí! — vociferou Rook, puxando Garin para trás. — Ele está mentindo, de qualquer forma. Você nunca foi muito bom nisso, não é, Garin? Você não tem a ousadia.

Will ficou imóvel, notando que a mão de Garin avançava lentamente até a algibeira.

— Eu, por outro lado — Rook continuou numa voz macia, sem se dar conta do que Garin estava fazendo —, sou muito bom nisso. Você pode dizer que é um dos meus talentos. — Deu uma risadinha. — Como abrir fechaduras.

— Do que você está falando? — perguntou Garin, em voz baixa.

— Ah, vou gostar disso! Pode considerar o meu pagamento por ter sido obrigado a viajar tão longe para arrumar a sua bagunça. E depois que lhe contar, você e seu amigo ali vão entrar naquele armário e eu seguirei meu caminho. — Deu uma gargalhada. — Queria poder ver a cara do grão-mestre quando encontrar os dois aninhadinhos no cofre dele! Acho que vocês vão ver o interior de uma das celas deles por bastante tempo. — Seu tom endureceu. — Sintam-se agradecidos por os deixar com vida. Pelo menos por enquanto

— sussurrou para Garin. — O que estava dizendo? — continuou. — Ah, sim. Lembra-se da noite em que deixamos Paris? Eu estava sujo de sangue e quando você me perguntou de onde tinha vindo e respondi que havia me cortado.

Na periferia de seu campo de visão, Will pôde ver Garin enfiar a mão na algibeira. Rook pressionou o rosto com a barba por fazer contra o de Garin.

— Menti. Não era meu sangue. Era daquela puta, de Adela.

— O quê? — disse Garin, congelando.

— Eu a penetrei como a uma porca. — Rook deu um riso de escárnio. — Só que dessa vez foi com a minha faca.

— Não acredito em você — sussurrou Garin, mas sua expressão dizia o contrário.

Rook pôs a boca junto ao ouvido de Garin.

— E enquanto você pensa nisso, imagine só o que vou fazer com sua mãe quando voltar para a Inglaterra. — Seu hálito quente umedeceu o rosto do cavaleiro. — Acho que vou me divertir bastante com ela.

Garin arrancou a mão de dentro da algibeira. Will avistou um brilho metálico quando a mão de Garin subiu rapidamente. Compreendeu que era o distintivo do torneio quando Garin cravou o alfinete no olho de Rook. Houve um súbito jorrar de sangue. Rook começou a gritar. Derrubando a adaga, cambaleou para trás, apertando o rosto. Garin deixou que o emblema caísse no tapete, depois agarrou a lâmina curva. Caiu sobre Rook em frenesi, apunhalando indiscriminadamente qualquer porção de carne que pudesse encontrar. Rook desabou, uivando, para se contorcer no chão, com uma das mãos pressionando o olho e a outra tentando defender-se dos golpes perfurantes. O sangue se derramou em longas linhas pelo tapete de seda e até a parede caiada, enquanto Garin montava sobre ele, cravando e retirando a adaga repetidas vezes.

— Seu desgraçado! — gania. — *Seu desgraçado imundo!*

Os gritos combinados de ambos ecoaram pela câmara.

— Garin! — chamou Will, correndo até ele.

Garin virou-se de um safanão, com a adaga no ar apontada para Will. O olhar se fixou e os ombros caíram.

— Tenho de terminar isto — disse.

Will hesitou, depois fez que sim. Garin levantou a adaga e fez com que ela descrevesse uma só punhalada. Rook, quase inconsciente, mal sentiu a lâmina entrar no coração. Will puxou o *Livro do Graal* ensanguentado do cinto de Rook, depois levantou Garin.

— Pegue a espada.

Apanhou o alfanje e correu para a porta, mas se deteve quando Garin não o seguiu. O cavaleiro estava contemplando o corpo de Rook. Will correu até ele, apertou seu braço e o arrastou dali, porta afora, ao longo do corredor e pelos degraus abaixo. Quando chegaram ao fim da escada, ouviram passos vindo em sua direção. Will fez com que ambos passassem correndo por uma porta que dava para uma sala vazia. Abriu uma fresta na porta quando os passos se afastaram e viu as costas de um cavaleiro desaparecendo escada acima.

— Venha! — chamou apressando Garin, que o seguiu entorpecidamente em meio ao bálsamo da noite.

Nicolas de Acre estava no quadrante principal quando ouviu os gritos distantes vindos da torre. Chamando dois cavaleiros para acompanhá-lo, correu para dentro do prédio principal e subiu os degraus até o gabinete do grão-mestre. Quando entrou, um dos cavaleiros gritou ao ver o corpo com a adaga projetada do peito, pensando que fosse o grão-mestre.

Nicolas, com a espada desembainhada, vasculhou a câmara enquanto os outros dois inspecionavam o cadáver.

— Quem é ele? — perguntou Nicolas, embainhando a espada e aproximando-se dos outros ao ver que não havia mais ninguém.

— Nenhum de nós — disse um dos cavaleiros.

Nicolas franziu o cenho e se curvou sobre o corpo. A face e o tronco estavam cobertos de sangue e horrivelmente mutilados.

— Soe o alarme — disse a um dos companheiros, enquanto se dirigia ao cofre. — Seja lá quem o matou pode ainda estar aqui.

Abriu o armário e praguejou ao ver que estava vazio. Estava revistando o corpo quando o grão-mestre chegou.

— O que aconteceu? — intimou Hugues, correndo para dentro da sala, onde foi detido pela visão do corpo ensanguentado.

Nicolas se levantou.

— Senhor, o *Livro do Graal* foi roubado.

— Deixe-nos — disse o grão-mestre para o outro cavaleiro. — Por quem? — inquiriu Nicolas quando o homem desapareceu. — E quem é esse? — Apontou para o corpo.

Nicolas voltou-se para o grão-mestre.

— Talvez seja outro mercenário, mandado pelo Templo.

— Não sabemos ao certo se o Templo mandou alguém, irmão.
— Quem mais os mandaria, senhor? — disse Nicolas com insistência.
— Everard está na cidade. Eu o vi. Ele sabe que temos o livro. Faz sentido que tentasse pegá-lo novamente. — O cavaleiro foi até a porta.
— Aonde você está indo?
— Se eu sair agora, talvez consiga alcançar quem estava com este homem. Eles não podem ter ido longe.
— Não.
— Senhor?
— Não posso permitir que você leve isso adiante. Se nossos intrusos eram templários, ou pessoas a serviço do Templo, então vieram reclamar uma propriedade que pertence de direito à ordem deles; propriedade que roubamos. — Hugues foi até a mesa e curvou-se para apanhar alguns dos documentos caídos. — Não podemos nos arriscar a uma rixa com o Templo. Não quando nossa situação é tão precária, não depois do que aconteceu em Antioquia. Baybars não vai parar até estar morto ou nós formos embora. — Ele se levantou e depositou os papéis sobre a mesa. — Mantive o juramento que fiz a Châteauneuf. Falhamos. A única coisa que podemos fazer agora é nos concentrar no que precisa ser feito.

Hugues voltou-se para Nicolas, que o observava em silêncio.
— O abismo entre nossas ordens tem de acabar. Devemos tentar deixar o passado para trás, pelo bem de nosso futuro.

## 41
## Templo, Acre

15 de junho de 1268

— Temos de seguir em frente — insistiu Will, correndo de volta até Garin, que havia tropeçado e ficado para trás.

— Pare! — rogou Garin, curvando-se ao meio, com as mãos apoiadas nas coxas. — Vou vomitar.

Teve ânsias, mas nada foi expelido. Depois de um momento, endireitou-se, com os olhos e o nariz escorrendo. Parecia realmente lastimável.

— Devem ter dado o alarme a esta altura. Temos de chegar até a igreja e trocar de roupa. Somos muito visíveis com estas. — Will indicou as sobrecotas roubadas. A de Garin estava pegajosa de sangue e tinha um brilho úmido ao luar.

Garin curvou-se para a frente. Teve nova ânsia, depois começou a soluçar, grandes soluços arfantes que faziam seu corpo soçobrar. Will olhou para dois homens que saíram de um prédio nas proximidades. Dirigiu-se a Garin quando viu que os homens observavam-nos com curiosidade.

— Vamos! — sussurrou, erguendo o cavaleiro pelos ombros.

Garin levantou a cabeça. O rosto salpicado de sangue estava tenso pela angústia.

— Por minha culpa, Adela morreu! *Minha* culpa!

— Não temos tempo para isso.

— Tempo? O que é isso? Nada. Will, o tempo não passa disso! São apenas momentos vazios, a não ser que você os preencha com coisas que signifiquem alguma coisa. Minha mãe, meu tio, todos no Templo, vocês todos queriam que eu fosse algo que não sou. Adela era a única pessoa que queria que eu fosse eu mesmo!

— E você chorará por ela e depois isso passará — disse Will com rudeza, limpando com o dedo um coágulo de sangue da face de Garin.
— Como passou para você? — disparou Garin, mas o cenho se franziu.
— Não queria dizer isso. Desculpe. Deus, lamento.
— Não se lamente. Apresse-se.

Garin finalmente respondeu à instigação de Will e os dois saíram em disparada pela noite, de quarteirão em quarteirão, ziguezagueando entre casa, lojas, igrejas e mesquitas. Depois de depositar as sobrecotas imundas e apanhar os mantos na igreja veneziana, seguiram caminho de volta para o Templo, entrando no complexo pelo túnel subterrâneo que partia do porto, em vez de fazê-lo pelos portões principais.

— É melhor você se lavar antes que alguém o veja — disse Will para Garin.

Esse fez silenciosamente que sim e se arrastou pátio afora. Will observou o cavaleiro se afastar, sentindo emoções confusas, depois se dirigiu aos aposentos de Everard. Como em Paris, o padre tinha o próprio quarto na preceptoria, providenciado pelo senescal, um dos três membros remanescentes da Anima Templi. Uma luz vinha de baixo da porta. Will olhou para o livro nas mãos. As palavras em dourado na capa reluziam sob os dedos. Por alguma razão, sentiu vontade de chorar. Bateu à porta, esperou pela voz áspera de Everard e depois entrou.

O padre estava sentado diante de uma mesa, segurando uma pena pousada sobre um pergaminho. Tinha os ombros envolvidos por um cobertor, apesar do calor da noite, e um braseiro cheio de carvão fumegava no canto. As faces estavam crestadas pela idade e o pouco que restava da barba se amontoava a esmo pelo rosto. Parecia ter envelhecido dez anos em poucos meses.

— William — grasnou, num tom exausto —, você finalmente me concede a graça da sua presença. — O padre voltou a atenção para o pergaminho em que estava escrevendo. — Falei com Simon horas atrás. Suponho que ele tenha lhe passado a minha mensagem.

— Ele disse que o senhor queria ver-me, sim.

Everard fechou a cara.

— Então, por que você demorou tanto tempo para...? — Ele se calou quando os olhos pararam no livro entre as mãos de Will. — O que é isso?

Will caminhou até ele e pôs o *Livro do Graal* em cima do pergaminho. Everard o contemplou. As mãos começaram a tremer, fazendo com que derrubasse a pena, que rolou para fora da mesa e caiu sobre as pedras do piso. Então ele as pôs, com as palmas para baixo, de ambos os lados do livro, onde ficaram tremendo como duas folhas pálidas. Erguendo os olhos para Will, disse uma só palavra com a voz rouca.

— Como?

Will sentou-se e contou ao padre o que havia acontecido.

— Garin o ajudou a fazer isso? — perguntou Everard, quando Will acabou.

— Sim, ele queria se redimir.

— Ele tinha muitos motivos — disse rispidamente Everard. — Você disse que o homem que queria o livro, Rook, está morto?

Will fez que sim.

— Acredita que estava trabalhando sozinho?

— Garin disse que sim, no entanto não podemos ter certeza, pois ainda que estivesse trabalhando com alguém mais, Garin poderia não saber. Ele me contou, porém, que Rook havia ameaçado ferir sua mãe caso não colaborasse e, a julgar pelo que vi esta noite, não creio que estivesse mentindo sobre isso.

O padre suspirou, depois levantou-se vagarosamente, apanhando o livro.

— Talvez — refletiu, encaminhando-se para o braseiro — tudo isso tenha sido parte do grandioso e indecifrável plano de Deus. Pelo menos estou aqui agora, onde sou mais necessário.

— O que o senhor está fazendo? — gritou Will, levantando-se de um salto quando Everard segurou o livro sobre as brasas quentes.

Everard não se voltou.

— Jamais deveria ter escrito isto, em primeiro lugar. Eu lhe disse.

— Então, tudo isso serviu para nada? — disse Will, observando as chamas começarem a lamber as grossas páginas, escurecendo o velino e obscurecendo os dizeres dourados.

— Nada? — Everard deixou que o livro caísse no braseiro. O fogo se alastrou e ele deu um passo para trás enquanto o pergaminho ressecado ardia num brilho intenso. — Protegemos a Alma do Templo daqueles que buscavam destruí-la. Não chamaria isso de nada. — Levou as mãos às chamas. — O *Livro do Graal* era a obsessão de Armand. Nossos propósitos sobreviverão sem ele.

Will tornou a sentar-se quando Everard aproximou-se arrastando os pés.

— Então está acabado? — perguntou.

Everard deu uma risadinha.

— Pelo contrário, William. Apenas começamos.

Ele se sentou e se inclinou para a frente, pousando as mãos nodosas sobre a mesa. Pareceu subitamente desperto; bem desperto e impaciente, como um homem que acabasse de descobrir que havia recebido um diagnóstico errado após ser informado de que teria apenas alguns dias de vida.

— Agora — prosseguiu — posso me concentrar em restaurar a Anima Templi. Creio que, ao longo dos últimos meses, enquanto tentava erigi-la, estava de fato apenas esperando que ela fosse demolida. Meu coração não estava envolvido. — Uma ruga se formou entre as sobrancelhas. — Gostaria que Hassan estivesse aqui para ver isso.

— Livrar-nos de Baybars tem de ser nossa prioridade mais premente.

— Baybars? — Everard meneou a cabeça. — Certamente que não.

— Alguém tem de fazê-lo.

— Devemos cuidar para que não o façam — respondeu Everard com aspereza.

— O que o senhor quer dizer?

— Livrar-nos de Baybars, como você tão eloquentemente expõe, vai contra tudo o que a Anima Templi vem trabalhando desde sua criação.

Everard suspirou ao ver a expressão confusa de Will.

— A intenção inicial de Robert de Sablé era proteger o Templo daqueles que usariam seu poder para atingir os próprios desejos e promover a paz, com o propósito de fortalecer o comércio e o conhecimento entre as raças. O segundo propósito, nosso objetivo último, é uma extensão desse. O que é o Graal, Will?

— O Graal? — Will encolheu os ombros. — O copo que recebeu o sangue de Cristo durante a crucificação ou possivelmente o cálice usado na Última Ceia. As histórias diferem quanto à origem.

— Um copo ou um cálice?

— É o que está escrito. Mas o que isso tem a ver com...?

— Nas primeiras versões da história, sim, mas em obras mais recentes, o Graal é uma espada, um livro, uma pedra, até mesmo uma criança. No meu livro ele aparece em três diferentes formas: uma cruz de ouro, um candelabro de prata e uma crescente feita de chumbo. Qual você supõe que seja a forma correta?

Will meneou a cabeça.

— Não creio que o Graal exista. Acho que é um símbolo, não um objeto.

— Então, se a história conta a busca de Perceval pelo Graal, o que é, exatamente, que ele está buscando, senão um objeto?

Will deu de ombros.

— A salvação! A busca de Perceval é pela salvação. O Graal, o objeto de sua demanda, não é algo que pode ser segurado com as mãos. Não pode ser comprado ou vendido e não será encontrado com os olhos, mas somente quando se abre o coração à sua essência. É aí que ele existe. — Everard tocou o peito ossudo. — No receptáculo do coração. Aqueles que veem o Graal como uma espada acreditam que a salvação só pode ser encontrada pela guerra. Aqueles que o veem num livro, acreditam que a sabedoria trará frutos à sua busca.

Will nunca tinha visto tanto fervor no sacerdote; as pupilas de Everard estavam dilatadas, as faces pálidas, ruborizadas.

— No fim do ritual da iniciação, o postulante, desempenhando o papel de Perceval, é guiado por um dos membros da Irmandade até um caldeirão cheio de óleo fervente, simbolizado na história por um lago de fogo. Ali lhe são dados três tesouros: os três graais. Ele é informado de que a cruz contém a alma do cristianismo; a crescente, o espírito do Islã; e o castiçal, a Menorá, a essência da fé judaica. Dizem-lhe, então, para atirar os tesouros no caldeirão, onde serão derretidos e se tornarão um só. Assim, para que Perceval atinja a salvação, ou, no caso do postulante, a iniciação, deve promover uma reconciliação ritual entre as três fés. E, na realidade, é isso o que nós, como uma Ordem, devemos fazer.

— Meu Deus! — a boca de Will se escancarou. — Como pode ser esse o seu intento? O senhor é um padre! Como pode o senhor ou qualquer cristão sancionar isso? Forjar heresias num livro. Isso é sacrilégio!

— Estou desapontado — disse Everard, em tom de reprovação. — Achava que você, mais do que a maioria, entenderia que não somos tão diferentes de judeus ou muçulmanos. Você leu vários textos deles, afinal.

— Sei que nossas raças têm semelhanças, Everard, mas o que você está propondo viola todas as bases sobre as quais nossa sociedade se construiu! E não somente a nossa, a deles também. Você acha honestamente que muçulmanos ou judeus estariam interessados em reconciliação? Isso vai contra as leis de todas as nossas fés. Como isso funcionaria quando judeus e muçulmanos vissem Cristo como nada mais do que um profeta e negassem

Sua divindade? Posso imaginar o volume das gargalhadas de Baybars se ele soubesse o que você está propondo. Ele é um fanático.

— Sim, ele é — concordou Everard —, mas isso, afinal, o rei Luís também é.

Will quase teve de rir.

— Luís? O mais piedoso rei que já viveu?

Everard reagiu prontamente.

— Piedoso para nós, é verdade. Sem dúvida, para os muçulmanos, Baybars é igualmente devoto e Luís é um selvagem fanático. Esse círculo de ódio só vai se interromper quando um dos lados parar, enxergar a totalidade e mostrá-la ao resto do mundo. Nossas três religiões são inextricavelmente ligadas pela fé, pela tradição e pelo local de nascimento. Somos irmãos, cada um com a própria identidade e personalidade, mas todos vindos do mesmo útero e criados no mesmo berço. — Everard espalmou as mãos. — Somos irmãos disputando a afeição de nosso pai.

A voz dele assumiu um tom mais suave.

— Não é uma noção tão estranha, William. Você só precisa caminhar pelas ruas de Acre para ver que podemos viver muito bem quando nos é dada essa oportunidade. A Anima Templi não está propondo mudar nossas fés para que se ajustem umas às outras. O que propõe é uma trégua mútua, na qual todos os filhos de Deus se beneficiem do conhecimento e das experiências uns dos outros. E ali — disse, apontando para a janela, além da qual a cidade dormia — é onde começaremos. Nossa Camelot.

— Não sabia que você era tão idealista.

Os olhos de Everard se apertaram.

— Seu pai acreditava nesse objetivo. E se tivéssemos concretizado nosso sonho, talvez ele ainda estivesse vivo. Deveríamos ignorar a solução ideal por ser boa demais para se almejar? Ou é por temermos ter de trabalhar para alcançá-la?

— Você não vê o mundo como ele realmente é, Everard — disse Will, ressentido pela menção ao pai. — Você senta aí trancado no seu quartinho particular e imagina coisas que podem jamais ocorrer. Acre pode ser pacífica, mas olhe para além dos seus muros e encontrará apenas morte e ódio. Se os objetivos da Anima Templi fossem possíveis, as pessoas teriam parado de guerrear muito tempo atrás. Nossas fés jamais poderão se reconciliar. Elas são diferentes demais.

— Fé geralmente não tem nada a ver com guerra. Quando homens invadem outro país por melhores terras, ou recursos, ou por mais poder, a fé é uma desculpa por trás da qual mascaram suas causas mundanas. Dizer que é a vontade de Deus fornece uma justificativa para suas ações. Todos seríamos bem mais culpados se disséssemos *eu quero isso*, não seríamos? Então deixaríamos de ser vistos como homens de razão e nos tornaríamos brutos avarentos. É raro que homens apostem em guerras pelo que acreditam. Homens como Baybars e Luís acreditam. Isso os torna perigosos.

— Então você concorda? Baybars deveria ser detido.

— Matar o homem é criar um mártir. Baybars está fazendo aquilo em que acredita. Está protegendo seu povo daqueles que vê como inimigos. E tem um bom argumento. — Everard levantou a mão quando Will fez menção de falar. — Nossos objetivos vão além de Baybars. Duvido que se concretizarão no meu tempo de vida, mas talvez no seu. — Suspirou. — Talvez nunca se realizem. Mas precisamos ter esperança, William. Temos de acreditar que podemos ser todos melhores do que somos.

— Então, você planeja reconstruir a Anima Templi e prosseguir com esse plano?

— Sim. Estive planejando eleger novos membros, tanto aqui quanto no Ocidente, e designar um guardião. — Everard comprimiu os lábios. — Era por isso, de fato, que queria vê-lo esta noite. Queria contar-lhe que escolhi você para ser iniciado na Anima Templi. Isto é, se não achar que tudo isso é tolo demais para você.

— Eu?

— Por que não? Você já sabe a respeito dela e creio que aprendemos a trabalhar juntos relativamente bem. Não o tenho açoitado há um bom tempo...

— Não sei — disse Will, com voz calma. — Simplesmente não sei.

— O que você não sabe?

— Se concordo com você, para começar.

— Fico feliz em ouvir isso. Se todos nós na Anima Templi concordássemos sempre uns com os outros, levaríamos adiante qualquer ideia tola que se apresentasse. Dissensão nem sempre é uma coisa ruim. Hassan estava certo; tenho sido possessivo em relação aos nossos ideais. Precisamos de homens jovens como você para injetar algum sangue novo entre nós.

Will ficou em silêncio por algum tempo. Por fim, fez que sim. Everard sorriu.

— Seu pai ficaria orgulhoso.

Will não disse nada. Sentiu-se enganado. Havia passado por tudo aquilo, perdido o pai, Elwen, apenas para que Everard destruísse aquilo que ele estava tentando salvar. Não sentiu alívio, ou orgulho, por ajudar a Anima Templi. Achava que o objetivo deles, que estivera ajudando a alcançar nos últimos oito anos, seis dos quais involuntariamente, era impossível. Diante do sultão de olhos azuis, reconciliação parecia algo ridículo; mais do que isso, parecia errado. Quando Will pensava em Baybars, a única coisa que conseguia visualizar era o crânio decomposto do pai, uma entra mais de cem caveiras espetadas por lanças em volta dos muros de Safed. Como a paz poderia ser feita com isso?

Everard, sem parecer notar o distanciamento de Will, levantou-se.

— Devo ter uma breve conversa com o senescal. Há algo que preciso fazer para concluir esse assunto. — O padre arrastou os pés até a porta. — Depois podemos beber algo.

Garin estava no alojamento, parado diante de uma mesa sobre a qual havia uma tigela de água. Atrás dele, os cavaleiros com quem dividia o quarto roncavam nos catres. Garin revolvia a mão na água, observando-a rodar e formar redemoinhos à luz das velas. O movimento era tranquilizante, mas não estava sendo muito eficiente para remover o sangue. Não sabia quando tempo havia se passado desde que entrara no quarto. Parecia apenas alguns minutos, mas pensou que provavelmente seria mais do que isso. Quando pôs as mãos em concha na água e se curvou para diante a fim de lavar o rosto, a porta se abriu. Garin se endireitou e olhou para trás. Alguns dos homens se remexeram no sono quando três cavaleiros entraram.

— Garin de Lyons? — perguntou um deles.

Garin fez que sim, sentindo a água escorrer entre os dedos.

— Por ordem do senescal, você está sendo imputado do crime de deserção.

Os outros cavaleiros então se agitaram e acordaram.

— Deserção? — murmurou Garin.

— Chegou ao conhecimento do senescal que você desertou de seu posto na preceptoria de Paris e veio até aqui sem permissão do visitador do Reino da França. Esse crime é punível com prisão perpétua.

Garin fez menção de se defender, mas as palavras lhe falharam. Não tinha dúvida de que a acusação estava de fato sendo apresentada contra ele por sua participação na tentativa de Rook de roubar o livro. Mas o que poderia dizer? A acusação, em si, era bem verdadeira.

— Você será levado agora às celas sob esta preceptoria. Não lhe será concedida a oportunidade de apelar contra essa decisão até que tenha cumprido não menos de cinco anos.

O cavaleiro se adiantou. Estava, viu Garin, segurando um par de algemas. Os outros dois tinham as espadas desembainhadas e estavam prontos para agir caso Garin tentasse resistir. Não precisavam ter se preocupado. Garin observou com indiferença os ferros serem presos aos seus pulsos. Parecia que aquilo estava acontecendo a outra pessoa. Quando tropeçou ao ser conduzido para fora do quarto, seu captor o segurou.

— Obrigado — disse Garin.

## 42
# Quarteirão Pisano, Acre

4 de junho de 1271

Will olhou quando a porta da taverna se abriu. Observou quando um homem alto e magro, vestindo um extravagante robe azul-celeste, entrou. O homem olhou brevemente nos olhos de Will, sem qualquer demonstração de reconhecimento, depois dirigiu-se a uma mesa onde um grupo de mercadores estava reunido. Enquanto puxava um banco, o homem disse qualquer coisa que fez com que os outros rissem e então sentou e serviu-se de vinho de uma jarra. Will voltou para sua bebida. O sol se infiltrava pelas frestas das venezianas, traçando linhas brancas em sua mesa. Uma vespa investia irascível contra a luz. O dia era quente e Will estava cansado de esperar. Sentia-se impaciente com frequência naqueles dias. Dormia mal, ainda pior desde que o clima havia se tornado úmido, e, mais recentemente, começara a sentir que não conseguia receber ar suficiente nos pulmões, não importava quão fundo respirasse.

A porta se abriu novamente algum tempo depois e um homem robusto, de pele morena, vestindo calções marrons e um casquete de tecido áspero, entrou. Olhou em volta, viu Will sentado sozinho e se aproximou.

— Um belo dia — observou num sotaque indefinível.

— O bom Deus nos concede Sua graça — respondeu Will.

— Sem dúvida, Ele a concede — concordou o homem, rindo. — Will Campbell, eu creio?

Will fez que sim e estendeu a mão. O homem olhou para ela, depois pareceu reconhecer o gesto. Pegou a mão de Will e agitou-a vigorosamente. O aperto era forte.

— Posso oferecer-lhe uma bebida? — perguntou Will.

— Água — disse o homem, sentando-se, e jogou a vespa para longe com uma rápida pancada da mão.

Will acenou para a garçonete, que estava sentada numa das mesas, abanando o rosto úmido com uma grande folha seca.

— Queremos duas jarras de água — pediu, quando a garota flanou até a mesa.

Ela fechou a cara.

— Vou ter de cobrar.

— Está bem.

— Você não pode sentar aqui e beber água o dia inteiro sem pagar nada — resmungou.

— Já disse que pagarei — disse Will, com rispidez.

— Não precisa usar esse tom — vociferou em resposta, girando nos calcanhares e se dirigindo à cozinha.

O homem de pele morena se inclinou sobre a mesa.

— Um homem sábio poderia aconselhá-lo a não ser rude com alguém que está prestes a lhe trazer comida ou bebida. — Ele se recostou novamente. — Tomarei cuidado para não beber da que for oferecida a você. Suponho que ela terá cuspido dentro.

— Correrei o risco.

Enquanto esperavam, Will avaliou o homem. Não havia nada de especial nele. Com a constituição robusta e as mãos grandes, parecia um profissional de algum ofício físico, grosseiro — um ferreiro, curtidor ou um comerciante de baixa classe, um negociante das minas de ferro em Beirute, talvez. Não se parecia nem um pouco com o que Will havia imaginado. O mercador pisano que havia arranjado o encontro não lhe dissera o que esperar.

A garçonete voltou com as jarras de água. Depositou uma diante do homem de pele morena e a outra largou na frente de Will, derramando um pouco. Will entregou-lhe de mau humor algumas moedas. Examinou a água quando ela se foi. O homem riu.

— Vamos com isso, certo? — disse Will com irritação, empurrando a jarra para o lado.

— Claro, claro. Você trouxe o dinheiro?

Will mostrou ao homem o saco que estava pendurado no cinto, o qual cingia a camisa simples de linho que vestia sobre os calções.

O homem de pele morena relaxou e provou um gole de água.

— Então — disse —, vamos discutir exatamente o que é que minha ordem pode fazer por você.

*Templo, Acre, 4 de junho de 1271*

Uma vez tratado o assunto, Will retornou à preceptoria. O humor na fortaleza, assim como no resto da cidade, era sombrio; quase tão sombrio quanto estivera no outono anterior, quando receberam a notícia da morte do rei Luís. O monarca, aceitando o conselho do irmão, Carlos de Anjou, havia partido para Túnis, mas, seguindo-se à bem-sucedida captura de Cartago, uma pestilência assolou seu exército. Luís acabou sucumbindo à febre e sua grande Cruzada, a oitava desde que o papa Urbano II havia convocado os homens às armas, quase duzentos anos antes, terminou antes de começar. Seu corpo foi levado de volta à França e enterrado na abadia de Saint-Denis.

Agora, o desânimo coletivo dos cidadãos de Acre era causado pelas notícias da queda do Krak sob as forças de Baybars. O Krak, considerado a mais indômita fortaleza da Cristandade oriental, havia sido a maior dos hospitalários. A guarnição havia capitulado após cinco semanas de intenso combate e, com a destruição, a última peça do jogo dos francos foi tirada do tabuleiro do interior da Palestina. Nos últimos três anos, Baybars havia-os empurrado gradual, ainda que inexoravelmente, para trás, até que passaram a controlar apenas alguns vilarejos e cidades esparsos ao longo da costa.

Will analisou os rostos dos homens enquanto caminhava pelo complexo. Viu exaustão e medo. Houve tempo em que o Templo havia possuído quase quarenta bases importantes em Outremer. Na época em que Baybars chegou ao poder, esse número havia caído para 22 e agora tinham apenas dez.

Nas últimas semanas, dúvidas quanto ao que estivera planejando por tanto tempo haviam começado a remoer Will, mas ver a derrota nos olhos dos companheiros o ajudou. Aquilo era uma afirmação de que estava fazendo o que era certo. A única coisa certa. Alguns cavaleiros o cumprimentaram de passagem enquanto seguia seu caminho até a torre que dava para o mar, no canto noroeste. A torre, que havia sido construída por Saladino, formava a parte mais antiga da preceptoria. As pedras castigadas pela areia tinham rachaduras e tufos de grama espinhosa haviam brotado nas fissuras. Havia dois sargentos parados, um de cada lado da entrada. Ambos portavam espadas.

— Bom-dia, senhor — disse um deles, alegremente, quando Will se aproximou. — Não o vejo há algum tempo.

— Tenho andado ocupado, Thomas. — Will começou a se abaixar para atravessar a arcada baixa.

— Só para avisá-lo — preveniu Thomas —, ele não está bonito de se ver.

Will aguardou.

— É *leonardie* — explicou Thomas. — Ele contraiu a doença na semana passada.

— *Leonardie*? Muito grave?

— Não sei dizer, porém não parece nada bom.

Will entrou na torre, saindo do calor de junho para a umidade de novembro. Um corredor curto fazia uma curva até um conjunto de degraus que levavam aos andares superiores da torre, que abrigava a tesouraria. Três sargentos armados guardavam o poço da escada. Will virou à direita antes de atingir os degraus e entrou numa ventosa sala circular, que estava ocupada por dois cavaleiros: um sentado a uma mesa, estudando um livro-razão; outro postado como sentinela ao lado de um alçapão protegido por uma grade de ferro.

O cavaleiro na mesa de trabalho ergueu os olhos quando Will se aproximou.

— Irmão Campbell — disse, sem entusiasmo. — Está aqui para ver o prisioneiro, suponho?

— Um dos guardas me disse que ele está doente. Está ao menos confortável?

O cavaleiro ergueu uma sobrancelha.

— Não é nosso trabalho manter prisioneiros confortáveis. Só os mantemos aqui até que as sentenças sejam cumpridas. Mas — acrescentou secamente, ao se levantar — estou certo de que sua visita será conforto suficiente.

O homem fez um gesto de cabeça para o companheiro, que tirou o ferrolho que mantinha a grade do alçapão no lugar e então a ergueu. Uma escada descia rumo à escuridão. Os degraus eram irregulares e Will roçava as pontas dos dedos na parede para manter o equilíbrio. Uma leve corrente de ar que cheirava a mofo, maresia e podridão soprou seus cabelos. As paredes eram moles e farelentas em alguns lugares, como biscoitos amanhecidos. O som de um estrondo rítmico que fazia vibrar as pedras ficava mais alto à medida que Will descia. A torre da tesouraria era tão próxima do mar que as ondas a açoitavam a cada investida da espuma branca. Quando Will se aproximou do fundo, viu a luz de uma tocha. Após descer os últimos degraus, saiu numa passagem estreita que havia sido talhada na pedra. Poças no chão reluziam com um brilho negro. Aquela área ficava abaixo do nível do mar e as paredes rústicas choravam uma umidade que lentamente se empoçava, depois era drenada de maneira igualmente lenta por uma canaleta sulcada no chão. Ao longo de um dos lados do corredor havia dez portas, cada qual reforçada com cintas de ferro e trancadas com travas de madeira. Na outra parede havia uma mesa de cavaletes e bancos onde três sargentos jogavam damas.

— Bom-dia — cumprimentou Will.

— É mesmo? — perguntou um dos guardas. Meneou a cabeça ao se levantar. — Juro que o tempo se move de maneira diferente aqui embaixo.

Deixando que os companheiros continuassem o jogo, o guarda foi até uma porta no fim do corredor. Levantou a trava de madeira que ficava encaixada entre dois suportes de cada lado da entrada. Chutou a porta duas vezes, depois abriu-a.

— Pode levar aquela tocha ali, senhor.

Will tirou o archote do suporte e entrou na cela. Foi imediatamente atingido por uma densa onda do odor insalubre de apodrecimento que havia notado ao descer. O guarda fechou a porta atrás dele e ouviu-se um pesado baque quando a trava foi posta novamente na posição. Após três anos de visitas àquele lugar, Will ainda ficava nervoso com o som e o surto de claustrofobia que o acompanhava. A tocha tremulou com a corrente de ar gerada pela porta, depois se estabilizou numa luminosidade pálida que lutava para repelir as sombras da cela úmida. No chão havia uma tigela cheia de um caldo de aparência oleaginosa, sobre o qual havia se formado uma película enrugada. Atrás dessa, sentado com as costas na parede, um dos braços protegendo o rosto da luz, o outro acorrentado pelo punho a um aro de ferro embutido, estava Garin.

De início, Will não pôde ver nada de errado. Garin parecia o mesmo que de costume. Os cabelos um dia dourados haviam ficado cinzentos pela sujeira e a ausência de luz solar e caíam em madeixas emaranhadas pelo peito, entrelaçando-se à barba, que estava igualmente longa e imunda. A camisa e os calções — as únicas posses que lhe haviam restado com o aprisionamento — estavam em farrapos, o tecido havia apodrecido pela umidade e seu peito estava encovado, os ossos sobressaindo sob a pele pálida. As unhas da mão livre estavam roídas até a carne viva, mas as da mão que estava presa à parede, que ficava a uma altura que permitia apenas que ele se agachasse sobre o balde de dejetos, eram grandes como garras. Foi somente quando Garin afastou o braço, piscando dolorosamente com a luminosidade, que Will pôde ver aquilo de que o guarda o havia prevenido.

Ouvira falar da *leonardie* — a doença que Ricardo Coração de Leão uma vez havia contraído em campanha — mas nunca tinha visto ninguém com ela. Além de reduzir os homens à extrema fadiga, a enfermidade arruinava certas áreas da pele. O rosto de Garin estava devastado. As faces e a testa tinham feridas expostas nos locais onde a pele havia partido, escamado e depois se soltado. Os lábios estavam partidos e sangrando e um dos olhos estava fechado por uma crosta onde a pálpebra havia rompido, sangrado e depois formado uma cicatriz. Havia sinais da doença nas mãos e nos braços.

— Meu Deus — murmurou Will, fixando a tocha no suporte da parede e agachando-se em frente a Garin. Tentou ignorar o odor fétido que vinha do balde de dejetos.

Garin espiou Will acusadoramente entre seus olhos estreitados e lacrimosos.

— Há dias que você não vem.

Will não contou ao cavaleiro que havia se passado uma quinzena desde a última visita.

— Desculpe-me — disse.

— Você é a única pessoa que me conta o que está acontecendo. — A voz de Garin era incorpórea como uma brisa e a boca mal se movia ao falar, mas Will podia ver com clareza sua agitação. — Você disse que o príncipe Edward tinha vindo para cá. O que está acontecendo? Preciso saber, Will. Preciso...

Garin deu um grito alto e frustrado quando o lábio rachou por tê-lo aberto demais. Sangue verteu da rachadura.

— Estou aqui, agora — disse rapidamente Will. — Eu lhe contarei tudo o que quiser. — Apanhou a tigela de caldo. — Mas primeiro você tem de comer algo.

— Estou morrendo, Will — disse Garin, numa voz suave.

— Não seja tonto. O rei Ricardo teve *leonardie* e não morreu. — Will chegou mais perto de Garin e tentou pôr a tigela em suas mãos. — Você só precisa de comida e descanso.

Garin afastou a tigela.

— Dói demais.

Will olhou para as feridas abertas em volta da boca, depois para a vasilha de bordas largas. Sentado de pernas cruzadas diante do cavaleiro, apanhou um naco de carne cartilaginosa do meio do caldo. Com cuidado, para não tocar os cantos da boca, enfiou a carne entre os lábios ressecados de Garin.

Quando Garin havia acabado de ser aprisionado, Will raramente o visitava e somente porque Garin implorava repetidamente aos guardas para que lhe pedissem para vir. Mas a porção dele que ainda culpava Garin pelo que lhe havia sido feito no prostíbulo foi gradativamente aplacada pelo alto preço que o cavaleiro estava pagando por um crime cuja culpa não havia sido somente sua.

Com o tempo, as visitas foram ficando mais frequentes, até se tornar parte da rotina semanal; uma parte pela qual, mesmo sem querer, frequentemente se surpreendia ansiando. Não havia sido capaz de conversar com Everard ou qualquer outro membro da Irmandade sobre seus sentimentos e pensamentos e tampouco fora daquele círculo. Garin, que já sabia sobre a Anima Templi, mas não era leal a ela, havia se tornado a única pessoa com quem Will conseguia compartilhar certas coisas. Passara a valorizar cada vez mais ao longo dos meses a opinião do cavaleiro aprisionado.

Algumas vezes, também conversavam sobre fantasmas. Jacques, Owein, James, Adela, Elwen: a soma das perdas coletivas. A última delas, apenas raramente. Garin uma vez havia sugerido que Will entrasse em contato com Elwen, mas esse se opôs à ideia com tanta veemência que ela jamais tornou a ser mencionada. Relegara havia tempos a antiga amada às lembranças, dizendo a si próprio que ela devia ter conseguido um casamento feliz com algum duque abastado. Mas era uma ferida que nunca fora apropriadamente curada e ainda lhe causava dor. De tempos em tempos, invejava a escuridão vazia que era a existência de Garin, em que semanas se passavam como dias.

— Aí está — disse Will com grosseria, enfiando outro pedaço de carne entre os lábios de Garin, ciente do quanto aquilo devia ser humilhante —, não sei do que você está reclamando.

Garin mastigou a carne dura lentamente, depois engoliu-a com esforço. Parecia ter 60 anos, não 24.

— Conte-me — sussurrou, com insistência.

— Não há muito a contar. Todos ficaram chocados com a queda do Krak. O príncipe Edward mandou embaixadores aos mongóis para pedir a ajuda deles, mas o grão-mestre Bérard e a maioria dos outros membros da Comuna não esperam receber auxílio algum. O príncipe teve algumas conferências com os barões e tentou incitá-los, mas a única coisa que conseguiu incendiar foram os ânimos.

— O que quer dizer? — perguntou Garin, mastigando outro pedaço de carne que Will lhe dera.

— É o que acontece com todo mundo que vem para cá pela primeira vez. Edward ainda não entende — suspirou.

Will integrara a companhia designada para dar as boas-vindas ao príncipe de 32 anos, que havia chegado com mil cavaleiros. O rei Henrique, alegando a saúde precária, tinha aparentemente sido dispensado de tomar a Cruz. A Comuna de Acre havia acolhido bem as novas tropas e o entusiasmo do príncipe. Ao menos, por alguns dias.

— Ele achou que a guerra era uma simples questão de nós contra eles. Ficou furioso quando descobriu que os venezianos vendiam armas para Baybars, os genoveses supriam-no de escravos e os barões de Acre endossavam isso tudo, enquanto discutiam uns com os outros sobre quem deveria ficar com o prejuízo maior. E eles têm o topete de reclamar quando Baybars toma suas terras e propriedades com suas belas armas novas e seus soldados. — Will suspirou com rudeza enquanto pescava mais carne da tigela. — Mas em breve nada disso importará.

Garin afastou a mão.

— Você levou aquilo em frente?

Will largou a tigela e lambeu o caldo de carne dos dedos.

— Sim, me encontrei com ele hoje.

Garin examinou-o.

— Bem, você certamente fez amizade com o perigo.

— Pensei que você concordasse com meu plano.

— Você sabe que concordo. Sempre concordei. Mas e se o grão-mestre Bérard descobrir o que você fez em nome da Ordem? — Garin meneou a cabeça. — Digamos apenas que creio que passaria a vê-lo com muito mais frequência. Sem mencionar o que Everard e a Anima Templi fariam se descobrissem.

— Tentei fazer as coisas do jeito deles — respondeu Will, num tom acalorado. — Fiz tudo o que Everard me pedira: formei alianças com cavaleiros de outras ordens; procurei conquistar os favores da alta corte; travei relações com influentes eruditos judeus; atraí informantes muçulmanos.

Na superfície, concordo, a Irmandade tem feito importantes avanços nos últimos anos. O grão-mestre hospitalário começou até mesmo a conversar com o grão-mestre Bérard em ocasiões formais. Mas sinto como se não estivesse chegando a lugar algum. Os barões estão enredados demais em seus esquemas e políticas internas para enxergar além dos próprios muros. Quantas fortalezas mais cederemos a Baybars? A Anima Templi nunca alcançará seus propósitos se não nos restar mais nada da Terra Santa. Por que Everard não entende isso?

— Você tentou perguntar a ele?

— Pergunto o tempo todo o que planeja fazer e como imagina que sobreviveremos a esta guerra por tempo suficiente para conquistar qualquer tipo de paz. Mas ele não se abre. Ainda esconde coisas de mim. Sei que tem um contato importante no regimento *bahri*, um contato que meu próprio pai fez! Mas não quer me dizer quem é. — Will meneou a cabeça, frustrado. — Ele não me deixa escolha!

— Você está tentando justificar para mim ou para si próprio o que fez? — murmurou Garin.

Will olhou de lado para o cavaleiro. O plano, que havia formulado quase 18 meses antes, levara um bom tempo para ser executado, enquanto fazia contatos em silêncio e surrupiava dinheiro dos cofres secretos da Anima Templi. Havia lutado com a consciência mais de uma vez durante esse período.

— Tomei minha decisão — disse a Garin, por fim. — Em meu coração, creio que esse é o único caminho. Não queria vir aqui e me envolver nesta guerra, mas estou envolvido e a única coisa que posso fazer agora é o que sinto ser certo.

— A julgar pela importância disso, creio que você está agindo certo. Sempre disse que os objetivos da Anima Templi eram inatingíveis. Desde o dia em que você me contou sobre eles pela primeira vez.

— Quando estiver feito, as coisas vão mudar, tenho certeza. Os barões terão mais entusiasmo pelo combate e o príncipe Edward talvez seja capaz de incitá-los. Então — Will acrescentou calmamente —, poderemos começar a tomar de volta nossas terras e nossos pertences.

Havia meses, sonhava que encontrava o espírito do pai nos corredores abandonados de Safed. Will saía para enterrá-lo, mas os corpos decapitados estavam tão decompostos que James nunca sabia qual era o seu. O sonho o assombrava. Mas logo estaria acabado. Em breve, poderia sepultar o pai e talvez então tivesse alguma chance de encontrar paz.

— Tenho de ir — disse Will, levantando-se. — Voltarei amanhã com um cataplasma para essas feridas.

— Não confie em mais ninguém para ajudá-lo a mudar as coisas, Will. Não confie em Edward ou nos barões. Confie apenas em si próprio.

Will fez que sim. Bateu na porta e alguns momentos depois o guarda a abriu. Saiu da torre para a tarde cegante. Foi ali que Everard o surpreendeu. Will ficou surpreso ao ver o velho padre, que raramente deixava o quarto, coxeando através do pátio. Ia levantar a mão, então parou ao ver a expressão no rosto de Everard. Will quase recuou um passo ao ver a violência nos olhos do padre. Everard não interrompeu o andar canhestro, mas cambaleou para diante a fim de agarrar Will pelo manto com as mãos murchas.

— Seu *tolo*! — ferveu o padre, a saliva atingindo a face de Will. — O que você fez, seu *tolo* maldito?

Will segurou os pulsos de Everard e tentou afastá-lo à força.

— Do que você está falando?

— Não tente isso comigo! Um dos guardas do senescal viu você na taverna!

— Você mandou me seguir?

— Vigio você há semanas — vociferou Everard. — Esteve muito ocupado, não é, com seus encontros e planos secretos. Sei de tudo!

— Como? — murmurou Will, desistindo de tentar rechaçar o sacerdote.

— Arranquei daquele mercador pisano que você foi ver. Ele me contou com quem você andou se encontrando. Pode voltar lá e dizer que seja lá que acordo você fez com eles está desfeito.

— Não.

Os olhos injetados de Everard se incendiaram.

— *Não?*

— É tarde demais, a não ser que vocês o tenham pegado. — Como Everard não respondeu, Will soube que não haviam conseguido. — Ele já deve ter deixado a cidade a esta altura.

— Então, monte num maldito cavalo e vá atrás dele!

— Não — repetiu o cavaleiro, livrando-se rudemente do aperto de Everard. — Ainda que soubesse onde procurar, não iria. Temos feito do seu jeito há três anos, Everard. Não funcionou. Baybars não está interessado em paz. Mandamos quase uma dúzia de homens para tratar com ele. Quantos retornaram?

Os lábios de Everard estavam contraídos numa linha reta. Sua cicatriz estava rubra, arroxeada.

— Temos de continuar tentando — disse.

— É tarde demais para isso.

Will deu as costas para se afastar.

— Eles não o farão — disse Everard, segurando-o pelo ombro. — Aqueles homens trabalham com ele, seu tolo! Ele paga tributo a eles. Por que morderiam a mão do próprio mestre?

— Nem todos confiam nele. Baybars começou a colocar os próprios lugares-tenentes em posições de destaque dentro da Ordem. Eles temem que o sultão tente tomar o poder.

A respiração de Everard era rápida e curta.

— Onde, em nome de Deus, você conseguiu o dinheiro para pagar esse acordo?

Como Will não respondeu, a boca de Everard se escancarou.

— Dos meus cofres, não foi? — intimou, com incredulidade. — Ah, sua *serpente*!

— Você queria minha ajuda, Everard. Você queria que consultasse minha consciência e tomasse minhas próprias decisões. Bem, aí estão elas. Do seu modo não funcionou. Vamos agora fazer do meu jeito.

## 43
## Alepo, Síria
8 de agosto de 1271

— Ela não parece radiante, meu senhor?
Kalawun sorriu quando a filha apanhou um gato de pelos macios e olhos amendoados que havia entrado pelas portas abertas da sala do trono. O ar era quente e estagnado e os criados estavam atarefados na tentativa de refrescar a assembleia de governadores, comandantes e cortesãos com sorvetes. Escravos operavam os grandes abanadores suspensos do teto, puxando cordas para fazer as lâminas se movimentarem.

— Digna de um sultão — concordou Baybars, observando a futura nora serpentear entre o ajuntamento de pessoas, carregando o gato até a mesa do banquete, onde os servos limpavam os resíduos do festim.

Mulheres arrulharam em volta da linda criança, quando essa pôs um pouco dos restos da carne de cabrito numa travessa de prata e ofereceu-os ao seu protegido. A terceira esposa de Baybars, Fatima, estava entre elas, segurando nos braços um bebê aos berros — o segundo herdeiro do sultão, pois Nizam não lhe dera mais filhos.

Baraka Khan descansava num canto do recinto com alguns dos amigos. Nos últimos três anos, o garoto havia crescido rápido e o rosto já revelava traços do homem que viria a ser. Não demonstrara qualquer interesse pela noiva, mas Baybars sabia que haveria tempo de sobra para isso. O banquete de noivado era só uma exibição. O casamento que estava por vir produziria os verdadeiros frutos daquela união.

Movendo-se entre as dançarinas que rodopiavam aos habilidosos dedilhados de cítaras e à percussão de tambores, Omar subiu ao pódio e fez uma reverência a Baybars.

— Os artistas estão aqui, meu senhor. Quer que os mande entrar?

— Sim. Mas fique, Omar — Baybars chamou, quando o oficial fez menção de sair. — Sente-se comigo.

Omar sorriu.

— Será um prazer, meu senhor.

Baybars acenou para um criado.

— Faça com que os artistas entrem e abra espaço para a apresentação deles. E traga-me mais *kumis*.

Enquanto o criado saía apressado, Kalawun voltou-se para Baybars.

— Cuidarei para que nossos noivos sentem-se juntos durante a apresentação.

Quando Kalawun se afastou, Baybars acenou para que Omar ocupasse as almofadas postas no degrau mais alto do pódio — o lugar reservado aos mais importantes comandantes. Quando Omar sentou-se, apanhando um punhado de figos de um dos pratos que haviam sido postos numa mesa baixa, Baybars riu.

— Cuidado, meu amigo — disse. — Logo você não vai mais caber no seu uniforme. Temo que todos temos passado tempo demais comendo e muito pouco lutando.

— Você merece um pouco de indulgência para consigo próprio — disse-lhe Omar. — Aproveite esta oportunidade para descansar. Os francos não podem nos causar muito problema agora e temos os mongóis sob controle.

— Descansarei no devido tempo.

Omar olhou para Baybars, notando que uma expressão de angústia passava pelo rosto do sultão. Vistas daquele ângulo, as rugas da testa e do rosto eram mais pronunciadas. A fúria com que havia atacado os francos, obrigando-os a recuar em direção ao mar, era um fogo, consumindo-o por dentro ao mesmo tempo que queimava os inimigos. Baybars jamais poderia obter verdadeiro prazer de qualquer coisa que fizesse enquanto seus objetivos permanecessem inalcançados: inflamando-o, atormentando-o. Mas, se era assim, então qual, perguntou-se Omar, seria o objetivo daquilo tudo?

— Eles estão aqui — disse Baybars, inclinando-se para diante a fim de apanhar o *kumis* que o servo lhe havia trazido.

Dois homens entraram na sala do trono, puxando um carrinho coberto por um tecido de veludo vermelho, adornado com estrelas e luas de fio de prata. As dançarinas cessaram os rodopios e as pessoas foram conduzidas pelos servos diretamente às almofadas aos lados do recinto. Baraka e a jovem futura esposa sentaram-se no divã, de frente para um trecho de parede caiada ao lado do pódio, prontos para a apresentação. As portas que davam para o jardim foram fechadas e cortinas bordadas puxadas sobre as janelas, transformando o dia em noite. Um servo deu um salto para trás quando um personagem esfarrapado e sibilante partiu velozmente de baixo de uma das cortinas. As pessoas recuaram assustadas quando o adivinho correu, com o olhar revolto, pódio acima para se agachar, ofegante, aos pés de Baybars. O velho adivinho tinha a pequena boneca de pano que o sultão havia lhe dado em Antioquia apertada na mão.

Omar se afastou ligeiramente, mas Baybars pousou a mão na cabeça com queimaduras de sol e manchas senis de Khadir.

— Ele perturbou os seus sonhos?

— Sonhos perturbados — vociferou Khadir, que teve um estremecimento súbito e ofereceu a boneca a Baybars.

O sultão sorriu e pousou a boneca sobre o joelho. Omar fechou a cara. Gostaria que Baybars não encorajasse o velho, que parecia ter ficado ainda mais desvairado desde Antioquia.

— Meu senhor sultão.

Baybars olhou para um dos homens que haviam entrado com o carrinho quando esse o cumprimentou, ajoelhando-se diante do pódio. Tinha a pele morena, os olhos negros e uma cabeleira escarlate, tingida — como a barba e os bigodes — com hena.

— Estamos honrados por entretê-lo e aos seus convidados nesta jubilosa ocasião, meu senhor.

O homem estendeu a mão na direção do companheiro, um jovem esguio que, como ele, vestia uma capa feita de retalhos de seda em vários tons de azul: celeste, índigo, turquesa, marinho. Essas vestes cintilavam a cada movimento que faziam, como água agitada por correntezas invisíveis.

— Podem começar — disse Baybars, apontando para o espaço que havia sido reservado à jovem dupla. Baraka já parecia entediado e sentava-se no estreito divã o mais longe possível da filha de Kalawun.

O homem se levantou com movimentos graciosos e voltou até onde estava o companheiro, que tirou uma lanterna do carrinho. O ar estava azulado com o incenso que pairava em camadas ondulantes nos raios de luz que se infiltravam pelas cortinas. Quando os últimos serviçais se apressaram rumo aos lados da câmara para se ocultar nas sombras, o homem de cabelos escarlate encarou a plateia silenciosa.

— Apresentaremos a vocês uma história de amor e traição. — Apontou para o colega, que colocou a lanterna em cima do carrinho, de onde banhava a parede caiada. — Representada por sombras.

Houve uma salva de aplausos. Os dois titereiros de sombras eram renomados por suas exibições.

— Uma vez, na Arábia — começou o homem de cabelos escarlate —, vivia uma mulher de beleza tão radiante que a própria lua empalidecia a cada anoitecer quando ela descia ao rio para se banhar.

A filha de Kalawun riu e bateu palmas quando o homem esguio movimentou as mãos diante da lanterna e os dedos se tornaram as sombras de uma mulher saltitando pela parede. Os cortesãos imitaram a aprovação da princesa à medida que a história continuava e as mãos do titereiro se transformavam em mulheres que amavam, homens que lutavam e feras que rosnavam.

Baybars começou a ficar incomodado. Os artistas não eram tão encantadores quanto havia esperado; as sombras na parede não eram tão convincentes para um guerreiro de 48 anos quanto poderiam ser para uma criança de 9. Khadir estava encolhido aos seus pés, assistindo aos dois homens com os olhos semicerrado. De tempos em tempos, o adivinho se sobressaltava quando a voz do homem de cabelos escarlate se elevava, depois se acalmava quando ela descia novamente a um sussurro.

O titereiro de cabelos escarlate tirou um canudo e um pote do carrinho e se aproximou do pódio.

— Por fim — murmurou em meio ao silêncio — a bela radiante chegou a um palácio, atraída pela canção de uma velha cuja voz se propagava pelo vento como o perfume das flores.

Mergulhou o canudo no pote, levou-o aos lábios e soprou um jorro de bolhas. Agachando-se, depositou o pote com o canudo nos degraus de mármore enquanto uma das bolhas flutuava até pousar na mão de Omar. Sorrindo, esse estendeu-a a Baybars. Ela estourou. Um grito agudo rompeu o silêncio. Baybars se retesou repentinamente no trono. O som vinha de Khadir, que havia se encolhido contra as pernas do sultão, com os olhos leitosos fixados no titereiro, que agora estava de pé. O manto cintilante escorreu dos ombros como se fosse líquido e na mão havia uma adaga com cabo de ouro, engastado com um reluzente rubi vermelho.

— *Hashishim!* — gritava Khadir. — *Hashishim!*

O titereiro de cabelos escarlate, integrante da seita dos Assassinos, como Khadir o fora, subiu de um salto os degraus de mármore e atirou-se contra Baybars. O sultão não teve a menor chance de reagir. Nem havia terminado de se levantar e o assassino já estava sobre ele, levantando a lâmina para golpeá-lo. Omar se atirou para diante. O assassino deixou escapar um grito feroz quando a lâmina perfurou o peito de Omar, fazendo com que o oficial se chocasse contra o colo de Baybars. Gritos soaram por toda a sala. Vendo que o camarada havia falhado, o segundo assassino sacou uma adaga e já corria para o trono, mas Kalawun, que havia se adiantado para proteger Baraka, derrubou-o.

— Capturem-nos! — rugiu Baybars, segurando Omar, que fazia esforço para respirar. — Quero saber quem os mandou!

O primeiro assassino, desarmado, havia caído do trono, mas levantou-se calmo e imóvel enquanto vários guerreiros *bahri* vinham em sua direção. Ouviu-se um grito vindo de trás do trono. O adivinho saltou e investiu contra o assassino, com sua lâmina desembainhada.

— Não! — gritou Baybars, agarrando-se a Omar quando esse começou a deslizar para o chão, a adaga projetada do peito.

Khadir não deu atenção ao grito. O ex-assassino caiu sobre o homem, que tombou sob o ataque frenético entoando uma oração. Enquanto os guerreiros *bahri* tentavam afastar o adivinho, Baybars deixou suavemente que Omar afundasse entre as almofadas.

— Aguente — disse, afagando a face pálida de Omar. — *Médicos!* — rugiu para a multidão, fazendo com que os serviçais se alvoroçassem.

Omar lambeu os lábios secos e olhou para Baybars, com os olhos castanhos apertados de dor. Deu um sorriso fraco.

— Você parece cansado, *sadeek*.

Ergueu a mão para o rosto de Baybars. Ela caiu antes que pudesse tocá-lo. Baybars deu um grito dissonante quando Omar desabou de encontro a ele e ficou imóvel. O sultão se dobrou sobre o corpo, apertando o rosto do oficial.

— Não, Omar — sussurrou. — Não faça isso comigo.

Ele se sentou por um momento e sacudiu Omar pelos ombros.

— Levante-se! Eu lhe ordeno!

Mas o poder de um sultão não passava de ilusão quando tudo já estava consumado.

Os médicos chegaram, mas não se aproximaram, ao ver que era tarde demais. Restava apenas uma coisa a fazer. Baybars se curvou e colou a boca ao ouvido de Omar. Ali, sussurrou as palavras.

— *Ashadu an la ilaha illa-llah. Wa ash-hadu anna Muhammadan rasul-Ullah.*

"Existe apenas um único Deus, e Maomé é Seu Mensageiro."

## 44

## Templo, Acre

19 de setembro de 1271

— Você falhou.

Will olhou na direção da voz. Everard estava parado nas ameias atrás dele. O rosto do padre estava suado com a subida, respirava a custo.

— Eu sei — disse Will, voltando-se novamente para a paisagem.

As planícies além dos muros da cidade estavam douradas no entardecer. Elas se estendiam para leste em direção à Galileia, onde a terra se erguia até encontrar o céu e se obscurecia pela distância. Nunca havia enxergado além daquelas colinas veladas, embora elas frequentassem seus pensamentos.

— Baybars está vivo e bem — acrescentou Everard.

— Já disse que sei.

— Embora — continuou o padre — um de seus oficiais tenha sido morto no atentado. Um bom amigo dele, foi o que me disseram. O sultão mandou tropas contra os Assassinos. — Foi até o parapeito e bufou com as bochechas apergaminhadas. — Não os invejo. A ira dele será severa.

— Foi decisão deles aceitar o contrato.

— Mas foi você que lhes propôs o acordo.

— Sei que você nunca me perdoará por isso, Everard — disse Will, encarando o sacerdote —, mas alguém tinha de fazer algo. Sua busca por paz é totalmente louvável, mas se o outro lado não aderir a ela, não passa de desejo.

— *Minha* busca? — disse Everard rispidamente. — Como você se exclui! Como membro da Irmandade, você faz parte de um todo. Sim, todos temos ideias e opiniões diferentes, mas no fim, quando falamos, nós o fazemos como um só homem. Seu comportamento recente foi o de um vigilante. — A voz áspera de Everard endureceu ainda mais. — Você não ouviu uma só palavra do que eu disse sobre Ridefort e Armand? Foi para evitar exatamente esse tipo de ação que se criou a Alma do Templo!

— Você não pode me comparar a eles.

— Não? Eles usaram o poder da Anima Templi para os próprios fins, para os próprios ganhos pessoais. O que você estava fazendo quando propôs seu acordo particular com os Assassinos e entregou nosso ouro? A quem você estava servindo?

— A nós — respondeu Will, desafiador —, ao Templo, à Cristandade.

Everard deu-lhe uma estocada com o dedo.

— Matar o homem é criar um mártir, foi o que lhe disse na noite em que você me devolveu o livro. Melhor para nós? Para a Cristandade? Não se iluda! Você estava fazendo isso para si próprio. Retribuição pela morte de seu pai, não foi? — O padre fez uma pausa, com a respiração dissonante. Tossiu intensamente e cuspiu um coágulo de muco na lateral do parapeito. — Você não me deu chance de contar-lhe meus planos, William — disse, ainda zangado, mas agora num tom mais calmo, fatigado pela explosão. — Mas, afinal, também sou culpado por não o ter procurado quando vi que estava ficando desiludido pela lentidão da nossa obra.

Will ficou surpreso com o fato de o sacerdote sugerir sua possível culpa pessoal.

— Que planos? — perguntou.

Everard fungou e olhou para os pomares cujos galhos estavam coalhados de limões maduros.

— É muito bonita esta época do ano, não é? — Como Will não respondeu, Everard voltou-se para ele. — Há algum tempo, tenho entrado em contato com o homem com quem seu pai manteve conversas quando esteve aqui; um homem acessível a negociações, ao contrário de Baybars.

— O contato de meu pai entre os *bahri*?

— Sim.

Will esperou que o padre continuasse. Depois de uma pausa, ele o fez.

— O contato de seu pai era o emir Kalawun.

— Kalawun? — disse Will, chocado. — Mas ele não é o principal lugar-tenente de Baybars? Ele liderou a invasão de Cilícia, que resultou nas mortes de milhares de armênios. Como poderia estar trabalhando para nós?

— Em seu íntimo, Kalawun é um homem de paz. Quer o melhor para seu povo e entende que a guerra nem sempre proporciona isso. Desde cedo, percebeu que Baybars se tornaria um homem poderoso. Inicialmente, conseguiu ganhar a confiança de Baybars para elevar a própria posição. Mas com o tempo se deu conta de que o sultão agia motivado por um ódio pessoal contra nós; um ódio que Kalawun compreendeu que poderia causar danos ao seu povo tanto quanto ao nosso. Ele não tem grande amor pelos francos, mas é simpático aos propósitos da Anima Templi e sabe que seu povo poderia se beneficiar tanto quanto nós da continuidade do comércio entre nossas nações. Seu pai causou-lhe grande impressão, pelo que me disseram. Para conseguir manter a posição de influência dentro do círculo de Baybars, Kalawun teve de continuar seguindo as ordens que lhe eram dadas, ainda que tais ordens começassem a contrariar suas crenças pessoais. Como um homem de paz não poderia continuar em sua posição, teve de se demonstrar um homem de guerra para conseguir isso. A paz algumas vezes tem de ser comprada a preço de sangue.

— Mas, se isso é verdade, o que Kalawun poderia fazer contra Baybars? Ele pode estar numa posição de poder, mas não é o sultão. Como pode mudar algo?

— Lentamente — respondeu Everard. — E é assim que deve ser feito. Kalawun não agirá diretamente contra Baybars, mas já vem tomando providências para exercer uma influência maior sobre o trono com a morte do sultão. O herdeiro de Baybars, Baraka Khan, tornou-se recentemente seu futuro genro e Kalawun está procurando influenciar o menino. Se o seu plano tivesse alcançado sucesso e Baybars fosse assassinado por ordem de um franco, os mamelucos teriam revidado contra nós com tudo o que têm. Teria sido outra Hattin. Na posição frágil em que estamos, seria mais provável que perdêssemos tudo o que nos restou à fúria dos muçulmanos, assim como qualquer chance de amizade ou paz. O nosso caminho requer mais tempo, mas no final é a rota mais segura e que poderá derramar menos sangue. Se Baybars morrer naturalmente, em batalha ou por velhice, e se Kalawun conseguir exercer influência suficiente sobre seu filho, o próximo sultão talvez se torne nosso aliado. Imagine, William, o que poderíamos conquistar se usássemos nossas línguas em lugar de nossas espadas.

Will contemplou o sacerdote.

— Por que não me contou isso antes? — perguntou-lhe. — Se soubesse o que você estava fazendo, não teria... não sabia. — Meneou a cabeça e os ombros caíram. — Não quis saber.

— Vi você aqui em cima outras vezes, olhando fixamente para aquela direção. — Everard apontou para as planícies. — Você mesmo uma vez me disse que não encontrará nada lá, além de morte e ódio. É isso o que vê?

— Não vejo nada — murmurou Will. — O que procuro não está lá.

— Seu pai — disse Everard, balançando a cabeça. — Não sou tão cego a ponto de não conseguir ver isso. Você se volta para Safed como um muçulmano se volta para Meca. Tem de deixá-lo ir. Essa tristeza vai devorá-lo por dentro.

— Sinto falta dele, Everard — disse Will, com voz rouca. — Sinto muita falta dele.

Everard não disse nada, enquanto Will pôs a cabeça entre as mãos. Depois de um momento, estendeu a mão e apertou suavemente o ombro de Will.

— Olhe para mim, William. Não posso trazer seu pai de volta, ninguém pode. Mas posso dizer-lhe que ele não morreu em vão. Graças ao que conseguiu com Kalawun, talvez ainda possamos ver paz entre as pessoas deste mundo.

— Nunca tive a chance de dizer a ele como lamento.

— Não sei o que aconteceu entre você e seu pai. Mas sei que ele o amava. Só o encontrei uma vez, mas isso, mais do que qualquer outra coisa, era evidente. Ele não veio até aqui para deixá-lo, veio para fazer algo que muito poucos homens nesta triste Terra teriam o espírito ou a coragem de fazer. Ele não veio até aqui pela própria vontade, por dinheiro, poder ou por Deus. Veio porque acreditava num mundo melhor; um mundo que pretendia ajudar a tornar real e, por isso, eu o louvo. Assim como você deveria fazer.

— Ele nunca me perdoou.

— Você já considerou que a única pessoa de cujo perdão precisa é você mesmo? Seja lá de que forma tenha prejudicado seu pai, sejam quais forem os pecados que sinta ter cometido, ainda que ele o tivesse absolvido, você estaria verdadeiramente livre deles? — Everard meneou a cabeça. — Sou um padre, William. Posso absolver um homem aos olhos de Deus, mas se ele não se perdoa a si próprio, viverá com seus pecados para o resto da vida, ainda que Deus, na próxima, o faça.

— Não sei como me perdoar. Não sei como mudar. Meus amigos, os homens com quem falo, todos sabem o que querem. Eles se adaptam aqui. Simon é feliz trabalhando nos estábulos. Robert pode bancar o tolo, mas, no fim das contas, está contente em seguir as regras e se dá bem com elas como todos os outros. Até mesmo Garin parece mais em paz na sua cela do que jamais esteve antes. Você estava certo no que disse uma vez, sobre eu me tornar cavaleiro para satisfazer meu pai. Passei tantos anos esperando que me visse usando o manto que, quando ele morreu, dei-me conta de que nunca soube o que queria para mim mesmo. É verdade que havia Elwen, mas... Quando olho para o amanhã, Everard, não vejo nada.

— Você não precisa saber o que há no amanhã para viver o hoje — respondeu Everard com vivacidade — e não precisa ver o futuro para caminhar em direção a ele.

— Mas o que tenho hoje?

— Uma chance de mudar o futuro. — Everard fez uma pausa. — Não posso lhe dizer como se perdoar ou abandonar sua culpa. Mas posso oferecer-lhe algo por que trabalhar. Não vim até aqui para repreendê-lo. Vim para lhe oferecer uma escolha. Haverá um encontro da Irmandade. Estamos dando as boas-vindas ao nosso novo guardião.

— Guardião? Você encontrou um?

— Sim, e já não era sem tempo. Você pode ir comigo amanhã e juntar-se a nós para o encontro ou posso liberá-lo do seu vínculo.

— Com a Irmandade, você diz?

— E com o Templo, se você quiser. — Everard encolheu os ombros.
— Sei que você só me ajudou a recuperar o *Livro do Graal* porque queria tornar-se um cavaleiro e, como acabou de admitir, só queria se tornar um cavaleiro por seu pai.

— Não ajudei você só por isso, Everard.

O sacerdote dispensou as palavras com um aceno de mão.

— E não o culpo por querer se furtar ao seu aprendizado. Sei que desempenhei um grande papel nas suas frustrações. Mas já passou muito da hora de você fazer uma escolha por conta própria. De preferência — acrescentou com causticidade —, algo que não nos vá matar a todos. No *Livro do Graal*, os cavaleiros guiam Perceval ao longo de sua jornada, mas no fim ele deve decidir sozinho o curso da ação que trará a reconciliação das três fés ou dilacerará a paz para sempre. Ele escolhe a reconciliação. — Os lábios de Everard se retorceram. — Mas não antes de cometer alguns erros. Deixo essa decisão a você, William. Trabalhe conosco pelo futuro ou descubra seu caminho por alguma outra estrada. Mas seja qual for a sua escolha, caminhe adiante.

Will olhou para as colinas a leste. Enquanto conversavam, o sol tinha se posto e as primeiras estrelas haviam aparecido, distantes e reluzentes no céu ao norte. A brisa era quente e cheirava a azeitonas, sal, feno e couro. Abaixo, no complexo, ouviu homens gritando uns com os outros e cavalos relinchando. Mais tênue, vindo da cidade, pôde escutar o som do gado na feira, o repicar de um sino, um riso de criança. Por toda a sua volta, a vida continuava. Seus padrões eram familiares, tranquilizadores.

Everard estava certo: as razões de seu pai para ir até aquele lugar eram altruístas. Mas ele já havia descoberto isso, em Paris, no dia em que Luís concordou em tomar a Cruz. Desde então, aquela clareza e a pureza do amor que sentira pelo pai haviam sido obscurecidas pela amargura e pela vingança. Seu próprios motivos para ir até lá haviam, no fundo, sido egoístas e ao dar vazão a eles, quase destruíra o que o pai havia trabalhado para conquistar. Mas tinha uma chance de fazer o que era certo. Ele *queria* fazer o que era certo. Não desejava que mais homens morressem, mais filhos perdessem os pais. Os anseios de vingança, de sangue, de guerra, haviam sido produtos da própria culpa e se afastara dos ideais da Anima Templi, não por não acreditar neles, mas porque não queria acreditar, não queria desistir daquela oportunidade de retaliação. Porém, o caminho para a absolvição, sabia, não seguia tal curso. Residia em auxiliar Everard e a Anima Templi a alcançar o que havia sido o desejo do pai, um desejo, agora se dava conta ao observar a cidade tranquila, que também era seu.

— Quero ficar.

— Então temos trabalho a fazer — disse Everard, não parecendo nada surpreso pela resposta. — Venha.

Will deixou que Everard o conduzisse pelas ameias. O momento de clareza havia se dissipado no instante em que alcançou o pátio, mas o conhecimento permaneceu, como uma pérola retida no cerne do seu ser, formada a partir de areia e seixo. Era àquele lugar que pertencia. Enquanto caminhava ao lado do padre, pôde sentir um senso renovado de propósito se alvoroçar dentro de si. Tinha de viver. Isso era tudo. Simplesmente tinha de viver.

A Irmandade raramente realizava um conselho pleno e mesmo quando o fazia, era sempre em lugares diferentes, para não chamar a atenção de ninguém na preceptoria. Naquele dia, seria realizado nos aposentos do senescal. Everard havia conseguido eleger quatro membros, mas como um dos originais havia morrido no ano anterior, ainda eram apenas seis. Encontravam-se todos reunidos quando Will e Everard chegaram.

O senescal, um homem prematuramente calvo, de constituição vigorosa e temperamento inflamado, abriu a porta. Inclinou a cabeça em sinal de respeito a Everard e olhou para Will. Quando Everard informou à Irmandade sobre o contrato de Will com os Assassinos, o senescal pressionou por seu encarceramento imediato. Obviamente não estava satisfeito com o fato de que a suspensão de dois meses, que havia classificado como leniência sentimental, tivesse acabado.

Sentadas em bancos em torno da câmara esparsamente ocupada estavam mais três pessoas. Havia um jovem padre templário do Reino de Portugal, a quem Everard escolhera depois de notar a argúcia de seu estudo sobre as similaridades entre as fés muçulmana, judaica e cristã. Um cavaleiro de fisionomia jovial, nascido e criado na comunidade diversificada de Acre, e um cavaleiro mais velho que, como o senescal e Everard, se recordava dos dias de Armand de Périgord.

Havia também, Will percebeu ao entrar no recinto, mais uma pessoa na sala; um homem alto, de cabelos escuros, vestindo uma capa preta orlada de pele de lebre. Estava parado ao lado da lareira, estudando um mapa do mundo fixado à parede, com Jerusalém no centro.

— William — disse Everard. — Gostaria de apresentá-lo ao novo guardião da Anima Templi. Um homem que, estou certo, acrescentará tanto valor ao nosso círculo quanto seu tio o fez antes dele. Meu suserano — chamou, dirigindo-se à lareira. — Este é o jovem de que lhe falei.

O homem voltou-se para eles. Era o príncipe Edward, filho do rei Henrique III e herdeiro do trono da Inglaterra. Will se recobrou com rapidez suficiente para conseguir fazer uma reverência.

— Meu senhor — cumprimentou-o.

Edward estendeu a mão.

— É uma honra.

Will apertou a mão do príncipe. O aperto de Edward era forte, confiante.

— A honra é minha por encontrá-lo novamente, meu senhor.

— Novamente? Não me recordo de tê-lo conhecido antes.

— Foi 11 anos atrás, no Novo Templo. O senhor foi até lá com Sua Majestade, o rei Henrique, para um encontro com Humbert de Pairaud. Eu portava o escudo de meu mestre, Owein ap Gwyn.

— Era você? — Edward sorriu. — Temo não ser muito bom em lembrar fisionomias, mas creio que tinha outras coisas em mente naquele dia.

O sorriso se apagou ligeiramente e Will percebeu um breve lampejo do que poderia ter sido irritação atravessar o rosto. De perto, o príncipe era muito diferente do que Will se recordava. Era equilibrado, naquela época, mas o jovem refinado havia endurecido para dar lugar a um adulto mais astuto e controlado. Uma das pálpebras ainda era caída como a do pai, mas parecia compensar o defeito abrindo o olho afetado um pouco mais do que o outro. Isso lhe conferia uma sobrancelha permanentemente arqueada, que lhe emprestava uma expressão ligeiramente zombeteira. Parado ali, com a cabeça erguida, o olhar frio e resoluto, já parecia o rei que viria a ser. Quando falou, dirigiu-se a todos eles.

— Nestes últimos anos, meu pai não teve o tipo de relacionamento com o Templo que teria preferido. Ao contrário do tio dele, Ricardo, não tem aceitado tão facilmente a autonomia da Ordem em suas terras. Fico feliz por ter-me sido dada esta oportunidade de seguir os passos do primeiro guardião deste conselho e espero que as relações entre a Ordem e a Coroa inglesa possam se tornar tão civilizadas quanto foram um dia, sob o reinado dele.

— Sua devoção à nossa causa é mais do que bem-vinda, meu senhor príncipe — disse o senescal, enquanto Will puxava um banco para sentar-se ao lado do padre português, que lhe dirigiu um sorriso cauteloso.

O senescal olhou à volta do conselho reunido.

— Podemos dar início a este encontro?

— Sim, irmão — respondeu Everard. — Temos muito a discutir. No entanto, creio que nosso guardião tem o próprio anúncio a fazer antes que nos vejamos por demais envolvidos nos detalhes. Meu suserano?

Edward fez um gesto de cabeça em agradecimento.

— Quando o padre Everard me contou sobre os propósitos do seu círculo, acreditei que poderia ajudá-los a alcançar seus objetivos. Baybars não demonstra qualquer sinal de que vai interromper sua campanha contra nossas forças e se continuarmos a perder territórios na mesma marcha em que temos perdido, vocês não mais terão uma base a partir da qual continuar sua obra. Portanto, devemos agir rapidamente.

O príncipe fez uma pausa para deixar que suas palavras fossem absorvidas.

— A paz — continuou Edward, com empenho — não é simplesmente um ideal; é nossa única esperança de sobrevivência. Conversei ao longo desta semana com um seleto número de barões, incluindo o seu grão-mestre e o mestre dos hospitalários, e consegui convencê-los a apoiar-me em meu propósito. É claro que não sabem de meus tratos com vocês. Pretendo me aproximar de Baybars com a oferta de uma trégua. — Levantou a mão. — Obviamente, ainda que seja aceita, é duvidoso que ponha fim aos combates, mas a Anima Templi terá um fundamento sólido a partir do qual continuar seus planos de reconciliação e todos conseguiremos preservar as terras que ainda possuímos.

— Uma trégua? Com Baybars? — questionou o senescal. — Não consigo imaginá-lo concordando com isso.

— Algo que pode ajudá-lo a se decidir é o Império Mongol. Logo depois da minha chegada enviei embaixadores até o *ilkhan* da Pérsia, Abagha, a fim de pedir sua ajuda para conter a ameaça apresentada por Baybars. Meus embaixadores retornaram da corte dele com a notícia de que os mongóis estão interessados numa aliança entre nossas nações. Talvez consigam dar suporte às guarnições que ainda temos e Baybars pode ser dissuadido de mover mais ataques se opusermos um fronte único contra ele. Agora planejo persuadir o *ilkhan* a enviar uma pequena força da Anatólia para ameaçar as fortalezas setentrionais dos mamelucos. Eu próprio viajarei para o sul a fim de atacar várias propriedades lá. Sei que vocês não querem a guerra, mas, a curto prazo, tal ação pode ser nossa única esperança. As baixas serão poucas, se é que haverá alguma. Os ataques seriam orquestrados para provar a Baybars que, com uma combinação de forças, poderíamos representar um problema para ele. Isso, acredito, o tornaria mais disposto a aceitar qualquer trégua que oferecêssemos.

Will, observando o príncipe, não pôde deixar de se impressionar com a energia do homem. Nunca havia conhecido ninguém tão seguro de si. Quando Edward falava, os homens ouviam. Ele era dinâmico. Everard, Will notou, tinha um sorriso satisfeito brincando nos lábios finos. O padre, obviamente, sentia ter feito a escolha certa. Os outros pareciam pensar assim também, murmurando aprovação. Então, por que, Will teve de se perguntar, não confiava no príncipe?

À medida que o encontro prosseguia e outros membros acrescentavam seus pensamentos e questionavam Edward sobre os detalhes da proposta, Will observava o príncipe em busca de algum sinal que pudesse explicar sua desconfiança. Não viu nenhum; o príncipe era educado e atencioso, mas aquele lampejo de irritação que havia avistado na expressão de Edward ficara cravado em sua mente. Não era o olhar em si; mais do que isso, sentia que Edward estava usando uma máscara que havia escorregado, apenas por um momento, porém por tempo suficientemente para revelar uma segunda face sob aquele exterior sereno.

Quando o encontro acabou, os dois cavaleiros mais jovens e o padre se retiraram. O senescal e os cavaleiros mais velhos ficaram. Will também se deixou ficar enquanto o príncipe se aproximava de Everard.

— Estou grato por ter-me oferecido essa posição, padre Everard — disse Edward.

— Assim como eu — respondeu o padre. — Creio que podemos fazer muito um pelo outro.

— Há só uma última questão. Nós a discutimos brevemente outro dia. Eu me pergunto, você chegou a uma conclusão?

— Ah, é claro. Minha resposta é sim.

Edward sorriu.

— Obrigado, você não tem ideia do quanto isso deixará meu pai satisfeito. — Abriu a capa e tirou uma algibeira do cinto, a qual entregou a Everard. — Isto cobre parte do débito — disse. — Como prometi, entregarei o resto quando retornar à Inglaterra.

— Escreverei ao visitador, em Paris. Ele cuidará disso.

— Ficaria grato se pudesse ter um recibo dessa transação.

— Certamente — respondeu Everard. — Mandarei alguém trazê-lo ao senhor.

— Não precisa, irmão — disse o senescal, levantando-se. — Preciso fazer uma inspeção às celas nesta tarde. Posso escoltar o príncipe no meu caminho até a torre do tesouro.

— Celas? — perguntou Edward. — Vocês têm muitos prisioneiros aqui?

— Atualmente, apenas três. — O senescal abriu a porta. — É um infortúnio termos de punir nossos irmãos, mas a disciplina é a espinha dorsal da nossa Ordem. Sem ela, ficaríamos inválidos.

O senescal atirou um olhar ameaçador a Will enquanto deixavam a câmara e o príncipe puxou o capuz para esconder o rosto.

— Você tomou a decisão correta.

Will voltou-se ao ouvir a voz de Everard.

— O quê?

— Ficar. Realmente acredito que temos uma chance de mudar as coisas. — O padre sorriu e os olhos brilharam. — O que você acha do plano dele?

— Eficaz, se funcionar. O que foi que ele lhe deu? — Will apontou para a algibeira na mão de Everard.

— Parte do débito que o rei Henrique ainda tem para conosco. — Everard olhou para a bolsinha. — Uma pequena parte, de fato, mas é um começo. — Enfiou a algibeira na sua batina. — Precisarei que você escreva ao visitador Pairaud, em Paris.

— Hugues? O que quer que eu diga a ele? — Will não via Hugues de Pairaud desde que deixara Paris, embora soubesse que Robert mantinha correspondência com o velho camarada, que havia se tornado visitador do Reino da França depois da morte do predecessor.

— Quero que você emita uma ordem para que ele entregue as joias da coroa da Inglaterra ao rei Henrique, em Londres.

— Sob a autoridade de quem? — perguntou Will, estupefato.

— Você a assinará como o grão-mestre Bérard — respondeu Everard, dirigindo-se para a porta.

Will meneou a cabeça.

— Disciplina? — murmurou entre dentes.

— Certifique-se de fazer isso hoje, William — disse o padre, antes de desaparecer. — Temos coisas mais importantes a tratar.

Garin levou a tigela aos lábios e sorveu os refugos da sopa rala, que tinha algumas fibras de arroz cru flutuando; uma nova ideia do cozinheiro. Depois entregou-a ao guarda.

— Obrigado, Thomas.

Thomas fez um gesto de cabeça em reconhecimento e pegou o recipiente.

— Lamento que não estivesse tão boa, sir Garin — disse o guarda —, mas o senhor sabe que lá em cima não deixam nada além de restos descer até aqui.

— Já fui sargento. Comia restos na época. — Garin deu de ombros. — Não é tão ruim. — Sorriu. — Mas outra gota daquele vinho poderia ajudá-la a descer melhor.

Thomas dirigiu um olhar cauteloso para a porta aberta da cela.

— Lamento, sir Garin — sussurrou, meneando a cabeça. — Não posso fazer isso pelo senhor hoje. O senescal está vindo, entende, para uma inspeção. Se souber que andei lhe dando minhas rações, ele...

— Tudo bem — interrompeu Garin. — Não direi nada. Beberei rápido.

Thomas se levantou, ainda sacudindo a cabeça.

— Não hoje, senhor. — Saiu apressado e fechou a porta.

Garin deixou a cabeça cair de encontro à parede atrás dele quando a barra de madeira foi posta no lugar com um baque. Praguejou com uma voz cansada. Sem o vinho, os minutos eram muito mais longos. Ele se perguntou se mais tarde conseguiria persuadir alguém a dar-lhe um pouco, quando a inspeção tivesse acabado, mas isso iria depender de quem estivesse de serviço. Alguns dos guardas, como Thomas, eram sensíveis à sua situação, chegando mesmo a chamá-lo de sir, embora Garin detestasse essa cortesia. Parecia mais zombeteiro, em certos aspectos, que *imundície* ou *bosta*, as designações preferidas por outros que se refestelavam com a oportunidade de humilhar um superior caído em desgraça, eles próprios sendo sargentos nascidos na classe mais baixa que jamais subiriam ao posto de cavaleiro.

Garin havia aprendido rapidamente a ocultar a dignidade e o orgulho, não apenas daqueles que queriam despi-lo de ambos, mas também de si próprio. Se os guardas abrissem a porta quando estivesse fazendo as necessidades, não se retraía, mas forçava-se a continuar. Quando derramavam sua comida no chão e diziam-lhe que podia comê-la como um cão, agradecia e comia do mesmo modo. Dizia a si próprio que poderia suportar isso tudo há tanto tempo que quase chegava a acreditar. Mas quando, ao dormir, sonhava com coisas além dos muros da prisão e acordava com a lembrança de cores e lugares que havia esquecido, chegava à beira do precipício e, às vezes, caía no abismo sobre o qual oscilava diariamente.

Garin levantou a cabeça ao ouvir vozes abafadas do lado de fora. Rapidamente derrubou o queixo sobre o peito e fechou os olhos. O senescal adorava fazer sermões e valia mais a pena estar adormecido durante suas visitas. A porta se abriu.

— Bata quando tiver acabado, senhor — Garin ouviu Thomas dizer.

A voz do guarda parecia trêmula. Quando a porta se fechou, o coração de Garin pareceu afundar; o senescal obviamente não seria despistado por uma soneca naquele dia. Podia sentir uma presença no recinto; a suavidade quase imperceptível de uma respiração; o leve odor de algo doce, vinho ou fruta, talvez, que o homem havia ingerido no almoço. Esperou que o senescal o despertasse com um chute, mas o homem parecia estar simplesmente parado ali. Garin abriu uma fresta nas pálpebras e ficou surpreso ao ver a bainha de um conjunto de trajes pretos à sua frente. Pensou por um momento que deviam pertencer a um padre, mas então viu que não eram feitos de lã grosseira, mas de veludo preto. Eram orlados por um delicado ornamento de pele de lebre. Garin levantou o rosto com perplexidade, sem se dar o trabalho de fingir espreguiçar do sono simulado. O coração saltou violentamente no peito quando encontrou o olhar frio do príncipe Edward.

— Deus! — exclamou, involuntariamente.

— Não exatamente — disse Edward. Ele se agachou diante do cavaleiro acorrentado e imundo, cujo rosto estava marcado pelas lesões da *leonardie* e cujos olhos estavam arregalados de terror. — Embora também seja conhecido por mandar homens para o inferno quando me desagradam, como você deve lembrar, Garin.

— Como você...? — A voz de Garin sumiu e ele não conseguiu terminar a pergunta.

Edward entendeu.

— Foi fácil para os meus agentes descobrirem onde você estava. Sabe como os servos costumam ser falastrões. Simplesmente esperei por uma oportunidade de ser convidado até aqui.

— O que você quer? — sussurrou Garin, olhando para a porta atrás de Edward, perguntando-se se Thomas viria se ele gritasse.

Edward seguiu seu olhar.

— Não seremos interrompidos. O senescal foi muito receptivo à minha vinda aqui embaixo para inspecionar seus comandados caídos em desgraça. — O príncipe riu. — Talvez oferecer-lhes algumas palavras de sabedoria, exaltar os benefícios do arrependimento sincero, esse tipo de coisa. — O riso sumiu. — Quanto ao que quero, pretendia saber o que aconteceu com o livro para cujo resgate você foi enviado até aqui, mas uma vez que já descobri que foi destruído, gostaria de saber onde meu criado, Rook, está.

Garin sentiu uma chama de ódio ao ouvir aquele nome; um nome que estava sepultado tão profundamente dentro dele que quase o havia esquecido. A força de sua causticidade superou um pouco a do seu medo.

— Matei o desgraçado! — vociferou para Edward. — Eu o crivei com tantos buracos que nem a mãe dele o reconheceria!

Os olhos de Edward se apertaram de raiva, mas a emoção desapareceu rapidamente quando recuperou o equilíbrio.

— Sim, achei que algo fatal deveria ter acontecido com ele quando não retornou. Era um homem muito obediente.

— Era um rato miserável e maligno — rugiu Garin. — Ameaçou matar minha mãe. Matou minha...

Garin interrompeu abruptamente a fala e fechou os olhos.

— Admito, os métodos de Rook ocasionalmente eram vulgares, mas ele sempre concluía o serviço. Isso foi tudo o que sempre pedi dos meus servos. Você sabe disso, Garin.

Garin engoliu a amargura e o que restava de medo e obrigou-se a enfrentar o olhar de Edward.

— Sim, eu o traí e matei seu criado. Mas não me restou mais nada depois que deixei de trabalhar para você. O que quer tirar de mim agora?

— Quando estava a meu serviço você foi bem recompensado. Foi escolha sua deixar tudo aquilo por... — A mão de Edward fez um gesto abrangendo a cela úmida. — ... isto.

— Não. Não me restou nada *porque* escolhi trabalhar para você. Meu tio, meus amigos no Templo, Adela, minha liberdade. Perdi tudo. Não me restou nada. Por isso, se você veio até aqui para me matar, então faça isso. Caso contrário, saia.

Edward pareceu um tanto surpreso pela beligerância de Garin.

— Se não tem mais nada a perder — disse, depois de uma pausa —, então pensaria que talvez você tenha tudo a ganhar.

— O que quer dizer? — murmurou Garin.

— A Anima Templi — disse Edward, agora com modos concisos e práticos —, o grupo com que seu tio esteve envolvido; acabei de ser designado como seu guardião.

— O quê? — Garin sentiu que seu mundo minúsculo, já vacilante com a chegada de Edward, sumia de vez de baixo de seus pés.

— Everard de Troyes me procurou algumas semanas atrás com o convite. Ele achou que eu poderia ser de alguma valia para a sua causa. — Edward riu. — As joias da coroa serão devolvidas à minha família e serei coroado com elas quando for rei. Agora tenho influência no Templo, influência que posso usar para garantir que a Ordem jamais tente me controlar como fez com aquele tolo fraco de espírito que é meu pai.

Os olhos de Edward eram duros como pedras, cintilando de desprezo. O rosto era adamantino, implacável. Edward tinha muitas facetas, mas aquela era a do príncipe no aspecto mais genuíno. E o mais aterrorizante. A ambição nua se irradiava dele como ondas de calor.

Garin tinha visto aquela mesma crueldade concentrada nos olhos do príncipe quando trabalhou brevemente para ele em Londres. Mas agora ela estava mais aguda, mais bem definida, como seu rosto.

— Então você tem o que queria? — murmurou o cavaleiro. — Eles lhe deram justamente o que você queria o tempo todo.

— Quando eu assumir o trono ele será meu, não do Templo — prosseguiu Edward, mal ouvindo as palavras de Garin. — Tenho planos de expandir meu reino nos anos que virão. Por meio de minha posição de poder dentro da Anima Templi, serei capaz de usar os vastos recursos do Templo para me ajudar a conseguir isso. Eles não *me* usarão.

Os olhos dele fixaram-se novamente em Garin.

— Fora isso, não tenho interesse nos planos da Anima Templi. Seus objetivos são irreais e contrários ao cristianismo. — As sobrancelhas ficaram carregadas. — Na verdade, vão contra todas as coisas sobre as quais nossa sociedade se funda; contra Deus. No devido tempo, quando tiver tomado o que quero deles, cuidarei para que sejam extintos. Mas por enquanto os deixarei continuar com sua loucura, pois não terão sucesso e isso os manterá ocupados e fora do meu caminho. Uma vez que tenha a minha proposta de trégua com o sultão Baybars assegurada, deixarei que Everard e seus seguidores imaturos lutem futilmente por sua utopia, enquanto uso os homens e o dinheiro que têm para atingir meus intentos. Duvido que reclamem. Sei, afinal, dos segredos deles. Segredos que, como ambos sabemos, não gostariam que fossem divulgados para o mundo.

— Você está fazendo uma trégua com Baybars? — perguntou Garin, sentindo uma náusea no estômago.

— É claro. Isso dará às nossas forças uma oportunidade para se reagruparem e restabelecer a guerra contra o infiel. Não vim até aqui para fazer a paz. Vim para concretizar o sonho da Cristandade. A trégua será apenas temporária. Quando nossas forças se reunirem, revidaremos contra os sarracenos com todo nosso poder. — O belo rosto de Edward estava corado de triunfo. — Tomaremos Jerusalém de volta e purificaremos suas ruas como fizemos da primeira vez em que pusemos nossos pés nestas terras. Seremos, mais uma vez, os guardiões da Terra Santa, num território que pertence a nós por direito.

Garin fechou os olhos.

— Então você só precisava ter esperado e tudo de qualquer maneira viria parar em suas mãos. Eu não precisava ter feito nada?

— Mas nenhum de nós sabia disso — respondeu solenemente Edward. — Não na época. — Fez uma pausa e a voz se suavizou. — Sempre posso recorrer a homens como você, Garin.

— Não — murmurou o cavaleiro, sentindo que as últimas forças lhe faltavam e o abismo se escancarava sob ele. — Por favor. Vá embora.

— Posso tirá-lo daqui, conseguir seu perdão. Você poderia voltar para a Inglaterra e ver sua mãe novamente.

Os olhos de Garin abriram-se com as pálpebras trêmulas.

— Minha mãe?

— Ela não tem estado bem nestes últimos anos.

— Você... você a viu?

Edward acenou gravemente em concordância.

— Ela ainda mora naquele casebre úmido em Rochester. Você poderia oferecer a ela a vida que sempre quis.

— Por que você faria isso?

— Porque o conheço melhor do que você mesmo.

Garin tentou reprimir as lágrimas.

— Não, você não me conhece. Eu mudei.

— Você e eu, Garin, somos semelhantes. Vi isso quando o encontrei pela primeira vez. Ambos sabemos o que queremos: poder, riqueza, terras, posição social. Mas ao contrário de outros homens, todos os quais anseiam por essas coisas, partimos para tomá-las por conta própria, em vez de definhar na sujeira e negar nossos desejos. Por isso creio que somos os mais honestos entre os homens.

Garin sacudiu a cabeça.

— O Templo nunca me aceitará de volta. O senescal é um dos membros da Irmandade. Ele preferiria me ver morto antes de me dar o manto novamente. Eles sabem que tentei pegar o *Livro do Graal*.

— Você não tem de ser templário para me ajudar. Como disse, quando assumir o trono pretendo expandir meu reino. Precisarei de ajuda em outras áreas e, para ser bem franco, seus talentos estão sendo desperdiçados nesta cela.

Edward se levantou e sua altura se impôs ainda mais a Garin, encolhido no chão.

— Posso ver que você está cansado — disse o príncipe. — Eu o deixarei para pensar no assunto. Continuarei em Acre até que a trégua com Baybars esteja assegurada, depois retornarei para o Ocidente a fim de reunir apoio para uma nova Cruzada. Tenho certeza de que você conseguirá me mandar uma mensagem quanto tiver mudado de ideia.

Foi até a porta e bateu. Quando a trave foi erguida do outro lado, olhou para o balde de dejetos de Garin.

— E você poderia pedir-lhes que se livrassem dessa coisa, o cheiro realmente está horroroso.

Garin conseguiu esperar até que a porta se fechasse, para só então desmoronar.

## 45
# Alepo, Síria
### 10 de fevereiro de 1272

Baybars relaxou na cadeira, observando Baraka Khan estudar os papéis dispostos sobre a mesa. As sobrancelhas do filho estavam pregueadas de concentração, as mandíbulas salientes. Os cantos dos papéis eram erguidos pela brisa que entrava pelas janelas em arco. Baybars apanhou a taça de *kumis* e secou-a. Um servo saiu das sombras para reabastecê-la quando Baybars a largou, depois saiu novamente do alcance de vista. Pela janela chegavam os sons dos homens trabalhando nos portões da cidadela, que haviam sido danificados quatro meses antes, quando os mongóis atacaram a cidade.

Em outubro, um *touman*, mandado pelo *ilkhan* da Pérsia, havia partido da Anatólia e entrado na cidade, derrotando a guarnição que Baybars havia deixado no local quando viajou com a maior parte de seu exército para Damasco a fim de conduzir vários ataques contra fortalezas francas no sul. Os mongóis haviam tomado a cidadela, causando pânico disseminado, embora os guerreiros a cavalo tivessem feito pouco estrago e tirado pouquíssimas vidas. Mas quando a força de dez mil soldados montados continuou a investida para o sul de Alepo e o pânico entre a população muçulmana local cresceu até o terror, Baybars teve de mandar seu exército para o norte a fim de contê-los. O *touman*, em número muito menor, bateu em retirada para a Anatólia.

Enquanto os mongóis atacavam pelo norte, uma companhia de francos, liderados pelo príncipe inglês de nome Edward, um homem que Baybars ouvira ser mencionado muitas vezes em meses recentes, conduzia uma investida nas regiões ao sul, em torno da Planície de Sharon. A ação se revelou infrutífera, mas Baybars teve a clara impressão de que o príncipe não era homem para se subestimar. A Cruzada do rei Luís talvez não tivesse dado em nada, mas o irmão do rei, Charles de Anjou, era tio de Edward e embora Baybars tivesse mantido um contato relativamente cordial com o rei siciliano no passado, via nesses dois homens a ameaça de uma nova Cruzada. Khadir também viu isso e aconselhou-o a tratar com cuidado tudo que dissesse respeito ao príncipe.

— O homem pode ser jovem — resmungou o adivinho —, mas há um leão dentro dele. Vejo isso.

— Ou ouviu isso na minha corte — respondeu Baybars, com secura.

— Ele é como você, mestre — Khadir murmurou, com sutileza esquiva —, quando era mais jovem.

Baybars sorveu o restante do *kumis* e viu Baraka suspirar fundo.

— Terminou? — perguntou o sultão.

— Não consigo fazer isso! — vociferou Baraka, atirando a pena ao chão e borrifando os ladrilhos de tinta. — Sinjar me passa problemas que sabe que não serei capaz de resolver.

— Ele faz isso para que você aprenda — respondeu Baybars, com voz cansada.

— Posso terminar amanhã, pai? — pediu Baraka, virando-se na cadeira. — Queria sair para caçar esta tarde. Kalawun disse que me levaria.

— Você poderá ir quando tiver terminado suas lições.

— Mas, pai...

— Você me ouviu! — disparou Baybars, batendo a taça sobre a mesa.

Baraka assustou-se com a violência no tom do pai; depois, com o lábio inferior projetado num beiço mal-humorado, voltou aos papéis, cobertos de problemas algébricos.

— Estou atrapalhando, meu senhor?

Baraka e Baybars olharam ambos na direção da voz e viram Kalawun parado no umbral. Era quase da altura do ápice da arcada. Os cabelos escuros, que se tornavam prateados em torno da fronte, estavam puxados para trás num rabo de cavalo, o que fazia com que as feições fortes parecessem ainda mais rígidas, e usava uma capa azul-real — a cor de seu regimento.

— Emir Kalawun! — exclamou Baraka, levantando-se de um salto. Depois foi até o comandante e segurou sua grande mão. — Venha, sente-se comigo. Ajude-me com minhas lições.

Kalawun sorriu para o garoto.

— Tenho certeza de que você conseguirá fazê-las muito bem por conta própria.

— Não — disse Baraka, fazendo um novo beiço —, mas só porque as lições de Sinjar são estúpidas.

— Ele é um bom professor — respondeu Kalawun suavemente. — Você devia dar valor a ele. Sinjar me ensinou árabe quando fui alistado pela primeira vez no exército mameluco.

Baraka largou da mão de Kalawun e olhou com expressão amuada para o chão. De repente, se animou.

— Você vai me levar para caçar como prometeu? — perguntou a Kalawun.

— Se — disse Kalawun, olhando para Baybars — seu pai concordar.

— Por favor, pai — implorou Baraka.

— Leve sua lição até Sinjar e termine-a com ele. Preciso falar a sós com Kalawun.

Baraka ia protestar, depois bateu os pés até a mesa e apanhou a lição. Girou nos calcanhares e seguiu em direção à porta.

— Sua pena — avisou Kalawun atrás dele.

— Os servos podem me levar outra — disse Baraka, com azedume. — É para isso que existem.

Kalawun observou-o se retirar, depois voltou-se para Baybars.

— Chamou-me, meu senhor?

Baybars se levantou cansado da cadeira e atravessou a sala até um grande baú.

— Parece, nestes dias, que meu filho gosta mais de você do que de mim — disse, olhando para Kalawun enquanto abria a tampa do móvel e tirava um estojo de pergaminhos prateado.

— É fácil para ele gostar de mim, meu senhor. Não tenho de ser eu a discipliná-lo.

Baybars entregou-lhe o estojo, depois sentou-se. Após abri-lo, Kalawun tirou um rolo de pergaminho.

— Os francos querem uma trégua com você — murmurou, enquanto lia os dizeres da mensagem. Então, ergueu os olhos do pergaminho. — Quando você recebeu isto?

— Ontem.

— Contou a mais alguém?

Baybars meneou a cabeça.

— Você é o primeiro a saber.

— Está assinado pelo rei da Sicília.

— Sim, como ele diz na carta, Charles de Anjou ofereceu-se como mediador entre mim e os francos quando soube das intenções do príncipe Edward. Presumo que acredita que nossas relações previamente favoráveis ajudarão a adoçar a proposta.

— Eles não querem muito — disse Kalawun, correndo os olhos pela carta novamente. — Nada mais do que manter o que já têm.

— Sem dúvida porque pretendem que a trégua seja apenas temporária. Se os francos quisessem acabar esta guerra, teriam ido para casa. Não ficariam para fazer barganhas comigo.

— Os mongóis — disse Kalawun, depois de um instante — representam uma ameaça maior para nós do que os francos. Tomamos grande parte do que os francos um dia possuíram e eles não podem reunir grande força armada para se oporem a nós no futuro imediato. Mesmo que pretendam uma paz temporária, pode ser de nosso interesse aceitar.

— Paz — disse Baybars em voz baixa — nunca foi minha intenção para com os francos. Disse a Omar que jamais nos purificaríamos da influência ocidental se demonstrássemos a eles o mesmo tipo de clemência que Saladino demonstrou, se nos abríssemos a negociações com eles.

O sultão se levantou e foi até a janela.

— Transigência — disse Kalawun, com cuidado — é às vezes necessária para o bem de nosso povo. Não deveríamos dividir nossas forças contra dois exércitos aliados, mesmo sendo um deles tão fraco; não quando nos oferecem esse alívio.

— Bem? — resmungou Baybars. — Não posso mais ver que bem é esse. Não depois que Omar... — Fechou os olhos. — Não depois que ele morreu.

Fazia seis meses que Baybars havia enterrado o oficial. Os dois assassinos — e o carrinho — haviam sido cremados sem cerimônias. Os dois titereiros reais que deveriam ter se apresentado na festa de noivado foram descobertos numa hospedaria da cidade. A julgar pela decomposição dos corpos, estavam mortos havia algum tempo; longo o bastante para que os assassinos tivessem ensaiado a apresentação. Baybars quase aniquilou a Ordem dos Assassinos depois disso, mas embora a vingança tivesse sido obtida, não havia preenchido o espaço que ficara vazio ao seu lado com a morte de Omar; uma lacuna que se tornava cada vez mais devoradora à medida que os meses passavam. Às vezes, se dispunha a convocar Omar, apenas para ser lembrado com nervosismo pelos servos que o oficial falecera.

— Não me dava conta do quanto o valorizava. Acho que nunca disse a ele. — Baybars abriu os olhos. — Sinto falta dos seus conselhos.

— O que acha que Omar teria sugerido se estivesse aqui, meu senhor? — Kalawun perguntou-lhe.

Baybars deu um ligeiro sorriso.

— Teria me aconselhado a aceitar. Era um guerreiro, mas no coração não tolerava a guerra. Tentava esconder isso de mim, mas era tão evidente quanto seu rosto. — O sorriso desapareceu. — E você, Kalawun? Você sugeriria o mesmo?

— Sim, meu senhor.

Baybars ficou em silêncio por algum tempo. Por fim, desviou os olhos da janela.

— Que assim seja — disse, num tom duro. — Diga aos francos em Acre que aceito. Eu lhes darei sua paz. Por enquanto.

Naquela noite, Baybars deixou a cidadela e caminhou pela cidade, vestindo uma capa preta e turbante. Seguindo-o a uma distância discreta iam dois guerreiros *bahri*. Cada um carregava uma tocha.

Quando chegou ao celeiro, o sultão ordenou aos dois soldados que ficassem do lado de fora e entrou sozinho. Das últimas vezes em que estivera ali, havia encontrado sinais de ocupação. Crianças, supôs, pelos desenhos a carvão feitos no chão. As pétalas de hibisco que havia agrupado num monte poeirento tinham se espalhado. Não levou uma flor para ela naquela noite, mas ajoelhou-se com as mãos vazias sobre a terra seca. Fechou os olhos e viu-a como trinta anos antes. A idade e a guerra não a haviam modificado. Ainda tinha 16 anos, como sempre teria, com a pele lisa e sem rugas, os cabelos negros lustrosos. Enquanto ele cortava lenha no celeiro, ela estava rindo, espirrando com os dedos a água de um balde no peito nu de Baybars, marcado pelos riscos de um açoitamento recente. Ele também estava rindo, até que viu a sombra no umbral da porta. Não sabia há quanto tempo seu amo estava parado ali, observando-os.

Baybars abriu os olhos, mas a imagem persistiu; a cruz vermelha no manto branco do cavaleiro impressa como a ferro em brasa na sua visão. Tocou os lábios com os dedos, depois pressionou-os na terra.

— Devo descansar um pouco, amor, antes de concluir o que comecei. Estou cansado. Muito cansado.

Baybars se demorou um pouco mais, depois levantou-se e saiu.

— Queimem isso — disse aos dois *bahri* que o esperavam.

Parou para colher uma flor do arbusto de hibisco do lado de fora, depois se afastou. Atrás dele, as chamas começaram a se espalhar.

# 46

## Templo, Acre

15 de maio de 1272

Everard estava sentado à mesa de trabalho, afiando a ponta de uma pena com uma pequena faca. As sobrancelhas se juntavam na testa e os olhos enfraquecidos esforçavam-se para se fixar na tarefa delicada. Não levantou a vista quando Will entrou no solar.

— Você as pegou?

Quando Will pôs a bolsa de couro que estava carregando sobre a mesa, o padre largou a pena depois de raspá-la decididamente com a faca uma última vez. Everard abriu a bolsa, dobrando o macio couro preto para baixo. A luz do sol que entrava pela janela fazia reluzir ricamente o punhado de pedras dentro dela: cinabre, ágata, malaquita, lápis-lazúli.

— Lindas. Produzirão tintas que durarão mil anos.

Everard ergueu os olhos para Will enquanto fechava a bolsa.

— Posso triturá-las amanhã — disse. — Obrigado. Teria ido pessoalmente ao mercado, mas... — Ele se levantou com movimentos rígidos e levou a bolsa até o armário — ... nos últimos dias mal consigo encontrar forças para levantar da cama.

— Quero ir a Cesareia, Everard.

— O quê? — Everard voltou-se para ele.

— Quero levar o tratado.

Everard enfiou a bolsa numa prateleira e fechou o armário.

— Como soube disso? Ainda não foi anunciado.

— Robert de Paris foi convocado para ir.

Everard meneou a cabeça.

— Bem, não importa como você soube, isso está fora de cogitação.

— Por quê? — perguntou Will, com voz calma, porém ligeiramente monótona por tentar disfarçar a ansiedade.

Everard arqueou uma sobrancelha.

— Acho que você sabe o porquê. Você contratou assassinos para matar o homem, pelo amor de Deus!

— É por isso que quero ir.

— Por ter falhado da primeira vez? — O tom de Everard era sarcástico, mas a preocupação era evidente no rosto. Fez um movimento com a mão deformada como se quisesse enxotar o problema ou o próprio Will.

— E, além do mais, a comitiva que levará o tratado de paz a Baybars já foi escolhida.

— Sei que você pode conversar com Edward, fazer com que me requisite para essa missão. Pode dizer-lhe que deseja que um membro da Anima Templi vá com ele. Além disso, sou um dos poucos homens aqui que sabe falar árabe. — Will continuou rapidamente quando o padre começou a menear a cabeça. — Quero agir corretamente, Everard. Quero provar a você que estava sendo sincero no que lhe disse antes, naquele dia nas ameias, quando você me falou sobre Kalawun. Quero ficar, fazer parte desta obra, a obra que meu pai iniciou.

— Eu sei, eu sei — respondeu Everard, como se dizer aquilo não fosse necessário.

— Então, por que me faz correr por aí bancando o garoto de recados desde aquele dia, em vez de trabalhar nas incumbências que distribui aos outros membros da Irmandade?

Everard olhou de lado para Will, mas não disse nada.

— Porque não confia em mim — Will respondeu por ele.

— Isso não é verdade.

— Sim, é — opôs Will. — E não o culpo. Mas já faz seis meses, Everard! Quero ajudar, mas fico sentado aqui, perdendo tempo. Se não me quer como integrante da Irmandade, então me dispense, mas se quer, deixe-me provar meu valor a você. Deixe-me reparar o que fiz.

Depois de um momento, Everard balançou ligeiramente a cabeça. A esperança de Will deu um salto, depois afundou novamente quando o padre continuou.

— Você está certo. Eu o tenho mantido afastado de certas tarefas pelo que você fez, mas não para puni-lo. Estava apenas sendo cauteloso. Porém essa missão não apenas o poria frente a frente com um homem que você queria ver morto com tanto desespero que traiu a todos e a tudo a que um dia jurou lealdade para conseguir isso, mas também o poria em perigo. Você sabe quantos homens mandamos para propor tratados a Baybars ao longo dos anos e quão poucos retornaram. O sultão pode muito bem usar essa oportunidade para demonstrar o quanto nossa paz significa para ele, cortar as gargantas de todos vocês e mandar suas cabeças de volta numa cesta! — Everard sentou-se novamente na cadeira. — E embora nos últimos anos você tenha feito de tudo para me sepultar antes do tempo, prefiro que sua cabeça continue onde está, William.

— Não creio que o sultão faria isso — respondeu Will. — Seria mesquinharia. E quaisquer que sejam seus defeitos, mesquinho Baybars não é. Mas, de qualquer forma, quero fazer isso. — A voz de Will ainda estava calma, mas a ansiedade se esgueirava em seu tom. — Nunca lhe pedi mais nada, Everard, não para mim mesmo. Mas estou lhe pedindo agora, deixe-me fazer isso.

Everard apanhou a pena e a faca, depois largou-as com um suspiro de irritação.

— Você me jura que não fará nenhuma tolice? — O padre sacudiu rapidamente a cabeça antes que Will pudesse responder. — Não, não jure para mim, jure em nome de seu pai!

— Juro, Everard. — Will enfrentou seu olhar. — Não o decepcionarei novamente.

Depois de uma longa pausa, Everard fez que sim.

Os estábulos estavam abafados, o ar coagulado com o calor aprisionado e o cheiro de esterco. Simon levantava sacos de preciosa aveia até o palheiro. De tempos em tempos espantava as moscas que esvoaçavam com persistência em torno da cabeça, o que fazia com que o suor pingasse do nariz e da testa. Os músculos doíam e as faces, já coradas pelo sol, estavam tingidas de um vermelho ainda mais intenso devido ao esforço. Depois de largar um dos sacos, ele se curvou para apanhar uma jarra de água do chão.

— Simon?

A voz fez com que se endireitasse tão rápido que bateu a cabeça numa manjedoura. Com um palavrão, derrubou a jarra, que se quebrou, e girou o corpo, segurando a cabeça com uma das mãos.

Na entrada, delineada pela luz branca que vinha de fora, havia uma mulher alta, de cabelos cor de ouro acobreado. Simon havia reconhecido a voz antes mesmo de se voltar para ela, mas ainda assim foi um choque vê-la parada ali, concreta e tangível, com o vestido cor-de-rosa. Era uma visão pela qual havia ao mesmo tempo ansiado e temido a cada dia ao longo dos últimos quatro anos.

— Recebi sua carta — disse Elwen. Parecia mais velha, mais calma.

— Não achei que você viesse.

— Nem eu. Pelo menos, não por um bom tempo. Mas sempre quis ver a Terra Santa.

Enxugando as mãos na túnica, Simon avançou cautelosamente até ela.

— Como chegou aqui? — perguntou.

— Num navio mercante.

— A rainha deixou você partir?

— Foi a convite da rainha Margarida que vim. Depois que o corpo do rei Luís foi levado de volta a Paris e o enterramos em Saint-Denis, o palácio tornou-se um local de lamentações. Muitos dos outros criados partiram porque não podiam suportar viver ali sem ele. Decidi ficar. Quando recebi sua carta a rasguei — Elwen encolheu os ombros — mas guardei os pedaços. Não sei por quê. A rainha encontrou-os um dia e me fez contar o que significavam.

Simon corou ao pensar que a rainha sabia de seu segredo.

— Ela disse que eu deveria vir — continuou Elwen. — Disse que eu não podia desperdiçar uma oportunidade de encontrar o amor, pois havia muito poucas delas na vida. Não sei se é isso o que encontrarei aqui. Will é um cavaleiro e sei que ele não pode... — Elwen vacilou. — Só queria contar a você que recebi a mensagem. — Os olhos verdes estudaram Simon por um momento prolongado. — E que entendo por que você fez o que fez.

Simon desviou o rosto.

— Você quer ver Will? — perguntou, calmamente.

— Ele está aqui? Não sabia se... — Elwen respirou fundo e balançou a cabeça. — Acho que sim. Sim — acrescentou, com grande convicção. — Sim, quero.

Ela olhou por sobre o ombro para o portão principal, onde vários sargentos montavam sentinela.

— Mas é melhor não atrair muita atenção sobre mim — continuou. — Os guardas só me deixaram entrar porque disse que era sobrinha do grão-mestre.

Subitamente sorriu e Simon surpreendeu um lampejo da garota peralta que havia subido clandestinamente a bordo do *Endurance*, tantos anos antes.

— Certo — disse Simon. Olhou à volta dos estábulos, que estavam desertos. A maior parte dos sargentos havia entrado no grande salão para a refeição do meio-dia, embora estivessem prestes a terminá-la. Simon dirigiu-se ao depósito, onde as selas e cordas eram guardadas. — Você pode se esconder aqui, se quiser. — Abriu a porta. — Posso ir encontrar Will para...

A voz falhou e teve de tossir para limpar a rouquidão na garganta.

— Posso trazê-lo até você — completou.

Enquanto Simon falava, Elwen viu-o arrastar os pés desajeitadamente, com os braços grossos e musculosos pendendo rígidos de cada lado, com os punhos fechados, olhos baixos, incapazes de enfrentar os dela. Em seu rosto, viu a disputa entre suas palavras e seus sentimentos. Sentiu-se como uma ladra.

— Obrigada — disse com voz suave, na esperança de que isso bastasse.

Will dirigia-se ao alojamento dos cavaleiros quando viu Simon se arrastando pelo pátio. O cavalariço olhou em sua direção, parou e depois levantou a mão. Quatro jovens sargentos atravessaram correndo o espaço entre eles, rindo. Quando passaram, Will notou a expressão do amigo. Cruzou o pátio, que gradualmente se enchia de homens e meninos, pois a refeição do meio-dia havia acabado.

— O que há?

— Nada — respondeu Simon com calma, relaxando o rosto.

Will levantou uma das sobrancelhas.

— Pela sua cara, eu diria que alguém acabou de morrer.

Simon fez uma frustrada tentativa de sorriso.

— Não. Está tudo bem. É que... bem, acabei de ter uma surpresa e tanto, só isso.

— Uma surpresa?

— Will.

Ambos se voltaram para ver Robert se aproximando deles. Os belos cabelos louros, amarrados para trás num rabo de cavalo, haviam descorado até ficarem quase tão brancos quanto o manto.

Robert fez um cumprimento de cabeça para Simon, depois apertou o ombro de Will num sinal de camaradagem.

— Você falou com Everard? — perguntou.

— Falei.

— E então?

— Ele concordou em fazer o pedido para Edward.

— Ótimo — disse Robert, sorrindo. — Então, enfrentaremos o leão juntos.

— Will — murmurou Simon. — Precisamos ir.

Will olhou para ele distraidamente.

— Apenas me conte o que é.

Simon fez menção de falar, depois meneou a cabeça.

— Acho que é melhor você ver por si próprio.

Dando-lhes as costas, voltou pelo caminho pelo qual viera. Will deu um sorriso confuso para Robert.

— Acho que ele tem trabalhado muito tempo no sol. Falarei com você num minuto.

Robert fez que sim.

— Estarei no arsenal — respondeu.

— Espere, então — gritou Will, seguindo o cavalariço.

Simon não diminuiu o passo, mas continuou caminhando na direção do pátio da estrebaria. Quando se aproximaram do estábulo, Will se deteve.

— Simon — disse, suavemente mas com firmeza, quando o cavalariço começou a se dirigir para o interior.

Simon se voltou para ele.

— Não tenho tempo para brincadeiras. Conte-me o que significa isso. Tenho coisas a fazer.

— Apenas entre aqui um momento — insistiu Simon, desaparecendo no interior da estrebaria.

Will deu um suspiro irritado, mas seguiu-o. Simon estava parado ao lado do depósito, com o rosto, sombreado pela penumbra opressiva, indecifrável. Abriu a porta e depois se pôs de lado. Will, agora com o cenho franzido, intranquilo pelos modos estranhos do amigo, caminhou em frente. Parou de repente ao chegar ao umbral, quando a mulher que estava lá dentro virou-se para olhar para ele. Finos raios de sol se infiltravam pelas frestas da parede do fundo, capturando-a numa frágil teia dourada. A boca de Will secou e com ela as milhares de palavras que incendiavam sua mente, exigindo serem gritadas todas ao mesmo tempo. Depois da torrente inicial de exclamações e pensamentos impetuosos, atabalhoados, apenas uma palavra permaneceu. Disse-a numa voz estranha e calma que não parecia sua.

— Elwen.

Ela deu um leve sorriso.

— Olá, Will Campbell.

Will deu um passo na direção dela, sem notar que Simon fechava a porta discretamente atrás dele. O silêncio desceu sobre ambos. E a cada segundo que passava estendia-se, envolvendo-os. A sala confinada, salpicada pelo sol, com um cheiro opressivo de couro e esterco, parecia expandir-se e se tornar o mundo inteiro. O sentimento era tão intenso que Will começou a sentir-se embriagado. Ele se deu conta de que não respirava, nem tirava os olhos de Elwen desde que havia entrado naquele lugar. Moveu-se e desviou o olhar dela e o meio que os circundava pareceu diminuir e recuperar o foco.

— Como você está? — perguntou Elwen, olhando para ele.

Will balançou a cabeça.

— Bem — respondeu. Balançou a cabeça novamente e depois olhou para ela. — E você?

— Estou bem.

Will de repente deu um passo adiante, com os olhos fixos nos dela.

— Elwen — disse —, eu não queria partir daquele jeito. Nunca quis que nada tivesse mudado como mudou, que nada daquilo acontecesse. Nada daquilo — repetiu com firmeza.

— Por que você partiu, então? — retrucou ela, com seu tom se modificando, tornando-se sério, acusador. — Por que você estava com...? — Ela se calou, virou o rosto, depois tornou rapidamente a enfrentar o olhar dele, furiosamente. — Por que você estava com aquela garota?

Will deu um suspiro fundo e esfregou a testa.

— Lembra-se daquele livro que Everard pediu que você pegasse para ele?

— O que peguei do trovador? É claro.

— E você se lembra que tive de ir atrás de alguém que o havia roubado de nós?

— Sim — murmurou ela —, você me contou quando nos encontramos no palácio. Quando me pediu para ser sua esposa.

Will examinou o chão.

— Naquela tarde, quando Everard e eu nos preparávamos para partir, Garin de Lyons mandou-me uma carta, fingindo ser você. Nela, me pediu para ir a um encontro naquela taverna. — Will encolheu os ombros num gesto de impotência. — Fui até lá pensando que iria encontrar-me com você. Fui capturado por um homem que queria se apoderar do livro. Fizeram-me contar onde o volume estava e Garin me drogou, deitou-me sobre a cama daquele quarto e me deixou ali.

— Garin? — disse Elwen, com as sobrancelhas carregadas de confusão e raiva. Simon havia-lhe contado muito pouco naquela carta, apenas que havia mentido para ela, pois tinha conhecimento de que Will estava drogado. — Por que ele faria isso?

— Foi forçado pelo homem que me capturou — Will meneou a cabeça.
— Isso na verdade não importa; aquele homem está morto e Garin está na prisão. A única coisa que preciso que você saiba é que estava ali contra a minha vontade.

— E a garota? Como você pôde deixá-la fazer aquilo? Você deveria ter sido capaz de impedi-la. Ela era tão jovem e você estava...

— Deixá-la fazer aquilo? — Will interrompeu-a. — Eu não a *deixei* fazer nada.

Sua voz era dura, fria. Fez uma pausa para conter a raiva e falou novamente.

— Estava drogado. Não sabia o que estava acontecendo. Só consigo me lembrar de uma parte daquilo.

Franziu a testa, como se tentasse lembrar ou afastar a lembrança.

— Acho que por algum tempo pensei que fosse você. A poção sonífera e o fato de que havia ido lá para encontrá-la, tudo fez com que acreditasse nisso. Então, quando me dei conta de que não era você, fiquei paralisado. Não conseguia nem falar.

Elwen balançou lentamente a cabeça.

— Se tudo isso é verdade, por que você não se explicou? Por que partiu e nunca mais voltou? — Seus olhos se encheram de lágrimas e ela deu-lhe as costas abruptamente.

Will quis ir até ela, mas não conseguiu.

— Na manhã seguinte — continuou —, tão logo soube do que havia acontecido, quis vê-la, mas Everard me impediu. Eu... eu não sei por que dei ouvidos a ele. Realmente não me lembro. Acho que ainda estava confuso. Ele me contou sobre Garin e eu...

— Você queria vingança mais do que queria a mim — disse ela, voltando-se novamente para encará-lo. Mas seu tom era agora mais de constatação do que de acusação.

— Não posso explicar como é isso — disse Will lentamente. — Como é a sensação de ser privado da autodeterminação. Qual a sensação de ser incapaz de falar, de estar indefeso. Senti como se tivesse sido maculado por algo... Como se algo doentio e errado tivesse rastejado para dentro de mim. Não podia viver com aquilo, Elwen. Quando fomos atrás de Garin, fiquei doente. Permanecemos em Orléans por três meses. Quase morri. Quando fiquei bem novamente, Garin e o livro estavam na Terra Santa. Simon descobriu um navio de partida para cá e eu só sabia que, por mais que quisesse voltar para você, tinha de acabar aquilo. Tinha de recuperar minha autodeterminação.

— Por que você não me escreveu? — disse ela, depois de um longo instante.

— Eu tentei. Comecei uma centena de cartas. Não consegui terminar nenhuma delas. Depois o tempo foi passando e pensei que você estaria casada e teria uma família, que você estaria feliz. Não quis feri-la ou me intrometer numa vida da qual nada sabia. E estava assustado — concluiu, de modo canhestro. Depois acrescentou calmamente: — Fui um tolo.

— Sim, você foi. — Elwen apertou os lábios e depois sorriu. A expressão surpreendeu-o. — Lembra-se de como costumávamos conversar sobre a Terra Santa quando éramos mais jovens?

Will balançou morosamente a cabeça. O sorriso de Elwen se alargou.

— Quando era pequena, vivendo no palácio em Paris, costumava sonhar que viríamos para cá juntos. Quando chegava o nevoeiro nos dias de inverno, fechava os olhos e imaginava que estávamos parados num quente balcão de mármore de algum palácio dourado, com paredes e pisos adornados de joias e o mais azul dos mares imagináveis se estendendo diante de nós. — Elwen havia semicerrado os olhos. — Você vestia o manto de cavaleiro e uma armadura polida e eu usava um vestido de seda branca. Você me pegava nos braços e dizia que me amava. Adormeci com esse sonho durante anos.

Elwen abriu os braços para abranger o depósito apertado e malcheiroso, com o piso forrado de palha e as paredes rachadas e cobertas de teias de aranha. Ela riu. Era um som espontâneo e suave, não zombeteiro nem amargo.

Will olhou para ela, um sorriso repuxando a própria boca. Tentou reprimi-lo, mas então aquilo invadiu seu rosto e gargalhou com ela. Em seguida, sem que nenhum deles parecesse ter se movido, estavam nos braços um do outro. E riam, soluçavam e se abraçavam. Por fim, separaram-se, ambos constrangidos pela explosão.

— Não sei nem mesmo como você chegou aqui — disse Will.

— É uma longa história — respondeu ela, enxugando os olhos com as costas da mão — e vai ficar para outro dia. Em resumo, vim com um mercador. Um veneziano.

— Você tem onde ficar?

— Sim, com ele. — Elwen surpreendeu o olhar de Will e sorriu. — É um fornecedor da casa real em Paris. A pedido da rainha Margarida, me ofereceu trabalho e moradia aqui. Tem uma tecelagem no Quarteirão Veneziano. É um bom homem e sua esposa é uma boa mulher. Eles têm três filhas com quem estou me dando bem.

Will deu um sorriso. Lá fora, um sino soou. Olhou para trás.

— Queria conversar com você por mais tempo — disse — mas...

— Eu sei — Elwen o interrompeu. — Também tenho de ir. Eu entendo.

— Não, você não entende. Elwen, ouça. Talvez tenha de me ausentar. Será apenas por alguns dias, espero. Mas é algo que tenho de fazer. Lamento.

Elwen balançou a cabeça.

— Depois disso — Will continuou — podemos conversar mais. — Olhou para o manto. — Não sei o que nós... ou se nós...

Elwen interrompeu-o levando o dedo aos lábios.

— Não precisa dizer nada. Não temos de pensar em nada disso no momento. Ainda é tão estranho eu estar aqui. Também preciso de tempo.

Fez menção de passar por ele e sair. Depois fez uma pausa, ficou nas pontas dos dedos e beijou seu rosto.

— Eu o verei quando você retornar.

Will se deixou ficar sozinho por algum tempo depois que ela se foi e seu rosto parecia queimar no local onde ela o havia tocado.

# 47
# Templo, Acre

20 de maio de 1272

— Tenha cuidado com isso. Minha assinatura mal secou.
Will pegou o estojo de pergaminho que o príncipe Edward estendera para ele. Soltou-o dentro do alforje e apertou bem as amarras, experimentando um sentimento de responsabilidade dominá-lo. Everard havia feito mais do que solicitar sua presença na comitiva; havia pedido ao príncipe que deixasse Will liderá-la.

— Tem certeza de que está enviando homens suficientes, meu senhor príncipe?

Edward voltou-se para o grão-mestre do Hospital.

— Não estamos esperando uma batalha, mestre Hugues.

— Não sabemos, meu senhor. E ainda que os planos de Baybars sejam de honrar esse acordo, é uma cavalgada de dois dias até Cesareia. Beduínos usam a estrada. Podem pensar em atacar uma comitiva tão pequena com a intenção de saqueá-la.

— É duvidoso — interveio a voz grave de Thomas Bérard, o grão-mestre do Templo. Edward e Hugues de Revel voltaram-se enquanto ele se aproximava. Além disso, irmão — acrescentou, dirigindo-se ao mestre hospitalário —, não queremos parecer muito beligerantes. Esse é um tratado de paz, afinal.

Hugues de Revel comprimiu os lábios, mas assentiu com um breve movimento de cabeça.

— Só estava sendo cauteloso, irmão. Não queremos que nada saia errado.

Os três homens olharam para Will. O cavaleiro inclinou a cabeça.

— E nada sairá, meus senhores.

Os grão-mestres templário e hospitalário pareceram satisfeitos e deram-lhe as costas para conversar com os outros dignitários do governo de Acre que haviam comparecido para supervisionar a partida da comitiva. Edward se demorou por um momento.

— Boa sorte, Campbell — disse, depois de uma pausa.

Will observou o príncipe partir ao encontro dos três cavaleiros reais, que estavam aprontando os cavalos.

Os planos de Edward para assegurar a paz na Terra Santa haviam, até aquele momento, transcorrido mais tranquilamente do que qualquer um teria esperado. Ele também era responsável, Will sabia, pela soltura de Garin da prisão. Após quatro anos na cela, o cavaleiro havia sido libertado sem aviso prévio três dias antes. Fora procurar Will para se despedir, antes de partir pelo portão dos servos, pálido, subjugado e banido do Templo para sempre. Quando Will perguntou a Everard o que o tinha feito mudar de ideia, o padre respondeu: nosso guardião. Ao que parecia, quando Edward visitara Garin na cela, ficou comovido com sua situação. Alguns meses depois dessa visita, falou com Everard e o senescal e, quando descobriu as razões para o aprisionamento de Garin, ofereceu-se para levá-lo consigo de volta à Inglaterra. O cavaleiro, disse-lhes o príncipe, poderia ajudá-lo, num cargo puramente burocrático, com seu trabalho para a Anima Templi. Seria um trabalho duro e pouca liberdade lhe seria concedida, mas ao menos, disse o príncipe, teria uma chance de usar seu conhecimento para beneficiar a Irmandade, em vez de apodrecer inutilmente numa cela. Seguindo-se ao apelo do príncipe, Everard, que por algum tempo ouvira Will implorar-lhe que reconsiderasse a dura punição, acabou cedendo.

Mas embora parecesse não haver motivo para que Will duvidasse dos motivos do príncipe, algo em Edward ainda o deixava intranquilo, como o tênue indício de fumaça numa floresta ou uma sombra ambígua numa parede.

— William.

Will olhou na direção da voz e viu Everard arrastando os pés em sua direção, com o capuz puxado sobre os olhos, apesar do calor do dia.

— Guarde isso com cuidado — murmurou o padre, apontando com a cabeça para o alforje.

— Guardarei.

— Você carrega a esperança de todos nós.

Will surpreendeu-se ao ver lágrimas nos olhos injetados de Everard. O rosto murcho do sacerdote revelava ansiedade.

— Talvez eu devesse ir com vocês — disse, olhando para os cavaleiros reunidos no pátio, os quais atavam odres aos cintos, ajustavam elmos e espadas. Com os homens de Edward, havia seis templários, quatro hospitalários e três cavaleiros teutônicos acompanhando Will até Cesareia: uma exibição de força e unidade que demonstrava que com aquela aliança falavam por toda a Cristandade.

— Everard — disse Will com firmeza —, garantirei que isto chegue ao seu destino. Eu lhe prometo.

As rugas na face do padre se abriram num sorriso.

— Eu sei, William, eu sei — disse.

Então deu um passo para trás enquanto Will subia na cela e fazia com que o cavalo trotasse até Robert e os outros templários. Robert conversava com Simon. O cavalariço sorriu quando Will se aproximou.

— Achei um destes para você — disse, levantando um odre cheio de água.

— Já tenho um — disse Will, batendo no odre preso ao alforje.

— Certo — disse Simon, balançando a cabeça. — É claro que você tem.

— Mas não há mal algum em levar dois — disse Will, quando o cavalariço deu as costas para se retirar. — Ei — disse, estendendo a mão. — Passe-o para mim.

Quando Will amarrou o odre ao lado do outro, Simon inflou as bochechas e enfiou os polegares no cinto.

— Bem, boa sorte, então — disse.

Will deu uma risada e revirou os olhos.

— Por que todo mundo está agindo como se não fôssemos voltar? — Olhou para Robert. — Isso não inspira confiança, não é?

— Não quis dizer isso — protestou Simon.

Will sorriu.

— Nos veremos em alguns dias.

*Cesareia, 22 de maio de 1272*

A cidade de Cesareia era uma terra devastada. O cascalho dos prédios demolidos se espalhava pelo chão e as altas arcadas da catedral erguiam-se para o céu mas se interrompiam de maneira abrupta, pois o teto abobadado que um dia sustentaram se fora. Fuligem, areia e poeira eram sopradas pelas ruas desertas, através das colunatas e do interior das casas, cobrindo tudo com uma camada de pó cinzento.

Baybars, olhando colina abaixo para o resultado de uma de suas campanhas, sentia o vazio da cidade como uma pressão dentro de si. Ele se voltou para Kalawun, que cavalgava ao seu lado.

— Acamparemos dentro da cidade — disse o sultão. — Mande os batedores para se certificarem de que somos os primeiros a chegar, depois coloque guardas nas entradas. Nós os flanquearemos quando entrarem.

— Sim, meu senhor.

— Kalawun?

Baybars pausou por um instante e seus olhos deixaram Cesareia.

— Meu senhor? — atendeu o comandante.

O olhar de Baybars se concentrou nele.

— Quando chegarem, você os receberá. Faça com que os guardas retenham os outros e traga o líder a mim, sozinho. — A voz se tornou mais áspera. — Devemos ter cuidado, Kalawun. Os francos estão quase acabados nestas terras. Mais um empurrão e se retirarão por bem. Mas um animal encurralado é o que inspira mais cautela. Podem ver isso como outra oportunidade para me atacar diretamente. — Os olhos endureceram à lembrança do atentado dos Assassinos contra sua vida. — Certifique-se de que isso não aconteça.

— É claro, meu senhor.

Era o início do entardecer quando Will e os cavaleiros se aproximaram da cidade em ruínas. O sol havia tingido de âmbar os telhados e as arcadas entrecortados e, além deles, o mar quebrava de encontro à praia com ininterruptos suspiros de ímpeto. Aves marinhas voavam em círculos, agitadas pelos cavaleiros invasores. Os homens estavam em silêncio quando entraram nos muros desagregados da cidade e os cascos dos cavalos soavam alto na quietude. Para Will, parecia que estavam entrando numa sepultura ou numa igreja, um lugar consagrado onde o som de vozes humanas era irreverente.

— Estamos assinando um tratado de paz aqui? — murmurou Robert.

Will não respondeu. Para ele, Cesareia parecia o melhor lugar para assiná-lo. Isto é o que foi, ela dizia. E o pergaminho na algibeira respondia, isto é o que poderia ser.

— Não estamos sós — disse um dos homens de Edward em voz baixa.

Quando o cavaleiro falou, um lampejo dourado atraiu o olhar de Will. Montado num cavalo de guerra, num intervalo entre dois prédios semidesintegrados, havia um guerreiro mameluco. Vestia o uniforme dos *bahri*, a guarda real de Baybars. Os cavaleiros continuaram cavalgando com cautela e passaram pelo guerreiro, que os avaliou desapaixonadamente. Depois de alguns momentos, Will olhou para trás e viu que o mameluco havia saído do espaço entre os prédios. Sentiu um calafrio de medo quando mais quatro soldados montados emergiram de uma rua em frente para juntar-se a ele.

— Ali em cima — murmurou Robert, apontando com um gesto de cabeça para um telhado com vista para a rua adiante.

Parado ali, com um arco munido de flecha nas mãos, havia outro mameluco. O arco carregado do guerreiro seguia os cavaleiros enquanto avançavam sob a sua sombra. Ouviu-se um estalar de cascos sobre a pedra estilhaçada quando mais dois soldados saíram de um beco.

— O que estão fazendo? — rosnou um dos hospitalários. Tinha a mão fortemente fechada sobre o cabo da espada.

— Pastoreando-nos — resmungou um templário, quando quatro mamelucos apareceram à frente, bloqueando o caminho deles.

Os cavaleiros se juntaram e a maioria deles tinha agora as armas desembainhadas, mas os quatro soldados à sua frente não fizeram nenhum movimento para interceptá-los e simplesmente observaram sua aproximação.

— Acho que querem que sigamos por este caminho — disse Will, quando a comitiva chegou a uma encruzilhada

À esquerda deles havia uma avenida larga, coberta de detritos, que se estendia rumo à catedral, cujos arcos decepados estavam manchados de vermelho pelo sol que afundava no horizonte escuro do mar. Dentro da estrutura esquelética da catedral, o restante dos mamelucos havia montado acampamento. Will pôde distinguir cavalos, carroças e muitos homens, talvez uma centena ou mais, movendo-se em torno das brilhantes colunas de fumaça produzidas pelas tochas.

— Vamos — disse calmamente para os outros, conduzindo o cavalo pela avenida vazia, enquanto os mamelucos os seguiam.

Will havia se sentido tenso e agitado quando Everard lhe contou que iria liderar a comitiva, um sentimento que havia persistido até a companhia deixar a segurança dos muros de Acre. Porém, estranhamente, enquanto cavalgavam para dentro das terras inimigas, os nervos haviam se apaziguado e ele se acalmou. Era bom estar na estrada, deslocando-se rumo a algo tão decisivo, tão significativo. Isso também lhe tinha dado tempo para pensar em Elwen e os lânguidos momentos íntimos que se permitiu com esses pensamentos afastaram sua mente do destino para o qual rumava. Mas então, apanhado pela quietude opressiva da cidade morta, com os gritos erráticos dos pássaros e o silêncio dos soldados que os seguiam, um sentimento cada vez mais profundo de temor pressionava o pequeno séquito por todos os lados.

Pensou no destino do pai nas mãos daqueles homens e dos avisos de Everard, que havia rejeitado com tanta segurança. Pensou em Elwen. A imagem do rosto dela preencheu sua mente e tomou a decisão de que, não importava o que sucedesse naquela noite, sobreviveria. Mas quando os soldados mamelucos se aproximaram por trás deles e a distância entre a companhia de cavaleiros e o pequeno exército dos homens dentro da catedral diminuiu, zombou de si mesmo, em sua mente, como um tolo.

Os cavaleiros se aproximaram da catedral e um grupo de sete mamelucos chegou cavalgando para juntar-se a eles. Na dianteira, vinha um homem alto, vestido com o manto e a armadura de alguém de elevada posição. O grupo se deteve a curta distância e o homem alto desmontou. A comitiva de Will estacou quando o oficial caminhou na direção deles.

— Emboscados — disse um dos templários, olhando em volta para a fileira de mamelucos que bloqueavam a rua, mal chegando a dez homens, 20 metros atrás deles.

Will desmontou e abriu o alforje. Ao lado dele, Robert saltou do seu cavalo, enquanto o homem alto parou a uma pequena distância deles.

— *As-Salamu Alaikum* — cumprimentou Will, encarando o homem, na esperança de que os anos traduzindo tratados árabes tornassem seu vocabulário compreensível. — Meu nome é William Campbell e vim encontrar-me com o sultão Baybars em nome do príncipe Edward da Inglaterra e da Comuna de Acre.

O homem alto sorriu ao ouvir a pronúncia canhestra de Will, mas seu divertimento pareceu mais benevolente do que zombeteiro.

— *Alaikum As-Salaam*, William Campbell — respondeu, falando lentamente para que Will pudesse entendê-lo. — Sou o emir Kalawun. Você tem o tratado?

Franziu as sobrancelhas quando Will não respondeu e repetiu a pergunta.

— Tenho — respondeu Will, estudando o homem atentamente.
— Venha comigo. Seus homens podem esperar aqui.
— O que ele disse? — perguntou um dos guardas de Edward a Will.

Quando esse lhes contou, Robert sacudiu a cabeça.

— Não. Diga-lhe que isso é inaceitável. Devemos ir com você.

Will não tirou os olhos de Kalawun. O comandante mameluco, embora de físico imponente, tinha um ar de calma e uma inteligência sutil nos olhos castanhos. Um diplomata, pensou Will, no corpo de um guerreiro. Achou a combinação interessante.

— Está tudo bem — disse a Robert. — Vou sozinho. Não acho que tenhamos escolha.

Kalawun levantou a palma da mão quando Will se aproximou.

— Você deve deixar a espada aqui — disse.

Will hesitou. Depois desafivelou o cinto que prendia a arma e largou o alfanje na poeira.

— Caminhe até mim — disse Kalawun, calmamente. — Levante os braços.

Apalpou os lados do corpo de Will e em torno da cintura, à procura de armas ocultas.

— Você conheceu meu pai — disse Will em voz baixa, enquanto Kalawun verificava as mangas. — James Campbell. Everard de Troyes falou-me de você.

Kalawun parou com as mãos em torno do punho de Will. Olhou para os guardas *bahri* atrás de si, mas estavam longe do alcance da audição.

— Não posso afirmar que o conheci — disse, verificando a outra manga. — Nunca nos encontramos face a face. Teria sido muito perigoso para mim. Mas sinto como se o conhecesse.

— Estou continuando a obra de meu pai — disse Will, entre dentes.

— Então, talvez nos encontremos novamente, William Campbell. — Kalawun deu um passo para trás. — Por enquanto, vamos levar seu tratado de paz até o sultão.

Fez menção de afastar-se, mas então se deteve.

— Tenha cuidado — murmurou. — O sultão Baybars não tem apreço pelo seu povo, especialmente os da sua Ordem, e está em alerta em consequência de um recente atentado dos Assassinos contra sua vida, um atentado que acredita que tenha sido instigado pelos francos. Não faça movimentos súbitos e só fale se ele se dirigir a você. Os guardas dele têm ordens para matá-lo se suspeitarem que pretende fazer-lhe algum mal.

As entranhas de Will se reviravam de um modo incômodo enquanto caminhava com Kalawun pela longa avenida até o acampamento iluminado por tochas, passando por dezenas e dezenas de homens e estandartes estampados com crescentes e estrelas. A cruz vermelha no seu manto parecia arder como a luz de um farol, atraindo todos os olhares sobre ele, fazendo com que se sentisse terrivelmente em evidência.

Dentro da catedral, sobre o que deveria ter sido o coro, agora apenas um leito elevado de pedras rachadas, haviam assentado um trono, com os braços guarnecidos por dois leões de ouro. Degraus arruinados conduziam até ele e as duas paredes remanescentes que o emolduravam estavam laceradas em alguns pontos por fissuras gigantescas, através das quais Will podia ver o mar. Sobre o trono, ereto e resplandecente no robe bordado a ouro e na reluzente armadura ornamentada, sentava-se Baybars Bundukdari, "A Besta", sultão do Egito e da Síria e assassino de seu pai.

Ouviu-se um som sibilante quando Will e Kalawun se aproximaram dos degraus. Will pôde ver um personagem maltrapilho vestido com um robe cinzento encolhido junto à escada ao lado do coro, observando-o com olhos verdes chispantes e dentes expostos. Atrás desse homem havia cinco guerreiros *bahri*, todos com bestas apontadas para Will.

— Pode se aproximar do sultão — disse Kalawun ao seu lado, impulsionando-o levemente.

Will obedeceu, cautelosamente, com os olhos baixos em sinal de respeito. O coração tamborilava rapidamente no peito. Quando alcançou o último degrau, ele se curvou, depois levantou a cabeça.

Foi com um sobressalto que Will enfrentou os olhos azuis penetrantes de Baybars, um dos quais tinha um estranho brilho, causado por um defeito esbranquiçado em forma de estrela. Enquanto contemplava aqueles olhos, uma voz em sua mente começou a entoar: *este homem matou seu pai, você tentou matar este homem.* As palavras soaram tão claras e certas que por um terrível segundo Will pensou tê-las dito em voz alta.

Estava a apenas centímetros do homem que havia ordenado a morte de seu pai, do homem que os Assassinos haviam tentado matar e fracassaram. Will imaginou-se estendendo as mãos e fechando-as em torno da garganta de Baybars. Apertando-a. Sabia que estaria morto antes de tocar o sultão, cravejado por dardos de besta. Mas não foi isso que o impediu. A imagem fez com que um dissabor despertasse nele. Aquilo com que, apenas um ano atrás, havia sonhado com fervor, frequentemente, agora parecia inadequado, até mesmo mesquinho. A necessidade de vingança havia realmente morrido. A constatação o surpreendeu.

Tudo isso revoluteou pela mente de Will numa questão de segundos e então ele se inclinou para a frente, estendendo o tratado de paz.

Baybars não se moveu. Will hesitou, depois retraiu ligeiramente o braço.

Depois de uma longa pausa, durante a qual escrutinou Will intensamente, Baybars finalmente falou, com seu árabe vívido e rico.

— Qual é o seu nome, cristão?

— William Campbell.

Os momentos se arrastaram, preenchidos pelos avanços e recuos do mar, antes que Baybars falasse novamente.

— Você tem um tratado para mim, William Campbell?

Will entregou-lhe o rolo de pergaminho, sentindo que cada olho na catedral estava posto sobre ele. Quando Baybars pegou o estojo, seus dedos tocaram-no brevemente, pele roçando pele. O sultão abriu-o e desenrolou os dois pergaminhos que estavam acondicionados dentro dele. Analisou-os com cuidado, depois gesticulou para um homem vestindo um robe de seda verde e um turbante adornado de joias, que estava parado num dos lados, com um pequeno grupo de outros homens vestidos de maneira semelhante. Will supôs que fossem conselheiros. O homem se aproximou, pegou os pergaminhos, leu-os, depois os passou novamente a Baybars, com um aceno de cabeça. Outro se adiantou, segurando uma bandeja de vidro sobre a qual havia um pequeno frasco e uma pena. Will esperou enquanto o sultão assinava os pergaminhos, depois Baybars entregou um dos rolos e o estojo de volta para ele.

E assim estava feito, um tratado de paz para durar dez anos, dez meses, dez dias e dez horas, garantindo aos francos a posse das terras que já detinham e o uso da estrada de peregrinação a Nazaré.

Todos pareceram relaxar quando Baybars se recostou no trono e Will colocou o pergaminho novamente no estojo.

Will ouviu uma voz atrás de si.

— Venha — disse Kalawun, que havia subido os degraus. — Eu o escoltarei de volta aos seus homens.

Will não se moveu; continuou parado ali, encarando o sultão. Os besteiros ficaram tensos. Will sentiu Kalawun pousar a mão em sinal de alerta sobre seu ombro. Baybars franziu o cenho e se inclinou para a frente, os olhos apertados pela desconfiança. Will falou rapidamente.

— Meu senhor sultão, gostaria que me fosse concedida a permissão de viajar sem impedimentos até a fortaleza de Safed. Meu pai foi morto lá durante o cerco e gostaria de enterrá-lo e prestar-lhe os meus respeitos. Sei que não tenho o direito de pedir-lhe e que o senhor não tem motivo para outorgar isso, mas... — Vacilou, a confiança se deixou escorrer, a língua movia-se desajeitadamente em torno das palavras estrangeiras. — Mas tinha de pedir.

Pelo canto do olho, Will notou que os guardas e conselheiros trocavam uma mistura de olhares surpresos, divertidos e de desprezo. Atrás dele, Kalawun pareceu enrijecer. Baybars pareceu estudar Will com interesse renovado por alguns momentos. Depois balançou a cabeça.

— Concedo o seu pedido — disse, em meio à quietude. — Mas você irá sem seus homens e será escoltado pelos meus. — Sem tirar os olhos de Will, gesticulou a dois dos besteiros, que abaixaram as armas e se adiantaram. — Levem-no até Safed — disse. — Depois escoltem-no de volta a Acre.

— Obrigado — murmurou Will.

— Agora concluímos — respondeu Baybars, recostando-se no trono e agarrando as cabeças de leão. — Você pode ir.

Will virou-se e se afastou do trono, desceu os degraus e saiu da catedral, com o corpo todo zunindo por causa da liberação da tensão. Do lado de fora, estava quase totalmente escuro e a luz amarelo-prata da lua pairava sobre a cidade.

— Aquilo foi uma tolice — disse Kalawun em voz calma, quando se aproximaram da companhia de cavaleiros à espera, com os dois *bahri* que Baybars escolhera para escoltar Will seguindo logo atrás deles.

— Tinha de fazê-lo — disse Will, parando para apanhar o alfanje da rua onde o havia deixado.

— Entendo. — Kalawun inclinou a cabeça. — Que a paz esteja com você, William Campbell.

— E também com você.

Kalawun caminhou pela rua afastando-se dele.

— O homem assinou?

Will se voltou quando Robert se aproximou por trás dele.

— Sim — respondeu. — Preciso que você cuide para que o tratado chegue em segurança a Acre.

— Do que você está falando? — perguntou Robert, franzindo o cenho.
— Para onde você vai?

Will sorriu ao entregar o estojo do pergaminho a Robert.

— Pôr um fantasma para descansar.

# NOTA DA AUTORA

Tinha clareza desde a concepção inicial do romance, cinco anos atrás, de que pretendia contar a história das Cruzadas sob os pontos de vista tanto do Oriente quanto do Ocidente. Os homens reais por trás dos mitos longevos ligados aos templários me fascinavam, mas também a ascensão extraordinária do guerreiro mameluco Baybars, que continua sendo, no Oriente Médio, um herói até os dias de hoje.

Ao escrever este romance, tentei manter-me tão fiel a eventos reais, personagens e detalhes do período quanto me fosse possível, sem sacrificar ritmo ou enredo, e o resultado é que às vezes a obra se enraíza em fatos, às vezes em pura imaginação e, ocasionalmente, é uma mistura das duas coisas. Eventos em Ayn Jalut, Safed e Antioquia, por exemplo, provavelmente aconteceram de forma muito semelhante à descrita por mim. A Anima Templi é invenção minha, embora tenha baseado livremente o *Livro do Graal* de Everard num certo romance do Graal do século XIII, o *Perlesvaus*, uma obra anônima cheia de imagens não ortodoxas, que alguns pensam ter sido escrita por um templário. Do mesmo modo, o ataque contra a companhia templária em Honfleur é fictício, mas o rei Henrique III foi forçado a penhorar as joias da coroa inglesa à Ordem devido a débitos que não era capaz de pagar.

Para obter detalhes do período, fiei-me em mais de uma centena de fontes, a maioria puramente factuais, alguma ligeiramente mais fantasiosas, muitas contraditórias, todas elucidativas. Mas aquelas em que me baseei mais profundamente vale a pena mencionar, pois são inestimáveis e certamente merecem ser lidas por qualquer um que deseje saber mais sobre esse incrível período, cuja superfície consegui apenas arranhar. Essas obras são a assombrosa trilogia de Steven Runciman, *História das Cruzadas;* Os templários de Piers Paul Read; *The Knights Templar: A New History*, de Helen Nicholson; *The Wars of the Crusades*, de Terence Wise; *The Cross and the Crescent: A History of the Crusades*, de Malcolm Billings; *The Trial of the Templars*, de Malcolm Barber; e *History of Medieval Life: A Guide to Life from 1000 to 1500 AD*, de David Nicolle.

Agradeço por ter sido autorizada a reproduzir duas linhas de *A canção de Rolando*, traduzida para o inglês por Dorothy L. Sayers, Penguin Books, 1957. Devo também dar créditos ao historiador Malcolm Barber, autor de *The Trial of the Templars*, 1978, de que tirei duas citações de Bernard de Clairvaux e no qual aparece a tradução de um testemunho sobre uma iniciação templária, que se demonstrou útil ao meu próprio retrato das investiduras da Ordem.

Robyn Young.<br>Agosto de 2005.

# GLOSSÁRIO

**ACRE:** cidade na costa da Palestina, conquistada pelos árabes em 640 d.C. Foi capturada pelos cruzados no início do século XII e tornou-se o principal porto do novo Reino Latino de Jerusalém. Era governada por um rei, mas em meados do século XIII a autoridade real foi contestada pelos nobres francos locais e dessa época em diante a cidade, com 27 bairros, foi liberalmente governada por uma comuna.

**AIÚBIDAS:** dinastia que governou Egito e Síria durante os séculos XII e XIII, responsável pela criação do exército (escravo) mameluco. Saladino proveio dessa linhagem e durante seu reino os aiúbidas atingiram o auge do poder. O último aiúbida foi Turansah, morto por Baybars sob as ordens do comandante mameluco Aibek, encerrando a dinastia e dando início ao reinado dos mamelucos.

**ASSASSINOS:** seita extremista fundada na Pérsia no século XI. Os Assassinos eram adeptos da divisão ismaelita da fé muçulmana *shi'a* (xiita) e, ao longo dos anos seguintes, espalharam-se por vários países, incluindo a Síria. Ali, sob o comando do líder mais famoso, Sinan, o Velho da Montanha, formaram um Estado independente, sobre o qual detiveram controle até acabarem incluídos nos territórios mamelucos controlados por Baybars.

**BERNARD DE CLAIRVAUX, SÃO.** Abade e fundador do monastério cisterciense em Clairvaux, na França. Um dos primeiros adeptos dos templários, ajudou a Ordem a criar sua Regra.

**BESANTE:** moeda de ouro do período medieval, cunhada primeiramente em Bizâncio.

**CALIFA:** título dado aos governantes, civis e religiosos, da comunidade muçulmana, considerados os sucessores de Maomé. O califado foi abolido em 1924, pelos turcos.

**CANHÃO:** armadura usada para proteger os antebraços.

**CAVALEIROS DE SÃO JOÃO:** ordem fundada no fim do século XI. Os integrantes ficaram conhecidos como hospitalários, porque o hospital de São João Batista, em Jerusalém, foi o primeiro quartel-general. O propósito inicial era prestar cuidados aos peregrinos cristãos, mas depois da Primeira Cruzada os objetivos mudaram dramaticamente. Conservaram os hospitais, mas a preocupação principal tornou-se a defesa de seus castelos na Terra Santa, recrutar cavaleiros e adquirir terras e propriedades. Desfrutavam de poder e status similares aos dos templários e as duas ordens eram frequentemente rivais. Após o fim das Cruzadas, os cavaleiros de São João transferiram o quartel-general para Rodes e mais tarde para Malta, onde passaram a ser conhecidos como os cavaleiros de Malta.

**CAVALEIROS TEUTÔNICOS:** ordem militar de cavalaria, semelhante às dos templários e hospitalários, originada na Germânia. Foi fundada em 1198 e durante seu período na Terra Santa foi responsável por guardar a área a nordeste de Acre. Já no século XIII havia conquistado a Prússia, que posteriormente se tornou sua base.

**CIRCUNVALAÇÃO:** fortificação que circunda um castelo.

**CRUZADAS:** movimento europeu do período medieval, impelido por ideais econômicos, religiosos e políticos. A Primeira Cruzada foi pregada em 1095 pelo papa Urbano II, em Clermont, na França. O chamado à Cruzada veio inicialmente como resposta a apelos do imperador grego em Bizâncio, cujos domínios haviam sido invadidos pelos turcos seldjúcidas, que capturaram Jerusalém em 1071. As igrejas católicas romana e ortodoxa grega estavam divididas desde 1054 e Urbano viu nesse litígio a oportunidade para reunir ambas e, ao fazer isso, garantir ao catolicismo uma posse mais firme sobre o mundo oriental. O objetivo de Urbano foi alcançado apenas de maneira breve e imperfeita, na esteira da Quarta Cruzada, de 1204. Ao longo de dois séculos, mais de 11 Cruzadas à Terra Santa partiram das praias da Europa.

***DESTRIER:*** francês antigo para cavalo de guerra.

**DOMINICANOS:** a ordem, cuja regra era baseada na de Santo Agostinho, foi fundada em 1215, por Domingos de Gusmão, na França. Gusmão, que promovia um estilo austero de catolicismo evangélico, usou a nova ordem para ajudar a Igreja a erradicar os hereges cátaros. Na Inglaterra, eram conhecidos como Frades Negros (*Black Friars*); na França, como jacobinos. Os dominicanos, que continuaram a crescer rapidamente após a morte de Gusmão, abstinham-se dos luxos desfrutados por muitos membros do clero e eram altamente educados. Em 1233, foram escolhidos pelo papa com a finalidade de extirpar os hereges e nomeados inquisidores oficiais. Por volta de 1252, os inquisidores foram autorizados a recorrer à tortura para obter confissões e muitos dominicanos se tornaram membros ativos dessa instituição recém-estabelecida, que viria a se tornar conhecida como a Inquisição.

**EMIR:** palavra árabe para comandante, também usada como título para alguns governantes.

**FOGO GREGO:** inventado pelos bizantinos no século VII, era uma mistura de salitre, enxofre e nafta, usado na guerra para incendiar navios e fortificações.

**FRANCOS:** no Oriente Médio, o termo francos (*al-Firinjah*) referia-se aos cristãos ocidentais. No Ocidente, era o nome da tribo germânica que conquistou a Gália no século VI, que posteriormente se tornou conhecida como França.

**GRÃO-MESTRE:** líder de uma ordem militar. O grão-mestre dos Templários era vitalício e eleito por um conselho de oficiais templários. Até o fim das Cruzadas, tinha como base os quartéis da Ordem na Palestina.

**GREVAS:** armaduras usadas para proteger as canelas.

**JIHAD:** com o significado de "lutar", a palavra pode ser interpretada tanto em sentido físico quanto espiritual. No físico, significa a guerra santa em defesa do Islã e sua disseminação. No espiritual, é a luta interior dos indivíduos muçulmanos contra as tentações mundanas.

**LEONARDIE:** doença desconhecida cujos sintomas eram semelhantes aos do escorbuto, incluindo letargia grave, descamação ou perda de pele e queda de cabelo. Diz-se que Ricardo Coração de Leão foi acometido por ela.

**MADRAÇAL:** escola religiosa dedicada ao estudo da lei islâmica.

**MAMELUCOS:** originário da língua árabe, significando "escravo", o nome foi dado à guarda real, principalmente a descendentes de turcos, comprados e criados pelos sultões aiúbidas do Egito para formar um exército permanente de devotos guerreiros muçulmanos. Conhecidos em seus dias como "os templários do Islã", alcançaram supremacia em 1250, quando assassinaram o sultão Turansah, sobrinho de Saladino, e tomaram o controle do Egito. Sob Baybars, o império mameluco cresceu até englobar Egito e Síria e foi finalmente responsável por remover a influência dos francos no Oriente Médio. Após o fim das Cruzadas, em 1291, o reinado dos mamelucos continuou até serem depostos pelos turcos otomanos, em 1517.

**MÁQUINA DE SÍTIO:** qualquer máquina usada para atacar fortificações durante cercos.

**MARECHAL:** na hierarquia templária, o principal oficial militar.

**MONGÓIS:** povos tribais nômades que viveram nas estepes da Ásia oriental até o fim do século XII, quando se uniram sob Gêngis Khan, que estabeleceu sua capital em Karakorum e partiu para uma série de imponentes conquistas. Quando Gengis Khan morreu, seu império se estendia pela Ásia, Pérsia, pelo sul da Rússia e pela China. A primeira grande derrota dos mongóis veio pelas mãos de Baybars e Kutuz em Ayn Jalut, em 1260, e o império iniciou um declínio gradual no século XIV.

**MUÇULMANOS *SHI'A* E SUNITAS:** dois ramos do Islã, formados durante o cisma que se ergueu após a morte de Maomé, sobre a questão de quem deveria ser o sucessor. Os sunitas, formando a maioria, acreditavam que ninguém poderia verdadeiramente suceder o Profeta e indicaram um califa como líder da comunidade muçulmana. Os sunitas reverenciam os quatro primeiros califas designados após a morte de Maomé, cujo exemplo seguem como o costume (*sunna*) que todos os muçulmanos deveriam seguir. Os *shi'a* (xiitas) elegem como figura de autoridade o imã, a quem consideram herdeiro do Profeta, descendente da linhagem de Ali, genro de Maomé, o quarto califa e único que reverenciam, rejeitando os três primeiros e as tradições da crença sunita.

**OUTREMER:** palavra francesa que significa "além-mar", referindo-se à Terra Santa.

**PALAFRÉM:** cavalo leve usado em cavalgadas normais.

**PARLAMENTAÇÃO:** discussão para debater pontos de uma disputa, mais comumente os termos de uma trégua.

**PRECEPTORIA:** nome latino para as casas administrativas das ordens militares, que teriam sido semelhantes a solares, com dependências domésticas, oficinas e geralmente uma capela.

*QUINTAIN:* dispositivo para treinamento de precisão usado na prática das justas, consistindo de uma estrutura de madeira montada sobre um poste, que o cavaleiro deveria golpear com a lança; ou um anel pendurado em uma corda, que o cavaleiro teria de encaixar na ponta da lança.

**REGRA, A:** a Regra do Templo foi redigida em 1129, com a ajuda de Bernard de Clairvaux, no Concílio de Troyes, no qual o Templo foi formalmente reconhecido. Foi escrita em parte como regra religiosa, em parte como código militar, e estabelece como os membros da Ordem deveriam viver e se conduzir durante os combates. A Regra foi aumentada ao longo dos anos e, por volta do século XIII, havia mais de seiscentas cláusulas, algumas mais sérias do que as outras, cuja violação implicaria a expulsão do infrator.

**REINO DE JERUSALÉM:** o Reino Latino de Jerusalém foi fundado em 1099, seguindo-se à captura de Jerusalém pela Primeira Cruzada. O primeiro governante foi Godofredo de Bouillon, um conde franco. A cidade tornou-se a nova capital cruzada, mas foi perdida e recuperada várias vezes ao longo dos dois séculos seguintes, até ser definitivamente reclamada pelos muçulmanos em 1244, depois do que a cidade de Acre se tornou a capital dos cruzados. Três outros Estados foram formados pelos invasores ocidentais durante as primeiras cruzadas: o Principado de Antióquia e os Condados de Edessa e Trípoli. Edessa foi perdida em 1144, capturada pelo líder seldjúcida Zengi. O Principado de Antióquia caiu sob Baybars em 1268; Trípoli, em 1289; e Acre, a última das cidades importantes mantidas pelos cruzados, caiu em 1291, assinalando o fim do Reino de Jerusalém e do poder ocidental no Oriente Médio.

**REPÚBLICAS MARÍTIMAS:** as cidades-Estado mercantis italianas de Veneza, Gênova e Pisa.

**RICARDO CORAÇÃO DE LEÃO (1157-99):** filho de Henrique II e Eleanor de Aquitânia, reinou sobre o trono da Inglaterra de 1189 até sua morte, em 1199, mas passou muito pouco tempo no reino. Com Frederico Barba-Ruiva e Filipe II da França, liderou a Terceira Cruzada a fim de recuperar Jerusalém, que havia sido tomada por Saladino.

**ROMANCE DO GRAAL:** ciclo de romances populares correntes durante os séculos XII e XIII, o primeiro dos quais foi *José de Arimateia*, escrito por Robert de Borron no fim do século XII. A partir dessa época, o Graal, conceito que se crê derivado da mitologia pré-cristã, foi cristianizado e adotado pela lenda arturiana, que se tornou famosa graças ao poeta francês do século XII Chrétien de Troyes, cuja obra influenciou autores posteriores, como Malory e Tennyson. O século seguinte viu muitos outros exemplos do tema do Graal, incluindo o *Parcifal*, de Wolfram von Eschenbach, que inspirou a ópera de Wagner. Romances eram histórias cortesãs, geralmente compostas em versos vernáculos, que combinavam temas históricos, míticos e religiosos.

*SADEEK*: palavra árabe para "amigo" (homem).

**SALADINO (1138-93):** de origem curda, tornou-se sultão do Egito e da Síria em 1173, depois de vencer diversas batalhas pelo poder. Saladino liderou seu exército contra os cruzados em Hattin e impingiu aos francos um golpe devastador. Reclamou a maior parte do Reino de Jerusalém, criado pelos cristãos durante a Primeira Cruzada, levando à convocação da Terceira Cruzada, que o opôs a Ricardo Coração de Leão. Saladino foi um herói para todo o Oriente islâmico, mas também foi admirado, e temido, pelos cruzados pela coragem e pelo espírito nobre.

**SARRACENOS:** no período medieval, termo usado pelos europeus para todos os árabes e muçulmanos.

**SENESCAL:** camareiro ou oficial-chefe de uma propriedade. Na hierarquia do Templo, detinha uma das posições mais altas.

**SOBRECOTA:** longa veste de linho ou seda sem mangas, geralmente usada sobre a cota de malha ou a armadura.

**TOMAR A CRUZ:** partir para uma Cruzada, termo derivado das cruzes de tecido que eram entregues àqueles que prometiam tornar-se cruzados.

*USCIERE*: navio de carga destinado aos cavalos, geralmente incluindo dois deques, um dos quais era capaz de transportar mais de cem animais. O outro era usado para máquinas de sítio e carroças.

**VELINO:** pergaminho usado para escrever, mais comumente extraído da pele de vitelo.

**VISITADOR:** posto dentro da hierarquia do Templo, criado no século XIII. O visitador, que devia obediência somente ao grão-mestre, era o regente de todas as posses do Templo no Ocidente.

Este livro foi composto na tipologia Minion Pro,
em corpo 11,5/15,3, e impresso em papel off-white 80g/m²,
no Sistema Cameron da Divisão Gráfica
da Distribuidora Record.